KU-166-802

Guía para
el cuidado de tu hijo

Dra. Miriam
Stoppard

Guía para
el cuidado de **tu hijo**

grijalbo

Para Will y Ed

Un libro original de

DORLING KINDERSLEY

EDICIÓN REVISADA

Director editorial	Corinne Roberts
Director artístico	Lynne Brown
Editor jefe	Julia North
Editor de arte	Karen Ward
Editor	Jinny Johnson
Producción	Maryann Rogers

Primera edición publicada por Dorling Kindersley en 1995

Reimpreso en 1995, 1996, 1997 , 2003

Título original:
COMPLETE BABY AND CHILD CARE
Traducido de la edición original
de Dorling Kindersley Limited, Londres

ISBN: 84-253-3692-9

Composición: Revertext, S.L.
Reproducido por Colourscan, Singapur
Impreso en Singapur por Star Standard Industries (Pte.) Ltd

PREFACIO

Apenas si parece que quede espacio para otro libro sobre bebés. Sin embargo, después de haber trabajado en este tema durante más de veinte años, siempre he tenido la sensación de que hasta en los mejores libros sobre bebés quedan huecos por cubrir. Muy pocos se ocupan de los niños de tres a cinco años, por ejemplo. También estoy segura de que las mujeres que tienen niños con necesidades especiales o con achaques crónicos y discapacidades, tendrán la impresión de que la mayoría de libros sobre bebés se quedan cortos, incluido el mío, porque no se da en ellos suficiente espacio o énfasis a aquello que les sucede a sus propios bebés. Los padres siguen siendo un grupo al que se presta poca atención, y hay una tendencia a pasar por alto el impacto causado por la llegada de un nuevo ser a la familia. En los años noventa, con un número cada vez mayor de madres trabajadoras, atender de forma debida al cuidado del niño es un problema más universal que nunca.

En mis libros anteriores nunca hubo espacio suficiente para abordar temas importantes, como el cuidado de los gemelos, para ilustrar el tratamiento de las enfermedades, desde el oído pegajoso hasta la hidrocefalia, y para afrontar temas complicados como los primeros auxilios al bebé. Pero, sobre todo, tengo la sensación de no disponer nunca de libertad suficiente para explicar cómo se relaciona el desarrollo físico, mental y social del bebé con la adquisición de nuevas habilidades. Se trata de un tema fundamental para los padres. Por ejemplo, si no se sabe que el bebé no puede tener la vejiga llena de orina hasta que no hayan madurado sus nervios y músculos, los padres seguirán imponiendo el «entrenamiento del lavabo», una idea completamente anticuada y cruel.

El ámbito de este libro me ha proporcionado la oportunidad de zambullirme en algunos de esos huecos, y de ampliar los temas relacionados con esos dos importantes años preescolares. Los niños de tres años realizan avances enormes en todos los campos del desarrollo cuando se les lleva al jardín de infancia y a las clases de preescolar, y necesitan una gran dosis de paciencia, comprensión y apoyo de los padres para poder realizar todo su potencial que es, al fin y al cabo el derecho natural del niño.

Así pues, y además de tratar los aspectos cotidianos del cuidado del bebé y del niño, este libro abarca también la adquisición de habilidades, el papel de los padres como maestros y las diferencias entre niños y niñas pequeños, algo sobre lo que he anhelado escribir desde hace dos décadas, para ofrecer a los padres una guía acerca de cómo atesorar y nutrir las mejores partes de ser una niña o un niño.

En los veinte años que llevo escribiendo sobre el cuidado de los niños, siempre me he marcado el objetivo de ayudar a los padres a sentirse independientes, seguros y libres de seguir sus instintos, que casi siempre son correctos. Por primera vez tengo la sensación de que dispongo de espacio para hacerlo así. En este libro voy a poder completar, aumentar e introducir las más recientes investigaciones en muchos ámbitos, sobre los que previamente me sentí limitada. Aunque este libro no es definitivo, es casi tan completo como siempre había confiado que fuese.

ÍNDICE

Introducción

Tanto si es usted una madre que espera su primer bebé, como si acaba de dar a luz, o es un padre que espera un hijo o que ha sido padre hace poco, quizá experimente inquietudes ante su nuevo papel. No se preocupe: aunque ser madre o padre es una de las tareas más responsables y desafiantes que existen, también es de las más gratificantes.

El bebé recién nacido

Usted acaba de experimentar el surgimiento de una nueva vida. Probablemente, su bebé es más pequeño de lo que había imaginado y le parecerá muy vulnerable. Quizá se sienta abrumada por sensaciones de alegría, pero también por la ansiedad de saber si el bebé está bien, si los sonidos y movimientos que efectúa son normales. La comadrona o el médico podrán tranquilizarla, y le sorprenderá lo mucho que puede hacer ya su bebé.

Cuidados diarios

En los primeros meses de vida, el niño depende de usted para todo: tendrá que alimentarlo, vestirlo, cambiarlo y llevarlo de un lado a otro. Si es su primer hijo, es inevitable que se sienta nerviosa. Quizá se pregunte si toma leche suficiente, si aumenta de peso con la adecuada rapidez, si se despierta demasiado durante la noche o por qué parece llorar tanto. Le sorprenderá observar con qué rapidez la preocupación por su bebé se convierte en una segunda naturaleza para usted; de hecho, apenas si podrá creer que hubo un tiempo en que ni siquiera sabía cómo cambiar un pañal. También le sorprenderá la rapidez con la que el niño empieza a hacer cosas por sí mismo: a alimentarse con cuchara, a caminar, a vestirse, a usar el orinal... Al cabo de muy pocos años podrá atender sus propias necesidades básicas y estará preparado para asistir a la escuela.

Juego y desarrollo

Compartir el placer de su hijo por la adquisición de nuevas habilidades y conocimientos es una de las alegrías más grandes de la maternidad y de la paternidad. También es lo más importante que puede usted hacer para promover el desarrollo de su hijo: físicamente, al permitirle explorar sus propias capacidades en un ambiente desafiante y seguro; mentalmente, al disponer de tiempo para hablar y jugar con él; y socialmente, al ofrecerle el amor y la seguridad que lo convertirán en un niño bien adaptado y feliz. Durante estos primeros años el juego es la principal herramienta del niño para aprender. Al comprender cómo aprende y se desarrolla podrá ayudarle a sacar el mayor provecho posible del juego y de sus juguetes.

Vida familiar

Por mucho que haya cambiado su vida por el hecho de haberse casado o decidido vivir con otra persona, el nacimiento de su hijo la cambiará todavía más. Tendrá que equilibrar las necesidades de su cónyuge y las necesidades del bebé con las suyas propias. Si ha tenido gemelos, necesitará ayuda práctica y apoyo. La familia ampliada empezará a tener repentinamente una mayor importancia en su vida. El que considere eso como algo bueno dependerá de toda una serie de factores personales, pero no cabe la menor duda de que su hijo se beneficiará del afecto que reine en sus relaciones, algo que sigue siendo cierto, e incluso más especialmente, si la relación entre usted y su cónyuge se encuentra sometida a tensiones.

Niños con necesidades especiales

Cada madre desea que su hijo crezca feliz, se convierta en un adulto bien adaptado y lleve una vida rica y gratificante. Conseguirlo va a exigir una gran cantidad de esfuerzo extra por su parte, sobre todo si su hijo tiene necesidades especiales, lo que se aplica a una amplia variedad de niños, desde aquellos que están especialmente bien dotados, hasta los que han nacido con una enfermedad física crónica, como la parálisis cerebral. Si su hijo está enfermo, tendrá usted que afrontar al mismo tiempo sus propios sentimientos de confusión, ansiedad y quizá culpabilidad. No obstante, y con el transcurso de los meses, después de establecido el diagnóstico de la enfermedad de su hijo, aprenderá usted mucho sobre qué puede hacer para ayudarlo, y es casi seguro que afrontará la situación mucho mejor de lo que le había parecido posible. Existen numerosas redes de apoyo que ofrecen ayuda a padres de hijos con necesidades especiales: procure utilizarlas.

Medicina y cuidado de la salud

Es usted responsable de promover la buena salud de su hijo, detectar cuándo está enfermo y actuar en consecuencia. Su hijo no siempre podrá decirle lo que le pasa, pero usted desarrollará una sensibilidad especial para detectar las señales de que sucede algo, y sabrá cuándo podrá cuidarlo por sí misma y cuándo tendrá que buscar a un médico. Su deber como madre/padre consiste en aprender los procedimientos básicos de primeros auxilios, y debería asistir a un curso de formación al respecto, en lugar de aprenderlo de un libro. (Puede ponerse en contacto para ello con la delegación local de la Cruz Roja, donde le informarán.) Asegúrese de aprender bien los procedimientos de primeros auxilios en casos de urgencia, y refresque su memoria con frecuencia.

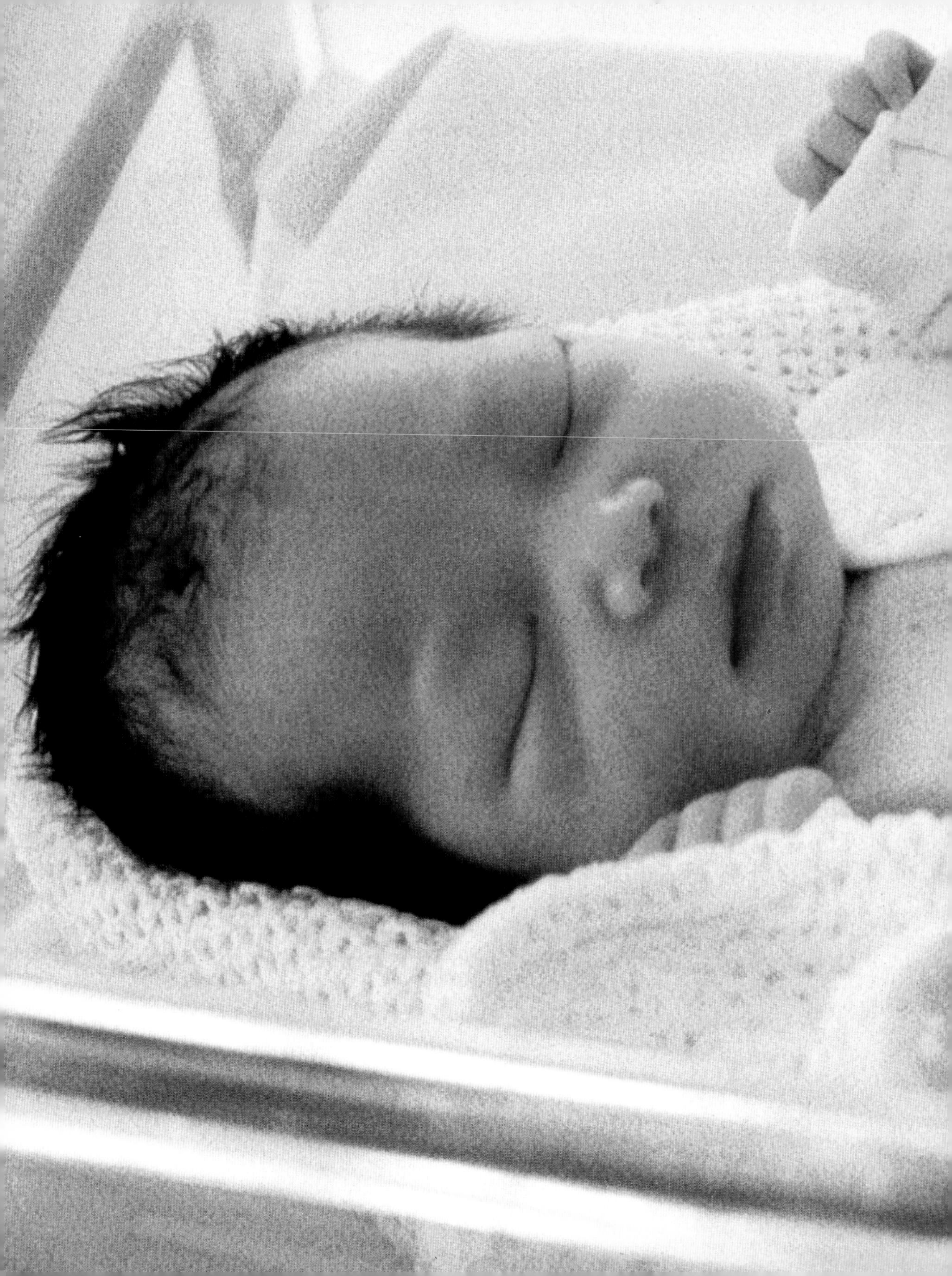

CAPÍTULO I

El niño RECIÉN NACIDO

Probablemente, sus sentimientos al nacer su nuevo bebé serán de orgullo, asombro y entusiasmo, mezclado con agotamiento. Podrá sentirse íntimamente unida a su bebé desde el primer momento, o quizá el lazo de la relación tarde algún tiempo más en establecerse. Seguramente, se sentirá sorprendida por su aspecto: su cabeza extrañamente configurada, el rostro arrugado y los diminutos manos y pies.

Desde el momento del nacimiento, el bebé mostrará reflejos y comportamientos que le ayudarán a sobrevivir. Podrá discernir usted los inicios de una personalidad en aspectos tales como sus pautas de sueño y sus accesos de llanto.

Lo primero que se pregunta una madre es: «¿Está bien?»; y el equipo médico que la atiende efectuará inmediatamente después del parto y en los primeros días de vida las pruebas necesarias para tranquilizarla en este sentido. Al bebé se le ofrecerá toda la atención especial que ellos consideren necesaria. Si es prematuro o pequeño para la fecha, quizá necesite permanecer en una unidad de cuidados especiales, pero usted podrá establecer un vínculo con él y participar en su cuidado.

Su nuevo bebé

Amar a su bebé

La mayoría de las madres descubren que establecen un vínculo tangible con sus bebés recién nacidos dentro de las primeras 72 horas de vida, aunque un «vínculo» no significa necesariamente un amor instantáneo a primera vista.

Atender las necesidades físicas del bebé recién nacido es tan agotador que resulta demasiado fácil olvidar que el bebé también tiene una vida emocional activa. El daño más grave para la salud del bebé a largo plazo puede proceder de un amor y atención inadecuados, de modo que durante las próximas semanas y meses colme a su bebé todo lo que pueda.

El amor materno es parcialmente hormonal, de modo que si no lo experimenta inmediatamente, no es por culpa suya. Habitualmente, el amor materno surge con la leche, 72 horas después del nacimiento del niño, aunque puede aparecer más tarde y crecer gradualmente. Una de las hormonas que estimulan la lactancia es también parcialmente responsable del amor materno.

A algunas madres les conmociona descubrir que les faltan sentimientos maternales cuando sostienen a sus bebés por primera vez. Eso puede deberse a una variedad de factores, como las complicaciones durante el parto, las expectativas irrealistas sobre la maternidad, el puro agotamiento, la fluctuación de los niveles hormonales e incluso la propia experiencia de la madre en su niñez. La «indiferencia» materna puede durar desde una hor a una semana, pero raras veces más.

Vinculación
El bebé se sentirá más feliz cerca de su piel, donde pueda sentir su calor y los latidos de su corazón.

Al margen de lo que usted haya esperado (más grande, más pequeño, más tranquilo, menos viscoso), el bebé le sorprenderá y le encantará. Los padres experimentados detectan una personalidad ya al nacer sus hijos, pero los primerizos quizá crean que el recién nacido no se entera del mundo que le rodea. Los bebés, sin embargo, desarrollan rápidamente un vocabulario de experiencias sensoriales desde el nacimiento. Cuando están despiertos, se mantienen alerta y escuchan. Responden cuando se les habla, reconocen a sus padres por el olor y tienen una mirada intensa. Después de nacer, ya reconocen un rostro humano y mueven la cabeza en respuesta al ruido. Nacen con el deseo de hablar y «conversarán» con usted si les habla animadamente a 20-25 centímetros de distancia de su rostro, donde pueda verla con claridad. Reaccionará a su sonrisa moviendo la boca, con gestos que pueden interpretarse como de asentimiento, sacando la lengua o dando sacudidas a su cuerpo.

Manejo del bebé

Está bien documentada la necesidad de contacto físico durante toda la niñez, algo especialmente cierto durante las primeras semanas de vida. La gran mayoría de bebés recién nacidos pasan mucho tiempo dormidos, por lo que es importante que esté usted presente para sostener y cuidar a su hijo cuando se despierte. Si el bebé está en una incubadora, solicite permiso para acariciarlo y cambiarle el pañal. A una joven madre a la que conocí hace poco y cuyo hijo de diez días había estado en una incubadora durante las primeras 48 horas, le aterrorizaba la idea de sostenerlo porque creía que podía «romperse»; sin embargo, puede estar tranquila en ese punto: los bebés son mucho más fuertes de lo que se cree.

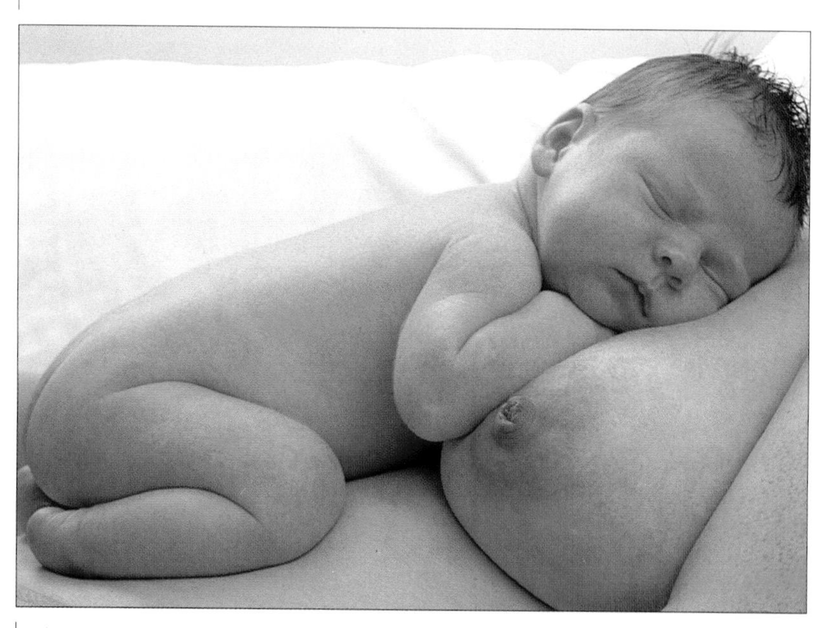

RESPIRACIÓN

Tras un acceso inicial de llanto, quizá no pueda escuchar nada más de su hijo, ya que es difícil escuchar la ligera respiración de un recién nacido. En algunos casos, el bebé llega a dejar de respirar durante unos pocos segundos, pero eso no es anormal. Todos los bebés emiten sonidos extraños al respirar, habitualmente un ruidoso sonido de nariz, y su respiración suele ser irregular.

Los pulmones del bebé todavía son débiles, lo que significa que la respiración es naturalmente mucho más superficial que la de un adulto. No es nada que deba preocuparla, ya que los pulmones se fortalecerán cada día que pase.

LACTANCIA

Durante los tres primeros días después del parto, sus pechos no producen leche, sino calostro, un tenue fluido amarillento que contiene agua, proteína, azúcar, vitaminas, minerales y anticuerpos para la protección contra las enfermedades infecciosas. Durante sus primeras 72 horas de vida, el calostro ayuda al bebé a protegerse contra las infecciones. Para estimular a sus pechos a producir leche, necesitará alimentarlo con frecuencia; la acción de mamar del bebé estimula unas hormonas que inducen a su vez la producción de leche. Aunque no tenga la intención de alimentarlo a pecho, es una buena idea darle de mamar en cuanto nazca, ya que el calostro será beneficioso para el bebé, y el acto de mamar le ayudará a establecer un vínculo con él.

En cuanto nazca se lo puede poner sobre el pecho. Él tendrá un reflejo natural de mamar y esa acción estimulará la producción de la hormona oxitocina, que hace contraer el útero y expulsar la placenta. Toque la mejilla del bebé por el lado más cercano al pezón, para estimular el reflejo perioral. En lugar de limitarse a mamar del pezón, los labios deberían posarse sobre el tejido del pecho, con todo el pezón en la boca.

HAGA PARTICIPAR A SU CÓNYUGE

Como normalmente la experiencia del parto se centra básicamente en la madre, es habitual que el padre se sienta abandonado o excluido. El vínculo entre el padre y el bebé también es importante, y una buena forma de establecerlo es mediante el tacto, el olor y el sonido. Poco después de que su hijo haya nacido, el padre debería sostenerlo contra su piel; así de ese modo, el bebé entrará en contacto con el olor específico de su padre y, durante varias semanas, aprenderá a asociarlo con consuelo y seguridad. El padre también debe hablar a su hijo, que se familiarizará muy rápidamente con su voz. De hecho, si le habla al bebé mientras éste se encuentra todavía en el útero, reconocerá la voz de su padre al nacer.

Es habitual que la madre asuma la principal responsabilidad por el cuidado del recién nacido, pero al padre se le debe estimular para que asuma un papel similar. Debe aprender a sostener a su hijo y establecer una relación táctil con él. Asegúrese de que participa en las rutinas cotidianas, como bañar y cambiar los pañales del bebé. Aunque al pequeño se le amamante, el padre puede aprender a darle un biberón usando la leche materna exprimida. Tanto la madre como el padre deberían acunarlo en brazos cuando estén desnudos, de modo que el bebé sienta y huela su piel y escuche los latidos de sus corazones.

EL PRIMER ALIENTO DEL BEBÉ

En el útero, los pulmones del bebé son superfluos, ya que recibe todo el oxígeno que necesita a través de la placenta, por lo que los pulmones están hundidos.

En cuanto el bebé respira por primera vez, los pulmones se expanden y el aumento de presión que se produce en ellos cierra una válvula justo más allá del corazón, de modo que la sangre que antes pasaba a la placenta para su oxigenación va ahora directamente a los pulmones. Estos dos pasos cruciales lo convierten en un ser independiente.

Nada debe interferir en la capacidad del bebé para tomar su primer aliento. Esa es la razón por la que médicos y comadronas aclaran inmediatamente las vías respiratorias y si ese primer aliento se retrasa, reaniman al bebé.

Los bebés recién nacidos no pueden producir vitamina K; por eso se les administra una inyección de esa vitamina poco después del nacimiento.

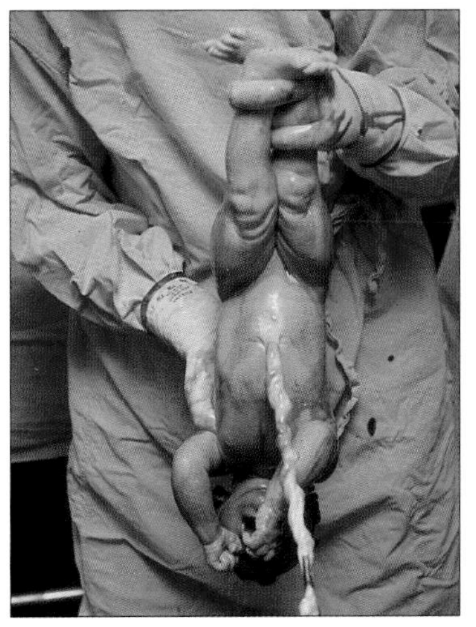

Llanto
La absorción de aire que acompaña al llanto ayuda al bebé a aclarar las vías respiratorias al nacer.

El aspecto de su bebé

Cuando le entreguen al bebé para que lo sostenga por primera vez, probablemente le sorprenderá su aspecto. Aunque es indudable que el pequeño le producirá alegría, muchas madres esperan erróneamente un ser limpio y plácido, similar a los bebés que aparecen en los anuncios comerciales. Pero como descubrirá de repente, la vida real es un poco diferente.

Piel. La piel del bebé puede estar cubierta por una sustancia blanquecina y grasienta llamada vérnix, que es como una crema natural para impedir que la piel quede empapada. En algunos hospitales se quita inmediatamente el vérnix, pero en otros se deja para dar al bebé algo de protección natural contra las pequeñas irritaciones cutáneas, como la escamación y descamación.

La piel del bebé puede tener el color de una erupción, debido a que los diminutos vasos sanguíneos son inestables. A menudo, los niños negros tienen la piel clara al nacer, pero ésta empieza a oscurecerse en cuanto produce melanina, su pigmento natural, y alcanzará su color permanente en unos seis meses.

Cabeza. El cráneo del bebé está formado por cuatro grandes placas que no están fundidas, por lo que pueden moverse unas hacia las otras, especialmente durante el parto, cuando la cabeza del bebé se ve comprimida por la presión de las paredes vaginales. Los deslizantes huesos del cráneo le permiten pasar sin peligro por el canal del parto, aunque en el proceso la cabeza puede hacerse ligeramente alargada o deformada. Eso es muy normal y no afecta al cerebro. También es posible que se produzca algún moratón o hinchazón, que desaparecerá durante los primeros días o semanas.

Las partes blandas de lo alto del cráneo del bebé, donde los huesos todavía no están unidos, se llaman fontanelas. Los huesos del cráneo no se fusionarán por completo hasta que el bebé tenga unos dos años. Tenga cuidado de no presionar las fontanelas, sobre todo con un bebé muy joven.

Ojos. Es posible que el bebé no pueda abrir los ojos inmediatamente, debido a la hinchazón causada por la presión ejercida sobre su cabeza durante el parto. Esa presión también puede haber roto algunos vasos diminutos en los ojos del bebé, produciendo marcas pequeñas, rojas y triangulares en la esclerótica. Son totalmente inofensivas, no necesitan tratamiento y desaparecerán al cabo de un par de semanas. El «ojo pegajoso» produce una descarga amarillenta alrededor de los párpados y es bastante corriente. Aunque no es un estado grave, debe acudirse al médico si se prolonga más de un día, ya que puede provocar afecciones más serias, como las infecciones de oído.

El bebé puede ver con claridad hasta una distancia de 20 a 25 centímetros, pero más allá no puede enfocar ambos ojos al mismo tiempo, lo que quizá le produzca un estrabismo o le haga bizquear. Estos dos estados desaparecerán en cuanto se fortalezcan los músculos oculares (habitualmente en un mes). Si el bebé todavía bizquea (véase pág. 287) a los dos meses, debe consultar con el médico. Al principio, quizá le resulte difícil lograr que el bebé abra los ojos, pero no intente obligarle a ello.

Manchas y afecciones cutáneas

En los primeros días de vida, la mayoría de recién nacidos tienen irritaciones cutáneas que son inofensivas, como por ejemplo manchas y afecciones cutáneas, que suelen desaparecer cuando la piel empieza a estabilizarse, lo que sucede aproximadamente a las tres semanas de vida.

Miliarias. *Estas pequeñas manchas blancas se encuentran principalmente en el puente de la nariz, aunque también en otras partes de la cara y son el resultado de un bloqueo temporal de las glándulas sebáceas, que segregan sebo para lubricar la piel. No las apriete nunca; desaparecerán por sí solas al cabo de unos pocos días.*

Eritema calórico. *Si el bebé está demasiado arropado, le pueden aparecer pequeñas manchas rojas, especialmente en la cara. Asegúrese de que no esté excesivamente envuelto en ropas y mantas, y de que la temperatura de la habitación esté bien regulada* *(véase pág. 123)**.*

Urticaria. *Se trata de un tipo de afección cutánea cuyas manchas tienen un centro blanquecino rodeado por un halo rojo* *(véase pág. 292)**. Es bastante corriente durante la primera semana, y puede reaparecer durante aproximadamente un mes. No hay necesidad de tratarla, ya que desaparecerá con bastante rapidez.*

Una de las formas más fáciles de lograr que un bebé abra los ojos es sostenerlo por encima de la cabeza.

Los ojos de la mayoría de recién nacidos son azules, al margen de la raza, y es muy probable que el color de los ojos de su bebé cambie después de nacer, porque sólo entonces se adquiere la melanina, el pigmento natural del cuerpo.

Cabello. Algunos bebés nacen ya con una cabeza cubierta de cabello, mientras que otros están completamente calvos. El color del cabello al nacer no es necesariamente el color permanente que adquirirá más adelante. La fina pelusa que cubre el cuerpo de muchos bebés al nacer se llama lanugo, y a menudo desaparece tras el nacimiento.

Genitales. Muchos bebés, tanto niños como niñas, parecen tener genitales demasiado grandes poco después del parto y los bebés de ambos sexos pueden tener «pechos». Ello se debe al aumento masivo de los niveles hormonales que usted ha experimentado antes de dar a luz, una parte de los cuales puede haber pasado a la corriente sanguínea del bebé.

En el caso de un niño, eso puede producir un escroto y unos pechos de gran tamaño, y hasta es posible que produzca un poco de leche. Eso no es nada anormal y la hinchazón desaparecerá gradualmente. La niña puede mostrar una vulva o clítoris hinchado y hasta tener un pequeño «período» poco después de nacer.

Ombligo. El cordón umbilical, húmedo y de color blancoazulado al nacer, se sujeta con pinzas y se corta con tijeras. Sólo queda un trozo corto de cordón que se seca y se hace casi negro en las veinticuatro horas siguientes. El muñón se arruga y se desprende en unos siete días, pero el bebé no sentirá ningún dolor.

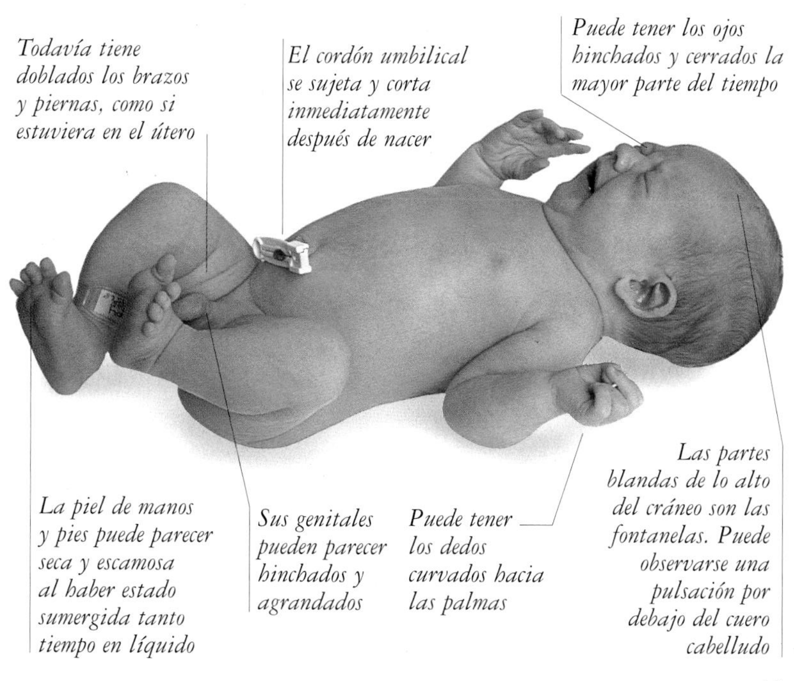

Todavía tiene doblados los brazos y piernas, como si estuviera en el útero

El cordón umbilical se sujeta y corta inmediatamente después de nacer

Puede tener los ojos hinchados y cerrados la mayor parte del tiempo

La piel de manos y pies puede parecer seca y escamosa al haber estado sumergida tanto tiempo en líquido

Sus genitales pueden parecer hinchados y agrandados

Puede tener los dedos curvados hacia las palmas

Las partes blandas de lo alto del cráneo son las fontanelas. Puede observarse una pulsación por debajo del cuero cabelludo

HERNIA UMBILICAL

Algunos bebés desarrollan una pequeña hinchazón cerca del ombligo, llamada hernia umbilical, causada por la debilidad de los músculos abdominales, lo que permite que los intestinos empujen un poco por el hueco.

Las hernias umbilicales son más evidentes cuando se usan los músculos abdominales al llorar. Son muy corrientes y casi siempre desaparecen en un año. Si su bebé tiene una que persiste o aumenta, consulte con su médico.

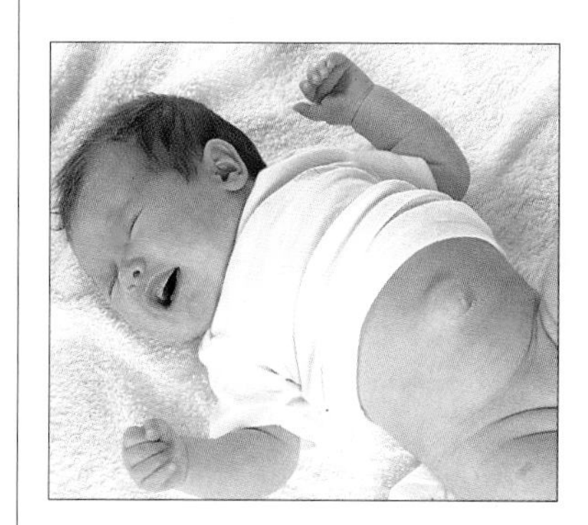

Lugar de la hinchazón
La hernia se forma allí donde el cordón umbilical entraba en el abdomen del bebé, ya que precisamente en ese lugar existe un hueco en los músculos abdominales.

SOBRE MARCAS DE NACIMIENTO

Si no ha descubierto ninguna mancha en el cuerpo de su bebé, probablemente es porque no ha mirada con la atención suficiente.

Virtualmente, todo niño nace con algún tipo de marca de nacimiento, por pequeña que sea. La mayoría de ellas se desvanecen y desaparecen por sí solas antes de que el niño cumpla los tres años, aunque algunas permanecen y aumentan de tamaño.

Mis dos hijos tuvieron mordidas de cigüeña en la nuca, justo por debajo de la línea del cabello (un lugar muy común donde se encuentran). Desaparecieron, sin embargo, antes de que cumplieran los seis meses.

Otros lugares probables son los párpados, la frente y el cuello, aunque pueden encontrarse en cualquier parte de la piel del bebé.

Las marcas de nacimiento superficiales no deben preocupar. No causan ningún daño y no necesitan de tratamiento.

MEDICIONES

Se miden el peso, la circunferencia de la cabeza, y la longitud del bebé como indicativo de su madurez y desarrollo. En caso necesario, esas medidas se utilizarán como medida de referencia de su desarrollo en un futuro. Aunque las mediciones rutinarias se comparan inevitablemente con «la media», no se preocupe demasiado por eso. Una media no es más que un cálculo aritmético, por lo que el «niño medio» sólo es teórico y no existe.

Peso. Los recién nacidos difieren mucho en cuanto al peso, en el que intervienen factores nutritivos, placentarios y raciales. La gama de pesos para bebés nacidos alrededor del momento en que se les esperaba es de 2,5 a 4,5 kg. Si es usted alta o pesada, o si es diabética, es probable que su hijo sea de los pesados.

Las mujeres que sufren de hipertensión crónica, problemas renales o de preeclampsia, y las que fumaron durante el embarazo, tendrán bebés más ligeros. Una mujer cuyo embarazo sea inferior a las 40 semanas, también tendrá un bebé más ligero de peso. En general, las niñas pesan algo menos que los niños, y los niños de partos múltiples pesan menos que los de niño único.

Es normal que el bebé pierda peso durante los primeros días después de nacer, mientras su cuerpo se adapta a las nuevas exigencias de la alimentación. Ahora tiene que procesar su propio alimento, y necesitará un tiempo para hacerlo de modo consistente. La pérdida habitual de peso es de unos 115 a 170 gramos. Al cabo de pocos días cabe esperar que empiece a aumentar el peso del bebé.

La importancia del aumento de peso del bebé es lo que nos indica su estado general de salud. Una ganancia de peso continuada indica que su ingesta y absorción de alimento es suficiente, mientras que un aumento errático o escaso indica una insuficiencia de ingestión de alimento o de absorción del mismo.

Circunferencia de la cabeza. La cabeza del bebé es desproporcionadamente grande en comparación con el tamaño de su cuerpo y supone una cuarta parte de su longitud total. Cuanto más pequeño es el bebé, más grande es la cabeza en proporción con el resto del cuerpo.

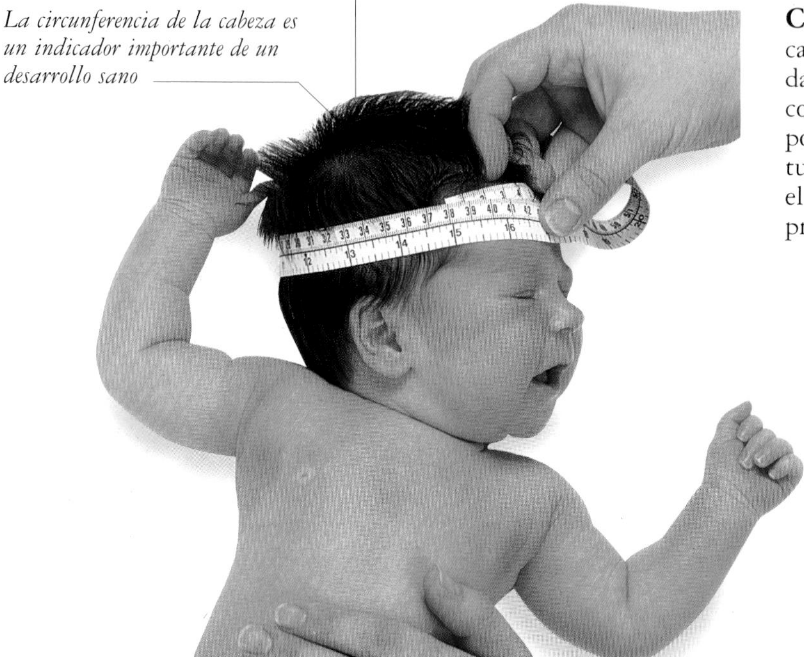

La circunferencia de la cabeza es un indicador importante de un desarrollo sano

Mediciones
Después de nacer, se medirán la longitud y la circunferencia de la cabeza del bebé, y también se le pesará.

La circunferencia media de la cabeza de un recién nacido es aproximadamente de unos 35 centímetros. La medición de la circunferencia de la cabeza se considera como una parte esencial del examen del bebé porque el crecimiento de la cabeza refleja el del cerebro. Una circunferencia insólitamente grande o pequeña de la cabeza puede ser un indicativo de una anormalidad del cerebro.

Pecho y abdomen. La circunferencia del pecho del bebé será menor que la de la cabeza. Su estómago puede parecer muy grande, e incluso distendido, algo normal dada la debilidad de los músculos abdominales.

LOS PRIMEROS PAÑALES

Las deposiciones y orina del bebé pueden no tener el aspecto que usted esperaba, y si se trata de una niña es posible que aparezca alguna descarga vaginal. Nada de eso significa que haya algo necesariamente erróneo.

Deposiciones. El primer movimiento intestinal del bebé estará compuesto por meconio, que es, sobre todo, moco digerido, de aspecto negroverdoso. Una parte del mismo es acumulado al tragar fluido amniótico mientras estaba en el útero. La primera deposición de meconio debe producirse en las primeras 24 horas, y no es extraño que el siguiente movimiento intestinal se produzca dos días más tarde, sobre todo si le amamanta (compruebe, sin embargo, que el bebé moja el pañal con regularidad). Después del cuarto día puede hacer cuatro o cinco deposiciones diarias.

Observará que el color y la composición de las deposiciones cambia de un meconio oscuro, negroverdoso y pegajoso, a un color verdeamarronado y luego a un amarillento semisólido. Si lo alimenta con biberón, las deposiciones se parecerán a huevos revueltos.

La mayoría de bebés llenan el pañal en cuanto han comido, debido a un reflejo gastrocólico perfectamente saludable que hace que el intestino se vacíe en cuanto entra algo de alimento en el estómago. Algunos bebés experimentan movimientos intestinales con menos frecuencia, pero mientras no tenga que esforzarse y sus deposiciones tengan un color y textura normales, no hay necesidad de preocuparse. Si las deposiciones fueran infrecuentes o duras, es una buena idea darle una pequeña cantidad de agua dos o tres veces al día (una cucharada o 15 mililitros).

Orina. El recién nacido orina casi continuamente porque los músculos de su vejiga no se han desarrollado aún. Es incapaz de contener la orina (habitualmente no más de unos pocos minutos), por lo que es bastante normal que humedezca el pañal hasta 20 veces en 24 horas. Al hacerlo, la orina contendrá sustancias llamadas uratos que pueden manchar el pañal de un rosado oscuro o un rojo. Eso también es normal para un recién nacido.

Descarga vaginal. A veces, las niñas recién nacidas producen una descarga vaginal clara o blanca. En algunos casos observará una pequeña cantidad de hemorragia vaginal, pero eso es perfectamente normal y desaparecerá por sí solo en un par de días. Si se encuentra realmente preocupada, póngase en contacto con el médico para su tranquilidad.

TIPOS DE MARCAS DE NACIMIENTO

La mayoría de las marcas de nacimiento son acumulaciones anormales de pequeños vasos sanguíneos bajo la piel. Son inofensivas y no causan ningún dolor al bebé. He aquí algunos de los tipos más comunes:

Marcas en forma de fresa. *Suelen aparecer como pequeños puntos rojos que no siempre son evidentes. A veces crecen de modo alarmante durante los primeros meses, hasta convertirse en bultos rojos, pero se reducen durante el segundo año de vida y desaparecen sin dejar cicatriz.*

Manchas salmón. *Llamadas también marcas o mordidas de cigüeña, estas decoloraciones rosadas de la piel suelen desaparecer con el tiempo, a menudo al cabo de pocos meses.*

Marcas araña (naevi). *Aparecen poco después del nacimiento en forma de una red o telaraña de vasos dilatados. Suelen desaparecer antes del primer año de vida.*

Naevi pigmentados. *Estas manchas amarronadas pueden aparecer en cualquier parte del cuerpo. Suelen ser pálidas y casi siempre aumentan de tamaño a medida que crece el niño, pero raras veces se hacen más oscuras.*

Manchas oporto. *Se encuentran en cualquier parte del cuerpo, son de un rojo brillante o púrpura, y están causadas por capilares dilatados de la piel. Aunque son permanentes, se pueden extirpar con tratamiento láser, o se camuflan fácilmente con maquillaje especial.*

Manchas mongólicas. *Entre los bebés de piel oscura es habitual que haya decoloraciones inofensivas de la piel, de color negroazulado, habitualmente en la espalda o las nalgas, que desaparecerán por sí solas.*

NOMBRE	*Katharine Winterton*
EDAD	*31 años*
HISTORIAL MÉDICO	*Presión alta (140/190)*
HISTORIAL FAMILIAR	*Varios casos de presión alta por parte paterna*
HISTORIAL OBSTÉTRICO	*Primer embarazo. Preeclampsia suave (un estado que causa hinchazón de las piernas, dedos y rostro), diagnosticada en el sexto mes.*

Durante el embarazo las ideas de Katharine acerca de dar a luz cambiaron drásticamente. Originalmente, había decidido hacerlo todo por métodos naturales, no quería que se le administraran medicamentos, y la sola idea de la cesárea la horrorizaba. Cuando se le dijo que tenía la presión alta, empezó a sentir pánico, y le aterrorizaban síntomas que prácticamente todas las mujeres embarazadas experimentan en uno u otro momento, como mareos ligeros, dolores de cabeza o indigestión.

UN CASO DE ESTUDIO

PADRES NUEVOS

A Katharine le preocupaba que pudiera desarrollar una eclampsia durante el parto, lo que conduce a ataques. En realidad, y según le expliqué, se trata de una situación muy rara que no es probable que se produzca aunque se haya diagnosticado una preeclampsia. Debido a su elevada presión sanguínea y al peso del bebé (calculado en unos 4 kg), Katharine admitió el parto inducido dos semanas después de la fecha prevista.

EL PARTO

Aunque fue largo (17 horas), el parto se desarrolló de un modo relativamente suave para Katharine. Se le provocó el parto a las 9.00 horas de un lunes, y a las 13.00 horas se sintió lo bastante relajada como para enviar a su esposo Adam a comer a casa de su madre... a condición de que le trajera una porción de su pastel hogareño favorito.

Katharine utilizó una máquina TENS, que estimula a los analgésicos naturales a través de la transmisión de impulsos eléctricos. No obstante, se le aplicó tarde, así que no sabe si eso ayudó o no. A medianoche, 15 horas más tarde, pidió un epidural, algo que había jurado no hacer, y después de eso todo salió bien. A las 1.45 horas del martes se le practicó una episiotomía (que de todos modos no sintió) y unos diez minutos más tarde el médico utilizó fórceps para extraer a Natasha.

PRIMERAS REACCIONES

«Experimenté una conmoción al verla –recuerda Katharine– porque su rostro estaba muy rojo y arrugado, la cabeza parecía ligeramente desproporcionada a causa de los fórceps, y parecía boquear para aspirar aire sin producir ningún sonido. Yo no hacía más que preguntar: "¿Está bien? ¿Está bien?". La comadrona se volvió un instante y tuve la seguridad de que Natasha había muerto. Ese fue, en realidad, el peor momento de todo el parto, y empecé a llorar incontroladamente.

»De hecho, la comadrona no hacía sino efectuar las tareas de la puntuación Apgar, que Natasha superó con alta puntuación. Unos 30 segundos más tarde se nos entregó un bebé perfecto, que respiraba normalmente.

»Quedé muy sorprendida al ver que tenía los ojos abiertos y que parecía mirarme a mí y a Adam con actitud muy alerta y burlona. Se quedó así, mirando fijamente durante cinco minutos, sin llorar. Natasha es mi primer hijo y yo no estaba preparada para aquella combinación de pura alegría, amor y alivio que me inundó cuando me la colocaron entre los brazos por primera vez.

»La placenta se desprendió al cabo de sólo diez minutos, lo que, según me dijeron, es insólito sin el uso de Sintocinon. Luego, la comadrona colocó unas pinzas en dos partes del cordón umbilical, y Adam lo cortó.»

El recuerdo del parto

Lo único que Katharine lamenta de todo el embarazo es que se le practicara una episiotomía. Está segura de que habría dilatado lo suficiente si se le hubiera concedido media hora más. Aunque en aquel momento no sintió dolor alguno gracias a la anestesia epidural, dice que la episiotomía fue el único problema físico asociado con el parto que no desapareció en las dos primeras semanas. Tres meses más tarde, la cicatriz de la episiotomía sigue siendo sensible y dice que la preocupación por un posible desgarro durante la relación sexual le ha hecho prescindir por completo del sexo. Le expliqué que aun cuando ese temor es genuino, es casi seguro que, de todos modos, habría perdido su apetito sexual durante un tiempo después de dar a luz, con o sin episiotomía. Aunque investigaciones recientes indican que los desgarros curan mejor que las episiotomías en el caso de que la madre no dilate lo suficiente de modo natural, un parto con fórceps siempre necesita la práctica de una episiotomía.

Los primeros días

Katharine descubrió que, a pesar del entusiasmo tras el nacimiento de Natasha, pronto experimentó lo que comúnmente se conoce como la «depresión del parto», una sensación que le duró tres días enteros. Le resultó muy difícil relacionarse con quienes la rodeaban, incluido Adam. También se sintió culpable porque no había esperado que aquellos sentimientos acompañaran el nacimiento de un bebé normal y sano.

La depresión del parto viene provocada por un tremendo aumento de los niveles hormonales en el cuerpo de la mujer durante el parto. El cuerpo necesita un tiempo para adaptarse, que a veces es de semanas o incluso meses y, mientras tanto, la nueva madre tiene que afrontar difíciles ataques depresivos. En el caso de Katharine las cosas mejoraron cuando llegó al hogar, procedente del hospital. Aunque se sentía físicamente agotada, psicológicamente sintió que controlaba la situación.

«Sólo después de haber cruzado la puerta de casa con Natasha tuve la sensación de que los tres formábamos una verdadera familia. Una vez dicho eso, Natasha pareció ocupar hasta el último segundo de nuestro tiempo, aunque fui afortunada por el hecho de que Adam se ocupara de aproximadamente el 40 % de todo el trabajo.»

Los consejos de Katharine

- Intentar ser flexible y positiva. Lo único seguro es que las cosas no saldrán probablemente como se habían planeado, aunque eso no sea necesariamente algo malo.
- Aunque durante el parto sólo tuve a mi esposo a mi lado, muchas de las mujeres con las que hablé en la sala también tuvieron a su lado a una amiga o pariente. Definitivamente, la próxima vez consideraré esa idea si el hospital lo permite.
- Si se alcanza la fase en que el dolor parece abrumador, no tema pedir una anestesia epidural; realmente, no representó diferencia alguna para mí y después de eso disfruté más del parto.
- Pídale a la comadrona o al médico que le permita dilatar de modo natural si es posible, en lugar de intentar la práctica de una episiotomía demasiado temprano.

Nombre *Adam Winterton*
Edad *30 años*

Como tenía tres años de formación médica, Adam estaba seguro de que se tomaría bien el nacimiento. Finalmente admitió que el hecho de tener a su esposa de paciente contribuyó a la pérdida de buena parte de su autocompostura.

«Para empezar, todo parecía ir muy lento, y Kath me dijo que me fuera a almorzar. Al regresar, era evidente que ella sentía mucho dolor, y no podía creer que yo hubiera sido lo bastante egoísta como para dejarla sola durante dos horas. Me sentí increíblemente culpable y también un poco inútil.

»Poco antes de la medianoche, Kath empezó realmente a gritar y ese fue el peor momento para mí. Lo único que podía hacer era apretarle la mano con fuerza, lo que hacía que yo me sintiera terriblemente mal.

»Salté de alegría cuando le pusieron la anestesia epidural, algo que previamente habíamos decidido que no queríamos. Después de eso, sabíamos que sólo era cuestión de esperar, y como Kath ya no sentía un dolor excesivo, fue entonces cuando pudimos disfrutar juntos. Fue entonces cuando me sentí más útil, porque ella necesitaba a alguien que la distrajera de lo que ocurría. Incluso empezamos a planear lo que haríamos cuando lleváramos a Natasha a casa.»

COMPORTAMIENTO DEL RECIÉN NACIDO

Quizá tarde usted un tiempo en acostumbrarse al comportamiento de su hijo recién nacido. Vale la pena estudiar sus reacciones ante diversos estímulos, y familiarizarse con algunos de los rasgos que caracterizarán su personalidad. Los bebés tienen más individualidad de la que se cree, un hecho muy útil a tener en cuenta a la hora de conocer a su hijo.

REFLEJOS OCULARES

El bebé cerrará los ojos, parpadeará o los moverá de un lado a otro, dependiendo de lo que esté ocurriendo a su alrededor.

- *Si la luz ilumina su cara, parpadeará, habitualmente tanto si tiene los ojos abiertos como si no (no se debe iluminar nunca los ojos del bebé con una luz brillante y directa).*
- *También parpadeará si le da ligeros golpes con los dedos en el puente de la nariz, o si le golpea con mucha suavidad sobre los ojos, o si le asusta un ruido repentino.*
- *Si levanta al recién nacido y lo hace girar a derecha e izquierda, sus ojos no se moverán normalmente junto con la cabeza, sino que permanecerán fijos momentáneamente en la misma posición. Eso se conoce como la «respuesta de los ojos de muñeca» y suele desaparecer al cabo de unos diez días.*

REFLEJO

Todos los bebés sanos tienen en común una serie de reflejos que pueden estimularse desde el primer momento. Se trata de movimientos inconscientes que a partir de los tres meses empiezan a ser sustituidos por movimientos conscientes.

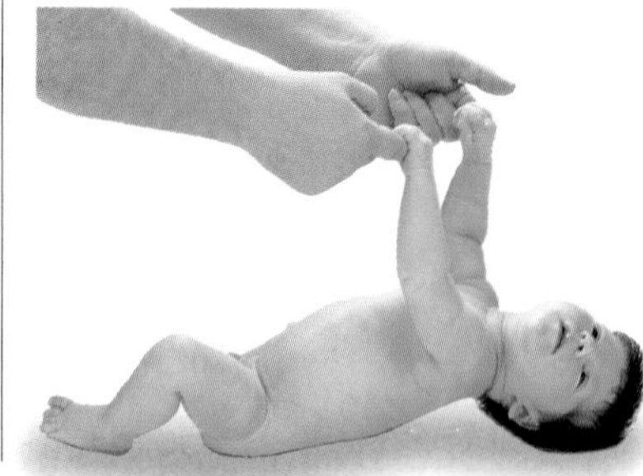

Reflejo de prehensión
Al colocar algo en la palma de la mano del bebé, se agarrará a ello con una fuerza sorprendente, que a menudo será suficiente como para sostener su propio peso (aunque usted no debe intentar probarlo).

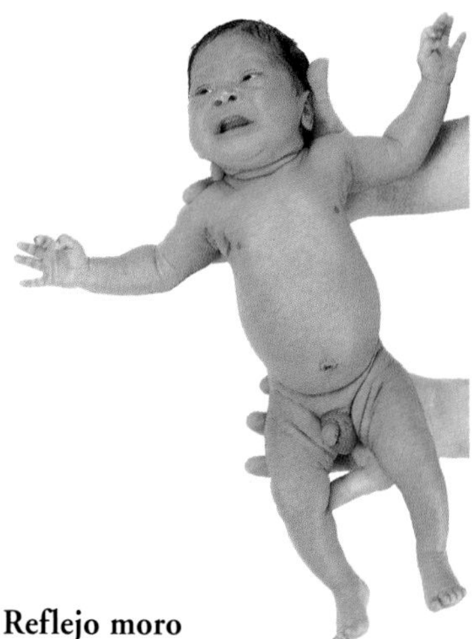

Reflejo moro
Si permite que la cabeza del bebé caiga hacia atrás, levantará las extremidades, con los dedos extendidos, y luego las dejará caer lentamente hacia atrás, en dirección a su cuerpo.

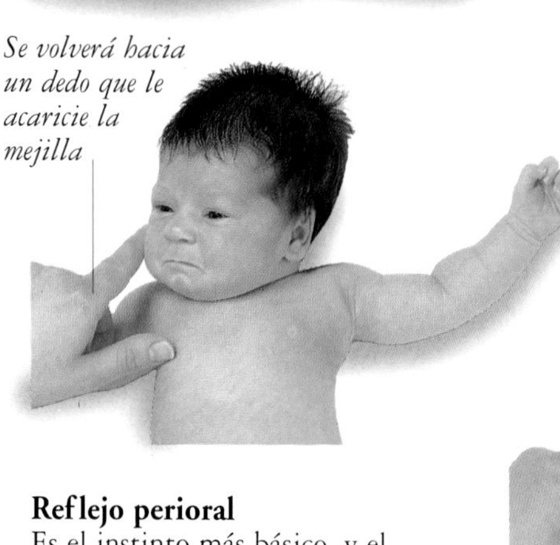

Se volverá hacia un dedo que le acaricie la mejilla

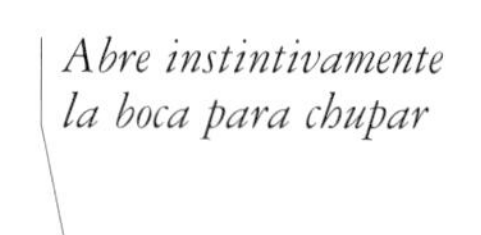

Abre instintivamente la boca para chupar

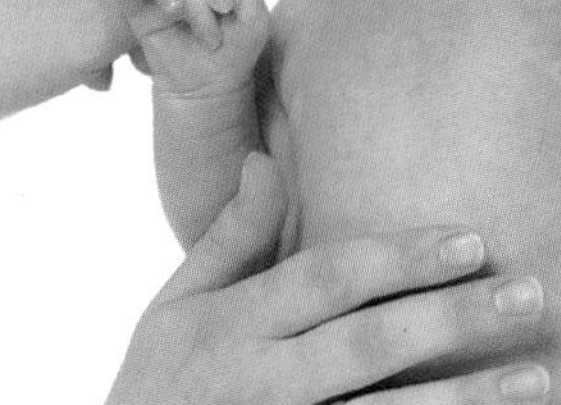

Reflejo perioral
Es el instinto más básico, y el que ayuda al recién nacido a encontrar el pecho de la madre y mamar. Si le acaricia con suavidad la mejilla, volverá la cabeza en dirección al dedo y abrirá la boca. Al tocarle en el centro del labio superior, también abrirá la boca.

Quizás observe que el recién nacido responde de una forma positiva a su presencia, mediante una contracción momentánea de todo su rostro y cuerpo. Al aprender a controlar sus movimientos, verá que su reacción está más deliberada, y por tanto, menos aleatoria. Por ejemplo, a las seis semanas, y en lugar de arrugar todo el rostro, puede mostrar una clara sonrisa.

COMPROBACIÓN DE REFLEJOS

Mientras no se desarrollen las capacidades físicas y mentales de su hijo, serán los reflejos instintivos los que darán una indicación de su madurez. Los médicos comprueban esos reflejos para determinar el estado general de la salud del bebé y ver si su sistema nervioso funciona bien. Los bebés prematuros no reaccionan de la misma forma que aquellos que han nacido en su tiempo.

Aunque en los niños recién nacidos se han identificado más de setenta reflejos primitivos, lo más probable es que el médico sólo compruebe algunos. Los dos más reconocidos, que puede usted comprobar con facilidad por sí misma, son el reflejo perioral y el de prehensión. No intente comprobar el reflejo Moro en casa, ya que eso puede causar tensión al bebé y hacerle llorar.

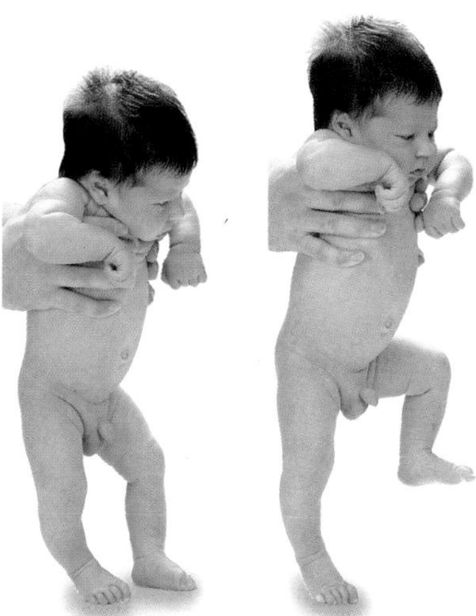

Reflejo de deambulación
Al sostener al bebé por las axilas, de modo que quede en posición erecta, permitiendo que los pies toquen una posición firme, moverá las piernas en una acción de caminar. Este reflejo desaparece en el término de tres a seis semanas, y no es lo que ayuda a su hijo a aprender a caminar.

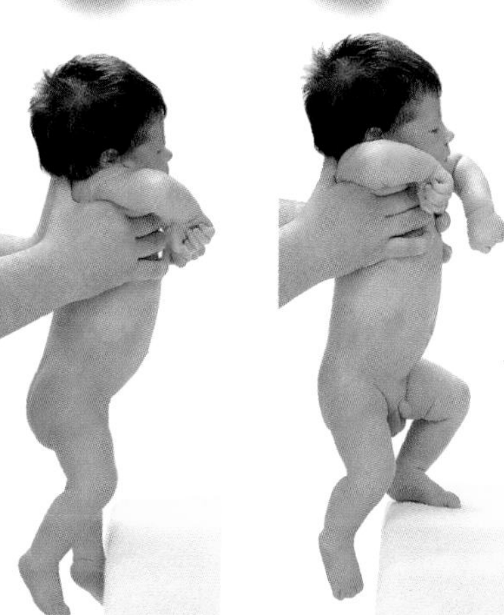

Reflejo de posición
Es bastante similar al reflejo de deambulación. Al sostener al bebé en posición erecta y poner la parte delantera de la pierna en contacto con el borde de una mesa, levantará el pie como si tratara de dar un paso y subirse a la mesa. El mismo reflejo está presente en el brazo, de modo que si la parte trasera del antebrazo del bebé toca el borde de la mesa, levantará el brazo.

Al ser colocado sobre el estómago, el bebé adopta una posición de gateo

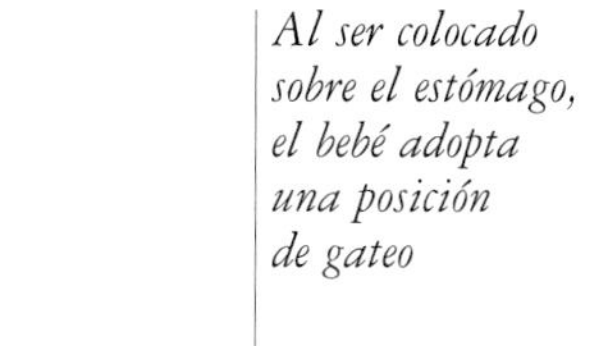

«Gateo»
Al colocar al bebé sobre su estómago, adoptará de inmediato lo que parece ser una posición de gateo, con la pelvis levantada y las rodillas dobladas por debajo del abdomen. Al dar patadas con las piernas, puede desplazarse de una forma que recuerda el gateo. Pero no se trata de un verdadero gateo, y este comportamiento desaparece en cuanto extiende las piernas y permanece tumbado plano.

LA NIÑA RECIÉN NACIDA

Muchos rasgos de comportamiento que son típicos de las niñas pueden observarse en el bebé inmediatamente después de que haya nacido.

- *El oído en las niñas es muy agudo, y se les puede calmar con palabras tranquilizadoras con mucha más facilidad que a los niños.*
- *Una niña llora durante más tiempo que un niño si oye llorar a otro bebé.*
- *Las niñas utilizan su propia voz para llamar la atención de su madre, y lo hacen antes y con mayor frecuencia que los niños.*
- *Las niñas son capaces de localizar sin dificultad la fuente de donde procede un sonido.*
- *Desde el momento de nacer, las niñas responden con entusiasmo a la estimulación visual.*
- *Las niñas se interesan por lo insólito.*
- *Las niñas prefieren el rostro humano antes que cualquier otra cosa. Más adelante este rasgo se muestra como una lectura intuitiva de la expresión facial, con independencia de las diferencias culturales.*

LLANTO

Suponga que el bebé llorará mucho y de ese modo quedará agradablemente sorprendida cuando no lo haga. Si piensa que no llorará y luego lo hace, quizá se sienta abrumada y desorientada.

Recuerde que sólo hay tres estados en los que puede encontrarse el recién nacido: dormido, despierto y quieto, o despierto y llorando. Si llora, hay una variedad de razones para ello. Las causas más probables son cansancio, hambre, soledad e incomodidad: tiene demasiado frío o calor, se encuentra en una posición incómoda o necesita que lo cambien. A veces, sin embargo, tiene que aceptar que el bebé llorará sin ninguna razón discernible. Ese tipo de llanto suele ser el que más tensión causa en los padres.

Respuesta al llanto. Nunca es buena idea dejar que un niño llore, a pesar de que escuchará ese consejo con frecuencia. Si a un bebé se le niega atención y afabilidad durante las primeras semanas y meses de existencia, puede crecer para convertirse en un ser introvertido, tímido y reservado. La investigación sobre los recién nacidos demuestra que los padres responden con lentitud al llanto de su bebé, con el resultado de que el bebé llora más de lo habitual. Un estudio reciente ha descubierto que los bebés cuyo llanto se ignoró durante las primeras semanas de vida suelen llorar con más frecuencia y persistencia a medida que se hacen mayores.

A menudo, la gente confunde malcriar a un niño con amarlo. En mi opinión, a un bebé no se le puede «malcriar» lo suficiente. Un bebé de seis meses al que se toma en brazos, se cuida, se acuna y se le habla con suavidad y cariño, no aprende cómo buscar atención, sino que aprende sobre amor y formación de relaciones humanas, una de las lecciones más importantes que pueda aprender en términos de su futuro desarrollo emocional y psicológico. Lo que solemos llamar «malcriar» es una respuesta natural de una madre ante un niño angustiado, y representa la satisfacción de la necesidad natural del bebé.

PAUTAS DE SUEÑO

Una vez que lleve al recién nacido al hogar, pasará algunas noches sin poder dormir, a menos que tenga mucha suerte. Aunque la mayoría de los recién nacidos suelen dormir cuando no se alimentan (pasan dormidos por lo menos el 60 por ciento de su tiempo), algunos permanecerán activos y alerta durante períodos sorprendentemente prolongados del día y de la noche.

Una joven madre quedó impresionada al descubrir que su bebé nunca dormía durante más de un par de horas seguidas, hasta que tuvo cuatro meses. Es un período muy largo para que una madre o un padre sobrevivan sin una noche completa de sueño, sobre todo cuando el cuerpo de la madre necesita descanso después de un embarazo y un parto agotadores. Si tiene un bebé que se despierta, consuélese pensando que, mientras no se le deje aburrido, cada minuto que permanece despierto estará aprendiendo algo nuevo, y que a la larga se verá recompensada con un niño brillante y ávido de saber.

Todos los bebés son diferentes y sus necesidades de sueño dependen de la fisiología individual. Por eso no tiene sentido establecer horarios rígidos de sueño que correspondan con el bebé medio. Como ya he dicho antes, el bebé medio no existe.

La mayoría de los recién nacidos se quedan dormidos después de alimentarse. Al principio, la vigilia del bebé depende de lo mucho que necesita alimentarse, lo que depende a su vez del peso (véase abajo).

SONIDOS QUE PRODUCE EL BEBÉ

Los bebés producen una serie de sonidos extraños, tanto si están dormidos como despiertos, y eso es normal. La mayoría de dichos sonidos se deben a la inmadurez del sistema respiratorio, y no tardarán en desaparecer.

Ronquidos. El bebé puede producir sonidos similares a gruñidos mientras duerme. No es un verdadero ronquido, y el sonido está causado probablemente por vibraciones del paladar blando en el fondo de la boca, al respirar.

Ruidos nasales. El bebé puede producir ruidos nasales tan fuertes en cada respiración que usted crea que tiene un resfriado o un catarro en el fondo de la garganta. Estos ruidos son inofensivos y vienen causados porque el puente de la nariz es bajo y el aire trata de pasar por pasajes nasales muy cortos y estrechos. A medida que el bebé se haga mayor, el puente de la nariz se hará más alto y el ruido nasal desaparecerá gradualmente.

Estornudos. Quizá crea que el bebé tiene un resfriado porque estornuda mucho. De hecho, estornudar es corriente entre los recién nacidos, sobre todo si abren los ojos y se ven expuestos a una luz brillante. De hecho, el estornudo es beneficioso, ya que contribuye a despejar los pasajes nasales del bebé.

Hipos. Los recién nacidos tienen mucho hipo, sobre todo después de alimentarse. Eso hace que algunas madres teman que sus hijos sufran una indigestión, pero eso es muy raro. Los hipos se deben a un control imperfecto del diafragma, la capa de músculo que separa el pecho del abdomen, y desaparecerán a medida que madure el control nervioso del diafragma.

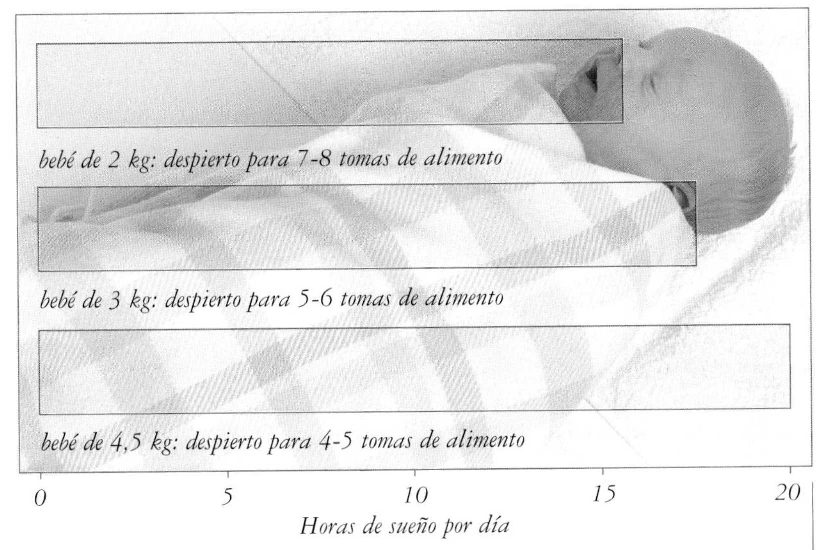

EL NIÑO RECIÉN NACIDO

Desde el momento de nacer, los niños muestran un comportamiento masculino característico, parte del cual conservarán durante toda la vida.

- *El oído en los niños es menos agudo que en las niñas, por lo que resulta más difícil tranquilizarlos.*
- *Si un niño recién nacido oye llorar a otro, se unirá a él, pero dejará de hacerlo con bastante rapidez.*
- *Los niños recién nacidos no emiten sonidos en respuesta a la voz de su madre. Esta respuesta auditiva se mantiene durante toda la vida.*
- *Los niños tienen dificultades para localizar la fuente de los sonidos.*
- *Los niños requieren un mayor estímulo visual que las niñas. Pierden interés rápidamente en un dibujo o una película, y hasta los siete meses van retrasados con respecto a las niñas en cuanto a madurez visual.*
- *A los niños les interesan las diferencias entre las cosas.*
- *Los niños son más activos y se interesan por las cosas tanto como por las personas.*
- *Los niños desean probarlo todo, tocarlo todo y mover las cosas de un lado a otro, mucho más que las niñas.*

Necesidades de sueño del recién nacido

La pauta de sueño del recién nacido viene determinada por su peso y necesidades alimenticias. Eso significa que, durante la primera semana de vida, cuanto menos pese el bebé, con mayor frecuencia necesitará alimentarse y menos tiempo se pasará durmiendo, y viceversa. El gráfico es una guía sobre las necesidades de sueño, según los diversos pesos al nacer.

SALUD DEL RECIÉN NACIDO

PRUEBA APGAR

Inmediatamente después de nacer, se somete al bebé a cinco rápidas pruebas para valorar su salud.

Al bebé se le da una puntuación de 0, 1 o 2 por cada categoría. Si puntúa más de 7, está en buenas condiciones. Si puntúa menos de 4 necesita ayuda y recibirá reanimación. La mayoría de bebés con baja puntuación alcanzan una puntuación elevada al ser comprobados de nuevo varios minutos más tarde. Las cinco comprobaciones son:

Aspecto. *El color rosado de la piel demuestra que sus pulmones funcionan bien.*

Pulso. *Indica la fortaleza y regularidad de los latidos del corazón.*

Mueca/llanto. *Las expresiones y respuestas faciales demuestran lo alerta que está ante los estímulos.*

Actividad. *Demuestra la salud y el tono de los músculos del bebé.*

Respiración. *Muestra la salud de los pulmones.*

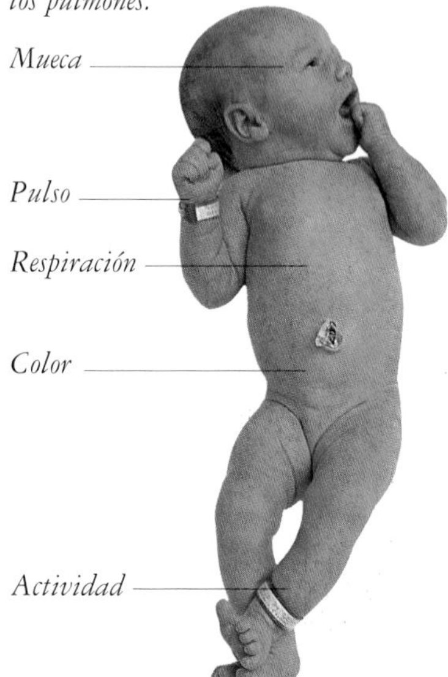

Valoración del recién nacido
Se comprueba el estado del bebé para asegurarse que los pulmones y el corazón funcionan bien.

Tanto si el bebé nace en el hospital como en casa, el médico o la comadrona se ocuparán de ofrecerle una atención experta y continuada hasta que se establezca la respiración. Cualquier problema grave será identificado en cuestión de minutos, de modo que si se necesitan cuidados especiales se le ofrezcan lo antes posible. Inmediatamente después del parto, el médico o la comadrona comprobarán el estado del bebé según la escala Apgar (véase izquierda), una serie de breves pruebas para determinar su bienestar físico general. Diseñado por la doctora Virginia Apgar, una famosa anestesióloga, las pruebas sirven para detectar si el bebé necesita atención especial inmediata. El médico o la comadrona examinarán al bebé para valorar su estado general. Las comprobaciones supondrán:

- Asegurarse de que los rasgos faciales del bebé y las proporciones de su cuerpo son normales.
- Darle la vuelta al bebé para comprobar que la espalda es normal y que no existe espina bífida (véase pág. 28).
- Examinarle el ano, las piernas, los dedos de manos y pies.
- Registrar el número de vasos sanguíneos del cordón umbilical; normalmente, hay dos arterias y una vena.
- Pesar al bebé.
- Medir la cabeza y la longitud del cuerpo del bebé.
- Comprobar la temperatura del bebé y calentarlo si lo necesitara.

Llevado a cabo por un médico o comadrona experimentada, este examen preliminar se hace en menos de un minuto. Luego, puede quedarse tranquila, sabiendo que su bebé tiene buena salud y es normal.

AL DÍA SIGUIENTE

Una vez realizadas las pruebas iniciales y cuando usted y su cónyuge lo han sostenido todo el tiempo que deseen, el bebé será envuelto y acomodado en la cuna para mantenerlo caliente. Se le practicará un examen meticuloso 24 horas más tarde para asegurarse de que está bien. Eso tiene lugar cuando el bebé está caliente y relajado. Pida al personal del hospital que le informe acerca de cuándo tendrá lugar ese examen, para poder estar presente. Tendrá así la oportunidad de plantearle al médico todas las preguntas y preocupaciones que tenga.

El bebé es colocado sobre una superficie plana, con una buena luz y a una altura conveniente para el médico, que quizá permanezca sentado. Si usted está inmóvil, ese examen puede realizarse a la cabecera de su cama, pero si usted no estuviera presente no deje de conseguir los resultados del examen. Generalmente, el médico empezará por examinarle desde la cabeza hasta los dedos de los pies.

Cabeza y nuca. El médico examinará los huesos de la cabeza y las fontanelas, comprobará que no haya ocurrido ninguna malformación cuando la cabeza pasó por el canal del parto. Examinará los ojos, oídos y nariz, comprobará que no existe ninguna anormalidad en la boca, como una fisura palatina, y si hay algún diente. Aunque raro, algunos bebés recién nacidos ya tienen dientes. Si están sueltos o crecen en un ángulo insólito, le serán extirpados para que no corra el riesgo de que se caigan y se los trague. También se comprobará la nuca para ver si hay algún quiste o hinchazón.

Pecho y corazón. Se comprueban el corazón y los pulmones con un estetoscopio. Los pulmones deben estar expandidos y funcionar con normalidad. Tras el nacimiento, el trabajo del corazón del bebé aumenta sustancialmente cuando es el responsable de su propia circulación. Esto puede causar un murmullo cardiaco (un sonido que el médico oye con un estetoscopio), pero la mayoría de estos murmullos pronto desaparecen. El niño será examinado en la comprobación postnatal para ver si persiste un soplo cardiaco.

Brazos y manos. El médico comprobará cada brazo, en busca del pulso y del movimiento y la fortaleza normales. También observará los dedos y arrugas de las palmas de las manos. Casi todos los bebés tienen dos grandes arrugas que les cruzan cada palma; si sólo hubiera una, el médico buscará otras anormalidades físicas.

Abdomen y genitales. El médico ejercerá una suave presión con las manos sobre el abdomen del bebé, para comprobar el tamaño y forma del hígado y del bazo. Ambos pueden ser ligeramente más grandes en un bebé recién nacido. Comprobará los testículos para asegurarse de que han descendido adecuadamente si se trata de un niño, y los labios de la niña para comprobar que no estén unidos y que el clítoris tiene un tamaño normal. También comprobará la parte inferior de la columna vertebral y el ano, en busca de anormalidades congénitas (véanse págs. 28-29).

Caderas, piernas y pies. El médico sostendrá ambos muslos con firmeza y moverá cada pierna para comprobar si la cabeza del hueso del muslo es inestable o se halla situada fuera de la articulación de la cadera, lo que sugeriría una dislocación congénita. La comprobación de las caderas no es dolorosa, pero el bebé puede llorar ante el movimiento. El médico examinará las piernas y pies para asegurarse de que son de tamaño y longitud iguales. Si el tobillo estuviera girado hacia el interior, como en el útero, el bebé puede tener un pie zambo, algo que se puede tratar mediante manipulación y quizá una escayola.

Nervios y músculos. El médico efectuará una serie de movimientos con los brazos y las piernas del bebé, para asegurarse de que no son ni muy rígidos ni muy fláccidos. Esta sencilla comprobación le indicará la salud de los nervios y músculos del bebé. Se asegurará de que el bebé tiene los reflejos normales del recién nacido, como los de prehensión, el de marcha equina y el Moro (véase pág. 20), y comprobará también el control de la cabeza.

ICTERICIA

La ictericia no es una enfermedad y no es peligrosa en la mayoría de los bebés recién nacidos.

La ictericia es más probable que se produzca cuando el bebé tiene unos tres días de edad. Es causada por una descomposición de los hematíes poco después del nacimiento. Esa descomposición crea un exceso de un pigmento en la sangre, llamado bilirrubina, que causa una coloración amarillenta de la piel del bebé.

El recién nacido no puede excretar la bilirrubina con la rapidez suficiente como para impedir la ictericia hasta que el hígado sea más maduro, al cabo de una semana. En la mayoría de los bebés la ictericia no requiere tratamiento y desaparece por sí misma en el plazo de una semana. El nivel de bilirrubina se comprueba con un análisis de sangre. Algunos bebés precisan tratamiento, normalmente con fototerapia.

En la actualidad, la compatibilidad Rh (la incompatibilidad entre los grupos sanguíneos de la madre y el bebé, normalmente una madre Rh negativo con un bebé Rh positivo) raras veces causa una ictericia grave en el recién nacido ya que se diagnostica y trata antes del nacimiento. Otras causas menos comunes son la hepatitis y la atresia biliar, una rara enfermedad en la que no se desarrollan bien los conductos biliares.

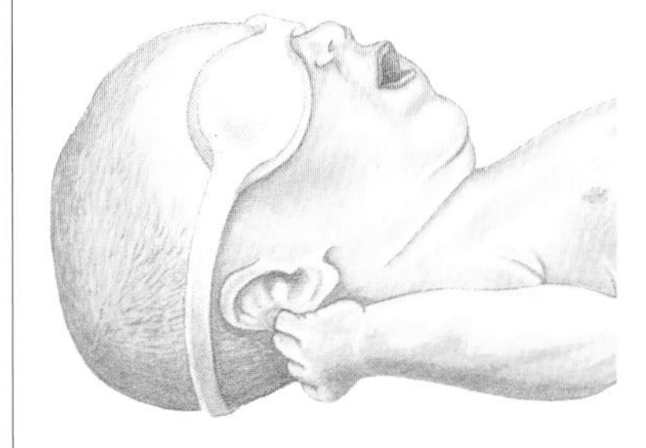

Fototerapia
La ictericia del recién nacido puede tratarse mediante exposición a la luz ultravioleta durante 12 horas.

BEBÉS PREMATUROS

Uno de cada 18 bebés es prematuro. Un bebé prematuro es aquel que nace con menos de 36 semanas. Todos necesitan cuidados especiales, pero no necesariamente en una unidad de cuidados intensivos.

Al decir que es prematuro, damos a entender que el bebé no ha madurado todavía hasta el punto de afrontar con facilidad la vida fuera del útero materno. Aunque actualmente han mejorado mucho las posibilidades de que un bebé prematuro sobreviva y se desarrolle bien, en comparación con la generación de nuestras madres, sigue siendo una experiencia preocupante el ver que, inmediatamente después del parto, se llevan al bebé a una unidad de cuidados especiales o intensivos. Comprender por qué un bebé necesita tratamiento especial durante unos pocos días o semanas ayudará a aliviar su ansiedad. Los bebés prematuros tienen un tono muscular muy débil y no se mueven mucho. A menudo tienen deficiencias de calcio y hierro, así como bajos niveles de azúcar en sangre. Si son muy prematuros, es posible que sus ojos estén sellados. Tienen una piel muy roja y arrugada, sus cabezas son desproporcionadamente grandes en comparación con el resto del cuerpo y los huesos del cráneo son blandos. Son muy proclives a la ictericia (véase pág. 25).

NECESIDADES ESPECIALES DEL BEBÉ PREMATURO

Un bebé prematuro necesita ser alimentado con más frecuencia que otro que ha nacido cumplido, ya que quema calorías con mayor rapidez. Comprenderá usted por qué necesita alimentarse con tanta frecuencia si piensa en un diminuto colibrí, que nunca deja de alimentarse puesto que su peso es tan bajo comparado con su volumen, que necesita del alimento constante para cebar los quemadores metabólicos y mantener la temperatura normal. Así, cuanto más pequeño es el bebé con mayor frecuencia necesitará ser alimentado y más veces se le tendrá que despertar (véase pág. 22). El desafío de vivir fuera del útero es sin duda agotador para los bebés prematuros. La ausencia de estímulos por el hecho de estar en una incubadora, y la incapacidad para mo-

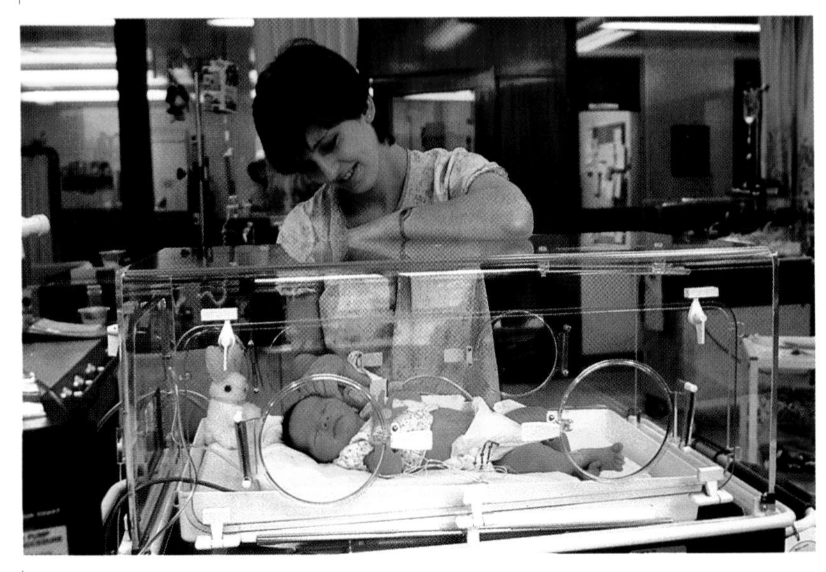

VINCULACIÓN

Debe hacer todos los esfuerzos posibles para establecer vínculos con su bebé prematuro lo antes posible, a través del olor, la voz y el tacto.

Se han llevado a cabo abundantes investigaciones para ilustrar los efectos positivos del contacto físico humano sobre los bebés recién nacidos, algo que se aplica igualmente a los prematuros.

Si está usted embarazada y espera tener a su bebé en los brazos inmediatamente después de su nacimiento, resulta evidentemente muy perturbador descubrir que lo mantendrán detrás de una pantalla de cristal, y que estará rodeado por numerosas máquinas.

Las madres que no establecen contacto inicial con sus bebés pueden empezar a sentirse engañadas en cuanto a sus expectativas sobre la maternidad. Probablemente, se acusen a sí mismas por haberles «fallado» a sus bebés, y esos sentimientos de culpabilidad se intensifican por el hecho de que son incapaces de consolar a los pequeños que, evidentemente, necesitan ayuda.

Es importante darse cuenta, sin embargo, de que el establecimiento de vínculos efectivos puede tener lugar incluso aunque el bebé esté en la incubadora y, de hecho, es esencial que así suceda. Ningún bebé está tan enfermo como para no poder colocar la mano dentro de la incubadora y acariciarlo muy suavemente. Intente no dejarse intimidar por tantas máquinas y pídale al personal del hospital que le muestre qué debe hacer.

Incubadoras

Un bebé prematuro será colocado en un gabinete transparente, cerrado, controlado termostáticamente para mantener constante la temperatura de su cuerpo, y se le dará oxígeno si fuera necesario. Tanto su temperatura como su respiración serán controlados constantemente.

verse mucho, significan que, aparte de alimentarse con frecuencia, los bebés prematuros se pasan durmiendo la mayor parte del tiempo.

PROBLEMAS DE RESPIRACIÓN

Los bebés prematuros pueden dejar de respirar durante breves períodos de tiempo. A esto se le llama apnea, y aunque suena aterrador no es infrecuente. La mayoría de bebés vuelven a respirar tras un suave estímulo como un golpecito o una caricia.

Pueden surgir otros problemas respiratorios a causa del fluido inhalado en los pulmones o de la falta de agente tensoactivo, una sustancia producida en los pulmones que impide que estos se colapsen hacia dentro. Si los pulmones del bebé no están recubiertos por suficiente agente tensoactivo, no se expanden tan bien como debieran, lo que puede producir el colapso de los alveólos más pequeños hacia el interior, produciendo un estado común en bebés nacidos antes de las 28 semanas, conocido como enfermedad de la membrana hialina o síndrome de insuficiencia respiratoria (RDS).

A los bebés que sufren cualquiera de estas complicaciones se les administra oxígeno, ya sea mediante una mascarilla o un pequeño tubo insertado directamente en la tráquea. A veces es necesario recurrir a la ventilación asistida para hacer que el bebé respire.

ALIMENTACIÓN TUBÁRICA O POR SONDA

La mayoría de bebés prematuros no tienen fuerza para chupar la leche de una tetina o biberón, y sus intestinos son a veces demasiado débiles para absorber el alimento. Hay tres formas alternativas de alimentarlo:

- La alimentación intravenosa se emplea con bebés demasiado enfermos o tan prematuros que ni siquiera pueden tragar o digerir el alimento por sí mismos. Puede aplicarse durante semanas y la alimentación posterior se hará mediante una sonda nasogástrica.
- En la alimentación nasogástrica se introduce una sonda por la nariz hasta el estómago o el intestino del bebé. Como el tubo es muy fino y blando, el bebé no se da cuenta de que está ahí, y es una forma muy cómoda de alimentarlo.
- Cuando el bebé es mayor se emplea una combinación de pecho o biberón y alimentación por sonda; el bebé se alimenta tanto como puede del pecho o del biberón, y la alimentación por sonda complementa el resto; puede emplearse una vez que se hayan establecido los reflejos perioral y de succión, y se aplicará hasta que el bebé sea lo bastante fuerte como para alimentarse sólo del pecho o con el biberón.

PROGRESO

El desarrollo de un bebé prematuro puede ser lento y errático. A menudo conmociona mucho ver lo diminuto que puede ser un bebé prematuro, pero tendrá una gran voluntad de vivir.

Para él, cada día será una batalla cuesta arriba. Habrá períodos de mejoría, seguidos por retrocesos, y esa incertidumbre constante hará que usted y su cónyuge se sientan angustiados, inquietos y con cambios bruscos en su estado de ánimo. Pero es esperanzador saber que la mayoría de bebés nacidos después de las 32 semanas se desarrollarán con normalidad, y que de los nacidos a partir de las 27 semanas (con tres meses de anticipación), sobrevivirán seis de cada siete.

RIESGOS PARA LA SALUD

Los bebés prematuros están mal preparados para vivir fuera del útero, y pueden experimentar alguno de los problemas que se indican a continuación.

Respiración. *Debido a la inmadurez de sus pulmones, muchos bebés prematuros experimentan dificultades para respirar, una situación conocida como síndrome de insuficiencia respiratoria (RDS).*

Sistema inmunológico. *Un sistema inmunológico subdesarrollado, y un cuerpo demasiado débil como para defenderse a sí mismo adecuadamente, significa que existe un mayor riesgo de contraer una infección que en el caso de un bebé nacido a término.*

Regulación de la temperatura. *El control de la temperatura del bebé prematuro es ineficiente, y probablemente tendrá demasiado frío o demasiado calor. Dispone de menos aislamiento contra el calor que un bebé nacido a término, ya que le falta suficiente grasa del cuerpo por debajo de la piel.*

Reflejos. *El desarrollo inadecuado de sus reflejos, y sobre todo del reflejo de succión, le crea dificultades a la hora de alimentarse. Por ello, los bebés prematuros a menudo necesitan de una alimentación por sonda.*

Digestión. *El estómago del bebé prematura es pequeño y sensible, lo que significa que es menos capaz de conservar el alimento y corre un mayor riesgo de vomitarlo. La inmadurez del sistema digestivo puede dificultarle el digerir las proteínas esenciales, por lo que éstas tal vez tengan que serle administradas en forma predigerida.*

ESTADOS CONGÉNITOS

Las discapacidades congénitas son raras. Algunas son genéticas y otras se deben a los efectos que tienen sobre el feto los medicamentos y las drogas, la radiación, las infecciones o las perturbaciones metabólicas. Los tejidos fetales que crecen más activamente en el momento en que actúa el factor adverso son los que se verán afectados con mayor probabilidad. Cada vez se detecta un número creciente de defectos antes del nacimiento, que se tratan con éxito después del parto.

Talipes (pie zambo). Algunos niños, dos veces más niños que niñas, nacen con la planta de uno o de los dos pies mirando abajo y hacia el interior, o arriba y hacia el exterior. La causa del pie zambo no se conoce todavía del todo, pero puede heredarse. El pie será manipulado durante varios meses y encorsetado o entablillado entre manipulaciones. Si fuera necesaria la cirugía, puede practicarse hasta los nueve meses. Los talipes pueden ser un indicativo de espina bífida.

Cadera dislocada. En aproximadamente el 0,4 % de los niños, la bola de la cabeza del hueso del muslo no encaja perfectamente con su cavidad en el hueso de la cadera. En un recién nacido, eso es un problema potencial, más que real. Es mucho más común en las niñas que en los niños, y en los partos de nalgas y embarazos donde hay una cantidad anormalmente pequeña de fluido amniótico en el útero.

El médico o la comadrona comprobarán las caderas del bebé, como parte de las pruebas rutinarias practicadas después del parto (véase pág. 24), por si hubiera alguna movilidad excesiva. El tratamiento como la manipulación y el entablillado puede impedir problemas posteriores en la infancia. En los casos graves quizá sea necesario operar.

Hipospadias. En un número muy pequeño de bebés masculinos (alrededor del 0,3 %) la abertura uretral no está situada al final del pene sino cerca de la base, en la parte inferior. En la mayoría de los casos está hacia el final, pero en algunos se encuentra en la parte inferior del glande. En casos graves, el pene está curvado. En los casos extremadamente raros, la abertura uretral está entre los genitales y el ano. La intervención quirúrgica para corregir este defecto se realiza normalmente antes de los dos años, para permitir el paso normal de la orina y, más adelante, unas relaciones sexuales normales. Este trastorno, ni siquiera en su forma más grave, no causa infertilidad.

Enfermedad cardiaca congénita. La forma más común de enfermedad cardiaca en los recién nacidos es un agujero en el septum ventricular, la delgada pared divisoria entre los ventrículos derecho e izquierdo (las dos cámaras principales del corazón). Los síntomas incluyen disnea, sobre todo durante la toma de alimento, llanto y dificultad para ganar peso, aunque es posible que no haya síntomas y que el doctor lo descubra en una revisión rutinaria, en forma de murmullo. Los pequeños agujeros suelen cerrar espontáneamente, pero si no es así tal vez sea necesaria una intervención quirúrgica.

ESPINA BÍFIDA

Si el tubo neural (la columna vertebral en desarrollo) no se fusiona adecuadamente en las primeras etapas del embarazo, las meninges (membranas que cubren el cerebro y la médula espinal) pueden quedar expuestas.

La parte afectada de la columna está cubierta a veces por piel y marcada sólo por un hoyuelo o un penacho de cabello (espina bífida oculta); en otros casos, las meninges sobresalen y el bulto puede estar cubierto por piel (meningocele) o, en la forma más grave, la médula espinal cubierta sólo por una fina capa de meninges pueden sobresalir como un bulto sobre la médula (miolocela). El 80 % de todos los bebés con espina bífida tienen algún grado de hidrocéfalo (véase pág. 29). Las mujeres con historial familiar de defectos del tubo neuronal corren un riesgo particularmente alto de tener bebés sucesivos que se vean afectados.

En bebés con defectos graves, los problemas pueden incluir una parálisis completa de las piernas, incontinencia doble y retraso mental. La incontinencia urinaria se alivia mediante el uso de un catéter (un tubo estéril insertado en la vejiga) y la fisioterapia es importante para estimular la movilidad.

La espina bífida puede detectarse durante el embarazo mediante la ecografía. Cada año se detectan unos 150 casos en Inglaterra y Gales. De éstos, dos tercios de las parejas optan por la interrupción del embarazo tras recibir asesoramiento. La incorporación de ácido fólico antes de la concepción y durante el embarazo ha reducido la incidencia de la espina bífida en un 75 %.

Labio leporino y fisura palatina. Durante la primera parte del embarazo, zonas separadas del rostro y la cabeza del bebé se desarrollan individualmente y luego se juntan. Cuando esa juntura no se produce o es incompleta, el bebé puede nacer con un labio leporino en uno o ambos lados, con o sin fisura palatina. A veces es posible amamantar al bebé, quizá utilizando una protección para el pezón; si no fuera así, se dispone de tetinas y biberones especiales. Es posible que algo de leche salga por la nariz, pero eso no importa.

El labio leporino será cerrado quirúrgicamente poco después del nacimiento o algunas semanas más tarde. La fisura palatina se cerrará aproximadamente después de seis a nueve meses. Algunos niños necesitarán otras operaciones.

Los niños afectados son cuidados por un equipo especializado que controlan el habla, el oído y los dientes y que intervendrá en caso necesario. También suele haber redes de grupos nacionales que ofrecen apoyo a los padres.

Síndrome de Down. Es el más común de una serie de estados llamados trisomías en los que una pareja de cromosomas tiene un cromosoma extra, formando tres. En el síndrome de Down hay tres cromosomas del número 21. Los niños afectados se caracterizan por tener una cara redonda, una lengua que tiende a sobresalir, ojos sesgados, con pliegues de piel en las comisuras interiores. La nuca suele ser plana. Tienden a ser niños fláccidos, con manos cortas y anchas y una sola arruga transversal a través de la palma de la mano. Otros trastornos pueden incluir la malformación congénita del corazón.

Los niños con síndrome de Down suelen ser niños muy afectuosos y felices. Con una educación precoz y una cuidadosa atención, a menudo, se desarrollan bien, y algunos son capaces de vivir de forma independiente cuando son adultos.

Estenosis pilórica. En este estado, el píloro, el pasaje que conduce desde el estómago hasta el intestino delgado, aparece estrechado a causa de un espesamiento del músculo. La causa es desconocida y es más común en los niños que en las niñas. Los síntomas suelen aparecer a las dos a cuatro semanas, aunque también antes. El estómago se contrae con fuerza en un intento por hacer pasar la comida a través del píloro estrechado. Eso, sin embargo, resulta imposible, y el contenido del estómago se vomita de modo tan violento que puede ser lanzado hasta a un metro de distancia, como un vómito explosivo. El bebé también puede sufrir estreñimiento y existe riesgo de deshidratación, por lo que debe consultarse enseguida al médico. Puede utilizarse la ecografía para confirmar el diagnóstico.

Ano imperforado. En algunos casos raros, el ano del bebé está cerrado al nacer, ya sea debido a la existencia de una delgada membrana de piel sobre la abertura, o a que no se ha desarrollado el canal anal, que enlaza el recto con el ano. El bebé debe ser sometido de inmediato a tratamiento quirúrgico. Este estado se comprueba rutinariamente al nacer (véase pág. 24), y se trata rápidamente si se descubre.

HIDROCÉFALO

También llamado agua en el cerebro, el hidrocéfalo aparece a menudo junto con otros defectos neurológicos como la espina bífida.

Es una afección rara, más común en los bebés prematuros, causada por una obstrucción de la circulación del líquido cerebroespinal o una acumulación de dicho fluido en la cavidad craneal. El líquido cerebroespinal baña el cerebro y la médula espinal y los protege de posibles lesiones Se caracteriza por una hinchazón anormal de la cabeza.

Si se sospecha su existencia, se practicarán frecuentes controles ultrasónicos y se medirá la cabeza del bebé cada dos o tres días. Si un niño nace con hidrocéfalo, se le puede insertar una desviación para drenar el fluido. El desarrollo mental suele verse afectado adversamente, hidrocéfalo, pero algunos niños con hidrocéfalo avanzado tienen una inteligencia normal.

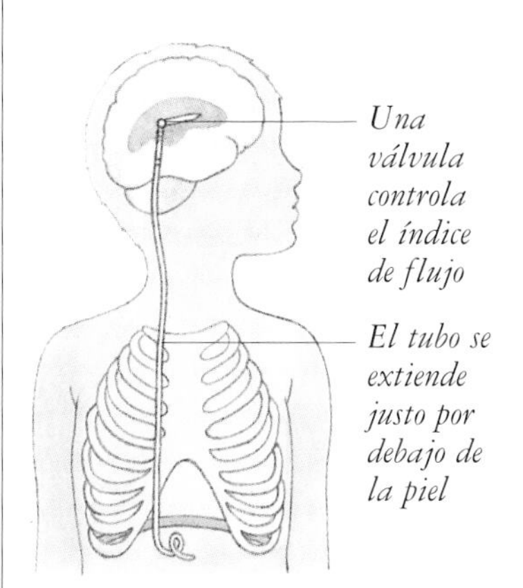

Desviación
Un sistema de tubos con una válvula drena el exceso de fluido cerebroespinal hacia donde pueda pasar a la sangre, habitualmente en la cavidad abdominal. El artilugio se instala dentro del cuerpo.

CAPÍTULO 2

Cuidados DIARIOS

Ante un bebé recién nacido, a muchos padres les preocupa el no saber qué hacer. ¿Empezará a alimentarse del pecho automáticamente? ¿Cuánto tiempo debe dormir? ¿Cuánto alimento necesita? ¿Y si rechaza el alimento?

Afortunadamente, cuidar de un bebé no exige habilidades especializadas, sino sólo un conocimiento básico, sentido común y la voluntad de solicitar consejo. En el término de pocas semanas su propia seguridad y experiencia habrán aumentado espectacularmente, y sabrá cuál es la mejor forma de cambiar, sostener, consolar y alimentar a su bebé. Se dará cuenta de que si necesita algo, el bebé suele encontrar una forma de comunicarse con usted.

A medida que el niño se hace mayor, se hará más independiente. A la edad de cuatro años será capaz de alimentarse, lavarse y vestirse por sí solo, y hasta es posible que tenga sus propias opiniones sobre la ropa y los alimentos que le gustan y no le gustan. Sus necesidades físicas ya no ocuparán tanto el tiempo de sus padres. El papel de usted en el cuidado cotidiano consiste en procurar que el niño sea fuerte y sano, satisfaciendo sus necesidades dietéticas y cuidando de su salud e higiene.

BEBÉ PEQUEÑO

EQUIPAR LA HABITACIÓN

El bebé puede tener una habitación propia o compartir la de sus padres; no obstante, una vez que duerma durante toda la noche, debe disponer de su propio espacio. Necesitará de poco equipo especial y puede improvisar con objetos que ya tenga en la casa: un fregadero bien puede servir como baño, y una toalla doblada como colchoneta para cambiarlo; a muchos padres, sin embargo, les encanta equipar la habitación del niño.

Si se trata de su primer hijo, pregunte a sus amigas con hijos qué objetos les parecieron más útiles, y sopese su consejo en comparación con su propio estilo de vida. Si se siente insegura de algo, recorra las tiendas y eche un vistazo a los catálogos de los grandes almacenes antes de tomar una decisión final. A menudo encontrará muchas cosas sin las que podrá pasar perfectamente. Los únicos elementos esenciales son algo que poner al bebé para dormir, su ropa habitual y pañales (véanse págs. 82-83 y 106-107), y el equipo para alimentarlo.

No tiene por qué comprarlo todo nuevo; busque objetos de segunda mano, anunciados en publicaciones locales o en los tableros de anuncios de alguna clínica local. El cochecito extensible sólo durará unos meses porque los bebés crecen con rapidez, de modo que, si puede, tiene sentido encontrar a una amiga que se lo deje. De todos modos, si compra artículos de segunda mano, y en bien de la seguridad de su hijo, compruebe que todas las superficies sean suaves, que no haya lugares oxidados y que cumplen las normas de seguridad más recientes. Lleve cuidado con los objetos pintados, ya que las pinturas antiguas pueden contener plomo, que es venenoso. Nunca compre sillas o arneses de coche de segunda mano.

SEGURIDAD

Al planificar la habitación del bebé tenga en cuenta que su hijo tendrá movilidad al cabo de poco tiempo.

- *Asegúrese de que los muebles no tienen bordes o cantos agudos.*
- *Elija una alfombra o moqueta no deslizante, y considere la idea de mandar instalar barrotes y cerraduras en las ventanas.*
- *Los muebles deben ser estables, de modo que el niño no pueda tirárselos encima.*
- *Los juguetes deberían guardarse en el nivel del suelo, de modo que el niño no tenga que realizar esfuerzos para alcanzarlos.*
- *Elija lámparas fijas a la pared, para evitar flexos que se desplacen.*
- *No caliente demasiado la habitación del niño, ya que el exceso de calefacción es un factor de riesgo en la muerte súbita (véase pág. 122).*

EQUIPO BÁSICO

Para dormir

Cuna portátil o cuna fija
Colchón con impermeable
Sábanas ajustables
Manta celular (para recién nacidos)
Chales para envolver
Alarma de bebé

Transporte

Cochecito de bebé extensible
Correa

Para el baño

Baño para el bebé
Algodón
Toalla grande y suave
Franela o esponja
Cepillo para bebé
Loción infantil de baño
Tijeras de puntas romas

Otros

Una silla de balancín

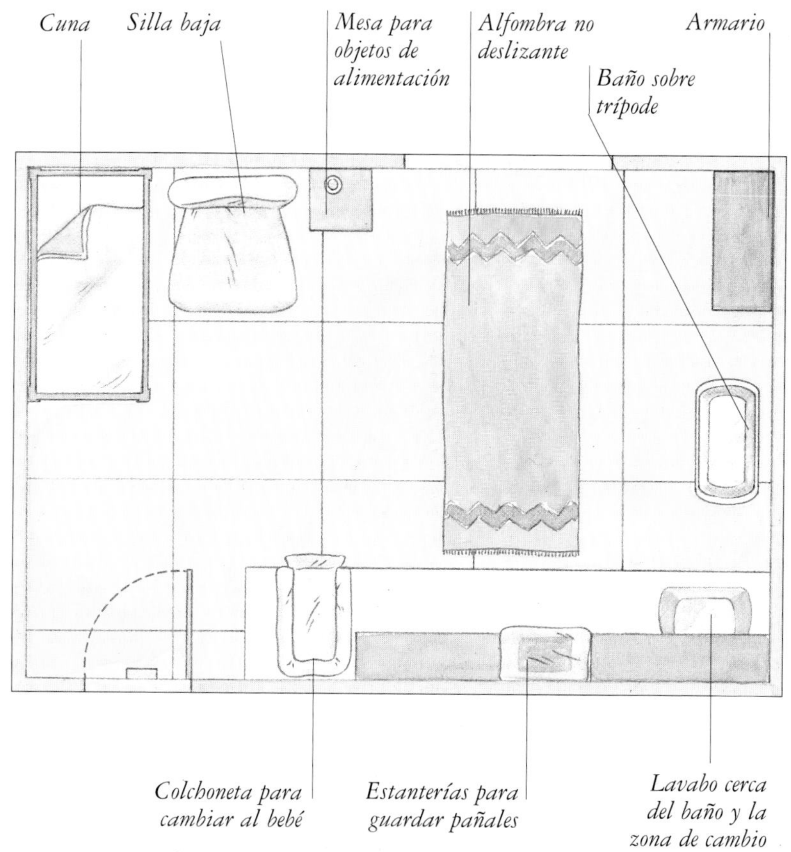

DISPOSICIÓN DE LA HABITACIÓN

Planificar la habitación, como comprar el equipo, se hace mejor antes de que nazca el bebé; una vez que lo tenga en casa estará demasiado ocupada alimentándolo y cambiándolo, y probablemente también estará demasiado cansada. Procure que la habitación se pueda limpiar con facilidad, con superficies lavables. Elija muebles sin bordes o cantos duros, y asegúrese de que toda superficie pintada no sea tóxica y no contenga plomo. Necesitará mucho espacio para guardar cosas, sobre todo cerca de la zona donde vaya a cambiar al bebé. Puede conseguirlo con una cómoda por encima de la cual se pueden instalar unas cuantas estanterías. Asegúrese de que la parte alta de la cómoda es lo bastante ancha para la colchoneta donde cambiarlo, así como suave y lavable. Las baldosas de corcho y las esterillas son ideales para cubrir el suelo de la habitación, ya que son cálidas y resistentes.

La habitación del bebé no tiene que estar muy caliente, pero debería mantenerse a una temperatura constante. Unos 18 °C es lo aconsejable si el bebé está cubierto con tres mantas y una sábana; con la habitación más caliente, debe poner menos mantas (véase pág. 122). Si el bebé está cómodamente arropado en su cuna no será necesaria la calefacción durante toda la noche, excepto cuando haga mucho frío; lo más adecuado es un calentador controlado termostáticamente. Es una buena idea instalar un conmutador reductor, de modo que pueda aumentar la luminosidad sin despertar al bebé. De ese modo, si lo desea, puede dejar la luz encendida a bajo nivel durante la noche.

DECORAR LA HABITACIÓN

Aunque la visión del recién nacido es limitada, los colores y la decoración alegres ofrecerán un ambiente estimulante.

- *Los colores luminosos y alegres son los más adecuados para la habitación del bebé. Amarillo, azul y verde hierba (los colores de la naturaleza) serán los más tranquilizadores para el bebé, y las manchas vívidas de colores primarios animarán la habitación.*
- *El recién nacido tiene una visión muy limitada, de sólo 20 a 25 cm, de modo que cuelgue los móviles sobre la cuna y la zona de cambiarlo. Sus colores y movimiento harán que el bebé esté alerta a lo que le rodea.*
- *Coloque un espejo irrompible en al lado de la cuna, en cuanto el bebé pueda verse la cara; el rostro humano es fascinante para los bebés muy pequeños.*
- *Elija telas y recubrimientos de pared que sean lavables.*
- *Una pantalla plegable puede ser útil para proteger la cuna de la luz brillante del sol o de las corrientes de aire.*
- *La alfombra es cálida y absorberá el ruido, pero puede ser difícil mantenerla limpia; una buena alternativa es un recubrimiento de vinilo, con un par de alfombras no deslizantes.*

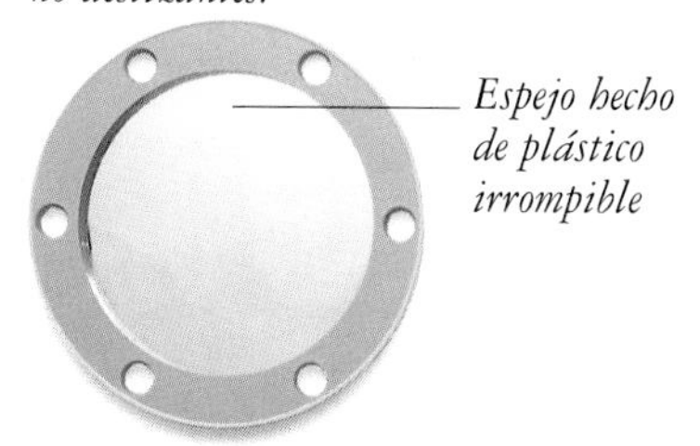

Estimulación visual
Un espejo fuerte, colocado en la cuna, le permitirá al bebé ver su propio rostro.

PARA DORMIR

Lo mejor que puede elegir para el recién nacido es una cesta tipo Moisés o un cochecito de bebé, algunos de los cuales pueden convertirse en sillas de ruedas para usarlos cuando el bebé ya pueda mantenerse sentado. El bebé crecerá con rapidez, de modo que no se moleste en comprar una cesta o un cochecito muy caros, a menos que se lo pueda permitir. Cuando el bebé se haga mayor, necesitará una cuna grande. Elija una con barrotes laterales muy juntos (una distancia de 2 a 6 cm es adecuada), cuyos laterales puedan descender. El colchón debe ajustar bien, para que el brazo, la pierna o incluso la cabeza del bebé no queden atrapados en los lados. La cuna le durará hasta que el bebé sea lo bastante mayor

EQUIPO PARA DORMIR

El recién nacido pasará mucho tiempo dormido y podrá dormir casi en cualquier parte. Al principio, lo mejor es una cesta o un cochecito de niño abatible, pero en cuanto se haga mayor necesitará una cuna.

como para bajarse de ella gateando; entonces tendrá que comprar una cama, aproximadamente a los dos años y medio. El colchón de la cuna debe ser de espuma, con agujeros de ventilación que le permitan al niño respirar si durante el sueño se diera la vuelta y quedara boca abajo. Las cunas de viaje son muy útiles para ir de vacaciones o sacar al bebé por las noches. Tienen lados de tela y son plegables, por lo que pueden llevarse con facilidad. Todo el equipo para dormir debe cumplir con las normas de seguridad.

Como el recién nacido no puede regular con efectividad la temperatura del cuerpo, debe usar una sábana de algodón y mantas celulares para la cuna, de modo que pueda añadir o quitar una con facilidad. Una vez que tenga un año, será adecuado ponerle un edredón. Asegúrese de que la ropa de cama sea incombustible y se adapte a las medidas actuales de seguridad.

Temperaturas durante el sueño. La investigación de la muerte súbita ha demostrado que los bebés que estaban demasiado arropados corren un mayor riesgo de sufrir una muerte súbita. Si la temperatura de la habitación es importante, todavía lo es más el número de mantas. Con una temperatura de 18 ºC en la habitación, una sábana y tres capas de mantas mantendrán al bebé a una temperatura ideal. Si hiciera más calor, debería emplear menos mantas (véase pág. 122). De modo similar, los parachoques de cuna y las almohadas pueden hacer que el bebé tenga demasiado calor. Los bebés pierden calor por la cabeza, por lo que si tiene la cabeza hundida en un parachoques o en una almohada, se reducirá la pérdida de calor. Actualmente no se recomienda el uso de lana o de los cucos debido al riesgo de que el bebé pase demasiado calor.

MICRÓFONOS DE VIGILANCIA

Un micrófono de vigilancia le permitirá estar en contacto con su bebé, aunque se encuentre en otra habitación.

- *Los micrófonos de vigilancia se encuentran en diferentes versiones: batería, corriente o recargables.*
- *Son útiles las luces que indican si las baterías están bajas o si la unidad del bebé está fuera del radio de acción.*

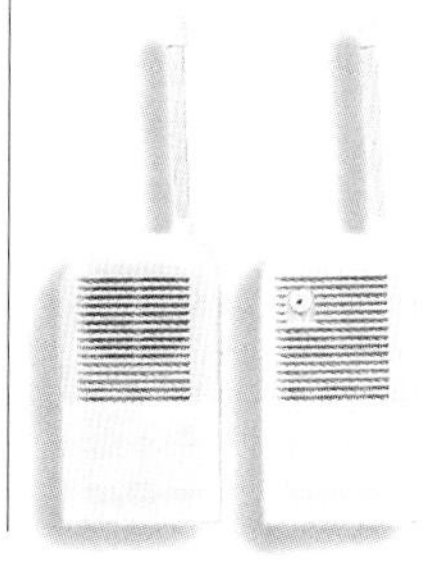

Mantener el contacto Los micrófonos constan de dos partes: el transmisor del bebé y el receptor de los padres.

ACCESORIOS PARA EL SUEÑO

Edredón de cuna (no es adecuado para bebés menores de doce meses)

Sábanas de algodón

Manta celular de algodón

Manta de lana

Sábana impermeable y ajustable para proteger el colchón

Colchón de espuma de seguridad, con agujeros de ventilación

CAMINAR Y TRANSPORTARLO

El bebé se pasará la mayor parte del tiempo siendo transportado de un lado a otro, ya sea en brazos o en cochecito, o estando asegurado de alguna forma, y hay una amplia gama de cochecitos para ello. Al elegir el equipo de esta clase, la principal consideración a tener en cuenta es la seguridad y la capacidad para el transporte.

Las correas son la forma más popular de transportar a un recién nacido; son ligeras y cómodas y le permiten llevar al bebé cerca al tiempo que mantiene las manos libres. Pruebe unas con el bebé colocado antes de comprarlas, y procure que tenga sostén para la cabeza. Las mochilas, que tienen estructuras de apoyo que permiten llevar a un bebé de mayor peso, son adecuadas una vez que el bebé pueda mantenerse sentado.

Para viajes largos necesitará un capazo-cuna o un cochecito, donde el bebé pueda tumbarse o ir sentado. Durante los tres primeros meses será mejor el capazo-cuna, hasta que el bebé controle la cabeza, y su elección dependerá de su presupuesto y estilo de vida. Piense dónde lo pondrá y si necesitará llevarlo en autobuses y trenes, o subir escalones con él. En cualquier caso, debe tener correas de seguridad o anillas para fijárselas.

ELEGIR UN COCHECITO

El bebé debe permanecer tumbado durante los tres primeros meses. Hay sillas reclinables sobre ruedas, pero un capazo-cuna es más versátil y algunos modelos pueden convertirse en cochecitos.

LLEVAR A SU BEBÉ

Las correas deben tener un apoyo para la cabeza

Una estructura de mochila aliviará el peso sobre su espalda

Uso de una mochila
Puede llevar al bebé en una mochila, una vez que sea demasiado pesado para llevarlo suspendido de correas. Procure que sea cómoda y que las aberturas para las piernas no restrinjan sus movimientos.

Uso de correas
El bebé se sentirá seguro suspendido de unas correas, lo que a usted le dejará libres las manos.

SILLA OSCILANTE

El bebé puede permanecer incorporado para mirar a su alrededor en una silla hecha para este propósito. Puede sentarlo en la silla y alimentarlo, pero asegúrese de que está bien sujeto por las correas para evitar que se deslice hacia abajo.

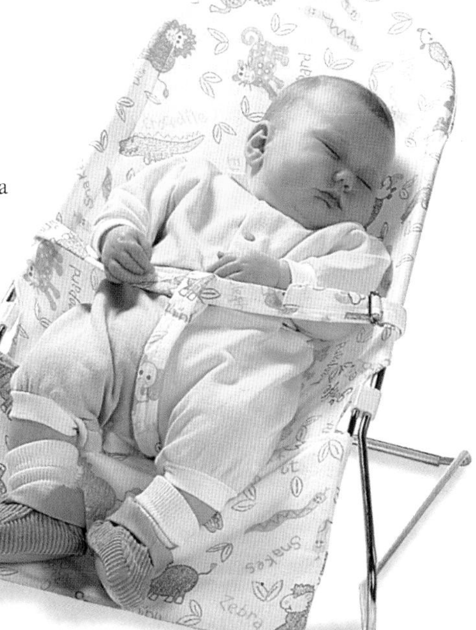

Deje la silla en el suelo, nunca sobre una mesa o banco de trabajo

CORREAS DE SEGURIDAD

El recién nacido no tiene miedo a caerse, de modo que cuando se siente tendrá que estar bien asegurado con correas por su propia seguridad.

- *Lo más seguro son unos arneses de cinco puntos, con correas para los hombros, así como para la cintura y la entrepierna.*
- *El cochecito del bebé debe tener correas incorporadas, o puntos fijos para fijarle unas.*
- *Las sillas altas tienen a menudo una correa incorporada para la entrepierna, y también deben tener anillas para incorporar una correa de seguridad que puede comprar más tarde.*
- *Muchas correas de seguridad se venden con riendas que se pueden fijar a ellas cuando el bebé tenga edad suficiente para caminar.*

BEBÉ PEQUEÑO

ALIMENTACIÓN Y NUTRICIÓN

LECHE: EL ALIMENTO IDEAL

Durante los primeros meses de vida, el bebé recibirá del pecho o de la leche de fórmula todos los nutrientes que necesita.

Calorías. *El contenido energético del alimento se mide en calorías. Los niños necesitan de dos y media a tres veces más calorías que los adultos en proporción con el peso del cuerpo.*

Proteínas. *Son vitales para la formación de las células y tejidos del cuerpo. Las necesidades de proteínas de un bebé son tres veces mayores que las de un adulto en proporción con el peso del cuerpo.*

Grasas. *Para el crecimiento y la reparación de los tejidos se necesitan diminutas cantidades de ácidos grasos.*

Hidratos de carbono. *Son las grandes fuentes de calorías.*

El bebé depende de usted para la obtención de una nutrición adecuada y, para un recién nacido, la leche materna o embotellada le proporcionará todo lo que necesita. La leche materna es la ideal para el bebé (véase a continuación), pero si prefiere darle biberón, puede estar tranquila que el bebé se desarrollará bien. La alimentación ocupa una buena parte del tiempo de los padres, así que es importante elegir un método adecuado para la madre y el bebé. Antes del parto debe decidir si lo va a amamantar o le dará biberón, y prepararse para aquello que elija.

Es normal que los bebés no tomen mucho calostro al principio, tanto si son amamantados como alimentados con biberón (véase pág. 40), ya que tardan un tiempo en acostumbrarse a alimentarse. El bebé llorará cuando tenga hambre, y eso debe indicarle la pauta de las comidas.

Los bebés crecen más rápidamente durante los seis primeros meses de vida, y la mayoría duplican su peso en unos cuatro a cinco meses. Las necesidades nutritivas reflejan ese tremendo crecimiento. La alimentación de un bebé sano debe contener cantidades adecuadas de calorías, proteínas, grasas, hidratos de carbono, vitaminas y minerales (véase izquierda y pág. siguiente), y recibirá todos esos nutrientes de la leche materna o de fórmula hasta que tenga por lo menos cuatro meses.

POR QUÉ ES MEJOR EL PECHO

La leche del pecho materno es el alimento perfecto para los bebés. Como no parece tan rica y cremosa como la de vaca, quizá crea que no es lo bastante buena, pero no se deje engañar. Contiene todos los nutrientes que necesita el bebé, y en las cantidades correctas.

La leche materna tiene muchos beneficios para el pequeño. Los bebés alimentados de este modo suelen sufrir menos que los alimentados con biberón de enfermedades como gastroenteritis e infecciones de pecho. Ello se debe a los anticuerpos que contiene el calostro y la leche materna, absorbidos en la corriente sanguínea, donde actúan para proteger al bebé contra las infecciones. En los primeros días de vida también protegen el intestino, y reducen la posibilidad de que se produzcan alteraciones intestinales.

La leche materna también tiene otras ventajas para la digestión del bebé. Los bebés amamantados no sufren estreñimiento, puesto que la leche materna es más digerible que la de vaca, aunque defecan menos porque la leche se digiere tan completamente que quedan pocos desechos. También hay menos posibilidades de que se produzca el exantema amoniacal del pañal (véase pág. 110). Desde el punto de vista de la madre, amamantar a su hijo es más conveniente que darle biberón: no hay necesidad de calentarle la leche, ni biberones que esterilizar, ni fórmula que preparar, ni equipo que comprar.

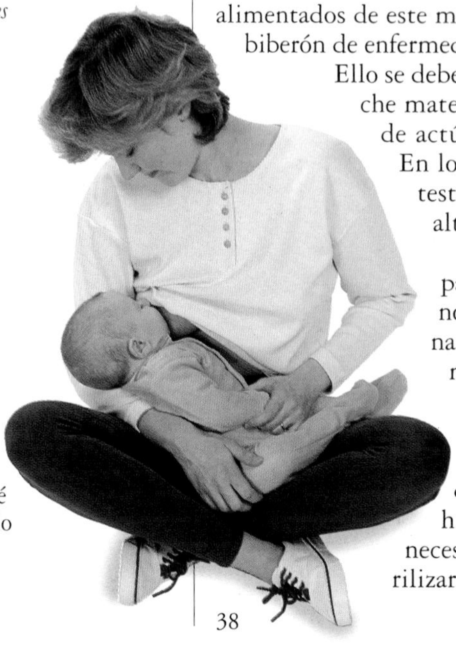

Amamantar al bebé
Amamantar al bebé establece un vínculo muy fuerte entre usted y su bebé.

Habitualmente, los bebés amamantados duermen más tiempo, sufren menos a causa del viento y la regurgitación y, si ésta se produjera, su olor es menos desagradable. Resulta difícil sobrealimentar a un bebé amamantado, de modo que no se preocupe si el suyo parece estar más grueso que los demás de su misma edad. Cada bebé tiene su propio apetito e índice metabólico, y el suyo tendrá el peso correcto para su cuerpo.

A algunas mujeres les preocupa que amamantar a sus hijos les deje los pechos fláccidos. No sucede nada de eso; los pechos pueden cambiar de tamaño o hundirse después de que haya nacido un bebé, pero esos cambios se deben al embarazo, no al hecho de darle el pecho. En realidad, amamantarlo es bueno para la figura de la madre, ya que estimula la pérdida del peso ganado durante el embarazo. Mientras amamanta al bebé, la hormona oxitocina (véase pág. 40), que estimula el flujo de la leche, también estimula al útero a volver a su estado previo al embarazo. La pelvis y la cintura recuperarán la normalidad con mayor rapidez. Los estudios han demostrado que el cáncer de mama es más raro en aquellas partes del mundo donde se acostumbra a amamantar a los hijos, y es posible que dar el pecho ofrezca una cierta protección contra la enfermedad.

ALIMENTACIÓN CON BIBERÓN

Toda mujer es capaz de amamantar a su hijo y usted también debiera intentarlo. Muchas mujeres creen que deben hacerlo para ser una buena madre y se sienten culpables si no lo hacen. Por otro lado, a algunas mujeres les resulta emocional o psicológicamente difícil hacerlo, y otras no pueden aunque lo intenten. Si este fuera el caso, debería olvidarlo y concentrarse en dar a su hijo una buena dieta con biberón, ya que de ese modo también crecerá. Si decide no amamantarlo, probablemente le recetarán hormonas para suprimir la subida de la leche.

Quizá considere el biberón porque tiene la sensación de que amamantarlo la mantiene atada, sobre todo si tiene la intención de volver a trabajar muy pronto después del parto. Quizá sea esa la mejor solución para usted, pero recuerde que también es posible exprimir leche suficiente como para que su compañero o niñera alimente al bebé en su ausencia. De ese modo, el bebé obtiene los beneficios de la leche materna y usted dispone de la flexibilidad y la libertad que le da el biberón.

Uno de los beneficios de alimentar al bebé con biberón es que el cónyuge puede participar en ello. Debe intentar hacerlo en cuanto le sea posible después del nacimiento, para aprender a manejar al bebé con confianza y, si es posible, debería compartir el acto de alimentarlo con la madre. Anímelo a sostener al bebé y a hablarle mientras lo alimenta, de modo que se acostumbre al tacto de su piel, a su olor y al sonido de su voz.

Alimentación con biberón
Convierta el alimentarlo en un momento de intimidad para usted y su bebé.

NECESIDADES VITAMÍNICAS Y MINERALES

Además de los nutrientes básicos (véase pág. opuesta), la leche aportará al bebé las vitaminas y minerales necesarios.

Vitaminas. *Son esenciales para la salud. Las leches de fórmula contienen todas las necesidades vitamínicas del bebé, pero la leche materna no contiene tanta vitamina D, fabricada por la piel al ser estimulada por la luz. Pregunte al médico si el bebé necesita suplementos vitamínicos.*

Minerales. *Tanto la leche materna como la de fórmula contienen calcio, fósforo y magnesio, que son necesarios para el crecimiento del hueso y del músculo. Los bebés nacen con una reserva de hierro que durará unos cuatro meses; después, se les tiene que dar hierro, ya sea en forma sólida o como suplementos.*

Oligoelementos. *Minerales como el zinc, el cobre y el flúor son esenciales para la salud del bebé. Los dos primeros se encuentran en la leche materna y de fórmula, pero no así el flúor, que protege contra la caries dental. No dé nunca flúor sin consultar con el médico, ya que cantidades excesivas pueden causar fluorosis (decoloración del esmalte de los dientes).*

ASEGURARSE UN BUEN SUMINISTRO DE LECHE

Cuidarse es la clave para lograr un buen suministro de leche. Si permanece relajada, come bien y bebe fluidos suficientes, tendrá mucha leche para su bebé.

- *Descanse todo lo que pueda, particularmente durante las primeras semanas, y trate de dormir mucho.*
- *Produce la mayor cantidad de leche por la mañana, cuando ha descansado. Si se pone tensa durante el día, el suministro puede ser escaso por la tarde. Repita las rutinas de relajación prenatal y túmbese un rato cada día.*
- *Deje un poco de lado las tareas de la casa y haga sólo lo que sea absolutamente necesario.*
- *Intente ofrecerse varios caprichos, como relajarse con un vaso de vino al final del día.*
- *Tome una dieta equilibrada, rica en proteínas. Evite los hidratos de carbono muy refinados (pasteles, biscuits, dulces, etc.).*
- *Pregunte al médico sobre suplementos de hierro y, posiblemente, de vitaminas.*
- *Beba unos tres litros de fluido al día; a algunas mujeres les parece que necesitan beber incluso cuando amamantan a su bebé.*
- *Exprima toda la leche que no haya tomado el bebé en las primeras tomas del día para estimular a los pechos a seguir produciendo leche.*
- *La píldora anticonceptiva combinada disminuye el suministro de leche, así que evítela durante cinco meses después del parto. Analice con el médico el uso de otros métodos anticonceptivos alternativos.*
- *Evite las comidas picantes, que afectarán a su leche y alterarán el estómago del bebé.*

TODO SOBRE AMAMANTAR AL BEBÉ

Dar el pecho es algo que tiene que aprenderse, y debe buscar ayuda y consejo de su familia, amigas con bebés, y comadrona o médico. Pero aprenderá, sobre todo, de las señales que emite su bebé y descubrirá cómo responder a ellas. No se necesita de ninguna acción especial para preparar los pechos para la alimentación, a menos que tenga usted un pezón invertido. En tal caso, utilice una concha de pecho para lograr la protuberancia del pezón, de modo que el bebé pueda succionarlo. Si tiene el bebé en el hospital, asegúrese de que el personal sepa que tiene la intención de amamantarlo, y no tema pedir ayuda. Amamante al bebé en cuanto nazca, incluso en la sala de partos si está en el hospital, para formar lo antes posible un vínculo con él y acostumbrarlo a mamar.

EL CALOSTRO Y LA LECHE MATERNA

Durante las 72 horas posteriores al parto, los pechos producen un fluido tenue y amarillento llamado calostro, compuesto por agua, proteína y minerales. El calostro contiene anticuerpos que protegen al bebé contra una serie de infecciones intestinales y respiratorias. Durante los primeros días, al bebé se le debe dar el pecho con regularidad, tanto para alimentarlo con el calostro como para acostumbrarlo a fijarse al pecho (véase pág. 42).

Una vez que los pechos empiecen a producir leche, quizá se sorprenda ante su aspecto aguado. Al mamar, la primera leche que obtiene el bebé es la preleche, un fluido tenue, acuoso, que aplaca la sed. Luego viene la verdadera leche, más ricas en grasas y proteínas.

EL REFLEJO DE SUBIDA

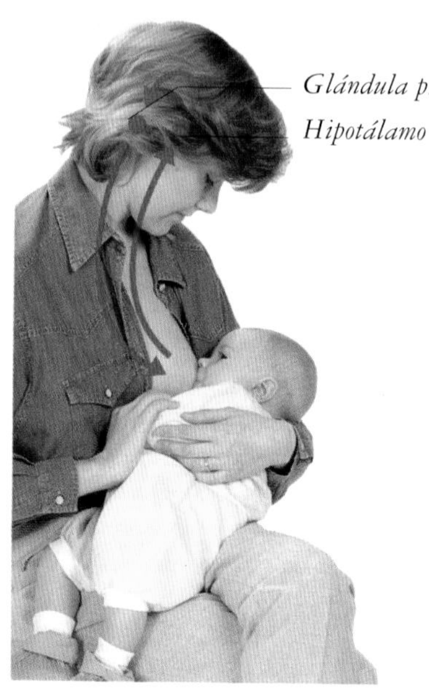

La acción de succión del bebé ante el pecho envía al hipotálamo mensajes que estimulan a la glándula pituitaria del cerebro a liberar dos hormonas: la prolactina, responsable de producir la leche en las glándulas mamarias, y la oxitocina, que hace que la leche pase de las glándulas a las reservas de leche situadas tras la areola. Esta transferencia se llama subida de la leche.

POSICIONES PARA AMAMANTAR

Tumbada es ideal para alimentar al bebé por las noches; si es muy pequeño, quizá tenga que apoyarlo sobre una almohada para que llegue a su pezón. Esta posición le será más cómoda si le han practicado una episiotomía y le resulta incómodo sentarse. Si le han hecho una cesárea y todavía tiene tierno el estómago, intente permanecer tumbada con los pies del bebé por debajo de su brazo.

Tanto usted como el bebé deben estar cómodos

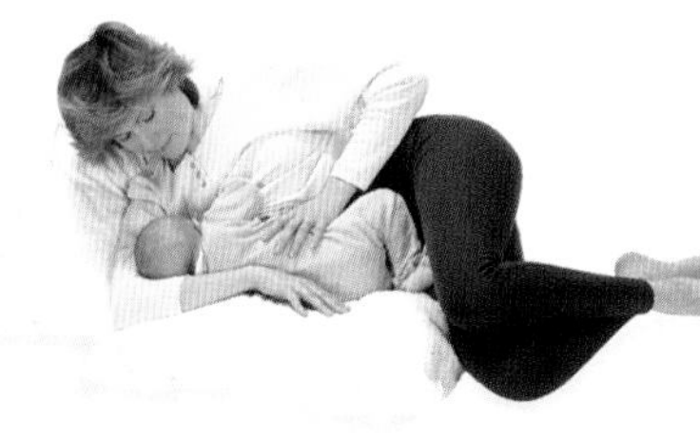

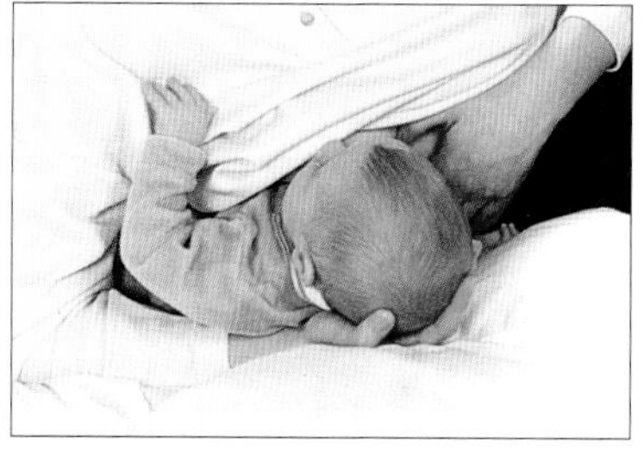

Posiciones tumbada
Las posiciones para amamantar al bebé que le permitan permanecer tumbada son una cómoda alternativa y mantienen a un bebé inquieto lejos de la incisión tierna de una cesárea.

Posición sentada
Asegúrese de tener bien apoyados los brazos y la espalda y de estar relajada.

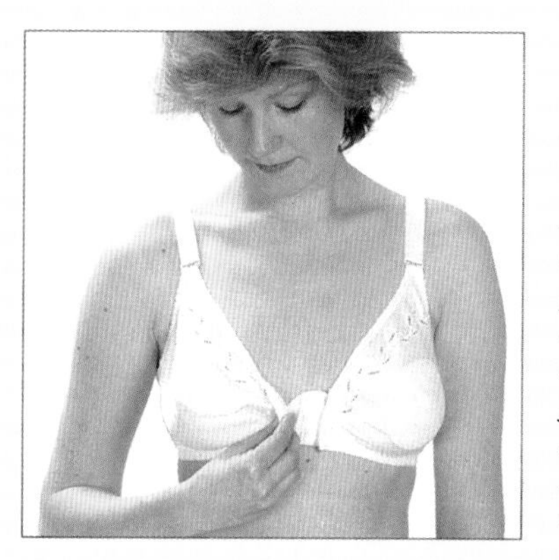

SUJETADOR

Debería llevar siempre un sujetador que le sostenga bien los pechos cuando amamanta.

Pruébeselo en la tienda antes de comprarlo, y busque uno con aberturas por delante y con correas anchas que no le corten en los hombros. Los sujetadores de apertura rápida por delante son fáciles de abrir con una mano, mientras sostiene al bebé con la otra. Un buen sujetador reducirá la incomodidad en el caso de que se le inflamen los pechos.

OFERTA Y DEMANDA

La leche se produce en glándulas profundamente hundidas en el pecho, no en el tejido graso, por lo que el tamaño del pecho no es un indicativo de la cantidad de leche que producirá; hasta los pechos pequeños son perfectamente adecuados productores de leche.

La leche se produce según la demanda; usted ofrecerá lo que necesite su bebé, así que no le preocupe quedarse sin leche si el bebé se alimenta con frecuencia.

Los pechos se ven estimulados para producir leche por el mismo acto de succión del bebé, de modo que cuando más succiona, más leche producirán, y viceversa. Durante el período de lactancia, la cantidad de leche disponible fluctuará según las necesidades del bebé y una vez que éste empiece a tomar sólidos, los pechos producirán menos leche.

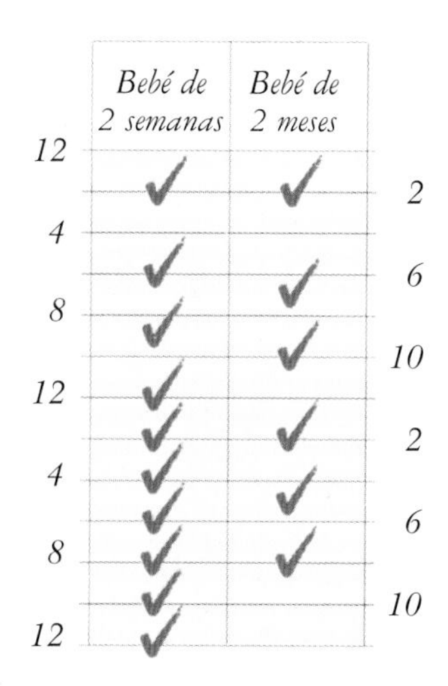

Frecuencia de las tomas
Al principio, el bebé se alimentará poco y con frecuencia. A los dos meses, se alimentará cada cuatro horas y tomará más que antes en cada toma.

¿CUÁNTO TIEMPO EN CADA PECHO?

Debe mantener al bebé en cada pecho durante el tiempo que él muestre interés por succionar.

- *Si el bebé sigue mamando después de que su pecho esté vacío, es posible que lo haga porque disfruta de la sensación; eso está bien, siempre y cuando no le inflame los pechos.*
- *Una vez que el bebé haya terminado de alimentarse de un pecho, apártelo con suavidad del pezón (véase más abajo, derecha), y póngalo en el otro pecho. Es posible que no mame durante tanto tiempo como en el primero.*
- *Alterne el primer pecho que le ofrezca en cada toma. Para recordar de qué pecho ha mamado la última vez, póngase un imperdible en el sujetador.*

AMAMANTAR CORRECTAMENTE A SU BEBÉ

Amamantar al bebé crea un fuerte vínculo entre madre e hijo si el momento de alimentarlo es relajado y placentero para ambos. Procure que el bebé la vea, sonríale y háblele mientras mama. Terminará por asociar el placer de alimentarse con la vista de su rostro, el sonido de su voz y el olor de su piel. Procure que ambos estén cómodos antes de empezar (vea «Posiciones para amamantar», pág. 41). Debe alimentar al bebé con los dos pechos, y quizá quiera hacerle eruptar antes de cambiarlo (véase pág. 55).

DAR EL PECHO

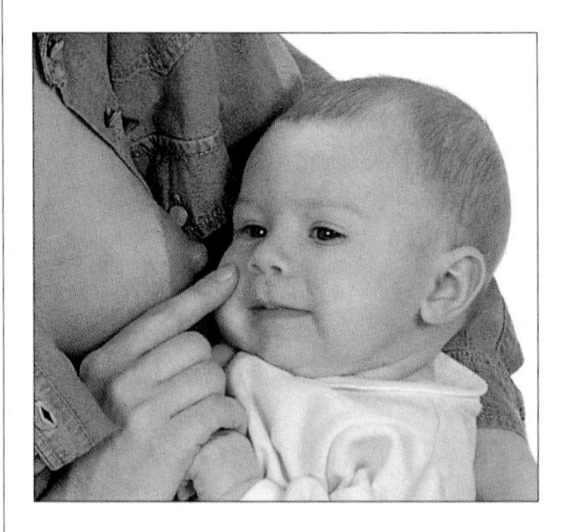

Con la boca abierta, el bebé tantea en busca del pezón

El reflejo perioral
Anime al bebé a mirar el pecho, acariciándole con suavidad la mejilla más cercana al mismo. El bebé se volverá en seguida hacia el pecho con la boca abierta.

Estimule la intimidad hablando y cantándole al bebé

Sujeción
El bebé debe tomar en la boca el pezón y buena parte de la areola. Extrae la leche mediante una combinación de succión y presión de la lengua contra el paladar duro.

Al extraer la leche, el bebé aprieta el pezón alargado contra el velo del paladar

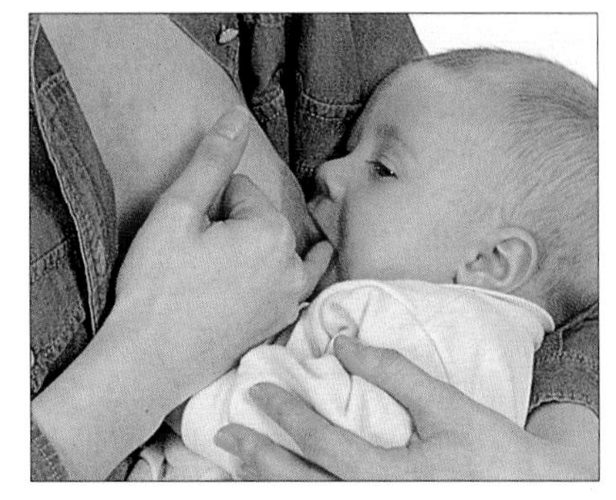

Soltar el pezón
Para interrumpir la succión, deslice el dedo meñique en la comisura de la boca del bebé. Su pecho se apartará con facilidad, en lugar de tener que sacarlo a tirones.

POSIBLES PROBLEMAS

Es muy normal encontrar al principio ciertas dificultades para amamantar al bebé, así que no se preocupe por pequeños retrocesos, como el hecho de que el bebé se niegue a alimentarse. Recuerde que él también está aprendiendo, y que ambos necesitarán tiempo para acostumbrarse al otro, así que persevere y pida consejo a la comadrona o al médico.

Rechazar el pecho. Es bastante habitual que el recién nacido no mame con mucha fuerza o durante mucho tiempo en las primeras 24 a 36 horas. Sin embargo, si eso sucediera más tarde, quizá exista un problema que haya que afrontar. Las dificultades de respiración son la causa más probable de que el bebé tenga problemas para mamar. Es posible que el pecho le cubra las aletas de la nariz; en tal caso, tire con suavidad del pecho hacia atrás, justo por encima de la areola, para apartarlo de la cara del bebé. Si tiene la nariz bloqueada o respira con dificultad, consulte con el médico, que probablemente le recetará gotas nasales para despejar la nariz.

Si no observara ninguna causa evidente por la que el bebé se niega a alimentarse, es posible que esté sencillamente inquieto. Un bebé que ha llorado con hambre, puede estar demasiado tenso como para tomar el pecho. Necesitará tranquilizarlo, sosteniéndolo con firmeza y hablándole o cantándole; es inútil tratar de alimentarlo mientras no se calme. Si ha habido algún retraso en alimentarlo, como sucede a veces con un bebé prematuro alimentado con biberón, le será más difícil tomar el pecho, y tendrá que ser usted paciente y perseverante. La comadrona o el médico le indicarán si necesita exprimirse la leche con un sacaleches hasta que el bebé pueda tomar del pecho todo lo que necesita. Raras veces resulta necesario dar biberones suplementarios que, además, pueden hacer que las madres dejen de amamantar a sus hijos. Darle leche exprimida es una alternativa mejor.

Succión de consuelo. La mayoría de bebés disfrutan mamando de los pechos de sus madres, tanto como alimentándose. Aprenderá a distinguir la diferencia entre la verdadera alimentación y la succión de consuelo. Durante la toma de alimento quizá observe que el bebé succiona con fuerza sin tragar. No hay razón alguna para que el bebé no mame todo el tiempo que quiera, siempre y cuando no tenga usted los pezones inflamados, aunque el bebé toma la mayor parte de su alimentación en los primeros tres a cinco minutos.

Dormirse mientras mama. Si el bebé no parece muy interesado por el alimento durante los primeros días, procure que tome todo lo que quiera de un pecho. Si se queda dormido, significa que está satisfecho y que le va bien, aunque a los bebés prematuros se les debe despertar y alimentar con regularidad, ya que suelen dormir mucho. Si el bebé se queda dormido en el pecho, despiértelo con suavidad una hora más tarde y ofrézcale una nueva toma de alimento; si tiene hambre, la aceptará en seguida.

Alimentación inquieta. Si el bebé no se alimenta relajadamente o no parece quedar satisfecho, es posible que mame sólo del pezón y no obtenga leche suficiente. Eso también puede inflamar los pezones. Compruebe que el bebé está colocado correctamente sobre el pecho.

ALIMENTACIÓN INSUFICIENTE

Quizá le angustie pensar que no puede ver cuánto ha tomado el bebé, pero es raro que un bebé alimentado a pecho no tome leche suficiente.

- *Si el bebé desea seguir mamando aun después de haber terminado de alimentarse de ambos pechos, no siempre significa que tiene hambre; puede disfrutar haciéndolo.*
- *La sed puede hacer que el bebé continúe mamando tras haber vaciado sus pechos. Intente darle 30 mililitros de agua hervida y enfriada tomada de una taza especial.*
- *Si parece inquieto y hambriento, hágalo pesar en la consulta del médico para comprobar si aumenta de peso con la rapidez esperada. En caso contrario, significa que se habrá reducido su producción de leche, quizá porque está usted cansada. Es aconsejable darle entonces tomas suplementarias (véase pág. 45) de una taza especial, hasta que recupere usted su producción normal. Si está preocupada, póngase en contacto con su médico.*
- *El síndrome de la leche baja, descrito hace poco en Estados Unidos, es un estado raro en el que el bebé recién nacido no logra alimentarse lo suficiente. Casi siempre se debe a dificultades de aprendizaje acerca de cómo fijarse al pezón y mamar. Sólo en muy pocos casos se debe a que la madre no produzca leche suficiente. Eso, sin embargo, no excluye la lactancia materna, pero se necesitará dar al bebé biberones suplementarios. Es importante destacar una y otra vez que a los bebés y a sus madres se les debe dar tiempo para dominar la lactancia.*
- *Una señal de advertencia del síndrome de leche baja se encuentra en los pañales; si el bebé moja menos de seis pañales diarios, consulte con su comadrona o su médico.*

CONSEJOS PARA EXPRIMIR LA LECHE

Procure que el acto de exprimir la leche sea lo más sencillo posible y conserve correctamente la leche.

- *Si tiene que inclinarse sobre una superficie baja para exprimirse la leche, puede tener dolor de espalda. Procure que el recipiente esté situado a una altura conveniente.*
- *Exprimir la leche debe ser indoloro. Si le duele, deténgase en seguida. Pregunte a la comadrona o al médico si lo está haciendo correctamente.*
- *Cuanto más relajada esté, más fácil le será hacerlo. Si la leche no empieza a fluir, coloque una franela cálida sobre sus pechos para abrir los conductos, o trate de hacerlo en el baño.*
- *Si le preocupa que el bebé no vuelva a amamantarse después de haberse acostumbrado al biberón, intente alimentarlo desde una taza especialmente diseñada, o dándole la leche exprimida a cucharadas tomadas de una taza. Asegúrese de esterilizar tanto la cuchara como la taza antes de usarlas.*
- *Debe tener las manos limpias y cada objeto o recipiente que utilice deben ser estériles.*
- *La leche se estropeará a menos que la guarde correctamente, y eso podría enfermar al bebé. Refrigere o congele la leche en cuanto la haya recogido. Refrigerada, se mantiene durante 24 horas; congelada, dura hasta seis meses.*
- *La leche exprimida debe guardarse en recipientes estériles y cerrados herméticamente. No utilice recipientes de cristal en el congelador, ya que pueden agrietarse. Lo ideal son las botellas de plástico esterilizadas.*

EXPRIMIR LA LECHE

La leche exprimida puede ser guardada fácilmente, ya sea en el refrigerador o en el congelador. Eso la librará de sentirse atada a dar el pecho a su hijo, y al pequeño le permitirá alimentarse con su leche aunque usted no esté presente. También permitirá a su cónyuge el compartir el alimentar al bebé.

Puede exprimirse la leche usando las manos o una bomba sacaleches, que puede ser manual o eléctrica. Aunque las pequeñas bombas con baterías son muy fáciles de usar, a muchas mujeres les parece más fácil y conveniente hacerlo a mano. Antes de empezar necesitará un cuenco, un embudo y un recipiente que pueda cerrarse herméticamente. Todo el equipo tiene que ser esterilizado, ya sea mediante una solución, con agua hirviendo o en una unidad especial de vapor.

Durante las seis primeras semanas casi siempre es difícil exprimir la leche a mano, ya que los pechos no han alcanzado su plena producción, pero no se desanime. Como quiera que la producción de los pechos depende de la demanda, quizá necesite exprimir leche para mantener la oferta, como por ejemplo en el caso de que el bebé sea prematuro y no se le pueda alimentar a pecho. Aunque use una bomba, vale la pena aprender la técnica de exprimir la leche a mano por si la necesitara. El mejor momento para hacerlo es por la mañana, que es cuando tiene más leche, aunque a usted quizá le parezca mejor después de la toma nocturna.

EXPRIMIR POR BOMBA

Todas las bombas manuales funcionan por succión y se componen de un embudo o escudo, un mecanismo de bombeo y un recipiente. El conjunto y funcionamiento de las diferentes marcas de bombas variarán un poco, de modo que siga las instrucciones del fabricante.

Mecanismo de bombeo

Embudo

El recipiente funciona también como biberón

Uso de la bomba
Coloque el escudo sobre el pezón y apriete y suelte el mango. La leche debe ser succionada por el vacío creado en el biberón. Si eso le causara algún dolor, deténgase en seguida. Exprimir la leche debe ser un acto indoloro. Pruebe de nuevo un poco más tarde.

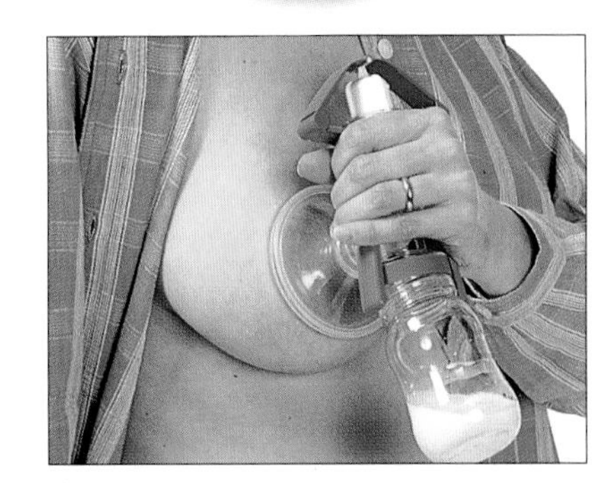

EXPRIMIR A MANO

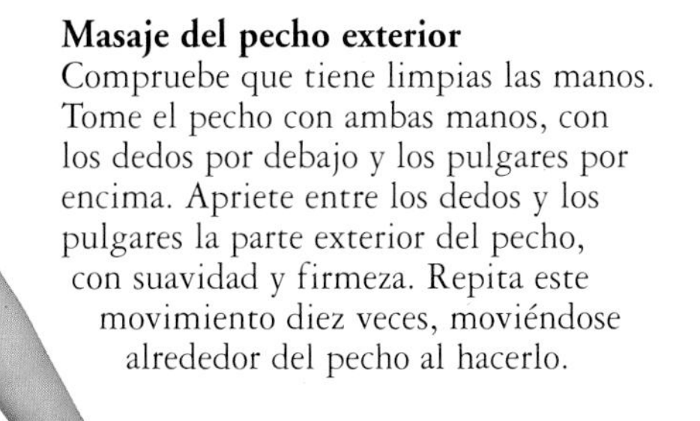

Masaje del pecho exterior
Compruebe que tiene limpias las manos. Tome el pecho con ambas manos, con los dedos por debajo y los pulgares por encima. Apriete entre los dedos y los pulgares la parte exterior del pecho, con suavidad y firmeza. Repita este movimiento diez veces, moviéndose alrededor del pecho al hacerlo.

Masaje del pecho interior
Adelante las manos para situarlas más cerca de la areola, y repita el procedimiento indicado arriba.

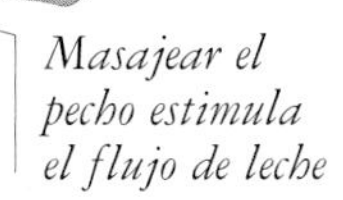

Masajear el pecho estimula el flujo de leche

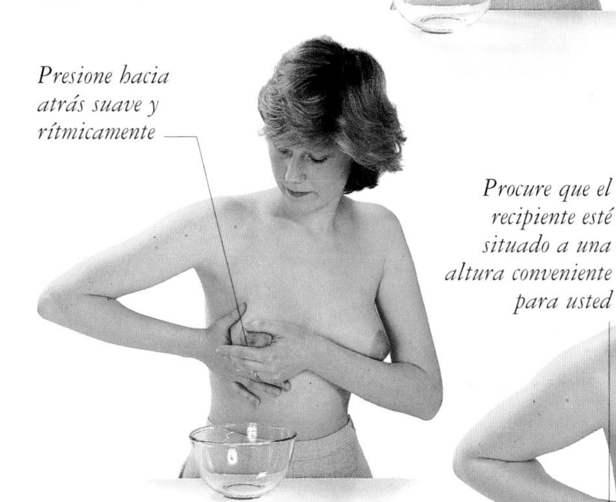

Presione hacia atrás suave y rítmicamente

Procure que el recipiente esté situado a una altura conveniente para usted

Empezar el flujo
Coloque el pulgar y los dedos de una mano cerca de la areola, presionándola hacia atrás, en dirección a sus costillas, y luego apriete suave y rítmicamente. Si no empieza a fluir la leche en seguida, siga intentándolo.

Exprima de cada pecho, alternativamente

Vaciar el pecho
Continúe durante unos cinco minutos, trabajando alrededor de la areola, y luego pase a hacer lo mismo con el segundo pecho. Repita todo el procedimiento para ambos pechos.

BIBERONES SUPLEMENTARIOS

Aunque esté amamantando al bebé, quizá haya ocasiones en que tendrá que darle biberones suplementarios de leche de fórmula.

Si tiene un conducto bloqueado o un pezón particularmente inflamado, quizá desee recurrir a biberones suplementarios, aunque muchas madres prefieren exprimirse la leche del pecho afectado y usarla en el biberón.

A un bebé que se ha acostumbrado al pezón le disgustarán las tetinas de plástico. Desgraciadamente, resulta difícil saber si al bebé sólo le disgusta la tetina o es que no tiene hambre. Terminará por acostumbrarse al biberón si usted insiste, pero entonces quizá descubra que no desea volver al pecho. Si sucediera así, intente darle la leche con una cuchara o taza esterilizadas.

Al bebé se le pueden dar biberones de alivio que contengan su leche exprimida, si es usted incapaz de amamantarlo, o en el caso de que deje al bebé con otra persona.

ACCESORIOS

Aunque no son esenciales, las conchas recogeleche y los discos absorbeleche le ayudarán a mantener los pezones limpios y secos.

Conchas absorbeleche
Cuando amamanta de un pecho, la leche puede gotear o incluso fluir del otro. La concha absorbeleche se usa para recoger este exceso de leche, que puede guardarse en el refrigerador hasta 24 horas, o congelarse.

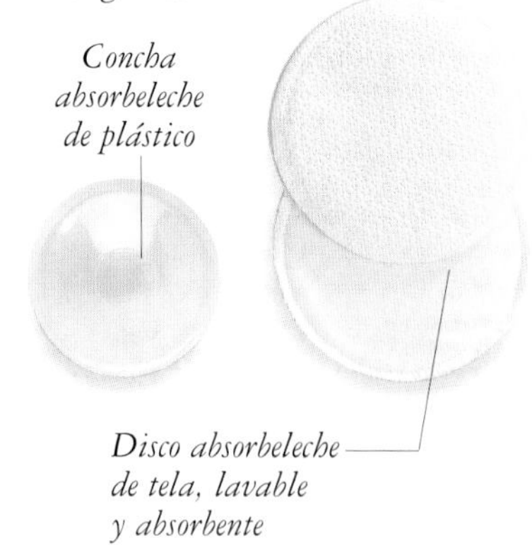

Discos absorbeleche
Son discos de tela almohadillada, como una compresa, que encajan en el interior del sujetador y protegen la ropa de cualquier goteo de la leche.

CONTROL DE LA LACTANCIA MATERNA

Muchas madres descubren que la lactancia materna se desarrolla con suavidad desde el inicio, pero también es normal que sea un poco torpe al principio, que el bebé no mame durante mucho tiempo, o que se le inflamen un poco los pechos. Recuerde que se necesita tiempo para aprender, de modo que si surgen problemas, persevere hasta que las cosas sean más fáciles.

EL CUIDADO DE LOS PECHOS

La higiene diaria de los pechos y los pezones es muy importante. Debe limpiarlos cada día con agua o loción infantil (no con jabón, que reseca la piel y puede agravar un pezón agrietado o llagado), y secarlos con suavidad. Séquelos también después de alimentar al bebé. Lleve en todo momento el sujetador, ya que necesitará mucho apoyo, pero bájese las hojas delanteras y deje los pezones libres, al aire. Quizá quiera utilizar una crema humectante sobre los pezones o un rociador antiséptico si se llagaran.

Una vez que el flujo de leche se haya establecido, pueden producirse escapes de leche. Para recogerlos, puede emplear discos absorbeleche o pañuelos limpios dentro del sujetador. Cámbielos con frecuencia para que estén limpios. Una concha recogeleche de plástico le ayudará a mantener los pezones secos y a recoger la leche que se filtre y que se puede congelar o refrigerar en un biberón estéril. Lave y esterilice la concha recogeleche antes de volver a utilizarla.

SI ESTÁ ENFERMA

Si tiene que guardar cama, puede exprimir la leche para que su cónyuge alimente al bebé cuando usted no se sienta con ánimos de hacerlo. Si está demasiado enferma como para exprimir la leche, puede alimentar al bebé con leche de fórmula o con cuchara y aunque es posible que no le guste al principio, tomará la leche en cuanto tenga un poco más de hambre.

Si tiene que ingresar en el hospital todavía puede amamantar a su hijo. Debe informar lo antes posible al personal de que esa es su intención, para que puedan tomarse las disposiciones necesarias, como por ejemplo disponer de alguien para cambiar al bebé si está usted demasiado cansada para hacerlo. Sin embargo, si ha sufrido una operación, no podrá amamantarlo después debido a la anestesia, ya que estará demasiado mareada y, lo que es más importante, los medicamentos que se le hayan administrado habrán pasado a la leche. Si sabe que será sometida a una operación, intente exprimir y congelar toda la leche que pueda para que se la puedan dar al bebé en biberón hasta que usted se haya recuperado. La leche tardará unos diez días en regresar; mientras tanto, el bebé puede mamar con toda la frecuencia que desee.

MEDICAMENTOS Y LACTANCIA

Si puede, evite tomar toda clase de medicamentos durante la lactancia. Muchos de ellos pasan a la leche materna y pueden afectar al bebé. Informe siempre al médico de que amamanta a su hijo si usted ya toma medicamentos, o consúltelo ante cualquier problema nuevo. Quizá prefiera recetarle algo más apropiado. Si desea usar anticonceptivos orales, debe tomar sólo la «minipíldora» de progestógeno, ya que el estrógeno de la píldora combinada reduce su producción de leche. No obstante, puesto que todavía no se conocen los efectos del progestógeno sobre el bebé, es mejor usar cualquier otro método anticonceptivo hasta que haya destetado al bebé. El médico, o la clínica de planificación familiar le ayudarán a elegir el método que más le convenga.

PROBLEMAS

Sus pechos trabajarán mucho durante los próximos meses, y puede que surjan problemas si, por ejemplo, el bebé no toma el pezón adecuadamente o tira de él al soltarlo. La mejor forma de prevenirlo es mantener los pechos limpios y secos, y procurar que el bebé los vacíe al alimentarse. También debe llevar un sujetador adecuado. Si los pezones se le llagan o agrietan, actúe de inmediato para que no empeoren.

Pezón agrietado. Si no se trata adecuadamente un pezón llagado (véase derecha), puede agrietarse. En tal caso, experimentará usted un suave dolor mientras el bebé mama. Debe mantener los pezones secos con un disco absorbeleche o con tejidos secos, y dejar de alimentarlo con el pecho afectado hasta que cure. En lugar de eso, debería exprimir la leche a mano, para dársela al bebé en biberón o desde una taza especial.

Congestión. Hacia el final de la primera semana, antes de que se haya regularizado la lactancia, puede tener los pechos congestionados, dolorosos y bastante duros al tacto. Si sucediera eso, el bebé no podrá tomar el pezón. Procure llevar un buen sujetador para reducir la incomodidad, y exprima con suavidad algo de la leche, antes de alimentarlo, para aliviar así la congestión. Tomar baños calientes también le ayudará a aliviar la incomodidad al promover el flujo de la leche.

Conducto bloqueado. Las ropas apretadas o la congestión pueden producir el bloqueo de un conducto mamario, que produce una mancha roja y dura en el exterior del pecho, donde está el conducto. Puede prevenirlo alimentando al bebé con frecuencia y animándolo a vaciar los pechos, así como procurando que el sujetador le encaje adecuadamente. Si sufre un bloque del conducto, alimente al bebé con frecuencia y ofrézcale primero el pecho afectado.

Mastitis. Si no se trata un conducto bloqueado, puede producirse una infección aguda llamada mastitis. El pecho se inflama y aparece una mancha roja en el exterior, como en el caso del conducto bloqueado. Debe continuar dándole el pecho al bebé porque necesita vaciarlo. El médico puede recetarle antibióticos para eliminar la infección.

Absceso mamario. Un conducto bloqueado no tratado o una mastitis puede producir un absceso mamario. Tendrá fiebre y una mancha roja y brillante en el pecho que estará muy sensible al tacto. El médico le recetará antibióticos y, si eso no produjera resultados, se le tendrá que drenar quirúrgicamente el absceso, pero podrá seguir dando de mamar al bebé incluso si necesitara una operación menor. Consulte con su médico.

PREVENIR LLAGAS EN LOS PEZONES

Amamantar a su hijo puede producir inflamación alrededor de los pezones, sobre todo si es usted de piel rubia. Para reducir la posibilidad de problemas:

- *Procure que el bebé se introduzca bien en la boca tanto el pezón como la areola.*
- *Aparte siempre al bebé del pecho con suavidad (véase pág. 42).*
- *Entre las tomas, mantenga los pezones tan secos como pueda.*
- *Asegúrese de tener los pezones secos antes de volver a ponerse el sujetador.*

Si uno de los pezones se llagara, dele un descanso a ese pecho durante 24 horas o hasta que haya desaparecido la inflamación. Exprima la leche del pecho afectado y alimente al bebé con el otro pecho. Para impedir que el pezón se agriete, aplique una crema de manzanilla o de caléndula dos o tres veces al día.

El escudo es muy blando y permite un buen encaje.

Escudo para el pezón
Está hecho de silicona blanda y encaja sobre el pezón; el bebé mama a través de una pequeña tetina situada delante. Esterilícelo antes de usarlo.

NOMBRE	*Petrina Wehrli*
EDAD	*27 años*
HISTORIAL OBSTÉTRICO	*Embarazo normal, Benjamin nació prematuramente a las 28 semanas*
HISTORIAL MÉDICO	*Apendicectomía a los 15 años*
HISTORIAL FAMILIAR	*Gemelos en generaciones anteriores*

Petrina disfrutaba de un trabajo en una agencia inmobiliaria cuando dejó el puesto para tener un bebé. Es una mujer muy decidida y se preparó para el embarazo comiendo bien y haciendo ejercicio con regularidad. Al quedar embarazada leyó todos los libros que pudo sobre el tema y hasta practicó exprimirse la leche manualmente. Su esposo Mike participó en estos preparativos, asistió a clases prenatales con Petrina y leyó con ella libros sobre bebés.

Una noche, mientras estaban en el cine, cuando sólo habían transcurrido 28 semanas de embarazo, Petrina sintió repentinos dolores uterinos que aumentaron rápidamente hasta convertirse en contracciones fuertes y regulares. Mike la llevó directamente al hospital, donde nació Benjamin.

UN CASO DE ESTUDIO

AMAMANTAR A UN BEBÉ PREMATURO

Tanto para Petrina como para Mike fue una conmoción tener un bebé tres meses antes de lo previsto; Petrina, a la que le gusta tener la sensación de controlarlo todo, se sintió particularmente perturbada. Le resultó difícil sentarse junto a su bebé, tan impersonalmente encerrado en una incubadora, incapaz de acunarlo en sus brazos y, sobre todo, de amamantarlo, algo que había anhelado hacer.

MANTENER EL SUMINISTRO

Le expliqué a Petrina que aunque amamantar a un bebé prematuro no es sencillo, la leche materna es especialmente beneficiosa para ellos y les ofrece protección contra las infecciones durante las primeras y más arriesgadas semanas de vida. Benjamin tuvo que ser alimentado por vía intravenosa durante varios días y luego gradualmente, a través de una sonda estomacal, porque no había tenido tiempo de desarrollar los reflejos perioral y de succión. Petrina se exprimió la leche desde el primer día y la guardó para podérsela dar a Benjamin cuando se le colocara la sonda estomacal.

Se mostró firme en su intención de amamantar a Benjamin cuando pudiera llevárselo a casa, y las enfermeras la animaron a darle el pecho en cuanto pudieron sacarlo de la incubadora durante breves períodos. Le recordé que la leche materna se produce en respuesta a la demanda. Si el bebé no la utiliza, hay que exprimirla para que no se detenga la producción. Eso significa que Petrina tuvo que exprimir la leche para mantener la producción hasta que Benjamin pudo amamantarse con regularidad.

APRENDER A EXPRIMIR LA LECHE

Exprimir la leche para un bebé prematuro es difícil porque están ausentes todas las claves naturales para la bajada de la leche: el llanto de hambre del bebé, el levantarlo en los brazos y el llevarle la boca hacia el pecho. Para dominar la técnica de exprimir la leche (véanse págs. 44-45), Petrina necesitó persistencia y apoyo de Mike; en muchas ocasiones sintió deseos de dejarlo. Los pechos se le congestionaron al tercer día y apenas si podía masajearlos. Explicó sus problemas a la enfermera de la unidad, que dispuso una rotación de enfermeras que la ayudaran y estimularan a exprimir la leche cada dos horas (como haría un bebé muy pequeño), y a almacenarla higiénicamente (véase pág. 44).

Petrina siguió exprimiéndose la leche por la noche, cada cuatro a seis horas. A la segunda semana ya se había convertido en toda una experta, y se le pidió que enseñara a otras madres a hacerlo. Ahora que se sentía útil y competente empezaron a desaparecer los temores por su bebé.

Vinculación con un bebé prematuro

Una de las principales preocupaciones de Petrina fue que Benjamin no pudiera establecer un vínculo con ella y Mike, ya que no podía escuchar adecuadamente sus voces, ni oler su piel ni disfrutar de ser arrullado en sus brazos. El personal del hospital, sin embargo, le mostró cómo introducir la mano limpia en la incubadora para acariciar suavemente a Benjamin. Al cabo de una semana, Benjamin ya mostraba signos de que le encantaba este contacto y respondía agitándose cuando le tocaba su madre. Al hacerlo, ella le hablaba con naturalidad, y durante la segunda semana observó que el bebé movía los ojos en reconocimiento al sonido de su voz. Lo consideró como su primera conversación y continuó hablándole durante el tiempo que estaban juntos. El personal del hospital animó a los padres a pasar con Benjamin todo el tiempo que pudieran, y alimentarlo y cambiarlo a medida que aumentaba su seguridad en sí mismos.

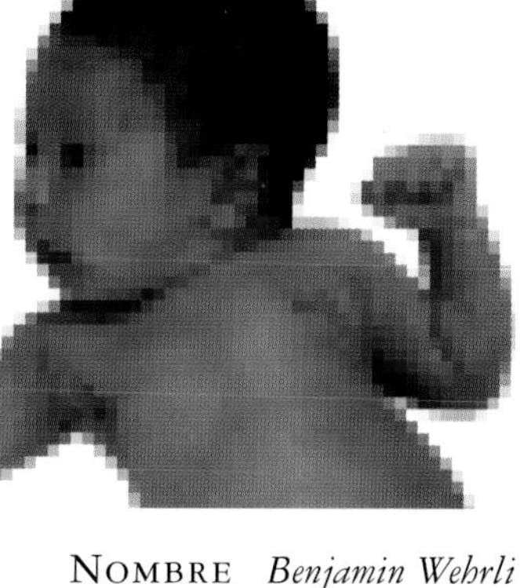

NOMBRE	*Benjamin Wehrli*
EDAD	*39 semanas*
PESO AL NACER	*1,3 kg*
HISTORIAL MÉDICO	*Nacido prematuramente a las 28 semanas y atendido en una incubadora en la unidad de cuidados intensivos. Se permitió que sus padres se lo llevaran a casa a las 38 semanas*

Afrontar las exigencias

Dos semanas y media después del nacimiento de Benjamin, Petrina experimentó una crisis. La conmoción de haber tenido un bebé prematuro, la ansiedad de los primeros días y la falta de sueño debida a la necesidad de exprimir la leche por la noche, empezaron a causar sus efectos y ella tuvo la sensación de que ya no le quedaban recursos emocionales. Cuando una de las enfermeras la descubrió sollozando, se dio cuenta en seguida de que la propia Petrina estaba necesitada de cariño. Le sugirió que hablara con Mike de sus sentimientos. Mike había creído que Petrina estaba totalmente absorbida con Benjamin, pero estuvo totalmente dispuesto a pasar cada día un tiempo con Petrina, para acariciarse y compartir sus sentimientos. Petrina también empezó a reservar un tiempo para sí misma, como para ir a la peluquería, y a regalarse de vez en cuando con aquellas cosas nutritivas que le gustaban, como fresas fuera de temporada, o pan entero malteado. Bebía mucha agua mineral para procurar una gran producción de leche.

Preparación para el regreso al hogar

Antes de que Benjamin estuviera preparado para abandonar el hospital, el personal empezó a darle biberones de leche materna, de modo que aprendió a mamar bien antes de que le dieran el pecho. En la última semana, antes del regreso al hogar, tomaba cinco de cada ocho tomas del pecho de Petrina, de modo que pasó en el ambiente tranquilizador del hospital la complicada fase de acostumbrarse al pecho. Cuando Benjamin tuvo 38 semanas y 2,5 kg de peso, diez semanas después de nacer, Petrina y Mike lo llevaron a casa y se sintieron por primera vez como una verdadera familia. En casa, Petrina continuó exprimiéndose la leche, de modo que siempre tuviera suficiente para el caso de que Benjamin diera muestras de tener hambre después de alimentarse. Una semana más tarde, Benjamin pesaba 2,6 kg y seguía desarrollándose. No obstante, le expliqué a Petrina que tenía que seguir considerando su edad como si estuviera todavía en el útero: no tenía dos meses de edad, sino 39 semanas, y hasta que no tuviera dos años de edad no se pondría por completo a la altura de los bebés nacidos a término.

BIBERONES Y LECHE

LECHES ARTIFICIALES

Hay una variedad de leches artificiales, todas ellas cuidadosamente formuladas para que se parezcan lo máximo posible a la leche materna; de hecho, la leche artificial contiene vitamina D y hierro añadidos, cuyos niveles suelen ser bajos en la leche materna.

La mayoría de las leches artificiales se basan en la de vaca, pero puede elegir leche basada en la soja para un bebé al que no le pruebe la de vaca. Algunas se encuentran tanto en polvo como en formas ya mezcladas.

La leche ya mezclada se presenta en cartones o biberones preparados para su uso y ha sido envasada por el sistema UHT, es decir, esterilizada y mantenida en lugar frío hasta su fecha de caducidad. Una vez abierto el cartón, la leche se mantendrá en buenas condiciones en el refrigerador durante 24 horas. La leche preparada es más cara que la leche en polvo, pero más conveniente y quizá la prefiera usar si se encuentra de viaje.

Al usar la leche en polvo es esencial que haga la preparación siguiendo exactamente las instrucciones del fabricante. Algunos padres tienen la tentación de añadir un poco más de polvos para que la leche sea «más nutritiva», pero eso hará que el niño reciba demasiadas proteínas y grasas, y no suficiente agua. Si añade pocos polvos, el bebé no recibirá los nutrientes que necesita para un crecimiento sano.

La mayoría de bebés terminan por ser alimentados con biberón en algún momento, si no de modo continuo desde el principio, sí después del destete, o con biberones suplementarios. En el mercado aparecen con regularidad nuevas marcas de leche artificial, biberones y tetinas, todas ellas con el propósito de conseguir que la alimentación con biberón sea tan conveniente y similar a la leche materna como se pueda.

Lo único que no le puede dar al bebé si lo alimenta con biberón desde el principio es el calostro (véase pág. 40), de modo que, aunque no tenga intención de amamantarlo, le ayudará mucho si le da el pecho durante los primeros días. Si decide no hacerlo así, el personal del hospital se ocupará de las necesidades del bebé durante los primeros días y probablemente se le dará agua con glucosa a las pocas horas de nacer.

Una de las cosas buenas de la alimentación con biberón es que el nuevo padre puede participar en ella. Procure que su cónyuge alimente al bebé en cuanto pueda después del nacimiento. De ese modo, se acostumbrará a la técnica y no tendrá miedo de manejarlo. Debe abrirse la camisa, para que el bebé se acurruque junto a su piel mientras se alimenta, y establezca una vinculación con su olor.

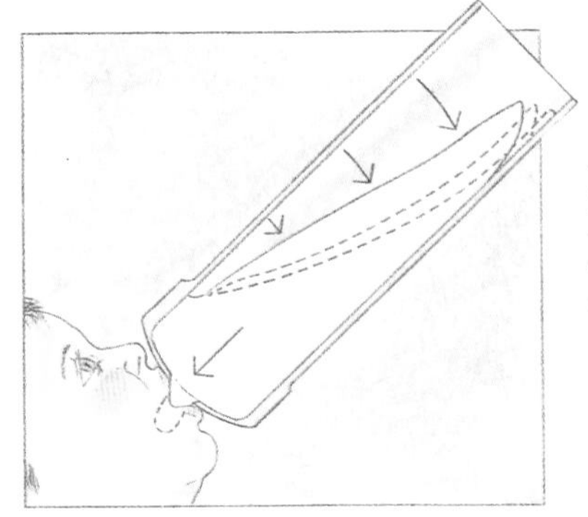

Biberones desechables
Los biberones con recubrimiento desechable son muy convenientes cuando se tiene que viajar. El recubrimiento es plegable, de modo que el aire no entra en el biberón mientras el bebé chupa la leche, y hay menos probabilidades de que trague aire.

BIBERONES Y TETINAS

Biberones (izquierda a derecha)
Biberón ahusado
Biberón entallado
Fácil de sujetar
Desechable con recubrimiento

Tetinas (izquierda a derecha)
Tetinas universales de látex (2)
Tetina anticólico de silicona
Tetina de forma natural
Tetina ancha para biberón desechable

ESTERILIZAR LOS BIBERONES

Es aconsejable practicar con el equipo de alimentación antes de acudir al hospital, así que adquiéralo antes de la fecha prevista para el parto. Los grandes almacenes y farmacias venden paquetes con el equipo completo y esencial.

Siempre me ha parecido más conveniente esterilizar un juego de biberones (véase pág. 52), y dejarlos en el refrigerador hasta que se necesiten. Una vez que se haya utilizado, friegue el biberón en agua templada y déjelo a un lado. Es una buena idea esterilizar siempre el equipo de alimentación con leche hasta que el bebé tenga un año.

La mayoría de las unidades esterilizadoras sólo tienen capacidad para cuatro a seis biberones. El recién nacido, sin embargo, se alimentará unas siete veces cada 24 horas, de modo que tendrá que esterilizar y preparar los biberones dos veces al día, por la mañana y por la noche, para tener siempre alguno dispuesto cuando tenga hambre. El número de tomas disminuirá a medida que crezca, y pronto sólo tendrá que esterilizar los biberones una vez al día.

MÉTODOS DE ESTERILIZACIÓN

- Ponga todo el equipo en un recipiente de plástico grande con tapa y utilice las pastillas o el fluido esterilizador y agua.
- Las unidades esterilizadoras al vapor destruyen con rapidez y efectividad las bacterias del equipo.
- Puede esterilizar el equipo con el microondas usando una unidad de vapor especialmente diseñada, siempre y cuando el equipo sea adecuado para su uso en un microondas.
- Lave el equipo y hágalo hervir durante por lo menos 25 minutos en una olla grande y cerrada.

PRECAUCIONES

Para reducir el riesgo de que su bebé contraiga una infección gastrointestinal, asegúrese de que todo lo que entra en contacto con la comida de su hijo esté limpio y esterilizado antes de usarlo.

Puede utilizar un tanque esterilizador, una unidad esterilizadora al vapor, el microondas o el lavaplatos (véase a la izquierda). Lávese bien las manos antes de tocar la leche en polvo o el equipo. Los chupetes y aros de dentición deben limpiarse a conciencia cada vez que se usen.

Tenga siempre los biberones preparados en la nevera y no los guarde más de 24 horas. Es mejor preparar la leche cuando vaya a utilizarla. Si el bebé no se termina el biberón o usted lo calienta y el niño no quiere tomarlo, tírelo pues los alimentos recalentados son la principal causa de infección.

Limpieza en un lavaplatos
A los 12 meses puede lavar el equipo en el lavaplatos, si dispone de uno. Limpie las tetinas antes (véase columna de la derecha). Utilice el ciclo normal del lavaplatos.

Hervido
Debe hervir los biberones durante 5 minutos. Luego sáquelos del agua y deje que se enfríen antes de usarlos de nuevo.

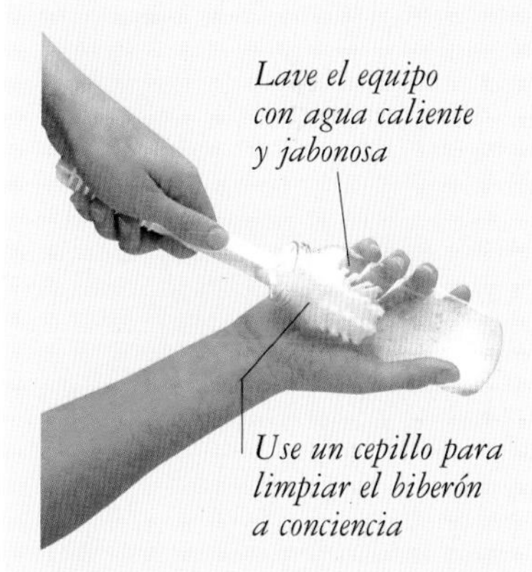

Lavado de biberones y tetinas
Todo el equipo debe lavarse en agua caliente y jabonosa. Frote el interior del biberón con un cepillo largo y enjuague las tetinas meticulosamente para eliminar los restos de leche. Aclare biberones y tetinas con abundante agua tibia para eliminar el jabón.

FÓRMULA PREPARADA

Usar una fórmula ya preparada es más sencillo que prepararla usted, pero para ello se tienen que observar una serie de reglas estrictas de higiene.

- *Antes de abrir el cartón, use un cepillo para restregar la parte superior del cartón, prestando una atención particular a la línea de corte.*
- *Corte la esquina del cartón con unas tijeras limpias. Evite tocar los bordes con las manos, ya que podría contaminar la leche.*
- *Si no utiliza toda la leche, deje lo que sobre en el cartón, que podrá permanecer guardado en el refrigerador durante 24 horas.*
- *No guarde la leche que el bebé haya dejado en el biberón, ya que habrá sido contaminada con saliva.*

EL FLUJO DE LECHE

El agujero de la tetina debe ser lo bastante grande como para permitir el flujo de leche en una corriente de varias gotas por segundo con el biberón invertido.

Si el agujero fuera demasiado grande, el bebé recibiría mucha cantidad en poco tiempo y se atoraría; si el agujero fuera demasiado pequeño, el bebé se cansaría de chupar antes de quedar satisfecho. Para agrandar el agujero de la tetina, inserte una aguja fina al rojo, para fundir la goma (hunda el otro extremo de la aguja en un tapón de corcho para sostenerla sobre una llama y calentarla).

Las mejores tetinas son aquellas que tienen la forma adaptada al paladar del bebé y que le permiten controlar el flujo.

ALIMENTACIÓN CON BIBERÓN

Si alimenta al bebé con biberón debe tener en cuenta un par de puntos esenciales. La fórmula debe estar preparada adecuadamente, de modo que el bebé reciba las cantidades correctas tanto de nutrientes como de agua, y debería poder extraer leche a un ritmo cómodo para él. Puede usted preparar un biberón cada vez, mezclándolo en la botella según las instrucciones del fabricante, o bien puede preparar varios a la vez.

PREPARACIÓN DE VARIOS BIBERONES

Equipo

El equipo debe enjuagarse con agua hervida y escurrirse antes de usarlo.

- Biberones y tapas
- Cuchillo de plástico
- Cuchara de medición del paquete de la fórmula
- Embudo
- Tetinas
- Caperuzas
- Jarra

Elimine el polvo sobrante con el dorso del cuchillo

Medición

El uso de la cuchara de medición incluida en el envase de la fórmula le permite medir la cantidad adecuada. Use el cuchillo de plástico para nivelar cada cucharada y no apriete los polvos en la cuchara.

Mezcla

Coloque la cantidad adecuada de leche en polvo en la jarra de mezcla, con el agua hervida y enfriada. No añada nunca fórmula extra, ya que la mezcla estaría entonces demasiado concentrada y podría ser peligrosa. Agite la leche en polvo y el agua hasta que esté segura de que no quedan grumos o residuos y de que la mezcla es suave.

Si lo necesita use un embudo para llenar los biberones

Almacenamiento

Coloque las tetinas esterilizadas boca abajo en los biberones; asegúrelos con las tapas que se enroscan y ponga las caperuzas de plástico. Refrigere las botellas inmediatamente, poniéndolas en una bandeja para mantenerlas boca arriba.

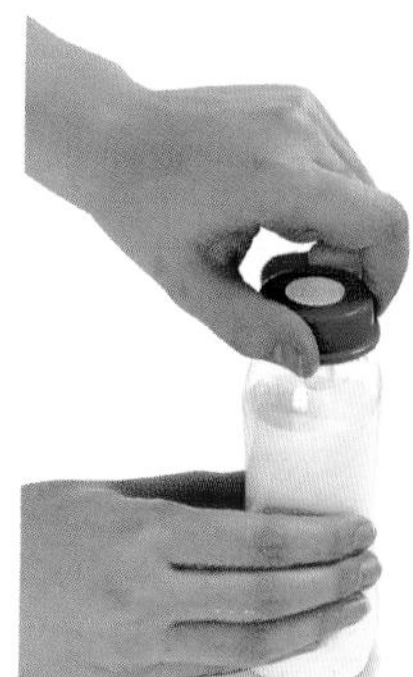

CÓMO DAR UN BIBERÓN

Póngase cómoda y apoye bien los brazos. Sostenga al bebé medio sentado, con la cabeza sobre el codo doblado y la espalda a lo largo del antebrazo, lo que le permitirá tragar sin problemas. Procure mantener el rostro cerca y háblele todo el tiempo.

Si prefiere, hay otras posiciones adecuadas para alimentarse. Por ejemplo, puede tratar de tumbarse con el bebé acurrucado bajo su brazo, una posición especialmente cómoda para las tomas nocturnas. Pruebe posiciones diferentes hasta que decida cuál es la que mejor se adapta a usted (véase pág. 41).

Antes de empezar, pruebe si la leche está caliente; previamente debe haber comprobado el flujo (véase pág. siguiente). Afloje ligeramente la caperuza del biberón para que pueda entrar aire. Si el bebé tuviera dificultad para chupar la leche, quítele el biberón de la boca con suavidad para que entre aire y luego continúe como antes. Sostenga el biberón en un ángulo tal que el bebé no trague aire con la leche.

ALIMENTAR CON EL BIBERÓN

Dar el biberón
Acaricie con suavidad la mejilla más cercana del bebé para estimular el reflejo de succión. Introdúzcale cuidadosamente la tetina en la boca. Si empuja la tetina demasiado hasta el fondo, puede impedirle tragar.

Alimentarlo
Procure que las tomas sean momentos agradables; hable y sonría al bebé. Deje que se detenga a mitad si le gusta. Cámbielo al otro brazo para ofrecerle una nueva vista y para descansar el brazo.

Apartarle el biberón
Si desea que el bebé suelte el biberón, deslícele con suavidad el dedo meñique en la comisura de la boca. Eso interrumpirá la succión sobre la tetina.

CALENTAR EL BIBERÓN

A algunas madres les gusta calentar el biberón, aunque estará perfectamente bien si tiene la temperatura ambiente. No lo caliente en un horno microondas porque no siempre calientan de modo uniforme y puede crear «puntos calientes» en la leche que quemen la boca del bebé.

Calentar la leche
Coloque el biberón en un cuenco con agua caliente durante unos minutos. Puede dejarlo bajo el agua caliente del grifo, sin dejar de agitarlo.

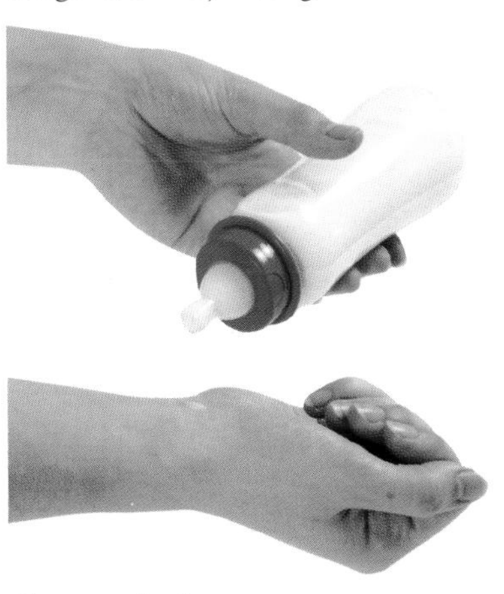

Compruebe la temperatura
Vierta unas pocas gotas en la muñeca; no debe estar ni caliente ni frío al tacto.

CONSEJOS PARA DAR EL BIBERÓN

Dar el biberón es sencillo, pero tendrá que asegurarse de que el bebé puede tragar adecuadamente, y de que no absorbe aire con la leche.

- *No deje nunca al bebé con el biberón levantado sobre la boca apoyado en cojines o en una almohada: si se siente incómodo puede ser peligroso, ya que tragaría mucho aire con el alimento, y podría sofocarse. Además, echará en falta los mimos y el afecto de los que debería disfrutar cada vez que se alimente.*
- *Incorpore al bebé sobre su brazo. Resulta muy difícil para el bebé tragar si está tumbado de espaldas, de modo que no lo alimente en esa posición, ya que puede atorarse o tener náuseas.*
- *Si el bebé tiene bloqueada la nariz no podrá tragar y respirar al mismo tiempo. El médico puede recetarle gotas nasales a usar antes de cada toma.*
- *No cambie su fórmula de leche sin consultar primero con la comadrona o el médico, aunque crea que al bebé no le gusta la que le esté dando. Es muy difícil que una marca de leche sea la responsable de que un bebé no se alimente bien; son muy raras las alergias causadas en los bebés por la leche de vaca, pero si se produjera el médico le aconsejaría usar una fórmula de soja como sustituto.*
- *El bebé sabe cuándo ha comido suficiente, así que no intente forzarlo a acabar el biberón después de que ha dejado de succionar.*

RUTINAS DE ALIMENTARSE CON BIBERÓN

Los bebés alimentados con biberón suelen comer con menos frecuencia que los alimentados con leche materna. Ello se debe a que se tarda más tiempo en digerir la leche artificial, que contiene algo más de proteína y, en consecuencia, el hambre se retrasa algo más. Un régimen de seis biberones, uno cada cuatro horas, parece el más adecuado después de dos o tres días. Recién nacido, el bebé no tomará probablemente más de 60 mililitros en cada toma, pero a medida que se desarrolle las tomas serán menos frecuentes y aumentará la cantidad.

No alimente nunca al bebé dejándose guiar por el reloj; deje que sea él mismo el que determine cuándo desea ser alimentado. Le hará saber con toda claridad, mediante llantos, cuándo tiene hambre. El apetito del bebé variará, de modo que si parece satisfecho, permita que deje lo que no quiere. No crea que el bebé tiene que acabar todo el contenido del biberón en cada toma. Lo único que hará será llenarse demasiado y vomitarlo (véase pág. siguiente) o, lo que es peor, se alimentará en exceso y estará gordo. Por otro lado, si el bebé todavía tiene hambre, déle algo extra de otro biberón. Si eso sucediera con regularidad, empiece a prepararle más leche para cada biberón.

TOMAS NOCTURNAS

El bebé necesitará alimentarse al menos una vez por la noche, y eso interrumpirá su sueño, además de todas las demás cosas de las que tiene que ocuparse, por lo que puede llegar a sentirse extremadamente cansada y tensa. El problema no es tanto el número de horas de sueño que pierde, sino la forma en que se ven interrumpidas sus pautas de sueño durante períodos prolongados. Por eso es muy importante un descanso adecuado, día y noche, y puesto que usted se encarga de la mayor parte de la alimentación, procure que su cónyuge se haga cargo de otras tareas.

REDUCIR LAS TOMAS NOCTURNAS

Al principio, el bebé no podrá dormir durante más de cinco horas seguidas sin despertarse con hambre. Una vez que haya alcanzado un peso aproximado de 5 kg, procure ampliar el tiempo entre las tomas, hasta que logre pasar unas seis horas de sueño ininterrumpido por la noche. Aunque el bebé tendrá su propia rutina, debería intentar que su última toma coincida con el momento en que usted se acueste, lo que debería ser lo más tarde posible. Quizá, por mucho que lo intente, el bebé siga despertándose y exija una toma en la madrugada. En tal caso, tendrá que ser paciente y aguardar a que renuncie a esa toma.

EXCESO DE ALIMENTO

Los bebés como querubines pueden ser muy atractivos pero las células grasas no se eliminan una vez producidas, y un niño grueso puede convertirse en un adulto obeso, con todos los peligros que eso conlleva para la salud. Desgraciadamente, es demasiado fácil alimentar en exceso a un bebé que toma biberones, y ello por dos razones: primero porque es tentador poner un poco de fórmula extra en el biberón, pero usted debe seguir siempre las instrucciones con exactitud (véase pág. 52), ya que de otro modo le estaría dando al bebé calorías que no se desean. En segundo lugar, en su ansiedad por alimentarlo «adecuadamente» querrá que el bebé se termine hasta la última gota; sin embargo, eso es algo que debe dejar que decida él mismo. Introducir alimentos sólidos demasiado pronto y darle dulces y jarabes también supone alimentarlo en exceso.

FALTA DE ALIMENTO

Es una situación rara en bebés alimentados con biberón. El bebé debe alimentarse cuando lo pida y no a horas fijas; las exigencias pueden variar de un día a otro. Si usted insiste en atenerse a un horario, nunca le pone leche extra en un biberón y no le permite tomas intermedias aunque el bebé llore y las pida, entonces no obtendrá toda la leche que necesita.

Si su hijo parece inquieto después de vaciar cada biberón, quizá tenga hambre. Ofrézcale 60 mililitros extra de fórmula. Si los toma es porque los necesita. Si el bebé pide tomas frecuentes pero no traga gran cantidad, quizá sea porque el agujero de la tetina es muy pequeño (véase pág. 52), tiene dificultades para succionar la leche y se cansa antes de conseguir suficiente.

ERUCTO

Eructar permite la salida del aire que se ha tragado al tomar el alimento. Es improbable que el eructo es que parezcan más felices o satisfechos por el hecho de haber eructado. Tragar aire es más común en los bebés alimentados con biberón, pero eso puede impedirlo usted hasta cierto punto inclinando más el biberón a medida que el bebé lo vacía, de modo que la tetina esté siempre llena de leche y no de aire, o utilizando biberones desechables. Lo bueno de hacer eructar al bebé es que a usted le permite hacer una pausa, relajarse, sostenerlo en brazos suavemente y acariciarle o darle palmaditas en la espalda, y eso es bueno para ambos.

REGURGITAR

Si el bebé muestra tendencia a regurgitar la leche (algunos bebés no lo hacen nunca), quizá se pregunte si conserva la suficiente para alimentarse. Mi hijo más pequeño tenía esa tendencia, y me preocupó que no comiera lo suficiente. Me limité a hacer caso de mi instinto, que consistió en ofrecerle más alimento. Si no lo tomaba, llegaba a la conclusión de que había regurgitado un exceso que no necesitaba. La causa más común de la regurgitación en los bebés muy pequeños es el exceso de alimento, y esa es otra de las razones por las que nunca debe insistir en que el bebé se termine todo el biberón. Los vómitos fuertes, sobre todo si ocurren después de varias tomas, deben ser comunicados de inmediato al médico; vomitar siempre es algo grave en un bebé pequeño, ya que puede conducir rápidamente a una deshidratación.

HIGIENE Y PREPARACIÓN

Para proteger al bebé de las bacterias, asegúrese de limpiar escrupulosamente todo el equipo relacionado con la alimentación, y cuide el almacenamiento y la preparación de la fórmula.

- *Siga cuidadosamente todas las instrucciones de esterilización.*
- *Lávese las manos antes de esterilizar, preparar o dar el alimento.*
- *No añada nunca una toma extra; siga escrupulosamente las instrucciones.*
- *Dele la leche al bebé en cuanto la haya calentado.*
- *Al preparar varios biberones, enfríe la fórmula en cuanto la haya preparado. No guarde leche caliente en un frasco al vacío, ya que los gérmenes se desarrollarán allí fácilmente.*
- *Mantenga refrigerados todos los biberones preparados hasta que los necesite.*
- *Guarde en la nevera cualquier paquete abierto de fórmula preparada.*
- *Después de una toma, tire la leche que haya sobrado.*

Hacer eructar al bebé
Sostenga al bebé cerca de usted y acarícele o golpee suavemente la espalda para ayudarle a elevar las burbujas de aire.

PESO DE LAS NIÑAS

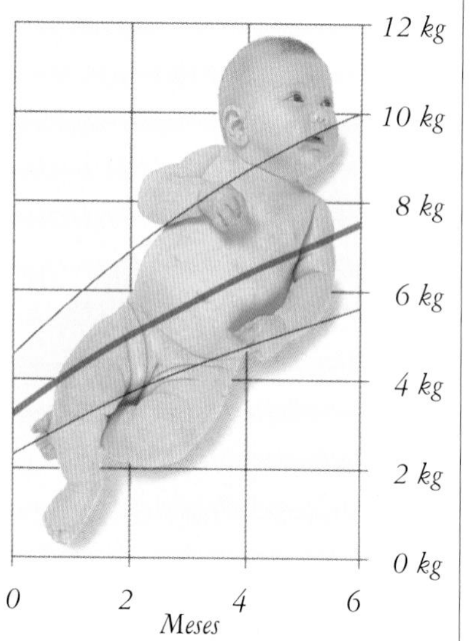

El peso del bebé
Durante los seis primeros meses de vida, la niña crecerá con rapidez y más que duplicará su peso al nacer. Cualquier peso alcanzado que se sitúe entre las curvas oscuras y la roja es normal.

Gráficos de crecimiento
Los gráficos mostrados aquí y en las págs. 62-63, 66-67 y 318-325 muestran gamas amplias de peso o altura dentro de las cuales puede estar un niño «normal». La línea central representa el valor medio, lo que significa que el 50 % de bebés estarán por debajo de esa línea y el 50 % por encima de ella. Las líneas superior e inferior representan extremos, fuera de las cuales sólo se encontrará una muy pequeña proporción de niños; si ese fuera el caso de su hijo, debería hablar con el médico.

INTRODUCIR SÓLIDOS

Durante el primer año de vida del bebé habrá un momento en que tendrá que empezar a destetarlo y a darle alimentos sólidos, aunque no lo haga antes de los cuatro meses y posiblemente bastante después. El tracto digestivo del bebé es incapaz de digerir o absorber alimentos complejos antes de ese tiempo. Si se le dan sólidos demasiado pronto, pasarán sin ser digeridos y producirán un aumento del esfuerzo que tendrán que realizar unos riñones todavía inmaduros.

La leche materna (o su fórmula equivalente) es el único alimento que necesita el bebé en los primeros meses, y si a un bebé se le dan sólidos demasiado pronto, disminuirá su deseo de mamar. Los bebés amamantados tomarán menos leche de sus pechos y usted responderá a su vez produciendo menos leche, con lo que el bebé terminará por consumir una dieta insatisfactoria para sus necesidades.

CUÁNDO DESTETARLO

A medida que el bebé crece, necesitará beber más y más leche para mantener su crecimiento. Pero el estómago del bebé sólo puede contener una cierta cantidad de leche en cada toma; finalmente, llegará un momento en que beberá la plena capacidad en cada toma, a pesar de lo cual todavía no tendrá todas las calorías que necesita. El bebé le hará saber que necesita comer más mediante un cambio en sus hábitos de alimentación. Quizá empiece por pedir más leche y parezca insatisfecho después de cada toma, o empiece a pedir una sexta toma cuando antes se contentaba con cinco. Un caso clásico es el del bebé que ya duerme durante toda la noche y que de pronto empieza a despertarse para una toma nocturna extra. Ese es el momento de introducir los alimentos sólidos. Muchos bebés lo hacen hacia los cuatro meses, cuando disminuye su intenso deseo de mamar,

EJEMPLOS DE FASES DE DESTETE

Tomas	*1.ª semana*	*3.ª semana*
1.ª toma	*Leche materna o de biberón.*	*Leche materna o de biberón.*
2.ª toma	*Mitad de leche materna o de biberón. Pruebe una o dos cucharaditas de puré o cereal y luego le da el resto de la toma de leche.*	*Mitad de leche materna o de biberón. Dos cucharaditas de cereal. Resto de la toma.*
3.ª toma	*Leche materna o de biberón.*	*Mitad de leche materna o de biberón. Dos cucharaditas de puré de verduras o de fruta. Resto de la toma de leche.*
4.ª toma	*Leche materna o de biberón.*	*Leche materna o de biberón.*
5.ª toma	*Leche materna o de biberón.*	*Leche materna o de biberón.*

aunque también puede ser más tarde. Debe estar atenta a las señales que le transmita el bebé, hacerles caso e introducir los sólidos. La presencia del primer diente, tanto si aparece a los seis meses como más tarde, indica claramente la necesidad de darle sólidos.

DARLE LOS PRIMEROS ALIMENTOS SÓLIDOS

Tenga a mano una pequeña cantidad de alimento preparado y colóquese en su posición normal para alimentar al bebé. Aunque el bebé está preparado para recibir las calorías que le aportan los sólidos, preferirá aquello que sabe que es satisfactorio: la leche. Empiece por alimentarlo de un pecho o por darle la mitad del biberón habitual. Luego, le da una o dos cucharaditas de alimento. Empiece en la comida del mediodía porque el bebé no estará hambriento, estará despierto y se mostrará más cooperativo.

Nunca le obligue a tomar más alimento que el que desee. Una vez que haya tomado el alimento sólido, déle el resto de la leche. Cuando se haya acostumbrado a los sólidos, es posible que prefiera tomarlos primero. En cuanto el bebé empiece a comer sólidos, necesitará beber agua, además de leche. Empiece con 15 mililitros de agua o zumo de fruta muy diluido entre las tomas y después de éstas, y siempre que tenga sed durante el día. Evite los jarabes y cualquier bebida endulzada que causan daños a los dientes del bebé. No le dé más de 120 mililitros de agua al día; la leche sigue siendo la principal fuente de nutrición del bebé. Los dentistas recomiendan evitar los zumos de frutas durante algunos meses.

ALIMENTAR CON CUCHARA

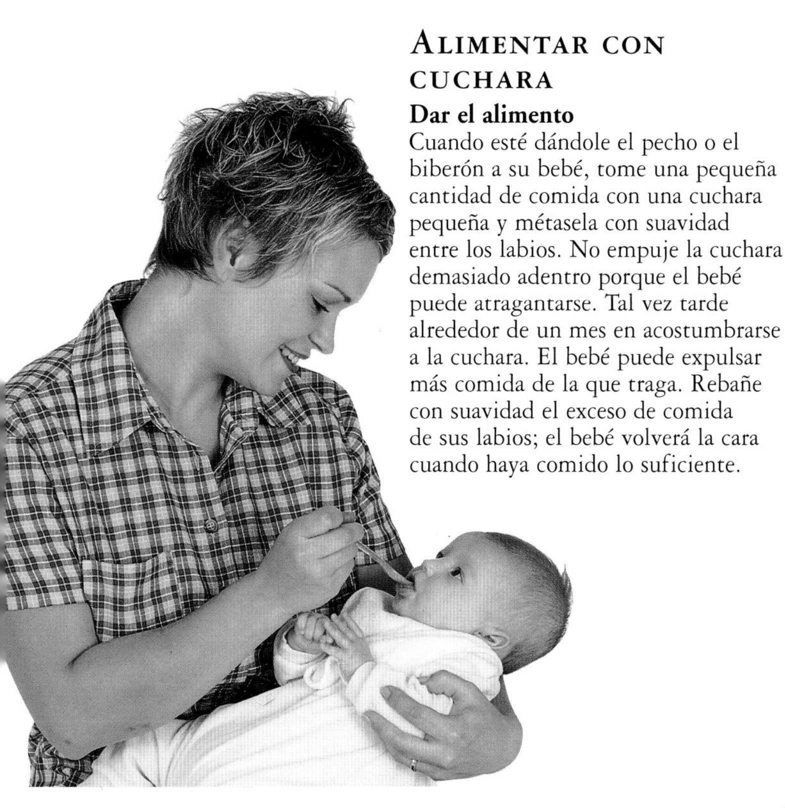

Dar el alimento

Cuando esté dándole el pecho o el biberón a su bebé, tome una pequeña cantidad de comida con una cuchara pequeña y métasela con suavidad entre los labios. No empuje la cuchara demasiado adentro porque el bebé puede atragantarse. Tal vez tarde alrededor de un mes en acostumbrarse a la cuchara. El bebé puede expulsar más comida de la que traga. Rebañe con suavidad el exceso de comida de sus labios; el bebé volverá la cara cuando haya comido lo suficiente.

PESO DE LOS NIÑOS

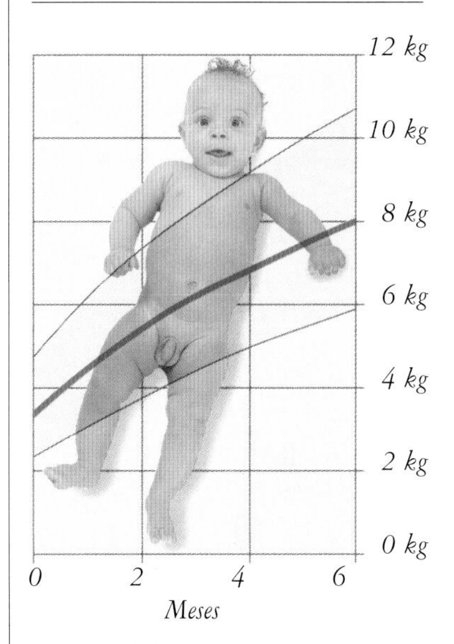

El peso del bebé

Durante los seis primeros meses de vida, el niño crecerá con rapidez y más que duplicará su peso al nacer. Cualquier peso alcanzado que se sitúe entre las curvas oscuras y la roja es normal.

CONSEJOS PARA EL DESTETE

El bebé quizá no quiera probar alimentos nuevos, así que dele tiempo para acostumbrarse a cada uno y no insista si algo no le gusta.

- *Ofrézcale un alimento nuevo cada vez. Pruebe una vez y espere varios días antes de dárselo de nuevo para ver su reacción.*
- *Utilice cereales infantiles en lugar de los ya preparados; son más nutritivos.*
- *No le dé alimentos que contengan gluten, frutos secos, productos lácteos o huevo durante por lo menos seis meses, para evitar el desarrollo posterior de alergias.*

NOMBRE	*Penny King*
EDAD	*27 años*
HISTORIAL OBSTÉTRICO	*Primer bebé, parto normal sin complicaciones*

Penny y su esposo David son vegetarianos y lo han sido desde que se casaron, hace tres años. Saben que una dieta vegetariana que excluya la carne, las aves de corral y el pescado, pero que contenga huevos y leche, puede proporcionar todos los nutrientes necesarios para la salud y la vitalidad, siempre que se mantenga un equilibrio adecuado de los diferentes grupos de alimentos. Desearían que Oona fuera vegetariana y les preocupaba el hecho de que la niña ya tenía cuatro meses de edad y estaba preparada para empezar a tomar una dieta combinada.

UN CASO DE ESTUDIO

DESTETE VEGETARIANO

A Penny le ponía nerviosa no darle a Oona una dieta realmente equilibrada con proteínas suficientes, vitaminas D y B_{12}, calcio y hierro, aun sabiendo que muchos alimentos vegetarianos están fortificados con B_{12} extra y proteína. Le dije que el bebé en crecimiento puede conseguir toda la nutrición que necesita a partir de una dieta cuidadosamente planificada, aunque si deseaba criar a Oona como una vegetariana (sin alimentos animales, ni siquiera productos lácteos o huevos) tendría que pedir consejo a un experto.

Cuando Oona cumplió los cuatro meses, Oona empezó a destetarla gradualmente, sustituyendo las tomas de leche por alimentos sólidos, de modo que Oona terminara por hacer tres comidas al día.

Penny y yo habíamos planeado un programa en el que ella introduciría un alimento cada vez, lo retiraría si no le sentaba bien a Oona y lo intentaría de nuevo diez días más tarde. La dieta de Oona tenía que incluir alimentos de cada uno de los grandes grupos (véase pág. 66).

La proteína esencial para el crecimiento de un bebé pequeño la obtendría Oona de los huevos, las legumbres, los frutos secos, el queso y la leche, así como pasta de semilla de girasol, yogurt de soja y granos. Le indiqué a Penny que no debía sustituir la leche de vaca por la de oveja o cabra antes de que Oona tuviera de 12 a 18 meses, y que tampoco debía darle clara de huevo hasta que no tuviera de 9 a 10 meses.

Los alimentos hechos de cereales y granos aportan hidratos de carbono que dan a Oona la energía para crecer y desarrollarse, mientras que la fruta y las verduras aportan vitaminas y minerales esenciales. Le dije a Penny que las dietas vegetarianas tienden a ser más voluminosas y bajas en calorías que una dieta que incluya carne. Eso puede ser difícil para un niño porque Oona podía sentirse llena antes de haber ingerido lo que necesitaba, así que Penny debía darle una amplia variedad de alimentos con bajo contenido en fibra, como huevos, leche y queso. Penny y yo trazamos un plan de menú para Oona y le di algunos consejos sobre cómo empezar.

- Penny debía elegir un momento en que Oona tuviera hambre, pero no demasiada, como al mediodía, para darle a probar los primeros sólidos.
- Los primeros alimentos de Oona deberían ser de textura blanda y gusto suave. Los ideales son arroz, puré de fruta hervida, como manzanas y peras, o de verduras como zanahorias o patatas (sin sal añadida).
- Debía evitar el añadir muchos condimentos o azúcar.
- Añadir al alimento una cucharada de la leche habitual que tomaba Oona le ayudaría a reconocer el gusto.

También le aconsejé a Penny que al preparar frutas y verduras, no las cocinara en exceso ni las mantuviera calientes durante largo tiempo, ya que eso destruye su contenido vitamínico. La fruta fresca debe pelarse siempre y eliminarse las pepitas y semillas. Oona pasó bien la prueba del destete. Parecía disfrutar realmente con los alimentos sin sal ni azúcar, que a Penny le parecían demasiado blandos. Penny descubrió que a su hija le encantaba un puding hecho de lentejas, un alimento que había introducido cuando la pequeña tenía cinco meses. También disfrutaba con la clara de un huevo duro, finamente troceada y luego chafada con un yogurt de soja. Cuanta más comida sólida comía, más fluido deseaba beber, y su bebida habitual fue un zumo de naranja sin endulzar, diluido en la misma cantidad de agua. Con el calor, Penny descubrió que Oona era capaz de tomar fácilmente un cuarto de litro diario de esta bebida favorita.

Oona tiene ahora siete meses y cada vez come más como el resto de la familia, con la única necesidad de que los alimentos se le presenten triturados o chafados. Le encantan las salsas, y Penny ha descubierto que éstas le ayudan a tomar casi cualquier alimento nuevo. Le gusta tanto el helado que Penny tiene que limitárselo a una o dos veces a la semana para que no reciba demasiado azúcar y grasa. Aumenta de peso con firmeza, pero no está gorda, algo que enorgullece a Penny, al igual que los recientes intentos de Oona por usar la cuchara, lo que ya hacen muchos niños de siete meses.

Puesto que Oona disfruta con su comida, a Penny le gustaría introducirle numerosos sabores nuevos. Preguntó si había algún alimento que no debiera darle, y le aconsejé que introdujera muy gradualmente verduras de sabores fuertes, como brócoli, cebollas o pimientos, y que no le diera pan de grano entero, frutos secos enteros o fruta no pelada hasta que tuviera por lo menos un año de edad.

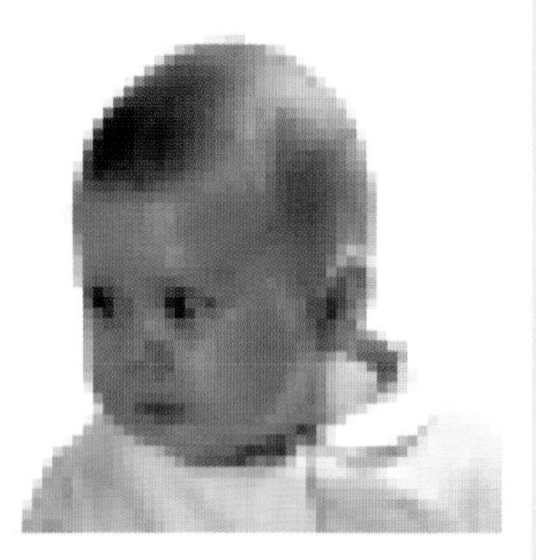

NOMBRE *Oona King*
EDAD *7 meses*
HISTORIAL MÉDICO *Nacida a término. Hernia umbilical desaparecida a los seis meses. Amamantada.*

MENÚ VEGETARIANO PARA UN BEBÉ DE SIETE MESES

Desayuno	*Pecho o biberón. Yogurt de postre.*	*Pecho o biberón. Cereales con leche.*	*Pecho o biberón. Arroz.*
Comida	*Zumo de fruta no endulzado y diluido, o agua hervida y enfriada. Puré de lentejas con verduras. Puré de fruta.*	*Zumo de fruta no endulzado y diluido, o agua hervida y enfriada. Huevo duro y espinacas con dedos de pan. Puré de fruta.*	*Zumo de fruta no endulzado y diluido, o agua hervida y enfriada. Queso o frutos secos bien chafados, con puré de verduras. Plátano chafado y yogur.*
Merienda	*Pecho o biberón.*	*Pecho o biberón.*	*Pecho o biberón.*
Cena	*Patata chafada con queso gratinado y bróculi. Fruta seca empapada y chafada.*	*Sopa espesa de lentejas. Manzana asada con arroz o germen de trigo.*	*Puré de col con mantequilla de cacahuete y pan de pita.*

La principal fuente de calorías del bebé sigue siendo la leche materna o artificial, de modo que désela en cada comida, pero también debe darle a beber agua hervida y enfriada.

BEBÉ MAYOR

ALIMENTACIÓN Y NUTRICIÓN

INTRODUCCIÓN DE TAZAS

Puede empezar a enseñar al bebé a beber de una taza cuando tenga unos cuatro meses. El objetivo es prescindir de los biberones cuando tenga 12 meses.

- *Las tazas altas con pitorro son las mejores para el bebé, que medio beberá y medio chupará la bebida. Las pajitas son las más fáciles de usar.*
- *A medida que el bebé progrese, quizá prefiera pasar a utilizar una taza de dos asideros que pueda sujetar con facilidad. Las que incluyen la forma de los labios en relieve van bien porque el bebé toma el líquido sin derramarlo.*

Entrenamiento con tazas
Los mejores momentos para empezar a utilizar las tazas son el almuerzo y la cena, ya que, con toda probabilidad, es entonces cuando el bebé comerá alimentos sólidos.

Durante el primer año, el bebé pasará de las simples «degustaciones» de sólidos junto con las tomas de leche, a tomar tres comidas diarias y a beber agua, zumo de fruta diluido o leche.

Una vez que le agrade comer un par de sólidos diferentes, es importante introducir una variedad de gustos y texturas. No sólo podrá tomar alimentos en forma de puré, chafados o troceados, sino que también aprenderá a disfrutar masticando y chupando trozos de alimento más grande (véase pág. siguiente), pero es importante recordar que cada bebé tiene exigencias y apetitos distintos. Si duda, alimente al bebé con aquello que más le guste. La cantidad de leche que necesita disminuirá a medida que aumenta el número de comidas sólidas que haga. Puesto que obtendrá la mayor parte de sus calorías de los sólidos, antes que de la leche, el bebé tendrá sed, y entonces habrá que darle agua o zumo de fruta diluido, en lugar de leche. Nunca le de una bebida comercial que contenga azúcar y colorantes.

ALIMENTAR A SU HIJO

Hasta que no tenga seis meses de edad, probablemente alimentará al bebé manteniéndolo sobre su regazo o en una silla infantil, pero una vez que los músculos de cuello y espalda sean lo bastante fuertes como para sostenerse, quizá considere usar una silla alta o una mesa para alimentar al bebé. En este último caso, tendrá usted que inclinarse para darle de comer, hasta que pueda hacerlo por sí mismo, y es posible que al principio tenga que sostener al pequeño mediante cojines, de modo que, probablemente, la mejor opción sea una silla alta; procure que el bebé esté sujeto adecuadamente con las correas. El niño debe ser siempre supervisado mientras come. Casi todos los niños se atoran con algunos alimentos en algún momento de la comida, y es fundamental que usted reaccione con rapidez. Una nueva textura, tomada por primera vez, puede atorarle por sorpresa. En tal caso, dele unos firmes golpecitos en la espalda y anímelo a toser hasta que haya expulsado o tragado el alimento. Háblele con suavidad y tranquilidad, mientras le acaricia la espalda, y será más capaz de tragar el nuevo alimento. Si la obstrucción fuera grave y, sobre todo, si perdiera la conciencia por ello, debe saber cómo aplicar medidas de primeros auxilios (véase pág. 326). El bebé no tardará en aguardar con expectativa el momento de las comidas, que serán para él una oportunidad para jugar y para comer, así que alimentarlo hará que se manchen muchas cosas. Manténgalo lejos de las paredes y ponga periódicos en el suelo, por si acaso empezara a tirar la comida. Un mes después de haber empezado a darle sólidos, el bebé ya podrá tomar la comida de la cuchara.

ALIMENTARSE A SÍ MISMO

Aprender a alimentarse por sí mismo constituye un gran avance en el desarrollo físico e intelectual del bebé, y debe estimular todos sus intentos. Su destreza manual y la coordinación entre mano y ojo mejorarán mucho a medida que aprenda a alimentarse por sí mismo, de modo

Autoalimentarse
Deje que su hijo tome la comida con la cuchara si puede. Elija alimentos que no se escapen con facilidad, como el porridge espeso.

que déjelo experimentar si muestra algún interés y esté preparada para limpiar todo lo que ensucie. La comida ofrece al bebé la motivación perfecta para acelerar la coordinación y el equilibrio muscular.

Es posible que transcurran varios meses antes de que el bebé adquiera destreza para alimentarse. Puede usted ayudarle ofreciéndole alimentos que no se le caigan de la cuchara, sino que más bien se peguen a ella, como el porridge, los huevos revueltos o los purés espesos. Si probar a comer con una cuchara le parece frustrante deje que pruebe a hacerlo con los dedos. La comida será un objeto de juego para él, y la mayor parte de la misma acabará en el suelo antes que en el estómago del pequeño, pero no hay por qué preocuparse; cuando el bebé empieza a alimentarse a sí mismo, también empieza a disminuir el impulso inicial de crecimiento, por lo que necesita menos comida.

La mejor forma de procurar que el bebé coma algo es que ambos dispongan de una cuchara. Utilice dos cucharas del mismo color y tipo, de modo que pueda usted cambiarle una cuchara llena por la suya vacía cuando le resulte difícil tomar la comida con la cuchara.

Alimentos con los dedos
Si el bebé tiene dificultades para usar la cuchara le resultarán más fáciles los alimentos que pueda coger con los dedos que, aun cuando sean duros, chupará.

COMIDA PARA AUTOALIMENTARSE

FRUTAS Y VERDURAS

Cualquier fruta fresca que sea fácil de sostener, como plátanos, cortada en trozos, y eliminadas la piel y las pepitas.

Verduras, sobre todo zanahorias, cortadas en forma de palo para que sean fáciles de coger. No corte las verduras demasiado pequeñas.

Patata chafada.

CEREALES

Pequeños trozos de cereal seco, sin azúcar.

Arroz hervido.

Pan de harina entera o costras (sin grano completo).

Figuras de pasta.

PROTEÍNAS

Pan de trigo entero.

Trozos de queso blando.

Dedos de tostada con queso.

Porciones de carnes blancas en trozos fáciles de coger.

Queso con bajo contenido de grasas.

Filete de pescado en trozos firmes.

Huevos duros troceados.

PESO DE LAS NIÑAS

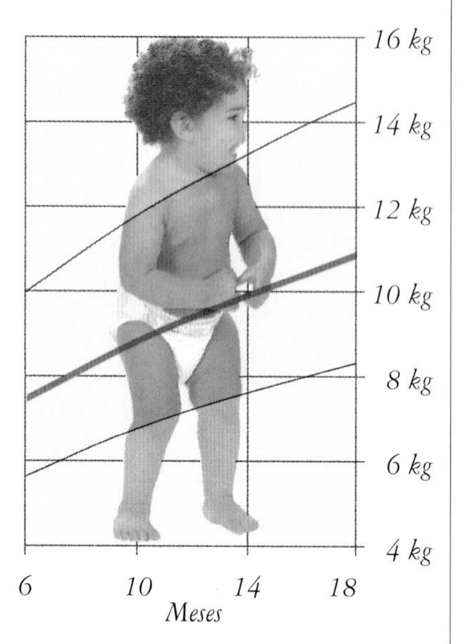

El peso del bebé
Se hace más lento el rápido aumento de peso de los primeros meses, pero el bebé sigue aumentando con firmeza. Cualquier peso peso alcanzado que se sitúe entre las curvas oscuras y la roja es normal. (Para mayor explicación de este gráfico, véase la pág.56).

LAS NECESIDADES DE SU BEBÉ

El bebé siempre tomará alimento suficiente para satisfacer sus necesidades. Si no desea comer, es que no lo necesita. Eso significa que habrá días en que apenas comerá nada, seguidos por períodos en los que comerá mucho.

Para tomar una dieta equilibrada, el bebé debería comer alimentos de todos los grupos y en proporciones correctas (véase abajo). Eso no tiene por qué ser diariamente, de modo que al considerar si come bien tiene usted que pensar a largo plazo: fíjese en lo que comió en la semana anterior, y no sólo en lo que comió hoy. Visto de este modo, el capricho de no comer nada más que pan durante dos días no es nada por lo que deba preocuparse, ya que, probablemente, el bebé tomará suficientes frutas y verduras durante la semana como para equilibrar eso. Lo importante es que se le dé una amplia variedad de alimentos entre los que elegir; no podrá comer los alimentos que necesita si no se le ofrecen.

Poco a poco, el bebé llegará a comer los mismos alimentos que usted, preparados de una forma que podrá digerir. No obstante, sería un error suponer que sus necesidades son las mismas que las de usted, o que una dieta recomendada como sana para usted también lo pueda ser para él. Quizá el propósito de usted sea reducir la ingestión de grasa mediante productos lácteos bajos en grasa, por ejemplo, pero debe dar a su hijo leche entera hasta que tenga por lo menos dos años; a partir de entonces, si lo desea, puede introducirle la leche semidesnatada. Limitar la ingestión de azúcar, sin embargo, tiene beneficios tanto para la salud del adulto como del bebé. No añada nunca sal a la comida del bebé, ya que sus riñones todavía son demasiado inmaduros para eliminarla.

La pirámide alimenticia
Este cuadro muestra las proporciones en las que deberían comerse los principales grupos de alimentos para que el bebé obtuviera un equilibrio correcto de nutrientes. Los dos grupos más importantes son los hidratos de carbono y las frutas y verduras, seguidos por los alimentos ricos en proteínas, como carne, legumbres y productos lácteos. Los azúcares, grasas y aceites deberían formar la parte más pequeña de la dieta del bebé; de hecho, la cantidad de éstos que aparecen en los demás alimentos será más que suficiente. Al seguir estas guías para su bebé, le ayudará a formarse buenos hábitos para la vida.

MENÚS SUGERIDOS: 8-10 MESES

DÍA 1	DÍA 2	DÍA 3
Desayuno	***Desayuno***	***Desayuno***
Galletas de arroz	*Plátano chafado*	*Requesón o yogur*
Huevo duro	*Palillos tostados de harina entera*	*Palillos tostados de harina entera*
Leche	*Leche*	*Leche*
Comida	***Comida***	***Comida***
Verduras coladas y pollo	*Patata chafada y queso*	*Lentejas coladas y verduras*
Manzana cocida	*Rebanadas de pera*	*Plátano mezclado con queso*
Zumo de fruta diluido	*Zumo de fruta diluido*	*Zumo de fruta diluido*
Merienda	***Merienda***	***Merienda***
Palillos tostados de harina entera	*Galletas de arroz*	*Bizcochos caseros*
Gajos de naranja	*Trozos de manzana*	*Fruta fresca*
Leche	*Leche*	*Leche*
Cena	***Cena***	***Cena***
Coliflor y queso	*Pasta y salsa de tomate*	*Atún y patata chafada con calabacines al vapor*
Semolina y puré de fruta	*Yogur con puré de fruta*	*Puding de arroz*
Zumo de fruta diluido	*Zumo de fruta diluido*	*Zumo de fruta diluido*

UNA ACTITUD FLEXIBLE

Los menús indicados arriba son una guía para las comidas principales del bebé. Recuerde que el estómago del bebé no puede contener mucha cantidad y necesitará comer con mayor frecuencia que un adulto, así que no insista en que se termine sus comidas, y prepárese para darle algún que otro bocado extra entre las comidas. Naturalmente, debe animarlo a comer en horarios regulares, pero si sólo intenta que coma en las comidas, éstas se convertirán en campos de batalla y es posible que el bebé termine por no recibir el alimento que necesita cuando lo necesita. Si muestra que ya tiene suficiente, no intente hacerle comer más. Naturalmente, es frustrante que el bebé se niegue a tomar una comida que a usted le ha costado tiempo preparar, o que termina en el suelo. La respuesta es procurar que los momentos de la comida sean lo más fáciles posible para usted: no emplee mucho tiempo en preparar platos complicados y tome precauciones para proteger las paredes y el sueño de la comida que arroje el bebé.

PESO DE LOS NIÑOS

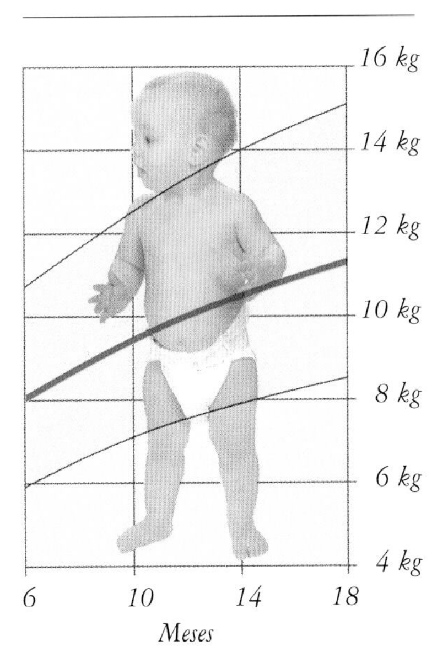

El peso del bebé
Se hace más lento el rápido aumento de peso de los primeros meses, pero el bebé sigue aumentando con firmeza. Cualquier peso alcanzado que se sitúe entre las curvas oscuras y la roja es normal.
(Para mayor explicación de este gráfico, véase la pág. 56.)

HIGIENE DE LA COCINA

En los últimos años, el temor a las intoxicaciones alimenticias ha hecho que los padres sean más conscientes de los peligros de una higiene deficiente en todo lo relacionado con la comida. Las siguientes precauciones de sentido común contribuirán a proteger a su bebé.

- *Lávese siempre las manos con jabón antes de manipular cualquier alimento, sobre todo después de haber usado el lavabo o haber cambiado un pañal, así como después de haber jugado con los animales de compañía. Asegúrese de que su familia hace lo mismo.*
- *Sea escrupulosa en cuanto a mantener limpia la cocina, sobre todo en las superficies de trabajo, las tablas para cortar y los utensilios empleados en la preparación de los alimentos.*
- *Utilice siempre un paño limpio o papel de cocina para secar los platos, o déjelos secar en un escurreplatos después de haberlos enjuagado con agua caliente.*
- *Tenga bien cerrado el cubo de la basura. Vacíelo con frecuencia, y enjuáguelo con agua caliente y un poco de desinfectante cada vez que lo vacíe.*
- *Cubra cualquier alimento que deje fuera del armario.*
- *Debe tirar a la basura cualquier alimento sobrante del plato de su hijo.*
- *Utilice paños distintos para las tareas más sucias y para limpiar la trona de su hijo. Cambie o hierva los paños al menos una vez a la semana.*

PREPARACIÓN DE LA COMIDA

Una vez que el bebé coma alimentos sólidos, ya no será necesario esterilizar los utensilios usados para comer, aunque deben esterilizarse los biberones y tetinas que use para tomar leche hasta los nueve meses. Las tazas, cuencos y cubiertos pueden lavarse en agua caliente y jabonosa y enjuagarse en agua caliente. Ahora que la dieta del bebé ya incluye una serie de alimentos, necesita tomar precauciones sensatas para protegerlo de los efectos de bacterias nocivas, para evitar, por ejemplo, las intoxicaciones por salmonella y listeria. Debe estar por tanto bien informada sobre la preparación y el almacenamiento seguro de los alimentos.

COMPRAR Y ALMACENAR

Al comprar alimentos, lo más importante es buscarlos frescos. Compre con frecuencia y use los alimentos lo antes posible. La fruta y las verduras golpeadas o dañadas se deterioran con rapidez, así que no las compre. Lave siempre la fruta si se ha de comer la piel, ya que puede contener residuos de insecticidas u otros productos químicos. La mayoría de los alimentos empacados llevan una fecha de caducidad, así que compruébela y asegúrese de que los paquetes, latas o tarros no muestran señales de haber sufrido daños.

Los alimentos guardados en el refrigerador deberían estar en contenedores limpios y cubiertos. Guarde los alimentos ya cocinados y los crudos en estantes separados, y ponga el pescado y la carne cruda en un plato, para que los jugos no goteen en los de la estantería inferior. Compruebe el paquete para ver si el alimento se puede congelar y no congele nunca alimentos más allá del tiempo recomendado por el fabricante, lo que dependerá de la clasificación de estrellas de su congelador. Descongele siempre meticulosamente antes de usar el alimento y no vuelva a congelar nunca un alimento descongelado.

Métodos de preparación
Al principio, necesitará convertir los alimentos en puré, o rallarlos para el bebé. Prepararlos al vapor es un método rápido de cocinarlos que ayuda a conservar los nutrientes.

COCINAR Y RECALENTAR

Cocine meticulosamente la comida del bebé, y especialmente la carne, el pollo y los huevos. No debe darle nunca huevos crudos o poco cocinados, ni paté de hígado ni quesos blandos o productos con frutos secos. Es mejor no darle sobras recalentadas o alimentos fríos o congelados. Si prepara comida en grandes cantidades, no deje que se enfríe antes de guardarla en la nevera, ya que eso daría a las bacterias la oportunidad para multiplicarse; ponga la comida en un plato frío, cúbrala y guárdela directamente en la nevera o en el congelador.

PREPARACIÓN

Al principio tendrá que preparar todos los alimentos del bebé en forma de puré, de modo que si no tiene una mezcladora o licuadora, quizá sea mejor comprar un pasapurés manual y barato. Al principio podrá usar un colador. A medida que el bebé se hace mayor, podrá darle de comer alimentos más gruesos. Cuando tenga seis meses podrá tomar un puré espeso y a los nueve meses ya disfrutará con una comida chafada, con pequeños trozos de carne o verdura.

Puede emplear una variedad de líquidos para hacer más tenues los alimentos preparados en casa; el agua que haya usado para preparar las frutas o verduras al vapor puede resultar ideal. Para espesar los alimentos, puede usar cereales de grano entero molido, requesón, yogur o patata chafada. Si cree que necesita endulzar la comida, use zumo de fruta naturalmente dulce o dextrosa, en lugar de azúcar refinada.

CONSEJOS DE PREPARACIÓN

HACER

- *Use las frutas y verduras cuanto antes después de comprarlas.*
- *Pele la fruta de piel dura y las verduras si cree que la piel puede causarle problemas al bebé.*
- *Cocine las frutas y verduras de piel blanda con su piel; eso ayuda a conservar las vitaminas y aporta fibra adicional.*
- *Cocine las frutas y verduras en un recipiente al vapor o fuertemente cubierto y con la menor cantidad posible de agua. Eso ayuda a conservar las vitaminas normalmente perdidas en el cocinado.*
- *Dele al bebé carne o pescado cocinado o en forma de puré, que puede aligerar con el agua de las verduras o la sopa.*
- *Use aceite de girasol o de maíz. No cocine nunca con mantequilla o grasas saturadas.*

NO HACER

- *Comprar frutas y verduras golpeadas o arrugadas.*
- *Preparar verduras con mucha anticipación y empaparlas en agua, ya que eso destruye las vitaminas.*
- *Aplastar o golpear la fruta y las verduras, ya que eso destruye la vitamina C.*
- *Dar carne roja más de dos veces a la semana, ya que posee un alto contenido en grasas saturadas.*
- *Cocinar en exceso las comidas enlatadas, ya que eso destruye las vitaminas.*
- *Añadir sal o azúcar a la comida de su hijo; sus riñones inmaduros no pueden procesar tanta sal, y darle alimentos dulces producirá caries dental.*
- *Dejar a enfriar la comida preparada para que alcance la temperatura ambiente; guárdela en seguida en la nevera.*

USO DE ALIMENTOS PREPARADOS

Los alimentos preparados son más caros que los hechos en casa, pero son convenientes, sobre todo si tiene usted prisa o está de viaje. Al utilizarlos, observe siempre las siguientes guías.

- *Compruebe los ingredientes indicados en la lata o tarro. Aparecen indicados por orden de cantidad, de modo que cualquier cosa que contenga agua en lo más alto de la lista, no será muy nutritivo.*
- *Evite los alimentos con azúcar añadida o almidón modificado. Es ilegal que los alimentos infantiles contengan sal añadida o glutamato monosódico (MSG).*
- *Asegúrese de que el sello del paquete está intacto; si aparece dañado, el alimento podría estar contaminado.*
- *No caliente el alimento en el tarro; el cristal podría agrietarse.*
- *No alimente al bebé del tarro si tiene la intención de guardar parte de su contenido, ya que las sobras estarán contaminadas con saliva. Puede alimentarlo del tarro si cree que va a comerse todo el contenido.*
- *No deje los tarros abiertos en la nevera durante más de dos días, y no sobrepase nunca la fecha de caducidad para consumirlo.*
- *No guarde nunca un alimento en una lata abierta; páselo a un plato, cúbralo y déjelo en la nevera.*
- *Compruebe cuidadosamente la lista de ingredientes si desea introducir gradualmente los tipos de alimentos; muchos contienen huevos, gluten y productos lácteos. Algunos incluso contienen frutos secos.*

NIÑO PEQUEÑO

ALIMENTACIÓN Y NUTRICIÓN

PESO DE LAS NIÑAS

20 kg
18 kg
16 kg
14 kg
12 kg
10 kg
8 kg
18 24 30 36
Meses

El peso del niño pequeño
La ganancia de peso puede ser irregular al acelerarse el crecimiento, pero cualquier peso que se sitúe entre las curvas oscuras y la roja es normal (véase pág. 56).

Dieta equilibrada
La variedad es la clave de una buena dieta. Elija alimentos de cada grupo del cuadro.

Al crecer el niño, aumentan proporcionalmente sus necesidades nutricionales; se necesitan cantidades mayores durante los acelerones de crecimiento y cuando aprende a caminar. El niño debe tomar una dieta que contenga cantidades suficientes de proteína, hidratos de carbono, grasas, vitaminas y minerales, y los conseguirá siempre y cuando usted le ofrezca una amplia variedad de alimentos. Como está creciendo, todavía necesita más proteínas y calorías que un adulto en proporción con el peso de su cuerpo.

Aunque las necesidades nutritivas de su hijo quedarán satisfechas en términos generales con una variedad de alimentos de tres de los cuatro grupos (véase pág. 62), hidratos de carbono, frutas y verduras (fibra) y alimentos ricos en proteínas, algunos alimentos de estos grupos tienen

GRUPOS DE ALIMENTOS	NUTRIENTES
Panes y cereales. *Pan de harina entera, tallarines, pasta, arroz.*	*Proteína, hidratos de carbono, vitaminas B, hierro y calcio.*
Cítricos. *Naranjas, pomelos, limones, limas.*	*Vitaminas A y C.*
Grasas. *Mantequilla, margarina, aceites vegetales, aceites de pescado.*	*Vitaminas A y D, ácidos grasos esenciales.*
Verduras verdes y amarillas. *Col, coles de Bruselas, espinacas, col rizada, judías verdes, lechuga, apio, calabacín.*	*Minerales, incluidos calcio, cloro, flúor, cromo, cobalto, cobre, zinc, manganeso, potasio, sodio y magnesio.*
Proteínas. *Pollo, pescado, cordero, vaca, cerdo, menudillos, huevos, queso, frutos secos, legumbres.*	*Proteínas, grasas, hierro, vitaminas A y D, vitaminas B, especialmente* B_{12} *(que sólo está presente de modo natural en las proteínas animales).*
Leche y productos lácteos. *Leche, crema, yogur, quesos, helados.*	*Proteínas, grasas, calcio, vitaminas A y D, vitaminas B.*
Otras frutas y verduras. *Patatas, raíz de remolacha, maíz, zanahorias, coliflor, piñas, albaricoques, mandarinas, fresas, ciruelas, manzanas, plátanos.*	*Hidratos de carbono, vitaminas A, B y C.*

un valor nutritivo particular. Todas las frutas y verduras ofrecen hidratos de carbono y fibra, por ejemplo, pero las verduras de hoja son particularmente ricas en minerales, mientras que los cítricos son una buena fuente de vitaminas A y C (véase cuadro).

BOCADOS INTERMEDIOS

Hasta la edad de cuatro o cinco años, el niño preferirá comer con frecuencia durante todo el día. Su estómago todavía no puede afrontar tres comidas diarias como los adultos, por lo que aún no está preparado para adoptar una pauta adulta de comidas. Quizá desee comer entre tres y catorce veces al día, aunque la gama típica es de cinco a siete. Pero lo que come es más importante que la frecuencia con que lo hace. Por regla general, cuantas más veces coma, más pequeñas serán las raciones.

Quizá se haya acostumbrado a pensar en los bocados intermedios como «extras», pero lo cierto es que forman parte integral de la dieta de cualquier niño, de modo que no deberían rechazarse. Mientras el bocado no reduzca la nutrición diaria del niño, y no se utilice como sustituto de las «comidas», puede ser maravillosamente útil para introducir gradualmente nuevos alimentos sin perturbar las pautas alimenticias del niño. Evite darle alimentos muy refinados y procesados, como bizcochos, dulces, pasteles, helados, que contienen gran cantidad de calorías y muy pocos nutrientes. Las frutas y verduras frescas, los cubitos de queso y los bocadillos de queso con pan de harina integral o pan blanco con vitaminas añadidas, así como los zumos de fruta, constituyen buenos bocados nutritivos entre comidas.

Planificar los bocados intermedios. Los bocados intermedios deberían contribuir a la nutrición diaria del niño, así que no los deje a la casualidad; planifíquelos y coordine las comidas y los bocados intermedios de modo que sirva alimentos diferentes en unos y en otros.

- La leche y las bebidas basadas en la leche son bocados intermedios muy buenos y contienen proteínas, calcio y muchas de las vitaminas B. Debería consumir leche entera hasta que el niño tenga por lo menos dos años de edad; entonces puede consumir semidesnatada, pero no totalmente desnatada, a menos que el niño sea obeso (véase pág. 70). Los zumos de fruta también son muy nutritivos y contienen gran cantidad de vitamina C. Si compra zumos de fruta ya preparados, evite aquellos que añaden azúcar.
- El niño puede aburrirse con ciertas clases de alimentos, así que intente ofrecerle mucha variedad y que los bocados intermedios sean entretenidos; utilice por ejemplo cortadores de bizcocho para cortar trozos de queso o pan con figuras interesantes, o prepare un rostro sonriente disponiendo los trozos de fruta sobre una rebanada de pan.
- Un alimento que el niño rechace de una forma, puede ser perfectamente aceptable de otra; el yogurt se puede congelar y parece más un helado, y el niño que rechaza un bocadillo de queso quizá disfrute comiendo rebanadas de queso y tomate sobre un cono de helado.
- También puede aumentar el interés del niño por la comida al hacerle partícipe en la planificación e incluso preparación de un bocado intermedio. Se sentirá orgulloso de comer un bocadillo si la ha ayudado a lavar y cortar la lechuga, por ejemplo, o si le permite tomar el pan y servirse él mismo.

PESO DE LOS NIÑOS

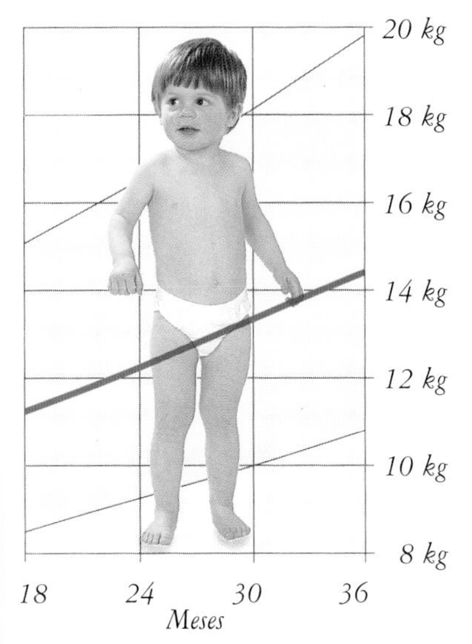

El peso del niño pequeño
El niño puede experimentar acelerones de crecimiento, pero éstos se equilibrarán con períodos de aumento de peso más lento. Cualquier peso que se sitúe entre las curvas oscuras y la roja es normal. (Para mayor explicación de este gráfico, véase la pág. 56.)

Poco y a menudo
El niño necesitará más bocados intermedios que usted, ya que no puede tomar comidas grandes.

SILLAS PORTÁTILES

El niño puede comer en la mesa, sentado en su silla alta habitual, pero hay otros tipos de asiento más portátiles que le ofrecerán una mayor independencia.

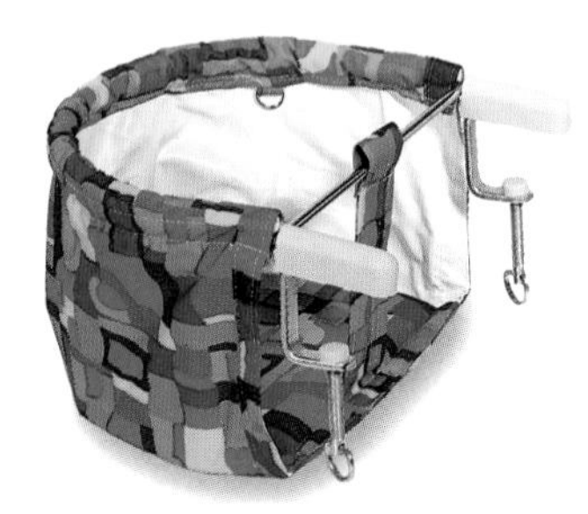

Sillas de abrazadera
Estas sillas, portátiles y ligeras, son muy adecuadas para bebés mayores de seis meses. Algunas se sujetan a la mesa cuando el niño se sienta en ellas; otras se fijan mediante tornillos. No son necesariamente adecuadas para todo tipo de mesas, así que procure leer cuidadosamente las recomendaciones del fabricante antes de comprarla.

Asiento elevado
Ayude a su hijo a llegar a la altura de la mesa con un asiento hecho para este propósito y adecuado para niños mayores de 18 meses. Es más estable que un cojín y puede fijarse a un asiento normal mediante correas.

ALIMENTAR AL NIÑO PEQUEÑO

A la edad de 18 meses, el bebé ya comerá más o menos lo mismo que usted, y probablemente comerá de un tercio a la mitad de una porción de adulto en las comidas. Debe asegurarse de que tenga por lo menos un alimento proteínico en cada comida y cuatro raciones de fruta y verdura al día. Intente lograr una buena mezcla de alimentos a partir de los diferentes grupos del cuadro de la pág. 66.

No le de al niño alimentos muy condimentados o azucarados; debería ofrecerle, por ejemplo, más fruta o yogur que pudings. También debería evitar cualquier fragmento duro de comida con el que el niño pueda atorarse, como frutos secos enteros o granos de maíz, frutas con pepitas o trozos muy pequeños de fruta o verdura cruda.

COMER EN FAMILIA

Ahora que el niño pequeño ya es capaz de alimentarse a sí mismo, disfrutará comiendo en la mesa junto con la familia. Aunque coma lo mismo que los demás, quizá necesite chafárselo y trocearselo, de modo que pueda comerlo sin mucha ayuda. Si hasta ahora ha comido aparte en una silla con bandeja, ahora se le puede permitir instalarse en ella ante la mesa y poner a su alcance algunos alimentos que pueda coger con los dedos. Los que tienen dificultades para comer se sienten de ese modo estimulados a comer más en compañía de la familia.

No obstante, pasará un tiempo antes de que el niño esté preparado para permanecer sentado y quieto durante las comidas. Si desea bajar de la mesa, deje que lo haga, y no intente hacerlo regresar para terminar de comer, puesto que ha perdido interés por ello; lo compensará comiendo más en la próxima ocasión.

MANCHAS EN LAS COMIDAS

El niño quizá considere la hora de las comidas como otro juego más, y no verá nada malo en desparramar la comida por todas partes. Aunque a usted le parezca que lo hace a propósito, eso no es más que una fase, y su coordinación acabará por mejorar. Trate de conseguir que las comidas sean agradables y fáciles para usted; para ello, rodee la silla alta con hojas de periódico que pueda recoger después de la comida. Ser ordenado y limpio puede convertirse en un juego: si traza usted un círculo en la bandeja de la silla y le muestra al niño dónde debe poner la taza, debería recompensarlo cada vez que lo haga así.

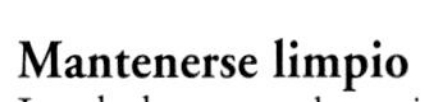

Mantenerse limpio
Los baberos y el equipo de plástico fácil de lavar, ayudan a sobrellevar las comidas en las que todo se mancha.

PLANIFICACIÓN DEL MENÚ

Los menús incluidos a continuación suponen que el niño hará tres comidas al día, con varios bocados intermedios. Si resulta que en la práctica hace menos comidas y toma más bocados intermedios, procure elegir para éstos aquellos alimentos que habría servido en la comida.

MENÚS SUGERIDOS PARA NIÑOS DE 18 MESES

DÍA 1

Desayuno

Media tostada de harina entera

Un huevo duro troceado

Una taza de zumo de fruta diluido

Comida

50 g de pescado blanco

50 g de arroz moreno (pesado en seco)

Una cucharada de maíz tierno

Una taza de zumo de fruta diluido

Bocados

Una taza de agua

Un yogur pequeño

Un plátano

Un rollo de pan de harina entera

Cena

50-75 g de coliflor con 50-g de queso gratinado

50 g de judías anchas

50 g de pollo sin piel

Medio plátano mezclado con una taza de leche

Un rollo pequeño de harina entera

DÍA 2

Desayuno

25 g de cereal en media taza de leche

Una taza de zumo de fruta diluido

Un trozo de pera sin piel

Media tostada de harina entera

Comida

Una hamburguesa de carne de vaca en un rollo de harina entera

30 g de bróculi al vapor

Un tomate de tamaño medio

Una taza de zumo de fruta diluido

Bocados

Una taza de leche

Un bizcocho de harina entera sin endulzar

Una taza de agua

Una pasta de arroz

Cena

Medio rollo de harina entera

50 g de judías anchas

50 g de hígado troceado

50 g de pasta de harina entera (pesada en seco)

Una taza de agua

DÍA 3

Desayuno

Una taza de zumo de fruta diluido

Una cucharada de muesli con 50 ml de leche

Medio plátano chafado

Un yogur de frutas

Comida

Un bocadillo de queso con pan de harina entera

Trozos de zanahoria cruda

Un trozo de manzana sin piel

Una taza de leche

Bocados

Una naranja a trozos

Queso tierno

Una taza de zumo de fruta diluido

Un paquete de patatas fritas sin sal

Cena

Dos sardinas (no en aceite)

50 g de judías anchas

Un tomate de tamaño medio

Una taza de leche

Una taza de agua

HACER LA COMIDA DIVERTIDA

Lograr que la hora de la comida sea excitante para su hijo le animará a probar alimentos nuevos. Hacer que la comida sea divertida no tiene por qué ser difícil o consumir tiempo; sólo se necesita un poco de imaginación.

Pizza de rostro sonriente
El queso, las verduras y la fruta fresca dispuestos decorativamente sobre una pizza, pueden ser muy atractivos para el niño y constituyen una comida muy nutritiva para él.

PROBLEMAS DE ALIMENTACIÓN

Algunos niños plantean dificultades para comer, pero la verdadera dificultad se encuentra a menudo en una madre o un padre que esperan que el niño se adapte a una pauta alimenticia que no le sienta bien. Si afronta los problemas de la alimentación con comprensión y una actitud flexible, a menudo desaparecerán. Si existe un verdadero problema, por ejemplo de intolerancia o, más raramente, de alergia a ciertos alimentos, consulte a su médico. No trate nunca de aislar por sí sola una alergia alimentaria, ya que el niño podría sufrir si le priva de algunos alimentos concretos.

PREFERENCIAS ALIMENTARIAS

En el segundo año de vida, el niño empezará a mostrar preferencias y aversiones por ciertos alimentos. Es muy común que los niños pasen por fases en las que sólo quieren comer una clase de alimento y rechazan todo lo demás. Por ejemplo, quizá se pase toda una semana sin comer más que yogur y fruta, para luego renunciar de repente al yogur y empezar a comer sólo queso y patatas chafadas. No se enfade con su hijo por esto y no insista en que tome ciertos alimentos. Ninguno de ellos es esencial para el niño, y siempre se encuentra un sustituto nutritivo para cualquier alimento que se niegue a comer. Mientras le ofrezca una amplia variedad de alimentos, recibirá una dieta equilibrada y es mucho mejor que coma algo que le guste, aunque sea algo que usted desapruebe, en lugar de no comer nada. Lo único que debe vigilar es que el niño no rechace todos los alimentos de un grupo concreto, como por ejemplo todas las frutas o verduras. Si lo hiciera así su dieta sería desequilibrada, por lo que tendrá que pensar en formas de tentarlo para que coma frutas y verduras, quizá cocinando la comida de una forma diferente o presentándoselas de una forma imaginativa (véase pág. 69).

Si dedica tiempo a cocinar alimentos que sabe que su hijo no desea, se molestará cuando no se los coma, así que procure alejarse de esa actitud y prepárele alimentos que sepa que le gusten al niño.

No intente camuflar un alimento que no le guste mezclándolo con alguna otra cosa, ni trate de negociar con él ofreciéndole un alimento favorito si come otro que le disgusta, porque puede terminar por aborrecer también otros alimentos. Si introduce un alimento nuevo, procure que el niño tenga hambre; de ese modo, es más probable que lo acepte. No intente nunca obligarlo a tomar algo que no desea; si el niño cree que es muy importante para usted, lo utilizará como una forma de manipularla.

NEGATIVA A COMER

El no comer suele ser una de las primeras indicaciones de que el niño no se encuentra bien, así que obsérvelo con atención. Si parece pálido, inquieto y más torpe de lo habitual, compruebe su temperatura (véase pág. 278) y hable con el médico si está preocupada.

A veces, el niño comerá numerosos bocados intermedios o un vaso de leche antes de la comida y no mostrará su apetito habitual. Mientras el bocado intermedio sea nutritivo, no hay por qué preocuparse. Si se niega a comer sin razón aparente, no se preocupe por ello. El niño comerá

SOBREPESO

La obesidad es uno de los problemas nutricionales más comunes entre los niños de las prósperas sociedades occidentales. La mayoría de niños rollizos, sin embargo, no sufren médicamente de sobrepeso y no hay que tomar ninguna medida especial mientras sean sanos y activos.

Si cree que su hijo tiene exceso de peso (que es notablemente más grueso que sus amigos), consulte con el médico, que podrá decirle si el peso del niño está por encima de lo normal para su altura.

Las causas más comunes de sobrepeso son una dieta deficiente y la falta de ejercicio. La mejor forma de ayudar al niño es que toda la familia adopte una dieta más sana, con menos grasa y azúcar, con más fruta fresca y verdura, y con más hidratos de carbono no refinados.

Nunca debería intentar que el niño perdiera peso, sino lograr que su peso se mantenga estable mientras crece en altura. A ello le ayudarán las siguientes guías:

- *Cueza al horno, ase a la parrilla y hierva los alimentos, en lugar de asarlos o freírlos.*
- *Cuando el niño tenga sed, dele agua o zumo de fruta diluido, nunca bebidas endulzadas.*
- *Como bocados intermedios, dele pan de harina entera, verduras crudas y frutas.*
- *Anímelo a ser activo en juegos animados con usted misma.*
- *Ningún niño necesita más de un cuarto de litro de leche al día. Se puede usar la leche de vaca desnatada o semidesnatada para los niños con sobrepeso mayores de dos años, siempre y cuando se le den también suplementos de vitaminas.*

siempre tanto como realmente necesite y si usted insiste en que coma más, el momento de las comidas puede convertirse en una batalla que siempre perderá usted.

Intolerancia alimenticia

La incapacidad para digerir plenamente ciertos alimentos tiene que distinguirse de una verdadera alergia alimentaria, que es muy diferente y muy rara. La intolerancia se produce cuando el sistema digestivo no logra producir las enzimas esenciales para descomponer el alimento ingerido. Una de las formas más comunes de intolerancia alimentaria en los niños es la intolerancia a la lactosa, la incapacidad para digerir los azúcares de la leche. La enzima, en este caso la lactasa, puede estar ausente desde el nacimiento, o quizá su producción se ve perturbada por un trastorno intestinal como la gastroenteritis; las deposiciones de color pálido, abultadas y olorosas son características de este trastorno. A veces, la intolerancia alimentaria se produce por razones desconocidas. Si el niño tiene habitualmente síntomas como diarrea, náuseas o dolor después de tomar un alimento en particular, la intolerancia puede ser la causa. El mejor remedio es evitar el alimento de que se trate, pero no intente identificarlo usted sola; necesitará consultar con el médico para detectar el alimento culpable y para eliminar otras causas.

Alergia alimentaria

La mayoría de casos de supuesta alergia alimentaria resultan ser una intolerancia, o la combinación de un niño y una madre desordenados. La verdadera alergia alimentaria es bastante rara y se produce cuando el sistema inmunológico del cuerpo experimenta una reacción exagerada ante una proteína o sustancia química que interpreta como «extraña». Se trata de un mecanismo protector y los síntomas pueden incluir dolor de cabeza, náuseas, vómitos abundantes, exantema, manchas rojas extendidas por la piel e hinchazón de boca, lengua, rostro y ojos.

Al principio, es posible que el alérgeno, la sustancia causante de la reacción, sólo produzca síntomas suaves, pero estos pueden agravarse si el niño se ve expuesto repetidamente al alimento de que se trate. Algunos alimentos que suelen causar reacciones alérgicas son el trigo, el marisco, las fresas, el chocolate, los huevos y la leche de vaca.

En la década de 1980 las alergias llamaron mucho la atención y se les achacaron perturbaciones en el comportamiento de los niños, incluida la hiperactividad. Estudios más recientes han arrojado dudas sobre esas afirmaciones: los padres siguen informando de perturbaciones del comportamiento incluso cuando, sin ellos saberlo, se ha retirado el alimento sospechoso de la dieta del niño. En un número muy pequeño de casos se ha demostrado que el alimento fue el responsable del comportamiento, pero en otros muchos casos el mal comportamiento no es más que una forma de buscar amor y atención por parte de unos padres descuidados. Tengo la fuerte impresión de que han sido demasiados los padres dispuestos a acusar a los alimentos de los problemas de comportamiento, en lugar de buscar la causa en sus propias actitudes. Mientras tanto, muchos niños han sido innecesariamente privados de alimentos nutritivos.

No debe intentar nunca aislar una alergia alimentaria por su cuenta sin consultar con el médico, y no suponga nunca que hay una alergia si no cuenta con un claro diagnóstico por parte de un alergista pediatra.

Cuando el niño enferma

La pérdida de apetito es con frecuencia uno de los primeros síntomas de enfermedad en un niño, pero eso no tiene que preocuparla si la enfermedad es breve.

- *El niño debe beber mucho fluido, sobre todo si ha vomitado o tenido diarrea.*
- *En el caso de que el niño sufra de gastroenteritis, la mayoría de médicos recomiendan que se eviten las bebidas que contengan leche.*
- *No hay necesidad de aplicar una dieta especial de enfermo, aunque será sensato evitar alimentos ricos o pesados si el niño sufre alteraciones estomacales.*
- *Ofrézcale algunos de sus alimentos favoritos para animarlo y déle raciones más pequeñas de lo habitual. Puesto que el niño descansa, probablemente no deseará comer mucho.*

Darle de beber
Es posible que disminuya el apetito del niño mientras esté enfermo, pero procure que beba mucho fluido, ofreciéndole su bebida favorita.

PREESCOLAR

ALIMENTACIÓN Y NUTRICIÓN

El niño en edad preescolar seguirá más o menos con la misma dieta que usted, y sus necesidades dietéticas deben contemplarse en el contexto de los hábitos alimenticios de toda la familia; hasta es posible que usted misma mejore su propia dieta como consecuencia de considerar las necesidades de su hijo. En esta fase se sentirá probablemente menos preocupada por lograr que su hijo reciba los alimentos correctos en las cantidades adecuadas, y más porque él aprenda comportamientos y maneras de los adultos durante las comidas. Es un buen momento para enseñarle buenas maneras en la mesa, que le durarán para toda la vida.

COMER EN FAMILIA Y OCASIONES SOCIALES

Para muchas familias, la hora de comer es mucho más que asegurarse de que todos se alimentan; se trata de ocasiones sociales en las que todos los miembros de la familia se sientan juntos, intercambian noticias y disfrutan con la compañía de los demás. Estos momentos constituyen para el niño pequeño una parte importante de su proceso de aprendizaje; puede apreciar este aspecto social de las comidas y aprenderá la mayor parte de su comportamiento en la mesa a partir de su experiencia de comer en familia, antes que con las lecciones que reciba más adelante. Cada familia tiene sus propios niveles aceptados de comportamiento y no voy a establecer aquí reglas acerca de cuáles deberían ser. Es importante, sin embargo, que el niño aprenda a encajar, de modo que toda la familia pueda disfrutar junta de la comida, sin repetidas interrupciones causadas por la mala educación o por las discusiones sobre el comportamiento.

Desde el momento en que el niño se sentó por primera vez en la silla alta, ante la mesa del comedor familiar, habrá estado observando y aprendiendo. Deseará probar los alimentos que comen los demás, y a menudo participará en la conversación. Intente incluir a su hijo en las comidas familiares siempre que le sea posible. Anímelo cuando intente seguir su (buen) ejemplo. Alábelo, por ejemplo, cuando pida por favor que le pasen algo, en lugar de intentar cogerlo desde el otro lado de la mesa. Los niños aprenden de la forma más natural y fácil mediante el ejemplo, y captarán rápidamente las normas de comportamiento que observe el resto de la familia. Si la suya es una familia en la que todo el mundo se levanta de la mesa cuando le place, en lugar de esperar a que los demás hayan terminado de comer, será difícil convencer al niño de que se quede quieto y espere.

Habrá ocasiones en que querrá que su hijo se comporte especialmente bien en las comidas, habitualmente porque recibe usted visitas. Deje que participe en la excitación de una comida especial, permitiéndole ayudar a poner la mesa, por ejemplo. Si comprende que algunas ocasiones exigen un esfuerzo extra, le resultará más fácil comprender por qué desea usted que se comporte especialmente bien y, en consecuencia, reaccionará mejor ante sus deseos.

GUSTOS Y RECOMPENSAS

Toda madre y padre sabe que hay momentos en que es importante recompensar el buen comportamiento o bien ofrecer al niño un premio a cambio de alguna forma de cooperación.

Los dulces pueden parecer la recompensa más adecuada, ya que siempre son apreciados por los niños. No obstante, ofrecer dulces de una manera rutinaria como recompensa socava la consistencia de su actitud ante los dulces en general. En esto no hay regla fija, y tampoco hay razón alguna para que no pueda recompensar de vez en cuando al niño con algún dulce, siempre y cuando deje bien claro que se trata de darle sólo un gusto.

Vale la pena hacer el esfuerzo de imaginar otras formas de recompensarlo: un yogur con su sabor favorito, un pequeño juguete o una caja nueva de lápices de colores, o incluso ampliar especialmente el momento del baño o de contarle un cuento.

No creo en prohibir por completo los dulces, ya que eso puede impulsar a los niños a mostrarse recelosos y a no ser honrados.

Sí creo, sin embargo, en la táctica de racionar los dulces, algo que siempre ha funcionado bien con mis hijos. Si permite que el niño tome un dulce después del almuerzo y otro después de la cena, y lo anima a cepillarse los dientes después, estará fomentando el autocontrol, los buenos hábitos alimenticios y la buena higiene bucal.

PROCURE QUE LAS COMIDAS SEAN RELAJADAS

Es importante prevenir que las comidas se conviertan en un campo de batalla para conflictos familiares más generalizados. La asociación entre comida y amor puede ser muy estrecha, y las discusiones sobre alimentos y comidas pueden asociarse con tensiones sobre otros temas. En tales casos, el alimento y el comportamiento durante la comida, como por ejemplo negarse a comer, llegan a convertirse en un arma que utiliza el niño para llamar la atención o para expresar cólera, angustia y otras muchas emociones. Es mejor, por tanto, comportarse con naturalidad con el niño en cuanto a la etiqueta en la mesa, lograr que las comidas sean lo más relajadas posible, y no dejarse arrastrar a las discusiones. Insista sólo en aquellos aspectos del comportamiento en la mesa que considere esenciales; los refinamientos ya llegarán más adelante.

COMER FUERA DE CASA

Un bebé pequeño sólo puede comer lo que usted le ofrezca, pero un niño mayor ya tendrá preferencias acusadas acerca de qué desea comer, y buscará una oportunidad para ponerlas en práctica. Probablemente, también habrá más ocasiones en que el niño comerá fuera de casa y aunque es evidente que no puede controlar cada bocado que come, debería procurar que las buenas costumbres aprendidas en casa no se echan a perder una vez que empieza a comer fuera de casa.

Si el niño acude al jardín de infancia o a la escuela, intente asegurarse de que toma un buen desayuno antes de salir. Si no lo hace, tendrá hambre mucho antes de la hora del almuerzo y eso afectará tanto a su temperamento como a su concentración. Un sano bocado intermedio a media mañana, como una pieza de fruta o una barra de cereal, le ayudarán a resistir hasta la hora del almuerzo. Si le van a servir la comida, procure enterarse de qué le ofrecerán; si no se siente satisfecha, o si no se han tomado disposiciones para alimentar a su hijo, ofrézcale un almuerzo nutritivo empaquetado. El almuerzo no tiene por qué componerse siempre de bocadillos; puede darle trozos de pollo y ensalada de patatas, trozos de verduras crudas con un yogurt, o cualquier otro alimento que el niño pueda comer con los dedos.

Los niños son animados a menudo a probar alimentos nuevos porque ven que sus amigos los comen, y cuando empiece a ir a la escuela quizá vea que su hijo se decide a comer alimentos que hasta entonces había rechazado en casa.

COMIDAS RÁPIDAS

Procure no recurrir con frecuencia a los restaurantes de comida rápida cuando salga con su hijo y desee comer algo. La mayoría de los alimentos que ofrecen estos restaurantes, como patatas fritas, hamburguesas, salchichas y bebidas azucaradas, tienen un alto contenido en sal, grasas o azúcar, y bajo en nutrientes. Si puede, lleve consigo una buena provisión de sanos alimentos para tomar bocados intermedios, o elija un establecimiento que ofrezca alimentos más sanos, como bocadillos y ensaladas. No obstante, si el niño pidiera específicamente hamburguesa y patatas fritas, quizá sea bueno darle ese gusto de vez en cuando, pero deje bien claro que esos alimentos son un regalo especial, que sólo deben comerse ocasionalmente. Los sábados al mediodía, mi familia solía comer en una hamburguesería, algo que nos satisfacía a todos, y una vez a la semana no es tan frecuente como para dañar la salud.

COMER FUERA

Habrá muchas ocasiones en las que querrá sacar a su hijo a comer fuera. Estar preparado para ello hará que todos puedan disfrutar más de la experiencia.

- *Intente enterarse de antemano de qué instalaciones dispone el restaurante que elija; si reserva una mesa, comente que llevará niños pequeños, y entérese si habrá espacio para el cochecito del niño, y si el establecimiento le puede proporcionar una silla alta si la necesita.*
- *Muchos menús para niños son muy limitados y ofrecen simplemente hamburguesas, salchichas o dedos de pescado, todo ello acompañado por patatas fritas. Si no desea que el niño tome estos alimentos, pregunte si puede pedir una ración pequeña de un plato adecuado del menú principal, y si le cobrarán el precio de una ración completa por ello.*
- *La mayoría de niños disfrutarán de la experiencia de salir a comer fuera y debería intentar que el niño participara plenamente, permitiéndole elegir su comida e indicar al camarero su pedido si no es demasiado tímido.*
- *Si el niño utiliza normalmente una silla portátil, llévela consigo; si cree que tendrá dificultades para beber de un vaso, también puede llevarle la taza que suele utilizar.*
- *Muchos restaurantes animan positivamente a los niños y estarán encantados de proporcionarles pajitas para las bebidas, baberos y sillas altas para los más pequeños, e incluso les ofrecerán pequeños regalos como sombreros de papel o imágenes para colorear.*

BEBÉ PEQUEÑO

SOSTENER Y MANEJAR

DEJAR AL BEBÉ EN LA CAMA

Durante los tres primeros meses de vida, debería dejar siempre al bebé tumbado de espalda sobre la cama.

La investigación de los últimos años ha demostrado que los bebés que duermen boca abajo corren mayor riesgo de sufrir una muerte súbita que aquellos que han sido acostados de espalda, y la publicidad dada a este descubrimiento en algunos países ha tenido como resultado un descenso significativo de los casos de muerte súbita, que han llegado a reducirse en casi un 50 % en cinco años.

El bebé recién nacido puede parecer muy vulnerable y frágil, pero es más robusto de lo que se imagina. Teniendo esto en cuenta, podrá inspirar confianza en su hijo, en lugar de incertidumbre. Tanto para la comodidad del bebé como para su propia tranquilidad mental, es importante que se sienta cómoda al manejarlo; debe poder hacerlo con seguridad al bañarlo, vestirlo y alimentarlo.

MANEJAR AL BEBÉ

Al mover al bebé, la acción debe ser tan lenta, suave y serena como le sea posible. Descubrirá que sostiene instintivamente al bebé cerca de usted, lo mira a los ojos y le habla suavemente. No es sorprendente que se haya demostrado que todos los niños se benefician del contacto físico íntimo, sobre todo cuando están en posición de escuchar el sonido familiar de los latidos del corazón de la madre. Los bebés prematuros, por ejemplo, ganan más peso cuando los tapan con sábanas lanudas, que les transmiten la sensación de ser tocados, que cuando se les tapa con sábanas suaves. El recién nacido encontrará consuelo en cualquier clase de contacto de piel a piel, pero la mejor forma de ofrecérselo es que sus progenitores se encuentren desnudos en la cama, donde él podrá olerlos, sentir su piel y escuchar los latidos de sus corazones. De ese modo, también se familiarizará, y eso es muy conveniente, con el olor de la piel de su padre.

CÓMO LEVANTAR AL BEBÉ

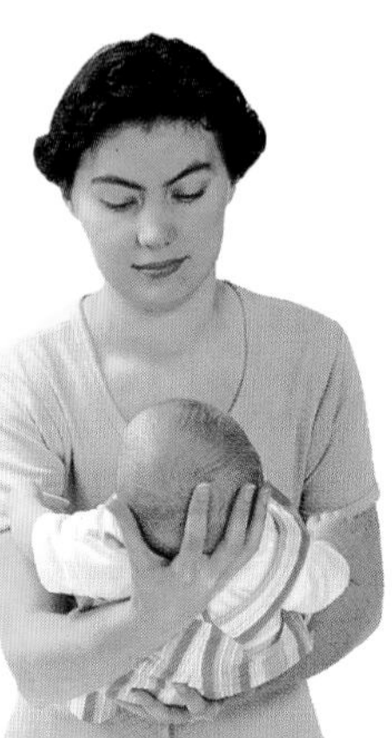

Levantar al bebé
Deslice una mano por debajo de la nuca y la otra bajo la parte inferior de la espalda para apoyar la parte baja. Levántelo con suavidad y acurrúqueselo entre los brazos.

Al levantar y dejar al bebé, hágalo de forma que le sostenga la cabeza, sobre la que no tendrá control alguno hasta que tenga por lo menos cuatro semanas. Si la cabeza le cae hacia atrás, creerá que va a caer, su cuerpo experimentará una sacudida y extenderá ambos brazos y piernas en el reflejo Moro o de «asombro» (véase pág. 20).

Deje y levante al bebé con todo el brazo sirviendo como apoyo para su columna vertebral, nuca y cabeza. Si quiere incorporarlo, hágalo firmemente, envolviéndolo en un chal o manta, de modo que la cabeza quede apoyada, con los brazos cerca del cuerpo de usted. Una vez que lo deje en la cuna, podrá envolverlo con suavidad. Incorporarlo y apretarlo suavemente contra usted, hace que el bebé se sienta seguro, por lo que es una forma muy útil y reconfortante de tranquilizar a un bebé angustiado.

TRANSPORTAR AL BEBÉ

Una forma de llevar al bebé en brazos es acunándole la cabeza en el codo doblado del brazo, ligeramente inclinado. El resto del cuerpo descansará sobre el antebrazo, con la muñeca rodeándolo para sostenerle la espalda y el trasero. La otra mano ofrecerá apoyo adicional al trasero y a las piernas, y el bebé podrá verle la cara con facilidad mientras usted le habla y le sonríe.

La segunda forma de llevar al bebé es sostenerlo contra la parte superior de su pecho, con la cabeza apoyada en el hombro de usted. Debe colocar el antebrazo a través de la espalda y apoyar con la mano la cabeza que descansa sobre su hombro, dejando la otra mano libre para usarla como apoyo del trasero del bebé, o para equilibrarse usted misma. Su sentido del equilibrio cambiará al principio, a medida que se acostumbre a llevar al bebé.

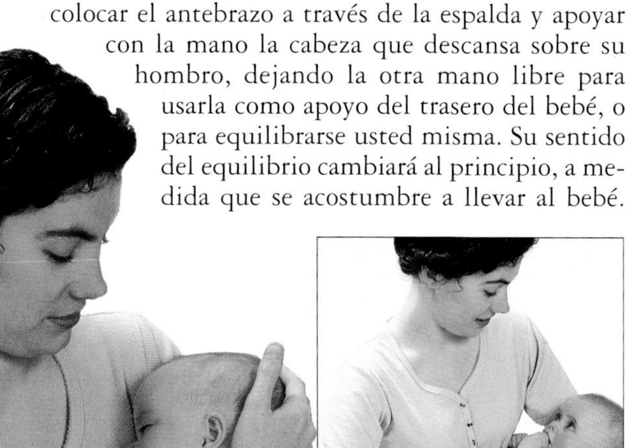

Sostenerlo y acunarlo
Sostenga la cabeza del bebé y apoye todo su cuerpo al llevarlo. Sostenerlo cerca de usted hará que el bebé se sienta seguro y relajado, sobre todo si puede ver su rostro.

CORREAS

A los recién nacidos se les lleva mejor suspendidos de correas, delante del pecho, donde se sienten cerca de usted y seguros.

- *Busque unas correas de tela lavable, ya que se ensuciarán con el uso.*
- *Deberían ser fáciles de colocar y cómodas de llevar, tanto para usted como para su cónyuge. Pruébelas con el bebé antes de comprarlas.*
- *Las correas deberían sostener la cabeza y la nuca del bebé y mantenerlo seguro, sin que pueda deslizarse por los lados.*
- *Las correas de los hombros tienen que ser lo bastante anchas como para soportar el peso creciente del bebé, lo que también hará más cómodo el transporte.*
- *Se ha dicho que un bebé no debe ser llevado suspendido de correas hasta que no pueda sostener su propia cabeza. Eso no es cierto. Utilice las correas en cuanto desee hacerlo y sea conveniente para el bebé.*

Correas
Estos apoyos de tela y peso ligero son una forma muy cómoda de transportar a un bebé pequeño.

MASAJE DEL BEBÉ

El masaje tiene para el bebé todos los beneficios que tiene para el adulto: es suavizante y capaz de calmar a un bebé inquieto, y es una forma maravillosa de demostrar amor. Si masajea cada día a su bebé, aprenderá a reconocer la rutina y demostrará placer en cuanto empiece. Puede seguir dándole masajes a medida que se haga mayor; un masaje es a menudo una forma ideal de calmar a un niño excitado.

Procure que haya un ambiente relajado antes de empezar. Como quiera que esto será una experiencia nueva para ambos, cualquier distracción echaría a perder el estado de ánimo y alteraría al bebé, así que elija un momento en el que nadie la moleste, y descuelgue el teléfono. Procure que la habitación sea agradable y cálida, y coloque al bebé sobre una toalla cálida o una piel de oveja, o sobre su regazo. Trabaje desde la cabeza hacia abajo, con manipulaciones ligeras y uniformes y tratando de aplicar un masaje simétrico a ambos lados de su cuerpo. Establezca contacto visual con el bebé durante todo el masaje y háblele con voz tierna y cariñosa.

BENEFICIO PARA LOS PADRES

El masaje es una actividad deliciosa y valiosa, que tiene numerosas ventajas tanto para usted y su cónyuge como para el bebé.

- *Dar masaje al recién nacido ayuda a aumentar el proceso de la vinculación entre usted y su hijo.*
- *Si le preocupa o ha tenido muy poca experiencia con niños, el masaje le permitirá acostumbrarse a manejar al bebé.*
- *El masaje es una forma ideal de tranquilizar a un bebé inquieto y también le ayudará a usted a calmar sus propios nervios, gracias a sus efectos relajantes.*
- *Descubrirá que dar masajes a la piel suave y blanda del bebé constituye toda una experiencia sensual para ambos.*

DAR UN MASAJE

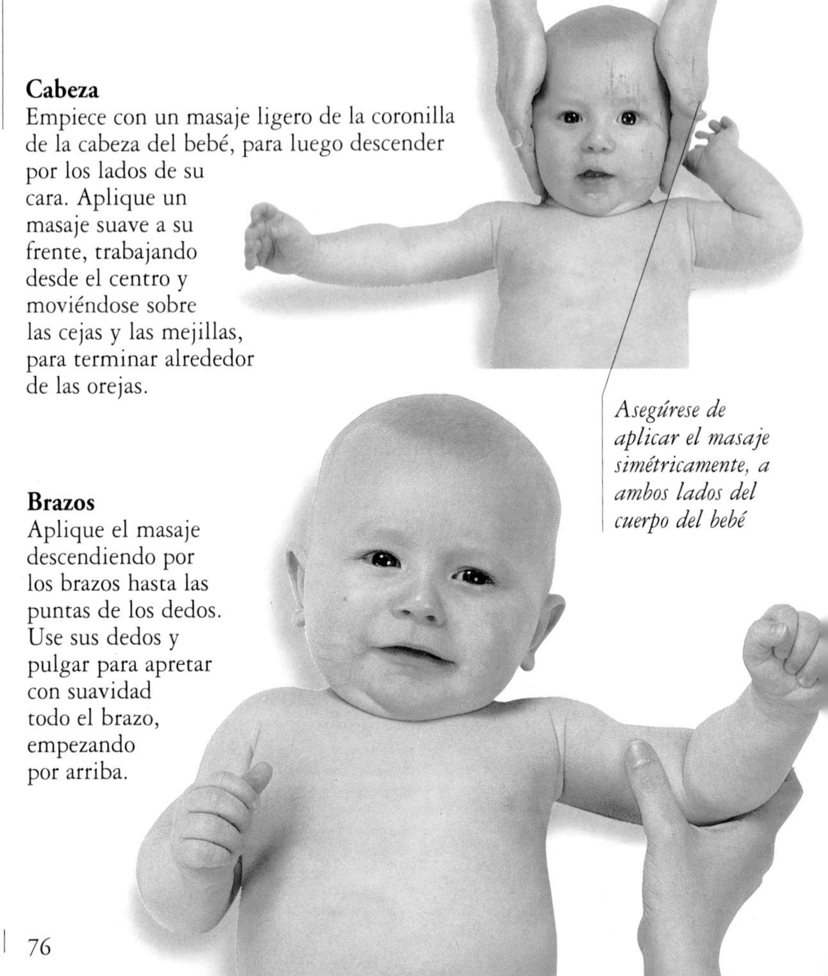

Cabeza
Empiece con un masaje ligero de la coronilla de la cabeza del bebé, para luego descender por los lados de su cara. Aplique un masaje suave a su frente, trabajando desde el centro y moviéndose sobre las cejas y las mejillas, para terminar alrededor de las orejas.

Asegúrese de aplicar el masaje simétricamente, a ambos lados del cuerpo del bebé

Brazos
Aplique el masaje descendiendo por los brazos hasta las puntas de los dedos. Use sus dedos y pulgar para apretar con suavidad todo el brazo, empezando por arriba.

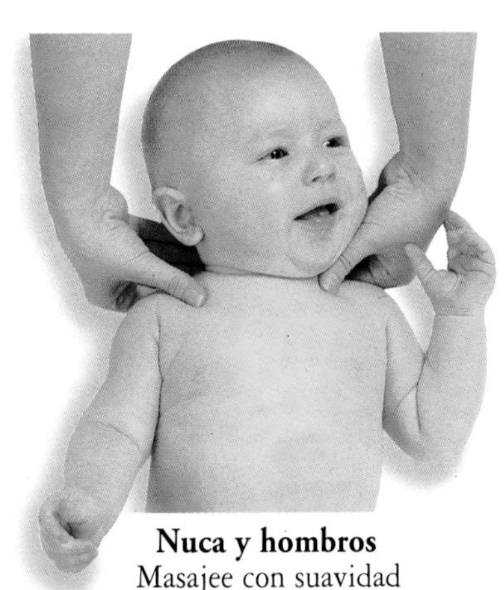

Nuca y hombros
Masajee con suavidad la nuca del bebé, desde las orejas hasta los hombros y desde la barbilla al pecho. Luego masajee los hombros desde la nuca hacia el exterior.

Pecho y abdomen

Aplique un masaje suave al pecho del bebé, descendiendo a lo largo de las delicadas curvas de las costillas. Frótele el abdomen con un movimiento circular, actuando hacia el exterior a partir del ombligo.

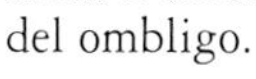

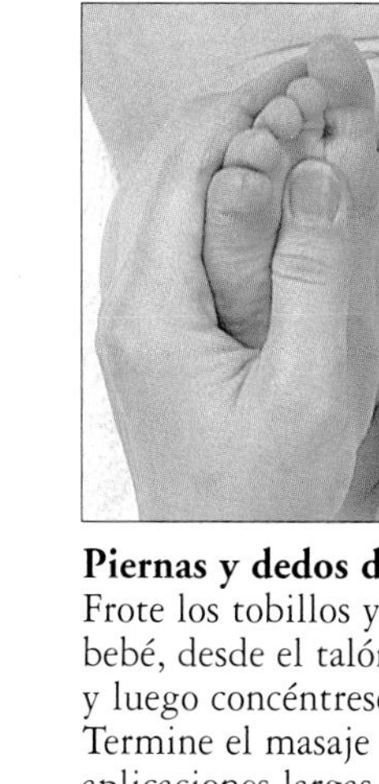

Piernas y dedos de los pies

Frote los tobillos y los pies del bebé, desde el talón hasta los dedos, y luego concéntrese en cada dedo. Termine el masaje con algunas aplicaciones largas y ligeras por toda la parte delantera del cuerpo del bebé.

Piernas

Ahora puede aplicar un masaje en las piernas, a partir de los muslos y hasta las rodillas. Descienda por las pantorrillas y los tobillos y apriete con suavidad al descender.

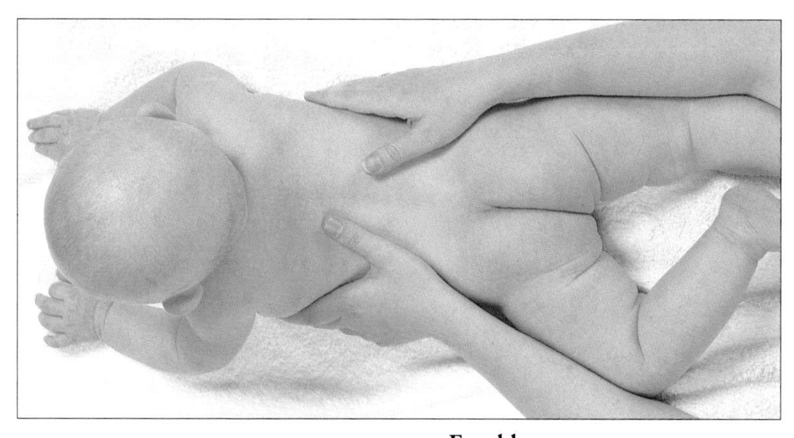

Espalda

Una vez que haya dado masaje al bebé por delante, dele la vuelta y aplíquele masaje a la espalda.

BENEFICIOS PARA EL BEBÉ

El bebé no puede sino obtener sensaciones placenteras de un masaje dado con cariño.

- *Al bebé le encanta estar con usted y el contacto íntimo no hace sino aumentar esa sensación de agrado. Lo reconocerá como una clara señal de su amor.*
- *Si está inquieto se tranquilizará bajo los movimientos suaves de sus manos, y usted le hará sentirse seguro y le aliviará la ansiedad.*
- *El masaje aliviará a menudo los trastornos digestivos menores, como el flato, que puede tener inquieto al bebé.*
- *Los bebés necesitan el contacto físico. La investigación ha demostrado que preferirían ser acariciados antes que alimentados.*

BEBÉ MAYOR

SOSTENER Y MANEJAR

A estas alturas ya debería sentirse relajada en cuanto a cómo llevar al bebé. Probablemente, se acostumbrará a emplear un par de formas preferidas de llevarlo, dependiendo de que desee que lo acunen o si prefiere mirar lo que sucede a su alrededor. Ahora es más pesado, así que procure adoptar un método de levantarlo que no provoque tensiones en su espalda.

LEVANTAR Y LLEVAR AL BEBÉ

El bebé ya puede controlar la cabeza, por lo que ya no hay necesidad de sostenérsela como lo hacía cuando era un recién nacido. Ahora puede tomarlo poniéndole las manos por debajo de los sobacos y levantándolo hacia usted. Esta es también una buena forma de levantarlo para colocarlo en la silla alta: las piernas quedan colgando y puede deslizarse con facilidad en la silla. También puede levantarlo con una mano doblada en diagonal por la espalda y la otra sosteniéndole el trasero.

Puede llevar al bebé sobre el brazo doblado, apoyado contra el hombro, de modo que su rostro quede frente al suyo, o con el brazo extendido diagonalmente sobre su espalda y sosteniéndole el muslo, mientras él se sienta sobre su cadera. Todavía puede usar unas correas, aunque la mochila de espalda le ofrecerá mejor apoyo para trayectos largos.

CÓMO SE MANEJA A LAS NIÑAS

Según la investigación, empezamos a preparar a nuestras hijas para que se adapten a un estereotipo sexual femenino desde el mismo instante en que nacen. Al manejar a las niñas:

- *Emitimos arrullos, susurros y sonreímos con suavidad al tiempo que las acunamos.*
- *No las manejamos de modo excitante, de modo que nunca experimentan la sensación de volar por el aire.*
- *Hacemos que el momento del baño sea mucho más sedativo para las niñas que para los niños.*
- *Les ofrecemos juguetes blandos, de peluche, y desanimamos el juego rudo, sucio o peligroso.*
- *Nos mostramos consoladores con pequeñas heridas y no hacemos intento alguno por impedir que lloren, de modo que crecen con la convicción de que está bien mostrar señales de desamparo y emoción.*

Si desea que su hija se desarrolle como una persona fuerte, independiente y segura de sí misma, debe adaptar su propio comportamiento y tratarla más como se suele tratar a los niños (véase pág. siguiente).

POSICIONES PARA LLEVARLO

El bebé disfruta con la intimidad

El bebé tiene los brazos libres para moverlos

Sobre una cadera
Ahora, el bebé puede apoyarse él mismo lo suficiente como para sentarse a horcajadas sobre su cadera. Eso le permite mirar a su alrededor.

Mirar hacia delante
Sostenga al bebé con seguridad alrededor de la cintura, para que pueda mirar a su alrededor. Puede usar la otra mano para sostenerlo o dejarla libre.

Hable con el bebé mientras lo hace rebotar

Balancearlo
Puede convertir esta actividad en un alegre juego, balanceando al bebé hasta lo alto, o haciéndolo suavemente.

Hacerlo rebotar
Haga subir y descender rítmicamente al bebé obre sus rodillas. Debe sostenerlo en todo momento para que no caiga hacia atrás.

JUEGOS DE COLUMPIO Y BALANCEO

A todos los bebés les encanta que los balanceen y les hagan rebotar, pero lo mucho o poco que disfruten dependerá de cómo se sientan. Sentirse elevado en el aire es una experiencia excitante, que puede contemplar todo lo que le rodea, y ver su rostro desde una nueva perspectiva. A veces, preferirá que lo haga rebotar sobre su rodilla, como si fuera a caballo, o simplemente que lo balancee con suavidad. Dele una oportunidad para relajarse después de un juego animado, acunándolo durante unos minutos.

Oscilarlo
Levante al bebé hacia lo alto y luego hágalo descender entre sus piernas. Le encantará ver su rostro desde lo alto.

CÓMO SE MANEJA A LOS NIÑOS

Los experimentos han demostrado que manejamos a los niños de un modo muy diferente a como hacemos con las niñas, y que persistimos en este estereotipo aun cuando nos dejemos engañar por el hecho de que lleven ropas de color rosado o azul. Al manejar a los niños:

- *Hablamos, reímos e incluso gritamos con fuerza y los agarramos con firmeza.*
- *Los balanceamos de un lado a otro, de modo que se acostumbran a mucha acción y movimiento físico.*
- *Los animamos a chapotear y dar patadas en el agua.*
- *Les ofrecemos juguetes duros, recios y alabamos su espíritu de aventura, e incluso sus travesuras, con palabras o frases de ánimo.*
- *Cuando un niño se pela la rodilla, nos mostramos eficientes, antes que tiernos y cariñosos, y desanimamos las demostraciones de emoción, al tiempo que aplaudimos la independencia.*

Si desea que su hijo esté más en contacto con la parte más suave de sí mismo, adapte su propio comportamiento y trátelo un poco más como a una niña (véase pág. anterior).

NIÑO PEQUEÑO

SOSTENER Y MANEJAR

CÓMO LEVANTAR AL NIÑO

Asegúrese de saber cómo manejar pesos pesados de una forma que no cause tensiones a su espalda.

Una vez que se tiene un bebé, surgen numerosas oportunidades para provocar tensiones en la espalda. El niño exige que se le levante y se le transporte constantemente, y en muchas ocasiones hay que dejar de lado los cochecitos y otros equipos. Es importante aprender a levantarlo sin producirse daños y tensiones a sí misma. Procure mantener la espalda recta, doble las rodillas y, utilizando los poderosos músculos de los muslos, realice con ellos todo el trabajo de levantarlo. No lo levante nunca con las piernas rectas y la espalda doblada hacia adelante.

No se niegue nunca a abrazar al niño; aunque necesitará que lo sostengan menos que cuando era un bebé pequeño, a menudo pedirá que lo lleven como antes, sobre todo cuando se sale para dar un largo paseo o cuando se siente cansado y raro. Es muy probable que se pegue a usted cuando experimente dolor o incomodidad, al salirle un diente o si se siente desanimado. Debe usted responder siempre a sus señales y no vacilar en darle un abrazo para consolarlo y mostrarle afecto. El niño dejará claro cuándo ha recibido suficiente, y él mismo se bajará y echará a correr. Los bebés a los que se abraza y se demuestra amor cuando lo necesitan y lo piden, suelen convertirse en individuos independientes y seguros de sí mismos.

El deseo de afecto físico es algo que conservamos siempre. Los padres no deben burlarse nunca de las necesidades de sus hijos, a las que siempre deben responder. Cuando mis hijos estaban creciendo, les gustaba que los acurrucara de vez en cuando, sobre todo si se sentían cansados, habían recibido una reprimenda del maestro en la escuela, temían mi partida o ausencia o, simplemente, no se sentían bien.

NIÑOS «PEGADIZOS»

Ocasionalmente, los niños mayores todavía querrán sentarse en su regazo. Al sentirse incómodos, en circunstancias extrañas, es posible que quieran sentarse en sus rodillas, sobre todo en presencia de extraños o cuando tengan la sensación de ser observados. Deje que lo hagan así si le parece conveniente y verá cómo unos breves momentos de intimidad darán al niño la confianza necesaria para manejar cualquier situación.

El momento de irse a la cama es particularmente importante para demostrar afecto. En mi opinión, un niño no debería irse nunca a la cama sin recibir algún abrazo o mimo. Un abrazo le proporcionará una sensación de seguridad y también la convicción de que a usted le importa realmente. La regla es que usted siempre debe estar presente para consolar y dirigir una palabra amable al niño que ha sido herido, se siente preocupado, extrañado o asustado. No todos los niños necesitan seguridad física, así que prepárese para transmitir consuelo en la forma que su hijo desee.

EL NIÑO QUE NO RESPONDE

Desde una edad muy temprana, algunos niños ponen rígidos sus cuerpos y lloran cuando se les sostiene; al crecer suelen evitar todo contacto físico, apartan la cara cuando se les trata de besar, por ejemplo, y no demuestran ningún deseo de contacto físico. Es posible que esos niños nunca lleguen a disfrutar de afecto físico y que a los padres les resulte difícil afrontarlo, porque lo perciben como un rechazo. Si su hijo se comporta de ese modo, no insista en abrazarlo cuando está claro que no lo desea. Ofrézcale su afecto físico sólo cuando él quiere, y respete sus deseos.

MOSTRAR AFECTO

A la edad de tres o cuatro años, el niño será mucho más independiente, y quizá suponga usted que necesita menos muestras abiertas de afecto y cariño. Aunque eso pueda ser cierto, sería un error pensar que desea prescindir por completo de todo contacto físico. Debería de prestar una atención especial a los chicos, de quienes a menudo se espera que renuncien a los abrazos y los besos a edad muy temprana porque no se considera como un comportamiento adecuadamente «masculino».

Resulta demasiado fácil perder el hábito de mostrar afecto, así que hágase el propósito de sostener y tocar a su hijo tan a menudo como pueda, ya se trate de dejar que se siente en su rodilla o de rodearlo con un brazo mientras lee el periódico, o darle un abrazo al acostarlo. Yo seguí la norma de decirles a mis hijos cada día que los quería.

A menudo, a los niños mayores les cohíbe que los besen o abracen en público, de modo que sea sensible a ello. Elija momentos íntimos en los que ellos puedan disfrutar de su cuidado, atención y amor.

DIVIDIR SU ATENCIÓN

Quizá le sea difícil dividir su tiempo y atención de un modo uniforme entre varios niños pequeños. Una amiga mía que tiene gemelos adoptó un método pragmático ante este problema: en lugar de intentar dar a cada gemelo una parte igual de su atención en cada momento, decidió atender a aquel gemelo que la necesitara en cada momento, y asumió que todo se compensaría con el paso de los años.

Vale la pena seguir su ejemplo; durante buena parte del tiempo dará a sus hijos una atención igual, así que si uno de ellos le exigiera más, debe tener la libertad para ofrecérsela.

CONSUELO Y ÁNIMO

Con un poco de suerte, su hijo no rechazará un abrazo aunque se haya convertido en una persona adulta, pero los abrazos cambian y se hacen más adultos, y usted tiene que ofrecer la clase de abrazos que necesita el niño, y no los que desearía darle. Así pues, adapte su estilo de abrazarlo a aquello que transmita un mayor consuelo.

Los niños en edad preescolar necesitan muchos abrazos cada día, sobre todo de felicitación, como cuando dominan algo como ponerse bien los zapatos. Los abrazos de consuelo son esenciales en cuanto aparecen las primeras lágrimas. Un niño responde mucho mejor a un abrazo que a una reprimenda. Los abrazos terapéuticos reducen en cuestión de segundos el dolor de una picadura, un golpe o un corte (aunque sea grande). No deje que el niño se acueste sin darle un fuerte abrazo y decirle «Te quiero».

A medida que el niño se hace mayor, los abrazos se transforman en otras acciones que tienen el mismo efecto de ánimo e impulso. Una mano en el hombro, una pequeña caricia, o simplemente tomarlo de la mano es una señal de amor, y la seguridad del niño aumentará de inmediato. El pequeño anhela ansioso recibir su amor y aprobación; no le deje nunca la menor duda de que puede contar con ambos en la más amplia medida.

Ofrecer consuelo
Muchos de los problemas de los niños se pueden solucionar con un abrazo y unas pocas palabras de comprensión y apoyo por su parte.

BEBÉ PEQUEÑO

VESTIR

ROPA DE LAS NIÑAS

Los trajes y monos unisex son ideales para el vestir cotidiano, pero quizá prefiera ropas más femeninas para ocasiones especiales.

- *Procure que todas las ropas se puedan lavar a máquina, ya que no se mantendrán limpias durante mucho tiempo.*
- *Evite las rebecas demasiado lanudas o con encajes, ya que en el primer caso irritarán la piel del bebé, y en el segundo es posible que los diminutos dedos se enreden con los encajes.*
- *Los sombreros pueden ser prácticos y bonitos. Elija uno con lazos o elástico y un reborde ancho para proteger del sol o para dar calor en invierno.*

Vestir con elegancia
La niña pequeña tendrá un aspecto muy especial con un bonito traje y sombrero. Es cómodo poner elásticos en brazos y piernas, siempre que no estén muy apretados.

A todo el mundo le encanta vestir a un bebé, y sus amigas y familiares desearán comprarle ropa en cuanto haya nacido. Experimentará usted un gran orgullo por su aspecto, y quizá quiera comprar algunas ropas elegantes para ocasiones especiales, pero no hay necesidad de gastar mucho dinero, ya que la ropa se quedará pequeña con mucha rapidez. Recuerde que, por lo que se refiere a su bebé, vale cualquier cosa siempre que sea suave y cómoda de llevar, y que pueda ponerse y quitarse sin mucha molestia.

El bebé vomitará y babeará la ropa, y es inevitable que se produzcan accidentes con los pañales, así que compre sólo ropa que pueda lavarse a máquina, y evite la ropa blanca, que se ensucia con rapidez y el lavado frecuente le da un aspecto monótono.

Busque ropas suaves y cómodas, sin costuras o puntadas duras. Las ropas de tela de toalla, de algodón o de pura lana, resultarán agradables para la piel del bebé. Si compra ropa hecha de fibras sintéticas, compruebe que son suaves al tacto.

Elija siempre ropa no inflamable y evite los chales y las rebecas abiertas porque los dedos del bebé podrían quedar fácilmente atrapados en los hojales. Compruebe también los cierres: los de contacto en la entrepierna permiten un acceso fácil a la zona del pañal, y los del cuello evitarán

ELEGIR ROPA

Las prendas que se pongan con facilidad darán al niño la mayor calidez y comodidad. Preste atención especial a los puños, los tobillos y el cuello, donde los cierres podrían causar incomodidad.

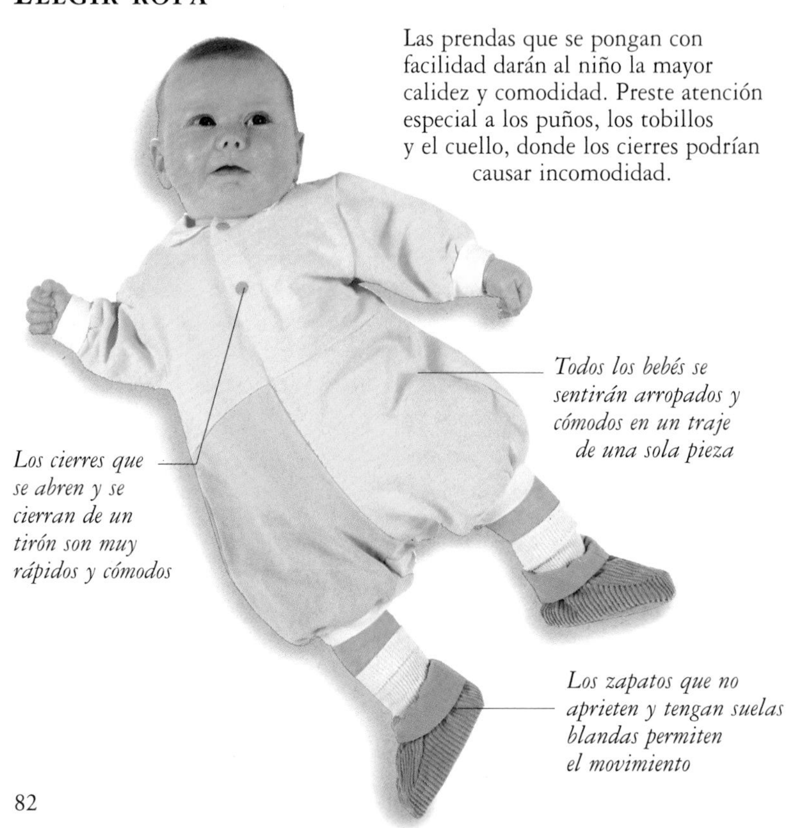

Todos los bebés se sentirán arropados y cómodos en un traje de una sola pieza

Los cierres que se abren y se cierran de un tirón son muy rápidos y cómodos

Los zapatos que no aprieten y tengan suelas blandas permiten el movimiento

CANASTILLA BÁSICA

6 chalecos o camisetas de algodón de cuello ancho

1 sombrero

1 chal para envolver

8 trajes de una sola pieza

2 chaquetas de lana o rebecas (4 en invierno)

2 piezas de ropa para dormir con extremos con lazo de cierre

2 pares de calcetines y calentadores

2 pares de mitones (para el invierno)

1 traje de una sola pieza acolchado o de lana

que el bebé los deje pequeños con demasiada rapidez porque su cabeza sea demasiado grande para pasar por el cuello de la prenda de ropa. Los bebés detestan que se les cubra la cara, así que busque cuellos amplios y ropas que se cierren por delante, lo que también le permitirá a usted vestirlo sin tener que darle la vuelta. Eso hará que vestirlo sea más cómodo y fácil para ambos.

Tome nota de las medidas de su hijo y llévelas consigo cuando salga de compras. Los bebés de la misma edad varían mucho en cuanto a tamaño, así que compruebe la altura y el peso indicados en la etiqueta, en lugar de la edad. Si tiene dudas, elija el tamaño más grande; la ropa que viene grande es más cálida y cómoda que la que es demasiado pequeña y el bebé no tardará en crecer y adaptarse.

Ropa de cama
Las piezas de ropa para dormir deben ser amplias y cómodas para el bebé recién nacido. Un lazo de cierre en el extremo impide que la prenda se suba por el cuerpo, y a usted le permite un acceso fácil a la zona del pañal.

Los puños flojos lan al bebé mucho spacio para noverse

El cuello con cierre en forma de sobre le permite quitarle la prenda de ropa con más facilidad

El lazo de cierre mantiene los pies del bebé dentro y a usted le permite cambiarle el pañal con facilidad

ROPA DE LOS NIÑOS

Busque ropas que sean prácticas, así como elegantes, para vestir al niño.

- *Los colores primarios fuertes sientan bien a ambos sexos.*
- *Un conjunto de mono y camiseta es cómodo y elegante. Busque monos que tengan cierres en la entrepierna, para acceder con facilidad al pañal del bebé.*
- *Los sombreros con orejeras son coquetones en invierno.*
- *No crea que los leotardos sólo son para las niñas; los bebés pierden con facilidad las botas y los calcetines, de modo que los leotardos también son prácticos y cálidos para ellos.*
- *Los conjuntos son muy cómodos y permiten un fácil acceso al pañal.*

Ropa cotidiana
Los trajes de una sola pieza con cierres por contacto son ideales para el niño pequeño y muy versátiles. Combínelos con calzado blando.

MANTENER AL BEBÉ CALIENTE

Quizá le preocupe que el recién nacido no esté lo bastante caliente, pero tomar unas pocas precauciones de sentido común contribuirán a que se sienta cómodo y seguro. Recuerde que los bebés pueden sentir demasiado calor con mucha facilidad, lo cual podría conducir a un eritema calórico, lo que constituye también un factor en la muerte súbita.

- *Una buena parte del calor del cuerpo se pierde por la cabeza desnuda; procure que el bebé lleve siempre un sombrero cuando lo saque al aire libre.*
- *Los bebés muy pequeños son incapaces de conservar el calor del cuerpo y sólo se les debería desnudar en una habitación bien caldeada y protegida de las corrientes de aire.*
- *La habitación del bebé debería mantenerse a una temperatura constante y el número de mantas que necesite dependerá de esa temperatura (véase pág. 122).*
- *Si el bebé tiene frío, quizá tenga usted necesidad de calentarlo. Añadir una nueva capa de ropa no es suficiente en sí mismo; primero necesita colocarlo en un lugar más caliente, para que pueda recuperar la temperatura normal de su cuerpo, o sostenerlo cerca de sí misma para compartir con él el calor de su propio cuerpo.*
- *No deje nunca al bebé dormido bajo el sol, o cerca de una fuente de calor directo como un radiador.*
- *Envuelva bien al bebé si lo saca al exterior, pero quítele la ropa de salir fuera en cuanto vuelva a entrar en casa, ya que de otro modo no podrá enfriarse con eficiencia.*

VESTIR AL BEBÉ

Al principio quizá le ponga nerviosa el hecho de vestir al bebé y tratar de sostenerlo mientras manipula la ropa. Vestirlo será cada vez más fácil con la práctica, así que sea suave y paciente.

Siempre debe vestir y desnudar a un bebé pequeño sobre una superficie plana no deslizante, ya que eso le permite mantener libres las dos manos; lo ideal es una colchoneta para cambiarlo. Es muy probable que el bebé se ponga a llorar al quitarle la ropa. Ello se debe a que detesta la sensación del aire sobre su cuerpo desnudo; le gusta sentirse abrigado y seguro. No llora porque usted le haga daño, así que no permita que eso le ponga nerviosa.

VESTIRLO

Ponerle la camiseta sobre la cabeza
Deje al bebé tumbado de espalda, sobre una superficie plana no deslizante y compruebe si tiene el pañal limpio. Enrolle la camiseta y abra el cuello con los dedos pulgares. Colóquela sobre la cabeza del bebé de modo que no le toque la cara, al mismo tiempo que le levanta ligeramente la cabeza.

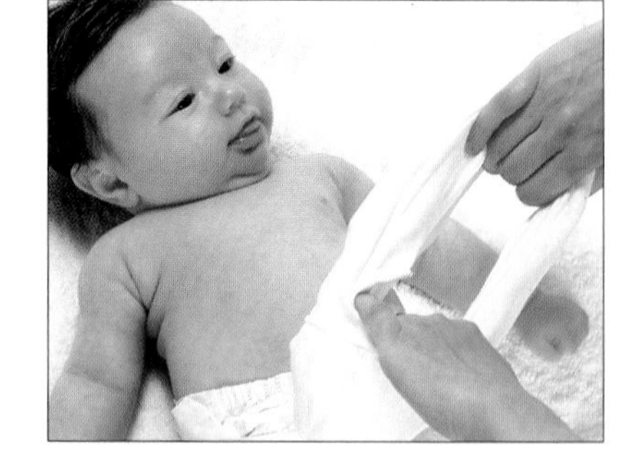

Las mangas
Ensanche la manga izquierda y guíe con suavidad el brazo del bebé a través de ella. Repita con el otro brazo y bájele la camiseta.

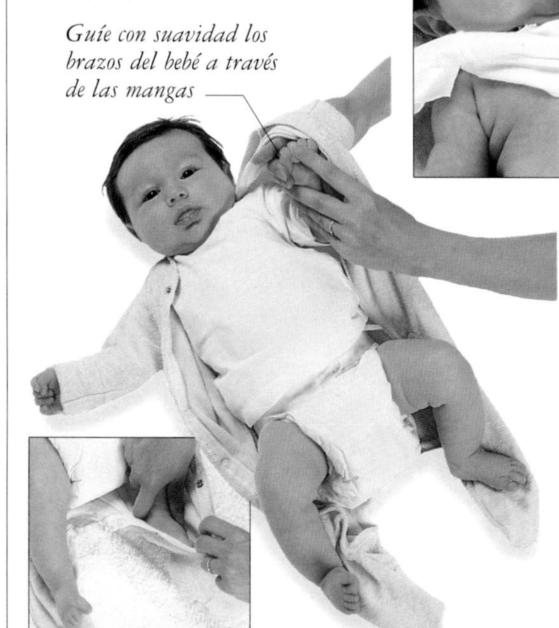

Guíe con suavidad los brazos del bebé a través de las mangas

Ponerle el traje
Coloque al bebé en lo alto de la parte superior del traje abierto. Tome cada manga y guía los puños a través de ella. Abra cada pernera y guíe cada pie hacia el interior del traje, y luego abróchelo.

DESNUDARLE

Soltarle la ropa
Coloque al bebé sobre una superficie plana y desabróchele la ropa.
Si necesita cambiar el pañal sáquele con suavidad las dos piernas, de modo que la parte superior del cuerpo quede cubierta mientras lo cambia.

Dóblele la rodilla con suavidad al sacarle el pie del traje

Mantenga la parte superior del cuerpo cubierta si necesita cambiarle el pañal

Sacarle la ropa
Levante las piernas del bebé al mismo tiempo que desliza la ropa por debajo de su espalda, para retirársela hasta los hombros.

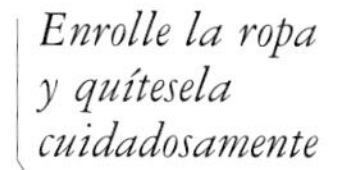

Enrolle la ropa y quítesela cuidadosamente

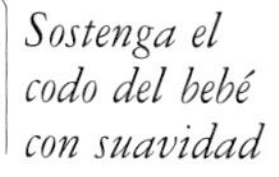

Sostenga el codo del bebé con suavidad

Quitar la parte superior
Tome cada manga por la muñeca y deslícela con suavidad fuera de la mano del bebé. Si lleva camiseta, hágala rodar hacia el cuello y sáquele suavemente los brazos de las mangas, al mismo tiempo que lo sostiene por el codo.

VESTIRLO EN SU REGAZO

Cuando el bebé tenga tres o cuatro meses, tendrá suficiente control muscular como para sentarse en su regazo mientras lo desnuda.

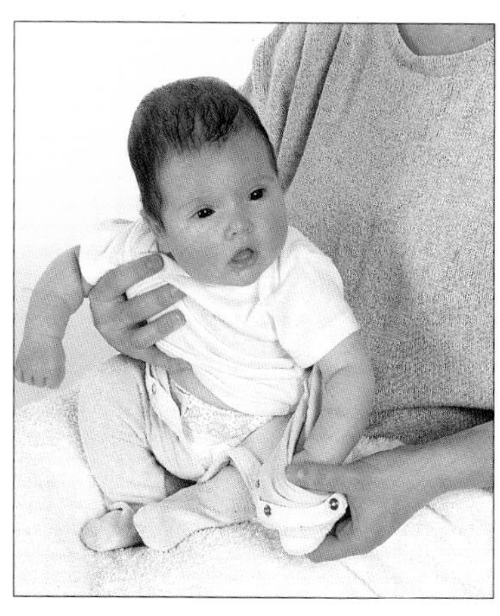

Siéntese con las piernas cruzadas, de modo que el bebé encaje en el hueco de sus piernas, y apóyelo con su brazo, ya que su espalda todavía necesitará un cierto apoyo. Quizá le resulte más fácil ocuparse de la mitad inferior mientras lo mantiene tumbado de espalda.

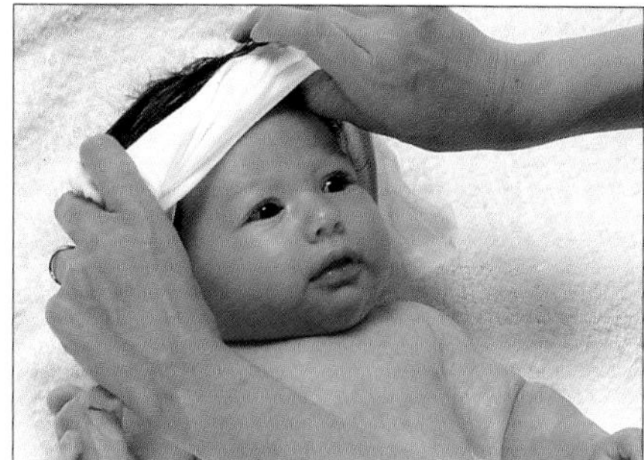

Quitarle la camiseta
Abra el cuello todo lo posible y levante la camiseta sobre la cabeza del bebé, manteniendo la tela fuera de su cara.

BEBÉ MAYOR

VESTIR

Una vez que el bebé haya aprendido a gatear, se mostrará mucho menos dispuesto a permanecer sentado o tumbado mientras lo viste. Por otro lado, ahora es más capaz de ayudarla a ponerse la ropa. Por ejemplo, un bebé de once meses es capaz de formar un puño o extender un brazo si usted se lo pide, o de mantener el brazo quieto mientras usted le pone la manga. Si se muestra muy inquieto, puede cantarle o distraerlo con un juguete, o hacerle participar en todo el proceso indicándole el nombre de cada prenda de ropa a medida que se la pone o se la quita, y haciéndole repetir los nombres. También puede convertir el acto de vestirlo en un juego del escondite. «¿Dónde está el pie? Ah míralo, ahí está.»

He aquí algunos consejos para vestir al bebé si le resulta difícil conseguir que se esté quieto:

- Colóquelo entre sus piernas, de tal modo que quede inmovilizado mientras usted le sube los pantalones.
- Siéntelo en la silla alta, de modo que pueda ponerle los zapatos con mayor comodidad.
- Puede convertir en un juego el acto de ponerle los zapatos, dejándolos al pie de la escalera y ayudándole a bajar los escalones hacia los zapatos.

ELEGIR LA ROPA

Ahora que el bebé es más activo, necesitará buscar ropas que le permitan facilidad de movimiento. Permanecerá despierto durante más tiempo y se moverá de un lado a otro, de modo que su ropa se ensuciará y, por tanto, necesitará más. También tendrá usted que considerar si es lo bastante resistente para el trote que le dará su hijo: busque telas fuertes y resistentes y cierres igualmente fuertes que no se rompan o desprendan. Si el bebé gatea, procure que la ropa le proteja las rodillas. Una vez que empiece a caminar necesitará zapatos (véase pág. siguiente).

Al comprar la ropa compruebe la etiqueta para ver de qué clase de material está hecha. Las fibras naturales son fuertes y cómodas, así que busque el algodón puro o telas con un alto contenido de algodón. Las telas de toalla, de dril y de pana son fuertes y resistentes. Busque también ropas que se puedan bajar con facilidad una vez que el niño empiece a aprender a usar el orinal, y evite los cierres de cremallera o que puedan estropearse con facilidad; las cinturas con elástico son para él las más fáciles de llevar.

Mientras no camine, sólo necesitará calcetines o botas de lana, aunque gatee. Las botas de tela con elástico en los tobillos son las mejores. Procure que haya mucho espacio para el movimiento; los huesos de los pies son tan blandos y delicados que hasta los calcetines muy ajustados podrían malformar los dedos de los pies si se los pone regularmente.

ROPAS EXTERIORES PARA NIÑAS

La niña pequeña es ahora mucho más activa y no siempre estará envuelta en su ropa cerrada cuando se encuentre en el exterior. Busque ropas para el exterior que sean cómodas y que no restrinjan sus movimientos.

- *Los leotardos de lana son cálidos y cómodos y pueden adquirirse en colores y dibujos que hagan juego con el vestido de su hija.*
- *Con tiempo muy frío, una capucha corta sobre el abrigo de su hija pequeña le ayudará a mantener su calor extra. El añadido de un cuello de piel será un elemento extra que aumentará la «elegancia».*
- *Los guantes se pueden sujetar a las mangas con un clip o con cinta y deslizarse por el interior de las mangas.*
- *Los sombreros para protegerse del sol, no sólo son bonitos, sino esenciales cuando la niña pasa un tiempo prolongado bajo el sol.*

Ropas cerradas
Si el bebé gatea, asegúrese de que tenga protegidas las rodillas.

ELEGIR ZAPATOS

Al comprar zapatos para su hijo procure acudir siempre a una zapatería profesional cuyo personal haya sido entrenado para medir y ajustar zapatos infantiles. La dependienta debería medir la longitud y anchura del pie del niño antes de probarle unos zapatos. Una vez que se los haya probado, la dependienta debe apretar las articulaciones del pie, para asegurarse de que no se ven limitadas de ningún modo, y de que los cierres sujetan el pie con firmeza y no permiten que el pie quede suelto. Procure que el niño se levante y camine con los zapatos para comprobar que los dedos de los pies no le aprietan y le duelen al caminar, y compruebe de nuevo que no se produce ningún deslizamiento del pie dentro del zapato.

Lo más adecuado para llevar en el exterior son unos zapatos de cuero fuertes y bien hechos, sobre todo en cuanto el niño empiece a correr y jugar. Debe conseguir también un par de botas de goma para tiempo húmedo o para el barro. Aunque los zapatos y las sandalias de cuero son sólidos y sensibles y duran bastante, no hay nada malo en comprarle zapatos de lona o zapatillas, siempre y cuando ajusten adecuadamente. Si el niño se mostrara de repente menos firme de pie, puede ser una señal de que el calzado le ha quedado pequeño. Unos zapatos que encajen bien son esenciales para que el niño tenga buenos pies de adulto. No debería tratar de ahorrar dinero comprando zapatos de segunda mano, ya que se habrán amoldado a los pies del propietario anterior.

ROPAS EXTERIORES PARA NIÑOS

Elija ropas que dejen a su hijo espacio para el crecimiento y que le permitan moverse libremente.

- *Póngale siempre un sombrero al niño si sale al sol. Las gorras de cricket o béisbol, con visera puesta al revés, le protegen la nuca.*
- *Compre ropas para llevar en el exterior que sean de tamaño grande, lo que dejará espacio para poner otras ropas debajo y permitirá que el niño crezca sin tener que desecharlas.*
- *Corte las mangas de una chaqueta gastada para formar así un chaleco.*

ZAPATOS PARA PIES SANOS

Elija un par de zapatos de cuero fuertes. Los pies del niño no deben encontrar ninguna resistencia, pero tienen que estar bien sujetos en su sitio y no poder deslizarse dentro del calzado. No tiene que doblar los dedos al andar, y tampoco deben hacerle daño. No compre nunca zapatos de segunda mano.

Compruebe que no hay costuras o puntos en la parte superior que puedan rozar el pie del niño

La puntera ancha permite que los dedos de los pies se desplieguen dentro del zapato. Compruebe que el empeine es lo bastante alto como para que no ejerza presión sobre la parte superior de los dedos.

El talón no debe tener más de 4 cm de altura desde la suela

La suela debería ser ligera y flexible, con una superficie no deslizante

Los cierres ajustables mantienen el pie firmemente sujeto dentro del zapato. Las hebillas y el velcro son más fáciles de manejar para los niños pequeños que los cordones

Las superficies deben ser fáciles de limpiar o pulir

Debería quedar espacio entre el dedo gordo del pie y la puntera del zapato (por lo menos 0,5 cm, pero en cualquier caso no más de 1,25 cm).

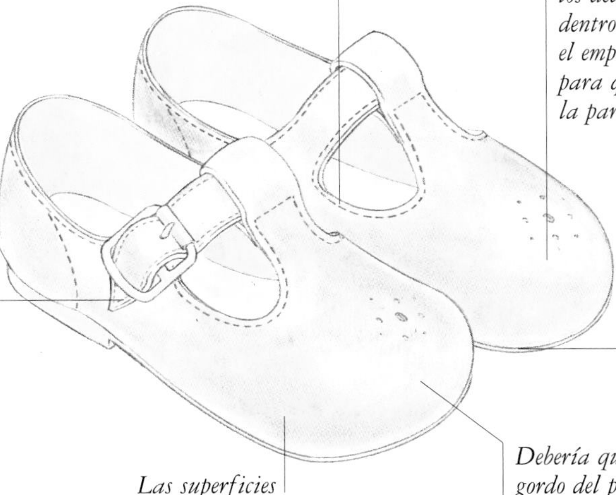

VESTIR A UNA NIÑA

Ahora, la niña pequeña intentará vestirse por sí sola, de modo que elija ropas que ella pueda manejar con facilidad. Tenga también en cuenta que la niña crece con rapidez, así que no gaste mucho dinero en ropas que le quedarán pequeñas rápidamente.

- *Compre vestidos con cierres por delante; los que se cierran por detrás son difíciles de manejar para la niña pequeña.*
- *Enséñele a quitarse los leotardos de la forma correcta y a enrollarlos antes de intentar ponérselos.*
- *Evite ropas muy ajustadas ya que no dejan mucho espacio para el crecimiento.*

Espacio para crecer
Las ropas holgadas, con cierres ajustables, son las más adecuadas ahora que el niño crece con rapidez.

Los monos con lazos o hebillas se pueden ajustar para que le encajen a su hijo a medida que crece

VESTIRSE

A medida que el niño se hace mayor, desarrollará la coordinación necesaria para vestirse. Debe animarlo a intentar vestirse y desnudarse por muy lenta o torpemente que lo haga al principio, ya que eso es una señal de creciente independencia y madurez. Aprender a arreglárselas por sí solo mejorará la coordinación del niño y aumentará su seguridad en sí mismo, de modo que sea paciente con sus primeros y torpes esfuerzos.

Prepare las ropas de su hijo de tal forma que pueda manejarlas con facilidad. Por ejemplo, puede colgar una rebeca del respaldo de una silla, de modo que él sólo tenga que sentarse y deslizar los brazos por las mangas. Deje que haga por sí mismo todo aquello de lo que sea capaz, y no intervenga para ayudarle a menos que sea realmente necesario, aunque tendrá que ocuparse de la mayoría de los cierres hasta que el niño tenga edad suficiente para hacerlo por sí mismo.

A los 18 meses ya intentará manejar los cierres y a los dos y medio podrá cerrar un botón en un hojal holgado, y podrá ponerse los pantalones, la camiseta y el suéter. Probablemente, a la edad de cuatro años podrá vestirse y desnudarse por completo y tendrá la suficiente destreza como para dejar ordenadamente la ropa que se quite. Puede usted hacer varias cosas para facilitar al niño que se vista él solo:

- Enséñele a abotonarse desde los botones inferiores hacia arriba.
- Cosa botones grandes en la ropa de un niño pequeño, para que pueda manejarlos con facilidad.
- Los cierres de velcro le serán fáciles de controlar, pero no los utilice allí donde puedan rozarle la piel.

Vestirse él mismo
A la edad de tres años, el niño pequeño ya podrá vestirse él solo por completo, aunque tarde mucho tiempo. Déjele su independencia y no intervenga para ayudarle a menos que él la necesite realmente.

Las manos pequeñas pueden tomar una cremallera con mucha más facilidad si ésta dispone de un anillo en el extremo

- Compre pantalones con cinturas elásticas para evitar las cremalleras.
- A los niños les resulta difícil ponerse los suéteres al derecho y correctamente, así que explíquele que la etiqueta debe ponerse siempre en la espalda.

Elegir las ropas. A medida que el niño interviene más en vestirse, será también más consciente de las ropas que se pone. Los bebés no se dan cuenta de lo que llevan puesto, siempre y cuando sea cómodo y no impida sus actividades, pero los niños pequeños empiezan a observar gradualmente los colores y el tipo de ropa que se ponen, y probablemente desarrollarán preferencias. Las ropas que parezcan similares a las que llevan mamá y papá les resultarán especialmente atractivas. La sensación que le produzca la prenda también será importante, como por ejemplo si es suave o le pica, si es ajustada u holgada. Si le disgusta una prenda, quizá sea porque no le encaja adecuadamente y es, por tanto, incómoda de llevar.

Al comprarle ropa, debe tomar en serio las preocupaciones del niño. Una vez satisfechas las exigencias básicas, que son de tipo práctico (calidez, durabilidad, lavado y coste), no hay razón alguna para no atender a los deseos del pequeño; la imagen de un personaje de dibujos animados o un color determinado pueden constituir un factor decisivo por lo que al niño se refiere. Es importante permitirle que elija la ropa que desea llevar cada día. Quizá usted prefiera que se ponga pantalones en un día frío, pero deje que él mismo elija qué pantalones se va a poner. Es posible que desarrolle gustos y aversiones aparentemente irracionales hacia ciertas prendas de ropa, que insista en ponerse una camiseta concreta cada día, por ejemplo, o que se niega a llevar un jersey hecho a mano que le regaló la abuela por su cumpleaños. La política más fácil a seguir consiste en condescender con sus preferencias en la medida de lo posible, aunque en ocasiones tendrá que sobornarlo o al menos negociar con él; puede ofrecerle un gusto especial a cambio de que se ponga ese jersey la tarde en que venga la abuela a tomar el té.

VESTIR A UN NIÑO

Ayude a su hijo a vestirse él solo procurando que sus ropas no contengan ningún cierre difícil de manejar.

- *Habitualmente, los niños son más lentos que las niñas a la hora de aprender a usar el orinal, de modo que es particularmente importante que evite todo tipo de cierres complicados en los pantalones del pequeño.*
- *Busque las correas ajustables en los monos, o añádales un botón para alargarlas.*
- *Los pantalones con cinturones elásticos son los más sencillos de manejar, pero si tiene pantalones con cremallera enséñele a subirse y bajarse la cremallera y a llevar cuidado para que no se pille los dedos al cerrarla.*
- *Enseñe al niño a sentarse y pasar los pies por las perneras del pantalón, para luego levantarse y subirse y ajustarse los pantalones.*

Elección de cierres
Hasta que el niño tenga suficiente destreza para manejar los hojales y las cremalleras, necesita elegir ropas y zapatos que tengan cierres manejables.

Las hebillas deslizantes se pueden ajustar para que encajen

Los ganchos son más fáciles de manejar que los hojales

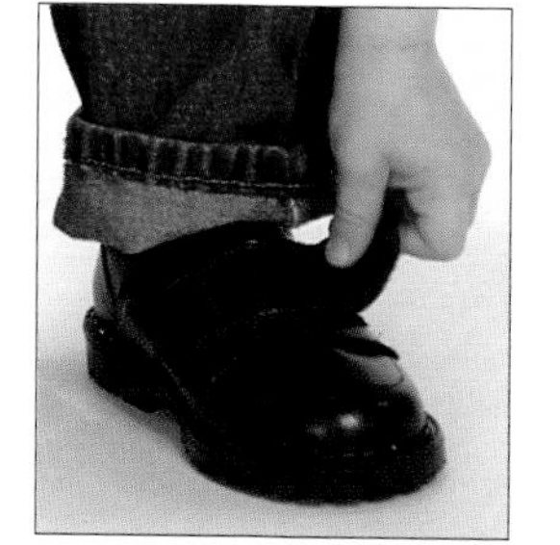

Zapatos
Los cierres de velcro, en lugar de las cordoneras o las hebillas, permitirán al niño sujetarse los zapatos con toda facilidad y sin ayuda de nadie.

BEBÉ PEQUEÑO

BAÑO E HIGIENE

LAVAR A UNA NIÑA

No hay necesidad de abrir los labios de la vulva de la niña para limpiarle el interior, y no debe intentar hacerlo nunca. Limítese a lavarle la zona cubierta por el pañal y a secársela con esmero.

Al lavar la zona cubierta por el pañal de la niña lleve cuidado de hacerlo desde delante hacia atrás, es decir, hacia el ano. De ese modo evitará manchar la vulva y reducirá el riesgo de extender las bacterias de los intestinos hacia la vejiga o la vagina, lo que podría causarle una infección.

Parte de su rutina cotidiana consistirá en mantener limpio al bebé. A muchos padres les preocupa manejar a un bebé tan pequeño en el baño, pero pronto se acostumbrará a bañarlo, e incluso esperará con agrado la oportunidad de divertirse y jugar con su hijo. En lugar de mostrarse recelosa, disponga de una hora, prepare a su alrededor todo lo que necesite, intente relajarse y disfrutará de la hora del baño.

Un bebé pequeño no necesita bañarse con mucha frecuencia, ya que sólo se le ensucian el trasero, la cara, el cuello y los pliegues de la piel, de modo que puede bañarlo cada dos o tres días, e incluso entonces puede lavarlo de pies a cabeza en lugar de bañarlo (véase abajo). Eso le permitirá lavar aquellas partes que realmente necesiten una limpieza, con un mínimo de perturbación y molestia para el bebé. Debe usar agua hervida y enfriada para un recién nacido, pero una vez que sea mayor utilice agua caliente tomada directamente del grifo. Lave el cabello del bebé con frecuencia para evitar que se le enrede (véase pág. 93). No hay necesidad de usar jabón con un recién nacido; a partir de las seis semanas ya podrá utilizar una loción de baño, japón y otros artículos infantiles de baño.

A los bebés no les gusta que su piel quede expuesta al aire libre, así que procure que esté desnudo el menor tiempo posible. Caliente un poco una toalla grande y esponjosa sobre un radiador (no demasiado caliente) y téngala preparada para envolver al bebé en cuanto haya terminado.

LAVADO DE PIES A CABEZA

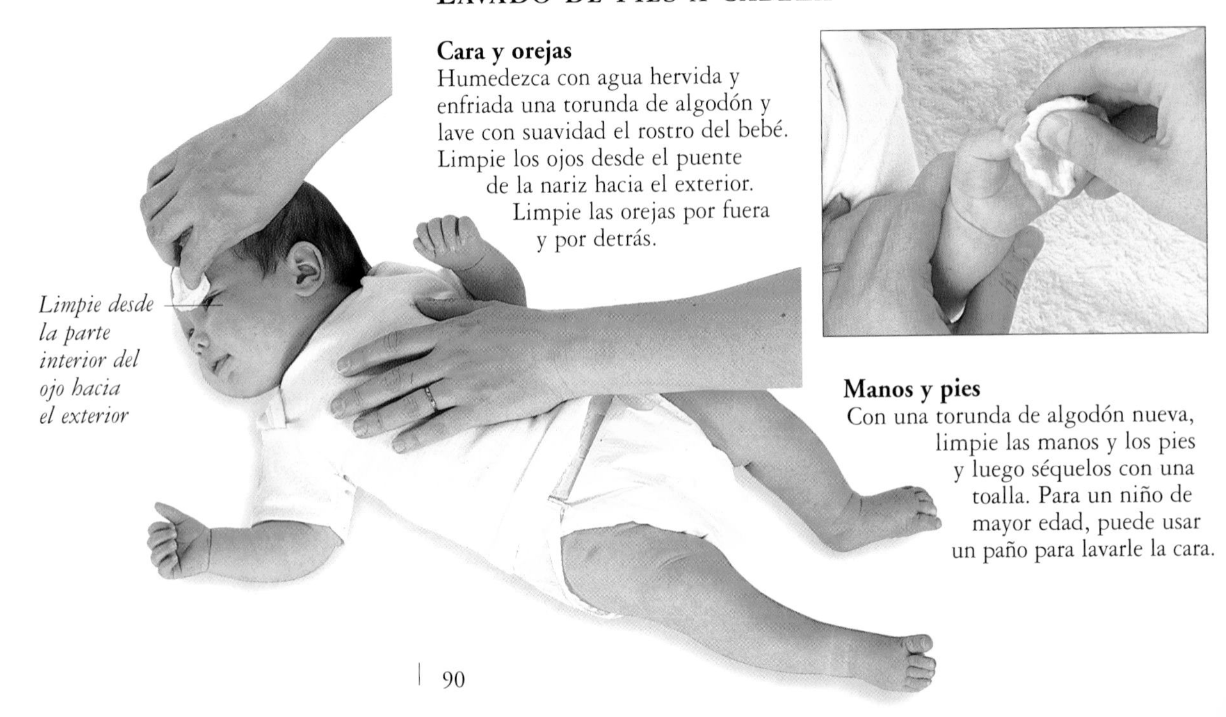

Cara y orejas
Humedezca con agua hervida y enfriada una torunda de algodón y lave con suavidad el rostro del bebé. Limpie los ojos desde el puente de la nariz hacia el exterior. Limpie las orejas por fuera y por detrás.

Limpie desde la parte interior del ojo hacia el exterior

Manos y pies
Con una torunda de algodón nueva, limpie las manos y los pies y luego séquelos con una toalla. Para un niño de mayor edad, puede usar un paño para lavarle la cara.

CUIDADO DEL CUERPO

Una vez que haya lavado la zona cubierta por el pañal y se haya asegurado de que la piel está libre de todo rastro de comida o suciedad que pueda causar irritación, el resto del cuerpo no necesita atención especial: se cuidará por sí solo.

Ojos, nariz y orejas. Lave los ojos del bebé con torundas de algodón humedecidas en agua hervida y enfriada. Actúe desde la parte interior del ojo hacia el exterior, y utilice una torunda diferente para cada ojo, para evitar la difusión de cualquier infección que pueda haber.

No introduzca nada en el interior de la nariz y las orejas del bebé; se limpian por sí solas así que no utilice gotas nasales o para los oídos, excepto para seguir el consejo del médico. Limítese a limpiar las orejas con una torunda húmeda de algodón. Si observa cera en el oído, no la extraiga, ya que es una secreción natural del canal del oído externo, es antiséptica y protege el tímpano del polvo y la suciedad. Eliminarla no hará sino estimular al oído a producir más. Si eso le preocupa, consulte con el médico.

Uñas. Las uñas del recién nacido deben mantenerse cortas, ya que de lo contrario podría arañarse la piel. El mejor momento para cortárselas es después del baño, cuando todavía están reblandecidas; use unas tijeras pequeñas, de punta redondeada. Si eso le pone nerviosa, muérdale las uñas; su boca es tan sensible que seguro que no le hará ningún daño.

Ombligo. Durante unos pocos días después del nacimiento, el muñón umbilical se seca y encoge y luego se cae (véase pág. 15). Puede bañar al niño antes de que el muñón haya curado, siempre y cuando lo seque meticulosamente después. Deje esa zona abierta al aire libre tanto como le sea posible para acelerar el proceso de curación.

LAVAR A UN NIÑO

No intente nunca retirar la piel del prepucio de un niño para limpiarlo; está bastante apretada y podría causarle daño. Lave toda la zona cubierta por el pañal y séquela meticulosamente, sobre todo en las arrugas de la piel. Cuando el niño tenga tres o cuatro años de edad, el prepucio estará más suelto y podrá retirarse sin emplear la fuerza.

Si el bebé acaba de ser circuncidado, debería vigilar atentamente por si acaso observara alguna señal de hemorragia. Es normal detectar unas pocas gotas de sangre, como también lo es la hinchazón y una ligera inflamación, pero eso se solucionará por sí solo. No obstante, si la hemorragia persistiera, o si observara alguna señal de infección, consulte con el médico. Asegúrese de obtener consejo acerca de cómo bañar al bebé y del cuidado especial que necesita el pene, así como qué debe hacer para cambiarle el vendaje en caso de que sea necesario.

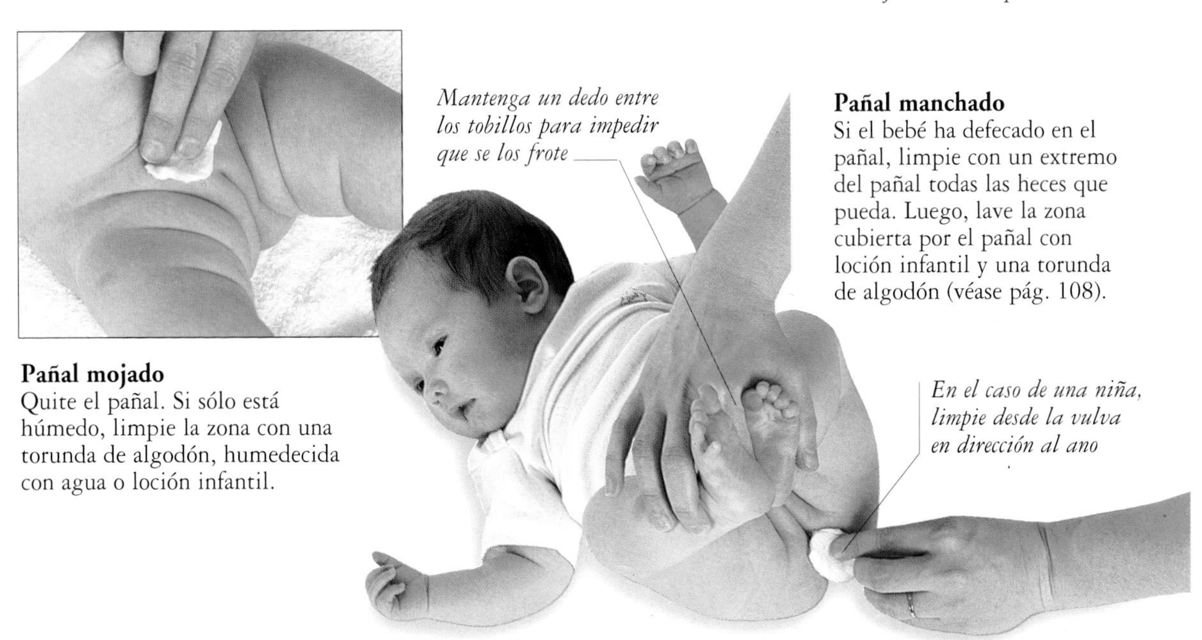

Mantenga un dedo entre los tobillos para impedir que se los frote

Pañal manchado
Si el bebé ha defecado en el pañal, limpie con un extremo del pañal todas las heces que pueda. Luego, lave la zona cubierta por el pañal con loción infantil y una torunda de algodón (véase pág. 108).

En el caso de una niña, limpie desde la vulva en dirección al ano

Pañal mojado
Quite el pañal. Si sólo está húmedo, limpie la zona con una torunda de algodón, humedecida con agua o loción infantil.

UN BAÑO DE ESPONJA

Si el bebé detesta que lo desnuden, o si usted no se atreve a darle un baño, el mejor método consiste en darle un baño de esponja. Sostenga al bebé sobre su regazo al tiempo que le quita la menor cantidad posible de ropa al mismo tiempo. Si le resulta difícil manejar al bebé mientras está en su regazo, déjelo sobre la colchoneta para cambiarlo y siga el mismo método de aplicación del baño de esponja, llevando cuidado de mantener cubierta la mitad de su cuerpo mientras baña la otra mitad.

BAÑO DE ESPONJA

Mitad superior del cuerpo
Colóquese un cuenco de agua templada cerca, y siente al bebé en una toalla, sobre su regazo. Desnúdele la mitad superior y lávele la parte delantera. Séquelo bien. Inclínelo hacia delante sobre su brazo y lávele la espalda.

Zona del pañal
En esta fase, o bien lava el cabello del bebé, o le pone ropa limpia en la mitad superior del cuerpo y le quita la ropa de la mitad inferior y el pañal. Lave la zona del pañal a continuación (véase pág. 108).

Mitad inferior del cuerpo
Con la esponja o paño, lávele las piernas y pies, séquelo con cuidado y póngale una crema protectora (si la usa), un pañal limpio y vístalo.

PRODUCTOS DE ASEO

La piel del recién nacido es muy delicada. No debe usar jabón o paños hasta que el bebé tenga por lo menos seis semanas, ya que eliminaría los aceites naturales de su piel y la dejaría seca, lo que produciría una sensación de incomodidad. Los productos especiales de aseo son suaves y no irritarán la piel del bebé; muchos de ellos son hipoalérgenos.

- *Verter un poco de aceite infantil en el agua del baño del bebé es un buen humectante de la piel muy seca.*
- *Para la piel delicada, como la de la zona cubierta por el pañal, la loción infantil es un limpiador y humectante ideal.*
- *Los polvos de talco pueden resecar la piel del bebé. Si los usa, sacúdalos antes sobre su propia mano, para evitar que sean inhalados por el bebé. No los utilice nunca en los pliegues de la piel, donde pueden endurecerse y causar irritación.*
- *La crema de zinc y de aceite de castor, o la vaselina son impermeables y protegerán la piel del bebé de la orina. Las cremas medicinales que contienen sales de titanio son buenas para el bebé que tiene eritema del pañal (véase pág. 111).*

Use una torunda de algodón y loción infantil para limpiar la zona cubierta por el pañal

CUIDADO DEL CABELLO

Debe lavarle el cabello cada día desde que nace, aunque no es necesario hacerlo con champú; será suficiente con loción de baño disuelta en agua. Después de unas 12 a 16 semanas, lávele diariamente el cabello con agua y una o dos veces a la semana con champú. Use un champú que no pique en los ojos, pero de todos modos lleve cuidado y procure que no le caiga nada en los ojos. Puede emplear la postura de «sostener la pelota» (véase imagen derecha) para un bebé muy pequeño, o sentarse en el borde de la bañera, con el bebé cruzado sobre sus piernas, frente a usted. (De este último modo el bebé se sentirá seguro, sobre todo si le asusta el agua.) No se ponga nerviosa por las fontanelas (véase pág. 17); la membrana que las cubre es muy dura y no hay necesidad de frotar el cabello, de modo que no le hará ningún daño mientras sea suave. Aplique el champú o la loción de baño sobre el cabello, y pase la mano hasta que se forme una capa de espuma. Espere unos quince segundos antes de enjuagarla; no hay necesidad de aplicarla por segunda vez. Para enjuagar use una franela empapada en agua tibia e intente eliminar todos los restos de jabón. Al secar el cabello, intente no taparle la cara, ya que podría sentir pánico y empezar a llorar. Para evitarlo, es mejor usar la punta de la toalla.

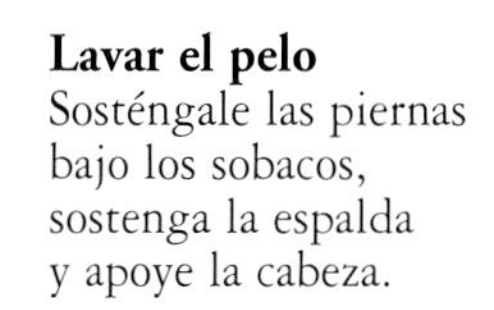

Lavar el pelo
Sosténgale las piernas bajo los sobacos, sostenga la espalda y apoye la cabeza.

AVERSIÓN AL LAVADO DEL CABELLO

Muchos bebés detestan que les laven la cabeza, aunque disfruten con el baño. Si ese fuera el caso, quizá sea mejor lavar la cabeza en un momento diferente al baño, ya que si el niño asocia las dos cosas puede empezar a detestar también el baño.

La razón principal de esta aversión es que a los bebés les disgusta que les caiga agua y jabón en los ojos, de modo que trate de evitarlo todo lo que pueda. Existen escudos protectores especialmente diseñados que se encajan sobre la línea del cabello e impiden que el agua y las hileras jabonosas resbalen por la cara al enjuagarle el cabello. El procedimiento también resultará menos angustiante para el bebé si usted lo sostiene sobre su regazo y usa una franela para humedecer y enjuagar la cabeza, en lugar de verter el agua sobre ella.

No intente nunca forzar el tema, y nunca sostenga con firmeza al niño mientras le lava el cabello. Si lavárselo fuera muy angustioso para él, es preferible dejarlo durante dos o tres semanas antes de volver a intentarlo. Puede mantenerle el cabello razonablemente limpio lavándoselo con una esponja para eliminar cualquier resto de comida o suciedad, o cepillándolo con un cepillo blando y húmedo. Probablemente, el cabello se pondrá grasiento, pero eso no le hará ningún daño.

COSTRA LÁCTEA

Ocasionalmente, aparecen manchas rojas y escamosas sobre el cuero cabelludo del bebé. La costra láctea es extremadamente común y no viene causada por una falta de higiene, o por ningún champú que se haya utilizado. Suele desaparecer al cabo de unas pocas semanas.

Prevenga la formación de la costra láctea lavando cada día suavemente la cabeza del bebé con un cepillo de cerdas muy blandas y un poco de champú infantil diluido en agua tibia. Debe peinarlo a través del cabello, aunque tenga muy poco, para impedir que se formen escamas. Si aparece la costra láctea, extienda por la noche un poco de aceite infantil sobre el cuero cabelludo para ablandar y suavizar las escamas, facilitando así su eliminación en el lavado del día siguiente. No intente arrancarlas con las uñas de los dedos, ya que eso no hace sino estimular más la formación de escamas. Si el estado persiste o se extiende, consulte con el médico, que quizá le recomiende un champú especial.

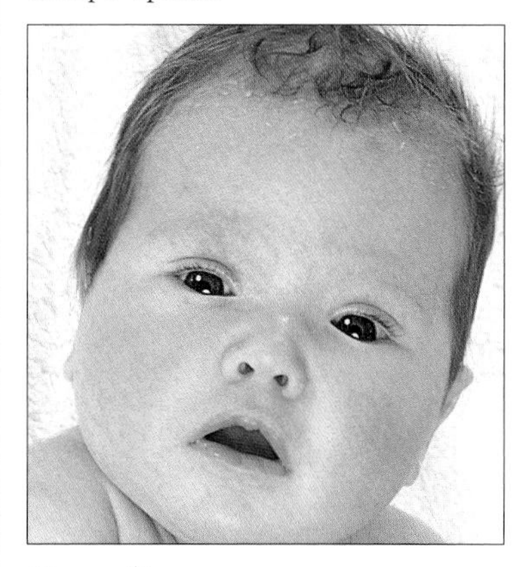

Costra láctea
Es común que aparezcan manchas escamosas en el cuero cabelludo del bebé. Son inofensivas y suelen desaparecer en pocas semanas sin necesidad de tratamiento especial.

CONSEJOS PARA EL BAÑO

Procure que el baño sea lo más agradable posible para usted y el bebé.

- *Antes de empezar, tenga a mano todo aquello que necesite.*
- *Ponga siempre el agua fría primero. Compruebe la temperatura final con el codo o la parte interna de la muñeca.*
- *No ponga demasiada agua. De 5 a 8 cm de profundidad es suficiente.*
- *Reduzca al mínimo el tiempo que el bebé pase desnudo; los bebés pequeños se resfrían con rapidez.*
- *Póngase un delantal impermeable para protegerse la ropa; si el delantal, de plástico por detrás, está recubierto de tela de toalla por delante, le sentará bien a la piel del bebé.*
- *Caliente una toalla sobre el radiador, pero procure que no esté demasiado caliente.*
- *La loción infantil de baño, añadida al agua, es mejor que el jabón y reseca menos.*

DAR UN BAÑO

Puede bañar al bebé en cualquier habitación que sea cálida, no tenga corrientes de aire y disponga de espacio suficiente para extender todo lo que necesita. Si fuera necesario, puede llenar la bañera del bebé en la cocina o el cuarto de baño y luego trasladarla a la habitación elegida, siempre que no sea muy pesada.

A un bebé pequeño se le puede lavar en una bañera de plástico especialmente diseñada para tal propósito, dotada de una superficie antideslizante. Coloque la bañera sobre una mesa o a una altura conveniente, habitualmente a la altura de la cadera, de modo que usted no tenga que inclinarse. Eso le protegerá la espalda de tensiones innecesarias. Algunas bañeras disponen de sus propios trípodes para sostenerlas en alto, o han sido diseñadas para colocarlas a través de la bañera convencional, lo que permite que el bañar al bebé sea una tarea más cómoda.

DAR UN BAÑO AL BEBÉ

Pruebe el agua
Utilice el codo o la parte interior de la muñeca para comprobar la temperatura del agua. No debe notarla ni muy caliente ni muy fría. Hasta que no se acostumbre a detectar la temperatura correcta, puede usar un termómetro de baño, y el agua no debe superar los 30 ºC.

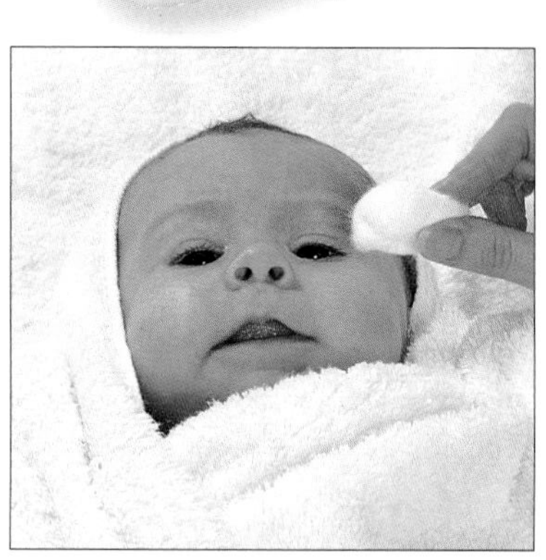

Antes del baño
Desnude al bebé, límpiele la zona del pañal (véase pág. 109) y envuélvalo en una toalla. Límpiele la cara y las orejas con una torunda húmeda de algodón (véase pág. 90).

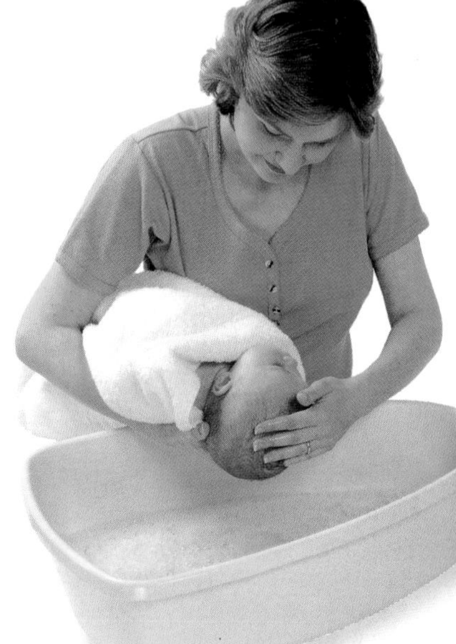

Lavarle la cabeza
Sostenga al bebé en posición de llevar la pelota, como se muestra en la imagen, inclínelo sobre la bañera y lávele la cabeza. Enjuague bien y seque para cepillar después suavemente.

Ponerlo en el baño
Sostenga los hombros del bebé con una mano, introduciendo los dedos por debajo del sobaco y sosteniéndole las piernas o el trasero con la otra. No deje de sonreírle y hablarle mientras lo introduce en la bañera.

Lavado
Mantenga una mano por debajo de los hombros del bebé, de modo que tenga los hombros y la cabeza fuera del agua, y utilice la otra mano libre para lavarlo.

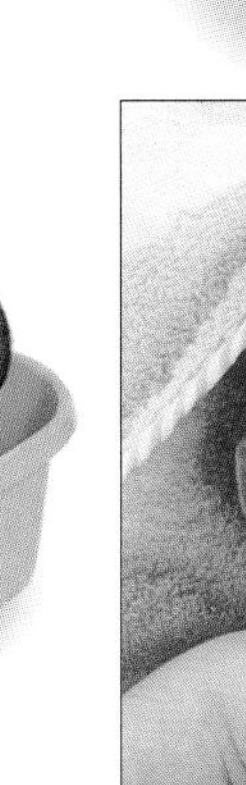

Levantarlo
Una vez que esté limpio y bien enjuagado, levántelo con suavidad y póngalo en la toalla, sosteniéndolo como antes.

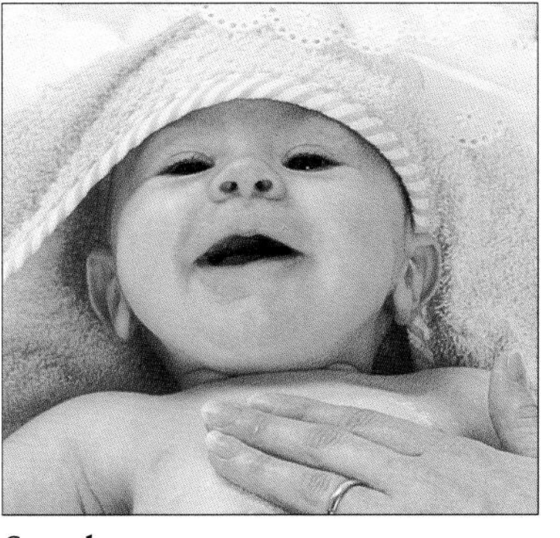

Secarlo
Envuelva al bebé en una toalla y séquelo con cuidado. No use polvos de talco en la zona que cubre el pañal, ya que se acumularía en los pliegues de la piel y causaría irritación.

TEMOR AL BAÑO

A algunos bebés les aterroriza que los bañen. Si el suyo se asustara mucho, no le obligue a permanecer en el agua; vuélvalo a intentar al cabo de un par de días, usando sólo un poco de agua en la bañera. Mientras tanto, puede lavarlo con esponja o un repaso de pies a cabeza.

Si al bebé le sigue aterrorizando el agua, intente introducírsela en un contexto de juego. Llene un cuenco grande y colóquelo en una habitación cálida (que no sea el cuarto de baño). Deje cerca una toalla y ponga algunos juguetes en el cuenco. Desnude al bebé y anímelo a jugar con los juguetes. Si parece feliz haciéndolo, anímelo a chapotear en el agua, al mismo tiempo que lo sostiene con firmeza.

Una vez que haya hecho esto en un par de ocasiones, cambie el cuenco por la bañera y continúe dejando que el bebé juegue en el agua. Si intenta meterse en el agua junto con los juguetes, sabrá usted que ha perdido el temor al agua, pero sea paciente; déjele hacerlo un par de veces antes de lavarlo en la bañera, al mismo tiempo que le deja jugar.

BEBÉ MAYOR

BAÑO E HIGIENE

LISTA DE SEGURIDAD

Sea muy cuidadosa al bañar a su hijo. Debe recordar varias cosas.

- *Colocar en el fondo de la bañera una superficie antideslizante.*
- *Comprobar siempre la temperatura del agua, antes de colocar al bebé en el baño. Hasta los bebés mayores necesitan que el agua esté bastante más fría que la mayoría de adultos.*
- *Antes de introducir al bebé en la bañera, cierre con fuerza todos los grifos.*
- *Coloque una franela sobre los grifos, de modo que el bebé no se haga daño o se queme con el metal.*
- *No permita que el bebé se levante o salte en el agua sin contar con apoyo. Una caída podría causarle miedo al baño, aunque no se haga daño.*
- *Si al niño le gustan los juguetes en el baño, elija los ligeros de plástico, sin bordes afilados.*
- *No quite el tapón mientras el bebé esté todavía en la bañera. A muchos bebés les asusta el ruido del agua al salir por el sumidero.*
- *Al sacar al bebé del baño, asegúrese de que lo sostiene con firmeza. Soporte el esfuerzo con las piernas, no con la espalda.*
- *Procure secar bien al bebé después del baño. Darle un abrazo cuando está bien envuelto en una toalla cálida es un final reconfortante para el baño, incluso para los niños mayores.*

Entre los tres y los seis meses el bebé será demasiado grande para una bañera especial, así que tendrá que empezar a usar la bañera. Para facilitar la transición coloque primero la bañera del bebé dentro de la bañera grande, de modo que el niño se acostumbre a ella. Una vez que se haya acostumbrado probablemente pasará muchas horas felices allí, disfrutando con sus juguetes favoritos.

RUTINA DEL BAÑO

Una vez que el bebé tenga movilidad se ensuciará mucho más que antes y los baños formarán parte de la rutina regular del día. Lavar al bebé es más complicado en la bañera que si se utiliza una bañera infantil de plástico. Cuide su espalda arrodillándose junto a la bañera y procure tener a mano todo lo que necesita. No ponga mucha agua, no más de 10 a 13 cm, y use una esterilla adherente por succión para impedir que el bebé se deslice de un lado a otro. Vigílelo constantemente, pues sólo necesita un instante para deslizarse bajo el agua, así que no debe dejarlo nunca a solas ni darle la espalda.

A los seis meses, el bebé se sentirá bastante seguro en el agua y ya no le asustará que lo desnuden. Procure que el momento del baño sea lo menos problemático posible.

TEMOR A LA BAÑERA

Si la bañera asusta al niño, tendrá usted que ser paciente y dejar que se acostumbre a ella gradualmente. Podría intentar llenar la bañera del bebé con agua y colocar unos pocos juguetes en ella; colóquela luego dentro de la bañera grande y ponga cerca una superficie no deslizante.

El gran baño
El niño puede divertirse jugando con el agua, y teniendo una esterilla debajo.

Coloque al bebé dentro de la bañera, donde pueda jugar con los juguetes y subirse a la bañera pequeña si lo desea. Una vez que se haya acostumbrado a eso, también puede añadir unos pocos centímetros de agua a la bañera grande. Así, el niño podrá entrar y salir de la pequeña, se acostumbrará a permanecer sentado en el agua y usted podrá aumentar gradualmente la cantidad de agua que pone en la bañera; al cabo de un tiempo, el niño apenas se dará cuenta de dónde está la bañera del bebé. Si tiene la impresión de que todavía necesita que lo tranquilicen, entre también usted en la bañera y juegue con él en su regazo.

JUEGO EN EL BAÑO

Una vez que el bebé sea capaz de sentarse, puede dedicarlo algo de tiempo extra en el baño, después de haberlo lavado y haberle dejado que chapoteara y jugara con los juguetes. No hay necesidad de ofrecerle juguetes especiales; las esponjas, cuencos y tazas de plástico le tendrán entretenido. Si tiene hijos muy pequeños, puede tratar de bañarlos a todos juntos. Eso le ahorrará tiempo y el niño mayor podrá compartir los juegos con el bebé. Las pompas de jabón siempre gustan mucho a los pequeños, así que añada muchas burbujas al baño, pero lleve cuidado porque pueden irritar la zona vulvar de las niñas pequeñas. De vez en cuando, métase en el baño con el bebé y diviértanse juntos.

JUGUETES DE BAÑO

El bebé se divertirá mucho jugando con toda clase de objetos cotidianos del hogar. Procure que los juguetes que utilice estén limpios y sean impermeables, no tengan bordes afilados y sean razonablemente ligeros. Si le ofrece botellas de plástico, como por ejemplo botellas de champú ya usadas y vacías, lávelas meticulosamente para eliminar todo resto del contenido anterior y quíteles las tapas porque los bebés se llevarán estos «juguetes» a la boca.

Muchos juguetes y particularmente los hechos de plástico duro, como sonajeros y tazas de pico, también son adecuados para el baño. Si desea comprar juguetes de baño, hay mucho entre los que elegir. Los tradicionales botes y patos siempre son preferidos, pero también hay libros impermeables para el bebé mayor, o juguetes que sólo funcionan cuando se vierte agua en ellos.

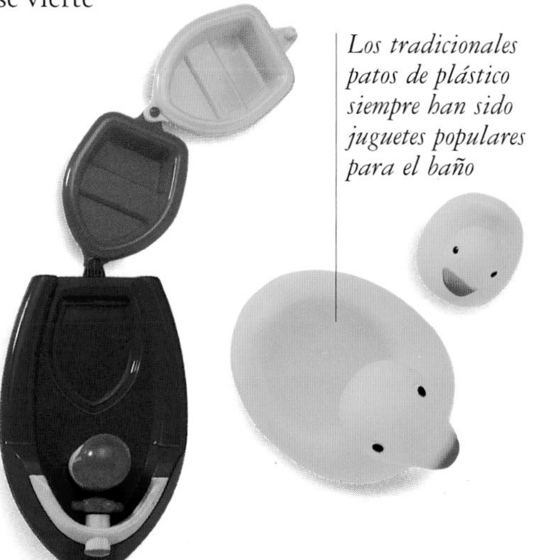

Los tradicionales patos de plástico siempre han sido juguetes populares para el baño

Juego en el baño
Los juguetes sencillos que flotan ofrecerán una alegría añadida al baño del bebé.

SEGURIDAD EN EL CUARTO DE BAÑO

Anime lo antes posible al bebé para que adquiera buenos hábitos de higiene dental mediante un juego con los cepillos de dientes.

Deje que vea cómo se cepilla usted los dientes, para que aprenda cómo se hace, y luego ofrézcale un cepillo de cerdas blandas con el que jugar. Intentará imitarla llevándose el cepillo a la boca y moviéndolo. No se preocupa si no lo hace adecuadamente; en esta fase sólo se trata de un juego para introducirle la idea de que cepillarse los dientes es algo que le gusta hacer. Cuando desee usted lavarle realmente los dientes, humedezca un pañuelo, ponga sobre él un poco de pasta dentífrica, del tamaño de un guisante y luego frótele con suavidad las encías y cualquier diente que ya le haya salido. Debe limpiar las encías aunque no tenga dientes, ya que eso permite eliminar las bacterias causantes de la caries y ofrece un buen ambiente para que crezcan los dientes de leche.

PRECAUCIÓN

Por muy feliz y seguro que le parezca el bebé jugando con sus juguetes, ningún bebé de esta edad debe ser dejado a solas en el baño, ni siquiera por un breve instante. Compruebe que el agua no se enfría demasiado, ya que aunque el bebé tuviera frío podría no darse cuenta, distraído con el juego. Procure que el calentador de agua esté a una temperatura inferior a los 54 °C y no añada nunca agua caliente con el niño dentro de la bañera.

NIÑO PEQUEÑO

BAÑO E HIGIENE

SEGURIDAD EN EL CUARTO DE BAÑO

Los baños deben ser cuidadosamente supervisados, ya que un niño de esta edad sigue corriendo el riesgo de deslizarse y caer bajo el agua. Aunque el niño no tiene edad suficiente para sostenerse en el baño, todavía se aplica buena parte de lo que se ha dicho sobre la seguridad (véase pág. 96).

En general, los niños pequeños están ávidos por hacer las cosas por sí mismos, como por ejemplo lavarse la cara, de modo que existe el riesgo añadido de que el niño pueda abrir el grifo del agua caliente o tomar el jabón o el champú y metérselo en los ojos. Cubrir los grifos con una toalla es una buena forma de acolcharlos en previsión de cualquier caída o golpe.

Un niño que previamente se ha sentido feliz en el baño, puede oponerse a él, sobre todo si se ha asustado por alguna razón mientras se bañaba. Este problema se le puede reducir si se le ofrece una gran cantidad de diversiones en el baño y, quizá, si se hace compartir el baño con un hermano. Permitirle compartir el baño con usted también contribuirá a resolver la mayoría de las dificultades.

Probablemente, el niño pequeño considerará el baño como un momento de juego, y usted puede aprovecharlo para lavarlo y convertirlo en un juego. Deje que disponga de su propia esponja de baño y muéstrele primero a lavarse la cara, luego los brazos y las piernas, y así sucesivamente. Al principio, no hará un buen trabajo, así que tendrá usted que repasar las mismas zonas con otro paño. Enjabone las manos del niño y muéstrele como extender el jabón sobre el cuerpo y los brazos; luego, convierta en un juego el enjuagarle todas las burbujas.

RUTINAS DE LAVADO

A menudo, el niño tiene hambre en cuanto se despierta, por lo que es mejor dejar el lavado hasta después del desayuno, cuando el niño esté más dispuesto a quedarse quieto, dejar que le laven la cara y las manos, que le cepillen los dientes (véase pág. siguiente) y lo peinen. A partir de los 18 meses empezará a aprender a enjuagarse las manos bajo el agua del grifo y más tarde también aprenderá a enjabonárselas, aunque es posible que al principio lo manche todo con jabón y agua.

LIMPIEZA

Cuanto más pronto empiece a enseñarle higiene, tanto mejor, y la mejor forma de hacerlo es mediante el ejemplo. Lávese usted las manos delante de su hijo; enjabones las manos de ambos y luego que cada uno inspeccione las manos del otro para ver cuáles están más limpias. Si el paño para lavarse la cara le parece demasiado duro, deje que utilice una esponja, que es más blanda.

Deje bien claro que siempre ha de lavarse las manos después de usar el lavabo. Debe empezar a hacerlo en la fase del orinal (véase pág. 114), y practicarlo en cada ocasión. De modo similar, asegúrese de que su hijo se lava las manos antes de las comidas o después de haber acariciado a los animales de compañía.

Anímelo a hacerlo por sí mismo. Ocúpese de que llegue con facilidad hasta el lavabo, colocándole un taburete en el cuarto de baño, que él pueda usar, y enséñele a distinguir el grifo del agua caliente del de agua fría.

CUIDADO DEL CABELLO

Probablemente, el niño tendrá una espesa mata de pelo que necesitará lavarse con regularidad cada día. Desgraciadamente, son pocos los niños que disfrutan con este proceso. También puede usted facilitarle el lavado siguiendo los consejos que se indican a continuación para reducir la posibilidad de conflicto.

- Procure que el cabello del niño sea corto; así será más fácil cepillarlo.
- Use un champú infantil que no escueza en los ojos, y un protector especial en forma de halo que mantenga apartadas el agua y las burbujas de sus ojos.

- Si el niño detesta que le laven el cabello, pruebe a permitirle un cierto control sobre el proceso, como elegir si quiere echar la cabeza hacia atrás o hacia delante para enjuagársela, o sostener el teléfono de la ducha y mojarse él mismo el cabello.
- También puede ofrecerle incentivos, como la promesa de un juego o historia especial una vez que se haya terminado de lavar la cabeza, o incluso entrar usted misma en el baño y permitir que el niño le «lave» a usted el cabello a cambio de permitirle que usted haga lo mismo con él.

CUIDADO DE LOS DIENTES

Habrá cepillado los dientes del bebé desde el momento en que aparecieron (véase pág. 97) y debe continuar haciéndolo así al menos dos veces al día. Cepíllele siempre los dientes después de cenar, para que las partículas de comida no se queden en la boca durante toda la noche. A medida que el bebé se hace mayor, probablemente querrá sostener el cepillo de dientes y hacerlo él solo. Aunque debe estimularlo a hacerlo así, no podrá limpiarse bien los dientes y debe usted completar sus propios esfuerzos con un cepillado meticuloso.

Al cepillar los dientes del niño, use un cepillo pequeño, de cerdas blandas y una pasta dentífrica que contenga flúor. Emplee sólo una cantidad de pasta similar a un guisante, ya que el exceso de flúor mientras crecen los dientes del niño puede causar fluorosis (descoloración o manchado del esmalte). Hay pastas dentífricas con numerosos «sabores» distintos, lo que puede darle al niño un incentivo adicional para lavarse los dientes. No debe usar nunca una pasta dentífrica que use azúcar, así que compruebe siempre los ingredientes, antes de comprarla. Siente al niño de lado, sobre sus rodillas, sosteniéndolo con seguridad con un brazo, y cepíllele los dientes con un movimiento arriba y abajo. Si no mantiene la cabeza quieta, pruebe a colocarle suavemente la mano libre sobre la frente.

Con un poco de suerte, pasarán años antes de que el niño pequeño necesite cualquier forma de tratamiento dental. A pesar de todo, es importante acostumbrarlo a la idea de acudir al dentista. Procure llevarlo con usted cuando tenga que ir a hacerse un control. La mayoría de dentistas son muy comprensivos con la necesidad de eliminar cualquier posibilidad de temor en sus pacientes jóvenes, y probablemente les encantará que el niño se siente en la silla «mágica» para pedirle que abra la boca y poder comprobar los dientes y contarlos.

UÑAS

Mantenga cortas las uñas de los dedos de pies y manos; es más higiénico y ayuda a impedir el rascarse a sí mismo y a otros accidentalmente. Además, las uñas de los pies largas producen incomodidad al ponerse los zapatos. Probablemente, le seguirá resultando más fácil cortar las uñas después del baño, y como las uñas de los niños crecen con mucha rapidez, es una buena idea introducir una vez a la semana una sesión de corte de uñas en el cuarto de baño. Use tijeras de punta roma, especialmente diseñadas para que su empleo sea seguro con los niños, o unos cortadores de uñas. Le resultará más fácil refrenar al niño que forcejea si lo sienta sobre su regazo. Siga la línea natural de las uñas de los dedos y no corte demasiado cerca de la carne. Las uñas de los pies deben cortarse rectas.

ANIMALES DE COMPAÑÍA E HIGIENE

Quizá le preocupen los posibles riesgos para la salud de su hijo pequeño por el hecho de tener un animal de compañía. No obstante, si pone en práctica unas pocas y sencillas reglas de higiene, no debe preocuparse, y el esfuerzo bien habrá valido la pena a cambio de las recompensas que logrará su hijo.

- *La tiña es un estado cutáneo muy contagioso que puede contagiarse de los animales de compañía y que se ve habitualmente en los niños. Si sospechara la existencia de tiña, consulte de inmediato con su médico.*
- *Procure evitar siempre que el niño bese al animal de compañía, sobre todo cerca de la nariz y de la boca.*
- *Anímelo a lavarse las manos después de haber jugado con el animal, sobre todo antes de tocar o comer alimentos.*
- *Tanto las pulgas como los gusanos se evitan fácilmente mediante el uso regular de tratamientos preventivos.*
- *Si se produjera una infección, trátela con rapidez, y aleje al niño de cualquier animal de compañía hasta que el tratamiento haya funcionado.*

PREESCOLAR

BAÑO E HIGIENE

LIMPIEZA DE LAS NIÑAS

La mayoría de las niñas son naturalmente quisquillosas, y puede usted aprovecharse de ello enseñándole a su hija a mantenerse limpia.

- *Estimule los buenos hábitos en la niña pequeña desde una tierna infancia, y muéstrele cómo lavarse y limpiarse los dientes.*
- *Deje que se cepille el cabello; ella lo preferirá, lo que significa que podrá elegir su propio estilo de cabello, cintas, pasadores y banda para el pelo.*
- *Deje que tenga su propia manopla para lavarse la cara, jabonera y toalla; se sentirá orgullosa de tener sus propias cosas.*
- *Déjele ponerse loción en su piel después del baño.*
- *Enséñele a cambiarse diariamente la ropa interior y los calcetines.*
- *Procure que disponga de su propio cesto para la ropa sucia, de modo que pueda echar en él las prendas sucias.*

Cuando la niña haya cumplido los tres años, habrá desarrollado sus propios puntos de vista sobre muchos aspectos de su vida cotidiana y deseará aumentar el control sobre su rutina diaria. Eso se expresa a menudo de modo negativo, en forma de actitud reacia o incluso rechazo a cooperar con las tareas corrientes, como cepillarse el cabello o bañarse, que son a menudo interrupciones de otras formas de juego más excitantes. La mejor forma de evitar las discusiones consiste en convertir el lavado y cepillado en un juego, o en incorporar un elemento de diversión a la tarea. Permitir que la niña asuma una creciente responsabilidad en la tarea, supervisada si fuera necesario, o darle algún elemento de elección en cuanto a esta actividad, como elegir qué peine o qué champú desea usar, por ejemplo, puede hacerla más interesante y estimular la cooperación. Los siguientes consejos facilitarán la rutina cotidiana de modo que ambas podrán disfrutar más de ella:

- Intente no apresurar a la niña para que complete la tarea si ve que ella trata de arreglárselas por sí sola. Eso produce tensión y es posible que entonces se muestre menos dispuesta a cooperar la próxima vez.
- No deje la hora del baño hasta el último momento antes de acostarse, pues quizá el niño se sienta demasiado cansado como para disfrutarla.
- Estimule el interés por cepillarse los dientes mediante el uso de pastillas reveladoras una vez a la semana. La necesidad de eliminar el color es una forma excelente de asegurar que la niña se limpia realmente bien los dientes.
- Conseguir que el lavado del cabello sea una diversión, dejando que la niña vea en un espejo todos los estilos de peinado que puede crear con la espuma en la cabeza.
- Ofrecer el trato de usar algunos de los objetos «especiales» del aseo de los adultos, como jabón perfumado o burbujas para el baño, a cambio de su cooperación en el baño; yo creo en los sobornos ofrecidos a los niños pequeños.

EXPLICACIONES SOBRE LA HIGIENE

A la edad de tres años, la niña es capaz de comprender, razonar y asimilar por qué algo es importante. Si le da usted una razón lógica por la que no debe hacer algo, lo más probable es que desista de hacerlo y logre usted su cooperación con mayor facilidad que presentándole argumentos en favor de ciertas acciones. Explique a su hija que si tiene las manos sucias estarán cubiertas de gérmenes que pueden enfermarla, que si come un dulce puede producirle dolor de dientes, o que si toca al perro puede tener gérmenes en las manos que le causen dolor en la barriga.

Una vez que la niña empiece a comprender las razones para lavarse y cuidarse los dientes, debe ser usted consistente. Los niños son muy lógi-

El cabello enjabonado se puede moldear para crear estilos de peinado muy divertidos

Escudo para el cabello
Aleje el jabón y el agua del rostro de su hijo con un escudo especialmente diseñado.

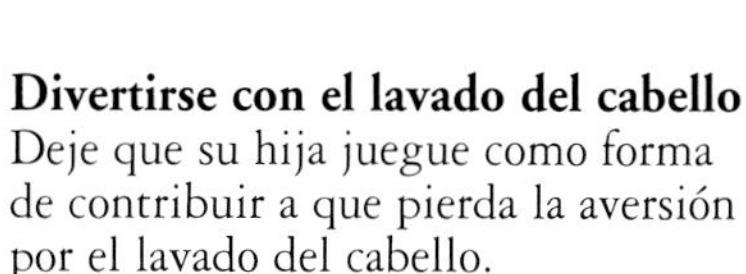

Divertirse con el lavado del cabello
Deje que su hija juegue como forma de contribuir a que pierda la aversión por el lavado del cabello.

cos y si la ha convencido de que es esencial lavarse las manos antes de las comidas, y cepillarse los dientes después, probablemente le echará a usted en cara en el momento en que no lo haga usted misma. Al mismo tiempo, debe tratar de no exagerar en cuanto a la limpieza.

TRASTORNOS TRANSMITIDOS ENTRE NIÑOS

En cuanto la niña empiece a relacionarse con los demás niños corre el riesgo de contraer una variedad de trastornos menores que se transmiten habitualmente entre los niños. No se altere indebidamente por ello; no son necesariamente un resultado de la falta de higiene, y todos se pueden tratar con facilidad. (Para más información, véase «Parásitos», en pág. 296.)

Tiña. Se trata de una infección micótica que afecta al cuero cabelludo (*tinea capitis*) o al cuerpo (*tinea corporis*). Aparece en forma de pequeñas zonas calvas en el cuero cabelludo, o de manchas redondas y escamosas, rojizas o grises, sobre la piel. Suelen tener forma ovalada y los bordes son escamosos mientras que el centro se aclara, dejando anillos. Consulte con el médico, ya que el estado es irritante y contagioso.

Piojos. Su farmacéutico le recomendará un acondicionador específico para tratar el problema. Lávele el cabello al niño, cúbralo con el acondicionador y péinelo a conciencia. Repita el tratamiento cada dos o tres días durante al menos dos semanas o hasta que los piojos desaparezcan. Los insectos son difíciles de ver y la mayoría de la gente observa primero los huevos pálidos, de forma ovalada, firmemente adheridos al cabello.

Oxiuros y ácaros. Los oxiuros son la forma más común de lombriz intestinal. Viven en el intestino y dejan sus huevos alrededor del ano, lo que causa picazón anal por la noche. Los ácaros son bastante raros y sólo es probable que aparezcan si se ha estado en el extranjero. El médico puede recetar un medicamento para tratar tanto los unos como los otros.

LIMPIEZA DE LOS NIÑOS

Los chicos suelen ser bastante resistentes al lavado, y tendrá usted que emplear mucho tiempo en recordarle que debe lavarse y cepillarse los dientes.

- *Haga que la hora del baño sea lo más divertida posible, con juguetes, juegos y gran cantidad de pompas de jabón.*
- *Dedique algún tiempo a enseñarle cómo lavarse y hágalo varias veces si fuera necesario.*
- *No trate de ser demasiado exigente con la limpieza; si el niño está en pleno juego, el lavarse las manos puede esperar hasta que haya terminado de jugar.*
- *Deje que se lave en cuanto sea capaz de llevar a cabo un intento, y luego límpielo usted misma meticulosamente en el último momento.*
- *Anímelo a cambiarse diariamente de ropa interior y calcetines.*
- *Ofrézcale su propio canasto para la ropa sucia y anímelo a utilizarlo.*

CUIDADO DENTAL

Cuando el niño cumpla los tres años, ya debe haberse establecido firmemente la rutina del cuidado dental (véase pág. 99). Las sesiones de limpieza de dientes por la mañana y por la noche deben ser atentamente supervisadas por un adulto, a pesar de que un niño de esta edad estará probablemente muy dispuesto a cepillarse los dientes él solo. También son importantes las visitas al dentista cada seis meses para comprobar que los dientes salen con normalidad. Estas sesiones de «contaje de dientes» constituyen una buena forma de acostumbrar al niño a visitar al dentista.

La mayoría de la gente es ahora consciente del daño causado a los dientes por la presencia de azúcar en la dieta. Los alimentos azucarados producen ácidos en la boca que causan daño al esmalte que recubre los dientes, eliminando el calcio. Una vez que ha ocurrido eso, el diente que está debajo queda abierto a la caries y empiezan a formarse cavidades. Aunque los empastes pueden rellenar esas cavidades, el diente queda inevitablemente debilitado y, si está gravemente afectado por la caries, quizá tenga que ser extraído, lo que pone en peligro la posición de otros dientes.

CÓMO PREVENIR LAS CAVIDADES

Un bebé sólo come aquellos alimentos que le ofrecen sus padres o quienes le cuidan. A medida que se hace mayor y aumenta su independencia, empezará a expresar más vigorosamente sus propias preferencias alimenticias, y tendrá más oportunidades para elegir alimentos por sí mismo, y los dulces estarán a menudo entre sus favoritos. Ningún niño necesita azúcar o dulce y puede usted encontrar fácilmente gustos menos nocivos en forma de fruta u otros bocados intermedios sabrosos. Explíqueles a sus amigos y a su familia que preferiría que no le dieran dulces a su hijo.

En el mundo real, claro está, los niños reciben y comen una cierta cantidad de alimentos azucarados. Puede usted limitar el daño que éstos causan a los dientes de su hijo al incorporarlos en las comidas. Los más nocivos de todos son los dulces que se toman entre las comidas. Si su hijo ha comido algo particularmente dulce, procure que se cepille los dientes lo antes posible.

Darle zumo de fruta no diluido es otra causa común de caries dental entre los niños que comen pocos dulces, por lo que siempre debe diluir el zumo de fruta con agua. Comer o beber cualquier cosa que no sea agua por la noche, después de haberse cepillado los dientes, puede causar problemas. Los ácidos que provocan la caries dental permanecerán en la boca, permitiendo que continúe durante muchas horas el proceso que causa daño al esmalte. Si el niño está acostumbrado a tomar un biberón por la noche, déselo antes de que se acueste y luego elimínelo.

Cepillarse los dientes
Dele a su hijo un cepillo de dientes de cerdas blandas y anímelo a usarlo después de las comidas, sobre todo una vez que hayan salido los molares (véase pág. 175).

COMER PARA LA SALUD DENTAL

Procurar que su hijo tome los alimentos correctos es lo más importante que puede hacer usted en favor de su salud dental.

- *Nunca le dé a su hijo una botella de zumo endulzado a voluntad, ya que eso significa que los dientes de su hijo se verán bañados continuamente en azúcar, lo que puede terminar por producir una «boca de botella», una boca con dientes estropeados incluso a los tres años de edad.*
- *Dar dulces entre comidas aumenta el número de veces que se ven expuestos los dientes a ácidos nocivos, de modo que si quiere dárselos hágalo al final de las comidas.*
- *Si le da dulces, no elija caramelos pegajosos, que permanecen en los dientes durante más tiempo.*
- *Dar queso al final de una comida hace que la saliva sea alcalina y ayuda a contrarrestar el ácido que erosiona los dientes.*
- *Es mejor dar un trozo de pastel que pueda comerse en unos pocos minutos antes que un paquete de dulces que se coma durante toda la tarde.*
- *Dele como bocados intermedios fruta o yogurt sin azúcar, para evitar que se desarrolle el gusto por lo dulce.*

PRIMEROS EMPASTES

Si tiene usted suerte, el niño necesitará poco o ningún tratamiento dental durante la infancia. El dentista detectará cualquier señal de caries durante sus visitas regulares cada seis meses, pero hágale una visita extra si observa alguna decoloración dental insólita, o si el niño se queja de dolor. En caso de una ligera caries en los primeros dientes, el dentista quizá decida no empastar el diente para evitarle al niño una alteración innecesaria. Si la cavidad no es muy grande, se ha demostrado que el esmalte dental puede recalcificarse.

Un dentista acostumbrado a tratar a los niños habrá desarrollado técnicas para reducir al mínimo cualquier temor. Llevará mucho cuidado para no producir dolor, mediante el uso de rociadores anestésicos locales y agujas extrafinas para las inyecciones en caso de que sean necesarias.

ACCIDENTES QUE AFECTEN A LOS DIENTES

Es muy raro que haya necesidad de tratamiento dental para menores de cinco años, aparte de las cavidades. La herida sufrida por un diente que afecte al nervio puede hacerlo «morir» aunque no se haya soltado. En tal caso, el diente perderá su color, pero de ello no se derivará ningún otro efecto nocivo, por lo que el diente puede dejarse en su lugar hasta que sea sustituido por el diente adulto. Si un diente se astilla, debe acudir al dentista. Si un diente de leche se desprende a causa de un golpe, necesitará llevar al niño lo antes posible a una clínica dental y llevar el diente consigo. En algunos casos se puede volver a colocar el diente en la mandíbula, dependiendo de la edad del niño y de la posición del diente.

FLÚOR

El flúor es un mineral que, según se ha demostrado, reduce la incidencia de la caries dental mediante el fortalecimiento del esmalte dental. Se añade a cualquier pasta dentífrica y, en algunas zonas, al suministro de agua corriente.

- *El flúor también puede tomarse por vía oral, en forma de gotas o pastillas. Los dentistas recomiendan pastas dentífricas que contengan flúor, tanto para los adultos como para los niños.*
- *Muchos dentistas argumentan que la pasta dentífrica con flúor no aporta por sí sola una protección suficiente contra la caries dental.*
- *Si el agua de su zona contiene menos de 0,7 partes de flúor por millón (puede consultarlo con el servicio local de abastecimiento de agua), el niño se beneficiará de suplementos de flúor en forma de pastillas.*
- *Consulte siempre con el dentista o con el médico antes de dar suplementos al niño y siga escrupulosamente sus consejos.*
- *Es importante evitar el dar demasiado flúor, ya que eso puede causar un estado llamado fluorosis, en el que los dientes adultos que se desarrollan aparecen manchados.*

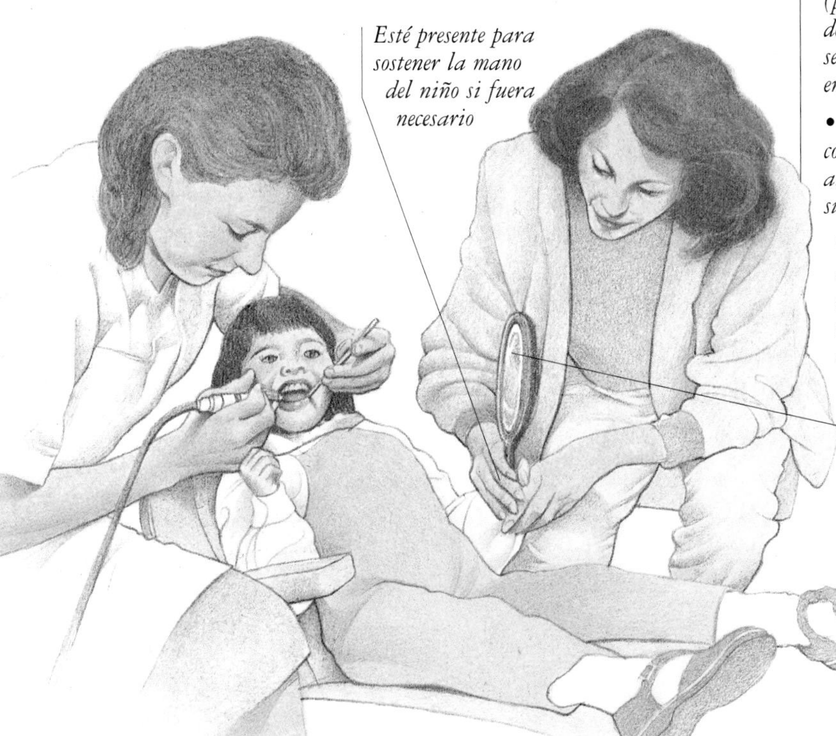

Visita al dentista Quédese siempre con su hijo durante cualquier tratamiento dental, o incluso una comprobación. Para él es vital la tranquilidad que le transmite su presencia.

BEBÉ PEQUEÑO

INTESTINO Y VEJIGA

FUNCIÓN DEL RIÑÓN Y LA VEJIGA

Una vez que el alimento ha sido absorbido en la corriente sanguínea, los riñones se encargan de retirar los desechos de la sangre y eliminarlos como orina.

Producción de orina. *Los riñones retiran y disuelven en agua las sustancias químicas de desecho existentes en la sangre. La orina desciende entonces por los uréteres y queda temporalmente almacenada en la vejiga.*

Evacuación. *La vejiga se vacía periódicamente a través de la uretra. El bebé ni siquiera se dará cuenta de que evacúa orina hasta los 15-18 meses (véanse págs. 112-113). La sensación de querer pasar la orina no aparece hasta varios meses más tarde, porque la vejiga del niño sólo puede contener orina durante algunos minutos.*

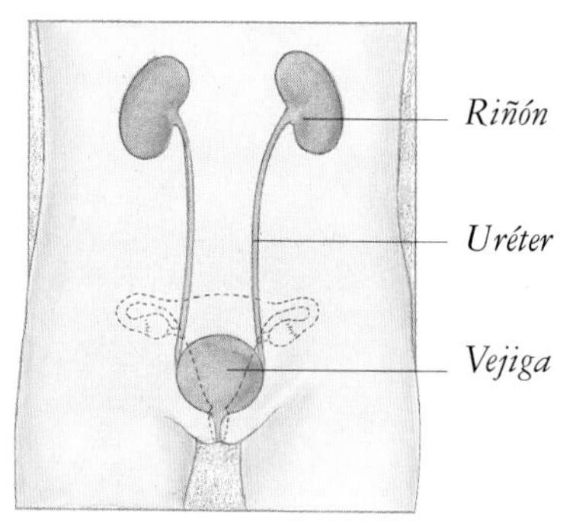

Riñones y vejiga
Los sistemas urinario y reproductor están muy unidos; la vejiga de una niña está cerca del útero.

El bebé recién nacido puede necesitar que le cambien el pañal hasta diez veces al día y aunque la frecuencia de los cambios disminuirá, la mayoría de niños no alcanzan un cierto grado de control del intestino y la vejiga hasta el segundo año. Aunque no se puede acelerar ese proceso, su ayuda y apoyo serán muy importantes para el niño.

EVACUAR LA ORINA

La vejiga del bebé pequeño se vaciará automáticamente y con frecuencia, tanto de día como de noche. En cuanto contenga un poco de orina, la pared de la vejiga se distiende y se estimula la acción de evacuación. Eso es absolutamente normal y no cabe esperar del bebé un comportamiento distinto, al menos hasta que la vejiga se haya desarrollado lo suficiente como para contener orina durante períodos de tiempo más prolongados.

MOVIMIENTOS INTESTINALES

Cuando el bebé estaba en el útero, sus intestinos estaban llenos de una sustancia pegajosa y negra llamada meconio. El meconio se evacua durante las primeras 24 horas después del nacimiento, y una vez que ha sucedido eso se inician los movimientos intestinales normales.

En cuanto el bebé siga una rutina regular, sus deposiciones serán más firmes y pálidas. No necesita prestarles demasiada atención y, desde luego, no debe obsesionarse o preocuparse por ellas mientras su hijo esté contento y se desarrolle.

El número de deposiciones que hace un bebé varía mucho y, al principio, la mayoría de bebés alimentados con biberón hacen una deposición por cada biberón que toman. Por otro lado, el bebé amamantado sólo hace una deposición al día, o incluso menos, ya que hay pocos desechos. La frecuencia de los movimientos intestinales disminuye gradualmente a medida que el niño se hace mayor. Es posible que, al principio, el bebé haga cinco o seis deposiciones diarias, pero al cabo de tres o cuatro semanas sólo hará dos al día. Eso es normal y no debe preocuparla. De modo similar, las deposiciones extrañamente sueltas, informes y verdes son típicas de los movimientos intestinales de un bebé pequeño, y no deben ser causa de preocupación a menos que la diarrea se mantenga durante más de 24 horas; en tal caso, consulte con el médico.

CAMBIOS EN LOS MOVIMIENTOS INTESTINALES

No se preocupe si las deposiciones del bebé cambian de aspecto de un día para otro. Es normal que una deposición se vuelva verde o marrón una vez expuesta al aire. Si le preocupa, consulte con el médico, que podrá aconsejarla y tranquilizarla. Por regla general, las deposiciones sueltas no son una indicación de que exista infección. No obstante, las deposiciones acuosas, acompañadas por un cambio repentino en el color, olor o frecuencia, deben mencionarse al médico, sobre todo si el niño «pierde color» (véase pág. 276). Las deposiciones con rastros de sangre nunca son normales. La causa puede ser menor, como una grieta diminuta en la piel que rodea el ano, pero debe consultar con el médico. La presencia de gran cantidad de sangre o la aparición de pus o moco pueden indicar una infección intestinal, así que consulte en seguida con el médico.

El bebé amamantado. Al segundo día aparecerán las deposiciones de un color amarillo claro, típicas del bebé amamantado. Las deposiciones raras veces son duras u olorosas, y quizá no sean más espesas que una crema. Recuerde que la comida que usted ingiera afectará al bebé y que cualquier cosa picante o ácida alterará la digestión.

El bebé alimentado con biberón. El bebé alimentado con fórmula suele hacer deposiciones más frecuentes, firmes, marrones y olorosas que las del bebé amamantado. La tendencia más común es que las deposiciones sean bastante duras. La forma más sencilla de corregirlo es darle al bebé un poco de agua hervida y enfriada entre las comidas.

DIARREA

La diarrea es una señal de irritación de los intestinos que tiene como resultado deposiciones sueltas, frecuentes y acuosas. En los bebés pequeños siempre es potencialmente peligrosa debido al riesgo de deshidratación, que puede desarrollarse muy rápidamente. Si el bebé se niega a alimentarse o le ocurre algo de lo que se indica a continuación, póngase inmediatamente en contacto con el médico.

- Deposiciones acuosas repetidas.
- Deposiciones verdes y olorosas.
- Fiebre superior a 38 °C.
- Presencia de pus o sangre en las deposiciones.
- No presta atención y tiene ojeras.

Si cree que el bebé está deshidratado, observe sus fontanelas. Si aparecen hundidas, está efectivamente deshidratado; en tal caso, póngase inmediatamente en contacto con el médico. Si se la trata a tiempo, la diarrea se cura con rapidez.

Puede empezar a tratar inmediatamente al bebé si la diarrea es suave y no presenta otros síntomas. Continúe dándole de mamar si lo amamanta, ya que la diarrea desaparece con la leche materna, pero si le da biberón debe disminuir la concentración a la mitad de la fórmula regular para la misma cantidad de agua habitual. Quizá sólo tome pequeñas cantidades de alimento y, en consecuencia, tendrá hambre con mayor frecuencia. Si la diarrea suave no mejora en dos días, consulte con el médico.

Al reintroducir el alimento normal después de un acceso de diarrea, es mejor empezar con pequeñas raciones de alimentos suaves y lácteos, como gelatina o yogurt, zumo de fruta diluido, fruta hervida, cereal seco con leche, patatas chafadas, carne blanca y huevos. Empiece con menos de la mitad de la cantidad normal para el primer día, y de la mitad a dos tercios de la cantidad normal para el segundo día. En esta fase es aconsejable darle bebidas de sales minerales sustitutivas, formuladas específicamente para niños. Si todo va bien, puede volver a sus raciones habituales.

FUNCIÓN INTESTINAL

El alimento pasa por el estómago hasta el intestino delgado y desde ahí al intestino grueso. Los productos de desecho del alimento se almacenan en el recto antes de ser eliminados en forma de heces.

Digestión. *El alimento es descompuesto por las enzimas. La digestión empieza en la boca y luego continúa en el estómago y en la parte superior del intestino delgado.*

Absorción. *Una vez que el alimento ha sido reducido a moléculas simples, es absorbido en la corriente sanguínea mientras avanza por el intestino delgado. Pasa después por el intestino grueso, donde el cuerpo absorbe cualquier agua que contenga. Los productos de desecho pasan al recto en forma de heces.*

Eliminación. *Las heces se almacenan en el recto y se expulsan por el ano. Un bebé no puede controlar el reflejo que hace que el recto se vacíe, ni siquiera por un instante. Los bebés pequeños suelen tener movimientos intestinales con cada toma de alimento, a causa del reflejo gastrocólico, que estimula al recto a vaciarse cada vez que entra alimento en el estómago.*

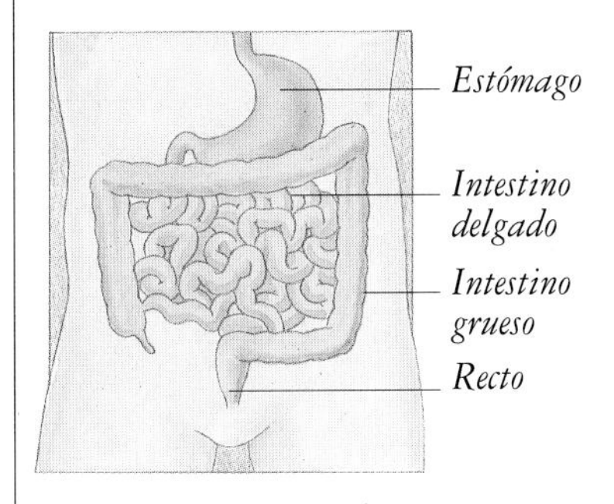

El sistema intestinal
Digerida la comida en el estómago y el intestino delgado, se evacúan los desechos en forma de heces.

PAÑALES

PAÑALES PARA NIÑAS

Una niña mostrará tendencia a humedecer el pañal por el centro, o hacia la parte de atrás si está tumbada de espaldas.

- *Los pañales desechables de día y de noche se han diseñado de modo diferente para tener en cuenta esta diferencia, con la parte más gruesa del acolchamiento situada precisamente allí donde más se la necesita.*
- *Quizá prefiera comprar braguitas decorativas o con volantes para cubrir los pañales de tela; ofrecen un aspecto muy bonito bajo un vestido para una ocasión especial.*

La elección en cuanto a pañales la encontrará entre los tipos de tela y los desechables. En los últimos años una gran mayoría de padres han optado por los desechables, a pesar de que la creciente conciencia sobre los temas ambientales han llevado a muchos padres a reconsiderar las virtudes de los pañales de tela, que producen menos desechos. El tema, sin embargo, no está claramente definido: los detergentes necesarios para limpiar los pañales de tela son contaminantes del suministro de agua, y la energía necesaria para lavarlos puede considerarse como un despilfarro. Aunque los pañales de tela son más baratos a largo plazo que los desechables, hay que considerar también el aumento de la factura eléctrica por las frecuentes lavadas en la lavadora, así como el coste de su tiempo. Lo que está claro es que si el pañal se cambia con toda la frecuencia necesaria y si se observan las reglas higiénicas básicas, el bebé se sentirá feliz, al margen de la opción que usted elija.

PAÑALES DESECHABLES

Permiten que el cambio del pañal sea lo más sencillo posible. Son fáciles de colocar, sin pliegues, ni alfileres, ni braguitas de plástico, y se pueden desechar en cuanto están húmedos o sucios. Son muy convenientes cuando se va de viaje, ya que se necesitan menos pañales y menos espacio para cambiar al bebé, y no hay necesidad de llevar consigo a casa pañales húmedos y olorosos para lavarlos. Necesitará un suministro constante así que, para evitar cargar con grandes bultos al ir de compras, adquiéralos en paquetes grandes. Muchas tiendas los venden.

No arroje nunca los pañales desechables por la taza del lavabo, ya que inevitablemente quedarán embozados en el sumidero en forma de S. En lugar de eso, meta el pañal en una bolsa de plástico y ciérrela por el cuello antes de tirarla.

PAÑALES DE TELA

Aunque al principio son más caros que los desechables, terminan por resultar más baratos a largo plazo. Suponen emplear más trabajo que en el caso de los desechables, ya que tienen que limpiarse, esterilizarse,

PAÑALES DESECHABLES

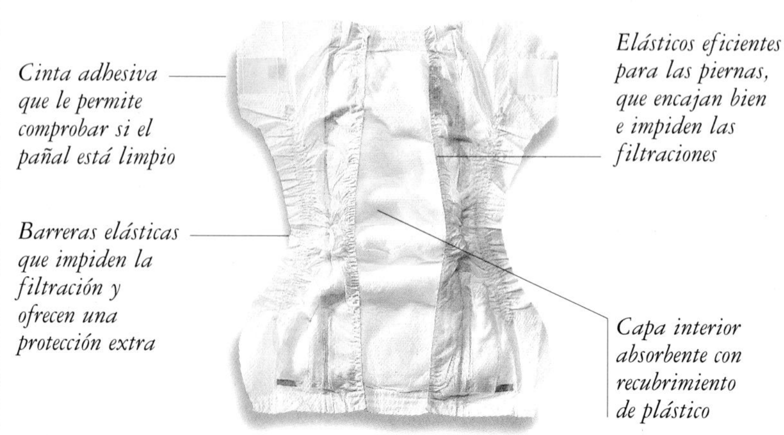

Cinta adhesiva que le permite comprobar si el pañal está limpio

Elásticos eficientes para las piernas, que encajan bien e impiden las filtraciones

Barreras elásticas que impiden la filtración y ofrecen una protección extra

Capa interior absorbente con recubrimiento de plástico

lavarse y secarse después de cada uso. Necesitará un mínimo de 24 pañales para disponer siempre de suficientes limpios, pero cuantos más compre, con menor frecuencia tendrá que ocuparse del lavado. Elija los mejores que pueda permitirse su bolsillo. A largo plazo le resultarán económicos porque duran más; también son más absorbentes y, por tanto, más cómodos para el bebé.

Los pañales cuadrados de tela de toalla pueden plegarse de varias formas, dependiendo del tamaño y las necesidades del bebé (véase pág. 109). Son muy absorbentes, incluso más que la mayoría de desechables, por lo que resultan muy buenos para la noche.

Los que tienen forma de T están hechos de una tela de toalla más suave y fina que los cuadrados y disponen de un panel central de triple capa que aumenta la capacidad de absorción. Su forma significa que son más fáciles de poner y dejan al bebé mejor arreglado.

Con los pañales de tela necesitará protectores de pañales; elija la variedad que permite pasar la orina pero se mantiene seco cerca de la piel del bebé, lo que reduce el riesgo de irritaciones debido a la fricción o la humedad. Los protectores impiden que el pañal se ensucie mucho; se pueden quitar con cada deposición y tirar. También necesitará por lo menos 12 imperdibles, con cabezas de cierre de seguridad para proteger la piel del bebé, y seis pares de braguitas de plástico para impedir que los pañales húmedos o sucios manchen la ropa o la cuna del bebé.

Hay en el mercado un tipo de pañal de tela que ofrece todas las características del desechable, pero que se puede lavar a máquina; tiene forma adecuada para ajustarse, con cierres de velcro, canales elásticos para las piernas y hecho de varias capas de tela absorbente, con una capa exterior que impide las filtraciones.

PAÑALES DE TELA

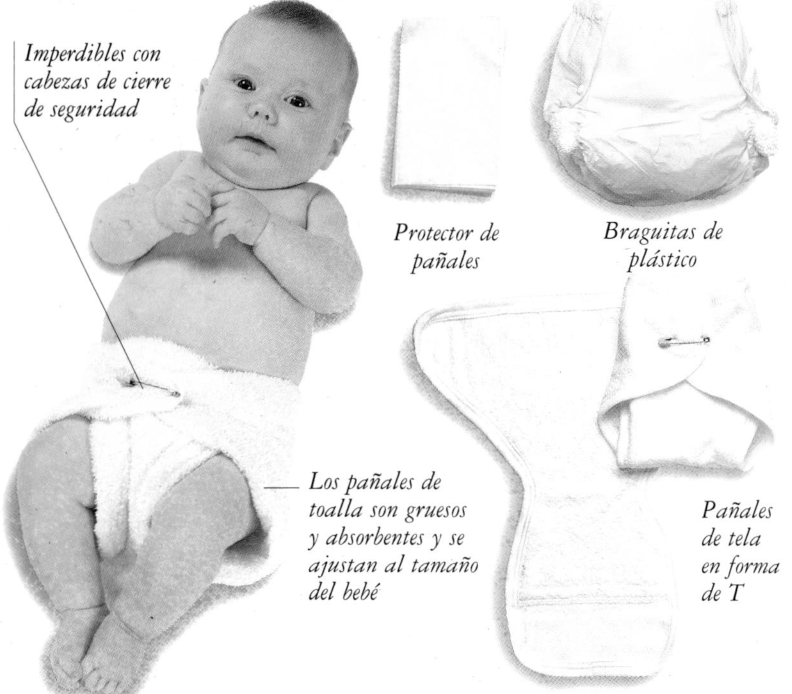

Imperdibles con cabezas de cierre de seguridad

Protector de pañales

Braguitas de plástico

Los pañales de toalla son gruesos y absorbentes y se ajustan al tamaño del bebé

Pañales de tela en forma de T

PAÑALES PARA NIÑOS

Los niños suelen humedecer la parte delantera del pañal y los desechables para niños están diseñados teniéndolo en cuenta, con acolchamiento extra situado al frente.

- *Doble los pañales de tela de tal modo que sitúe más tela hacia la parte delantera, sobre todo por la noche.*
- *Los niños orinan a menudo cuando se les está cambiando, así que procure cubrir el pene con un pañal limpio de reserva, ya que en caso contrario se mancharía usted.*
- *Coloque siempre el pene hacia abajo al poner un pañal limpio, para evitar que la orina escape por la parte superior del pañal.*

LIMPIAR A UNA NIÑA

Limpie siempre a la niña desde la parte delantera hacia atrás, y no limpie nunca dentro de los labios de la vulva.

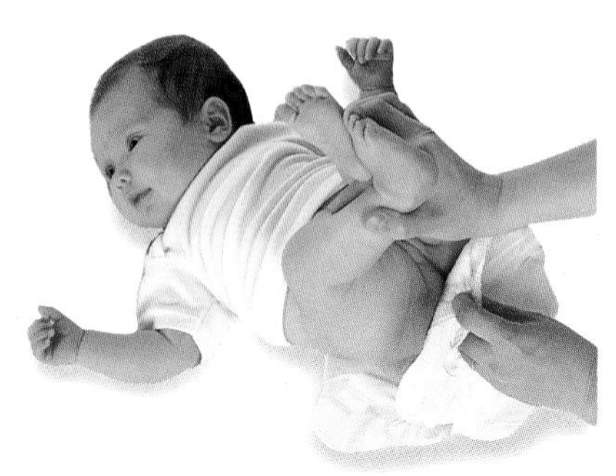

Retirar las heces
Limpie todas las heces que pueda con la parte delantera del pañal sucio.

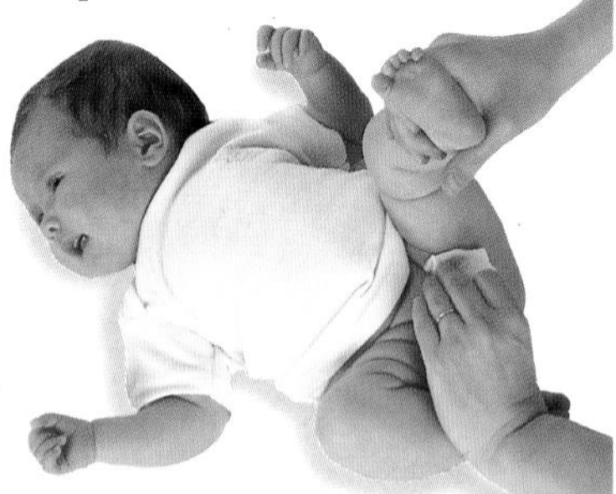

Retirar la orina
Use un paño húmedo o torunda de algodón para limpiar los genitales y la piel de los alrededores.

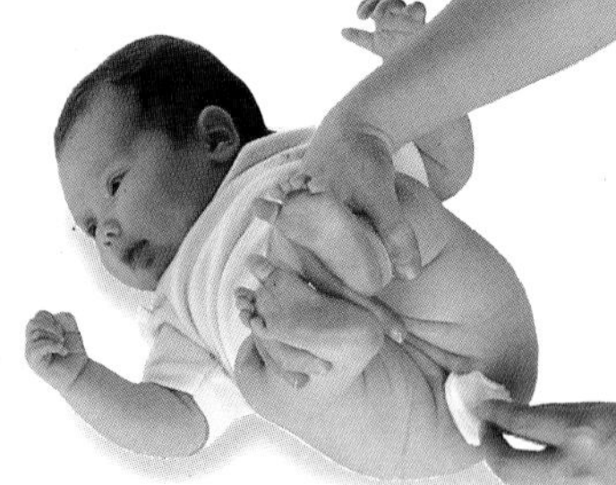

Limpiar el trasero
Levántele las piernas como se muestra y limpie desde delante hacia atrás. Seque bien.

CAMBIAR UN PAÑAL

Tendrá que cambiar el pañal del bebé cada vez que esté sucio o húmedo. El número de veces que habrá que cambiarlo varía de un bebé a otro, pero probablemente tendrá que cambiarlo cada mañana al despertar el bebé, antes de ponerlo en la cuna por la noche, después de haberle dado un baño y después de cada toma de alimento, incluidas las nocturnas.

Cambiar pañal es fácil, siempre que elija el más apropiado para el tamaño del bebé, de modo que le encaje bien. En cuanto a los pañales de tela, puede elegir el tipo de plegado que le parezca mejor (véase pág. siguiente). También necesitará usar protectores de pañales.

PAÑALES DESECHABLES

Posición de su bebé
Extienda el pañal con las solapas en la parte alta. Coloque al bebé sobre el pañal, de modo que las solapas altas estén a la altura de su cintura.

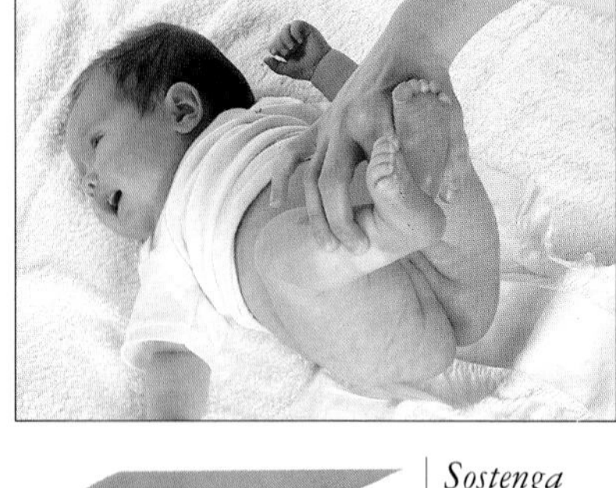

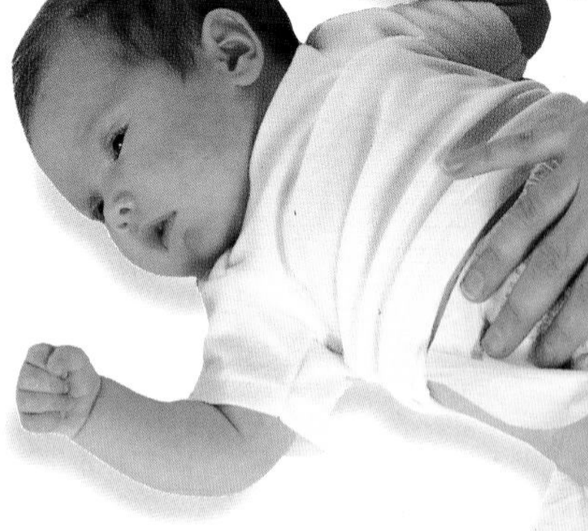

Sostenga la parte delantera sobre el vientre

Sujetar la parte delantera
Levante la parte delantera entre las piernas y rodee con ella el vientre. Abra los cierres adhesivos de las solapas.

Abra los cierres adhesivos y fíjelos sobre la parte delantera

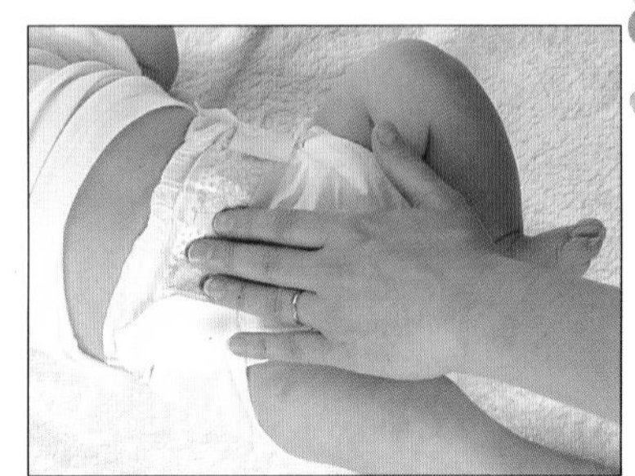

Un encaje cómodo
Sitúe los cierres adhesivos de las solapas superiores firmemente sobre las solapas delanteras y fije el pañal, que debe encajar con comodidad.

PLEGADO DE PAÑALES DE TELA

Triple pliegue absorbente
Es el pliegue más adecuado para el recién nacido; su panel central ofrece una buena capacidad de absorción y es muy pequeño y limpio. Sin embargo, no es adecuado para bebés mayores. Empiece con un pañal cuadrado plegado en cuatro, con las esquinas abiertas en lo alto y a la derecha.

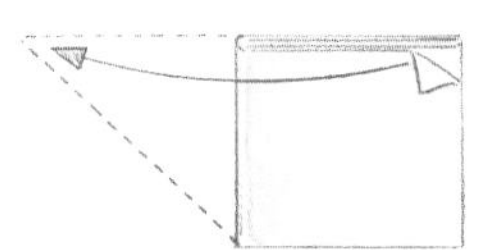

Tome la capa superior por la esquina de la derecha.

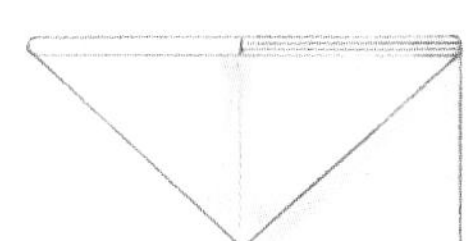

Llévelo a la izquierda para formar un triángulo invertido.

Lleve el pañal al otro lado hasta el extremo superior derecho.

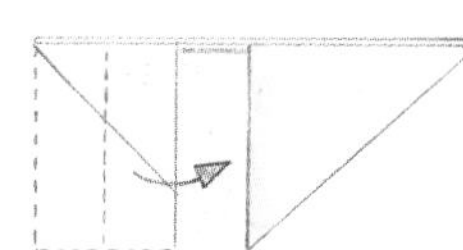

Pliegue las capas centrales dos veces para formar un espeso panel central.

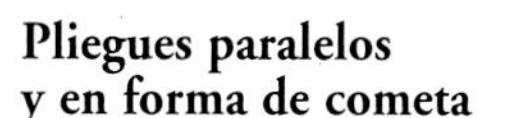

Pliegues paralelos y en forma de cometa
Son adecuados para el bebé mayor. Puede ajustar la profundidad del pliegue en forma de cometa de acuerdo con el tamaño del bebé. Ambos se inician con un pañal extendido en forma de diamante.

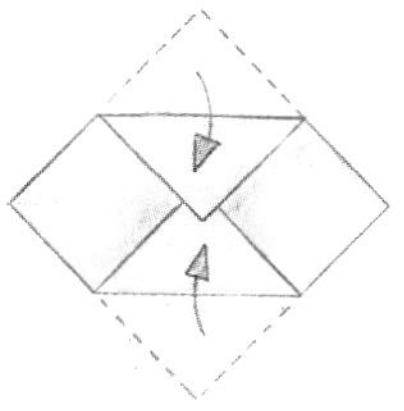

Pliegue los puntos superior y central hacia el centro.

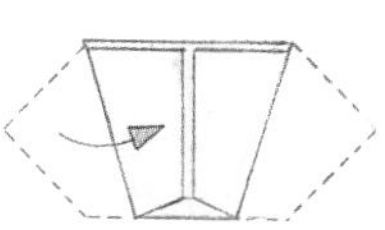

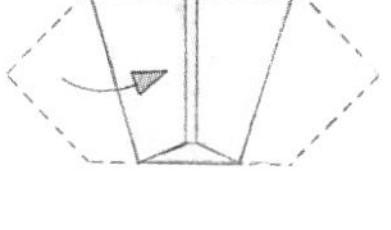

Tome el punto de la izquierda y lo alinea con el borde superior; haga lo mismo con el de la derecha.

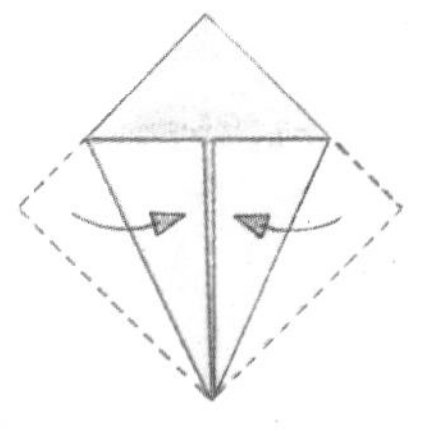

Pliegue los lados hacia el centro para configurar la forma de cometa.

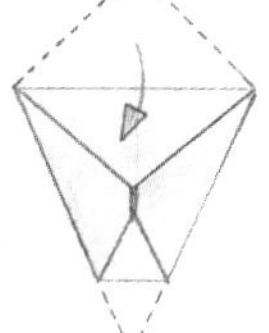

Pliegue el punto superior hacia abajo, en dirección al centro, y el punto inferior hacia arriba, variando la profundidad para que ajusten.

PAÑAL DE TELA

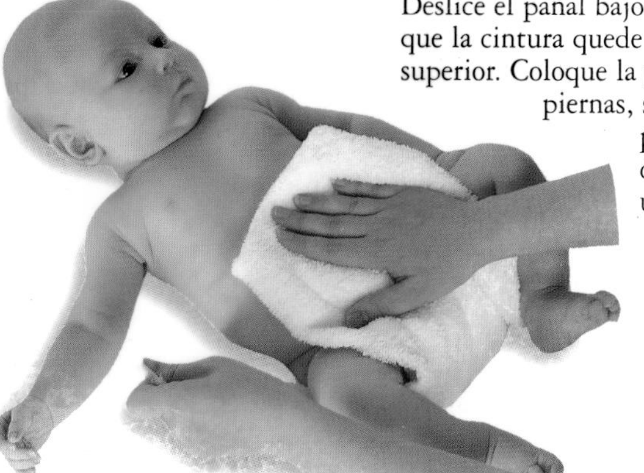

Deslice el pañal bajo su bebé, de modo que la cintura quede a la altura del borde superior. Coloque la parte delantera entre las piernas, sosténgala en su lugar y pliegue los lados hacia el centro, para sujetar con un imperdible.

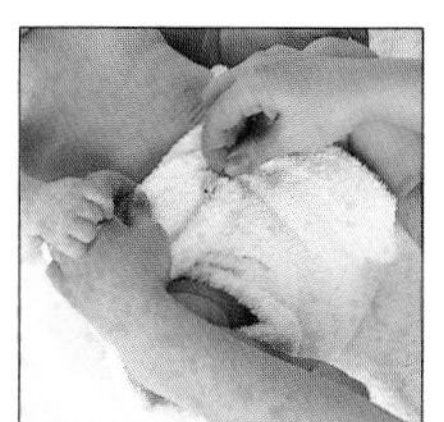

LIMPIAR A UN NIÑO

A menudo, los niños evacuan la orina cuando se les cambia el pañal. Un tejido colocado sobre el pene reducirá el desastre.

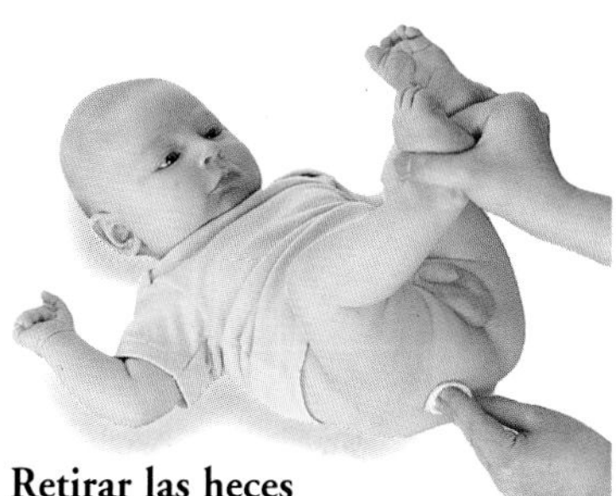

Retirar las heces
Limpie todas las heces con una torunda de algodón y aceite o loción, cambiándola cada vez.

Retirar la orina
Use una torunda de algodón, avanzando desde los pliegues hacia el pene. No retire nunca el prepucio.

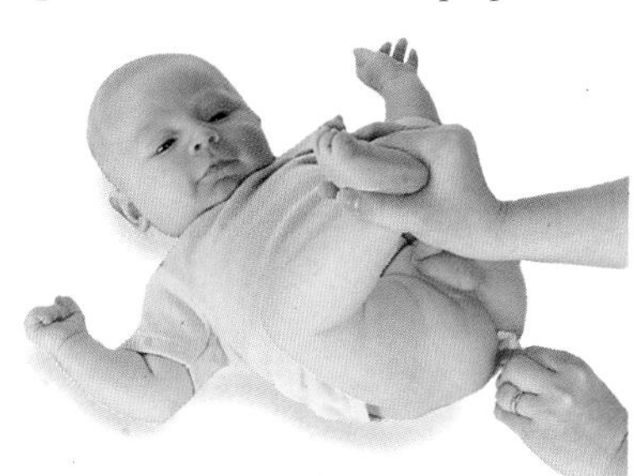

Limpiar el trasero
Levántele las piernas como se muestra, sosteniéndolo por los tobillos. Seque bien.

HIGIENE DEL PAÑAL

Es muy importante lavar meticulosamente los pañales; cualquier resto de amoniaco irritará la piel del bebé y las bacterias fecales podrían causar infección. Los detergentes fuertes y los polvos biológicos también podrían irritar la piel del bebé, así que use siempre copos de jabón puro o polvos. Si emplea un suavizante de telas, asegúrese siempre de enjuagarlo por completo, al margen de lo que digan las instrucciones del fabricante. Si emplea una solución esterilizadora, necesitará eliminar sólo los pañales manchados, ya que los húmedos sólo necesitarán un enjuague meticuloso. No hay necesidad de hervir los pañales a menos que estén muy manchados o que hayan sido muy usados; limítese a usar agua caliente tanto para el enjuague como para el lavado. Si se manchara la ropa del bebé, no la añada a la solución esterilizadora, ya que eso afectaría al color. Limpie la suciedad todo lo que pueda, enjuague la prenda y lávela normalmente.

RUTINA DE LAVADO

Establecer una rutina de lavado le facilitará las cosas, sobre todo si procura lavar los pañales en grandes cantidades. Para ello, claro está, necesitará una reserva más grande de pañales, de por lo menos 24. Necesitará dos bidones esterilizadores de plástico, con tapas y asas fuertes: uno para los pañales manchados y otro para los húmedos. Deben ser lo bastante grandes como para contener por lo menos seis pañales, con abundante espacio para la solución, pero no tan grandes como para que no pueda llevarlos llenos. Puede comprar bidones especiales para pañales, pero también le servirá cualquier cubo de buen tamaño con tapa; son ideales los bidones diseñados para la fabricación de cerveza.

Llene cada mañana los bidones con solución esterilizadora y enjuague siempre un pañal antes de dejarlo en el cubo. Los pañales húmedos deben enjuagarse en agua fría, escurridos y añadidos a la solución. En cuanto a los pañales manchados, quite todas las heces que pueda y échelas a la taza del lavabo, y sostenga el pañal bajo el agua al tirar de la cadena; estrújelo para eliminar el exceso de agua y déjelo en el cubo de los pañales manchados. Una vez que los pañales se hayan empapado en la solución durante el tiempo necesario, escúrralos. Los que estuvieron empapados de orina deben enjuagarse meticulosamente en agua caliente y luego déjelos secar; los manchados necesitarán ser lavados en el programa caliente de la lavadora automática, o en el baño con agua caliente, luego enjuagados y secados. Las braguitas de plástico se endurecerán y no podrán usarse si las lava en agua que sea demasiado caliente o demasiado fría. Lávelas en agua caliente con un poco de líquido limpiador, escúrrales el agua sin apretar y déjelas secar al aire antes de usarlas. Si se endurecen puede suavizarlas con una secadora de tambor, junto con las toallas.

ERITEMA DEL PAÑAL

Si se deja la orina durante demasiado tiempo en el pañal o sobre la piel, las bacterias de las deposiciones del bebé la descomponen en amoniaco, que irrita y quema la piel; esa es la causa más habitual del eritema del pañal. Si es suave, aparecerán pequeños puntos rojos en el trasero del bebé, pero si es más grave observará una zona agrietada.

FACILITAR EL LAVADO

Lavar los pañales le ocupará tiempo, así que facilite la tarea mediante la organización. Los siguientes consejos pretenden facilitarle la rutina del lavado.

- *Utilice tenacillas de plástico o guantes para sacar los pañales del cubo de esterilización; téngalas cerca.*
- *Al cambiar un pañal por la noche, deje el pañal sucio en un cubo aparte o en una bolsa de plástico, y añádalo a la mañana siguiente a la nueva solución esterilizadora.*
- *Si utiliza un esterilizante en polvo, primero ponga siempre el agua en el cubo, ya que de otro modo corre el riesgo de inhalar el polvo.*
- *Secar los pañales en los radiadores hace que la tela se endurezca y sea incómoda. Utilice una secadora de tambor, un tendedero exterior o un tendedero portátil interior que puede colocar sobre la bañera.*
- *Quizá quiera usar un aerosol ambientador para el cubo de los pañales.*

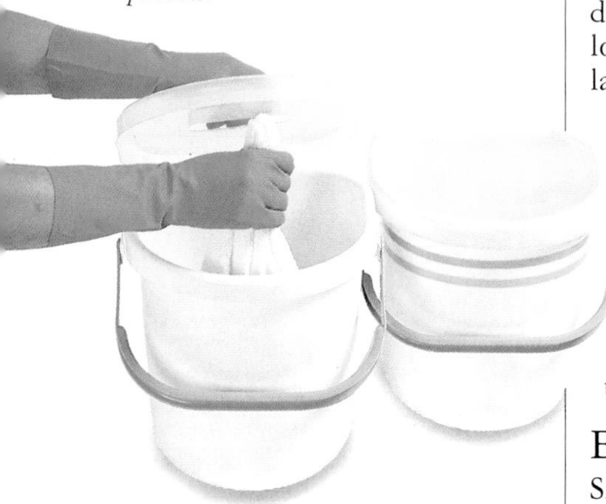

Cubo de los pañales
Necesitará dos cubos para la esterilización: uno para los pañales manchados y otro para los húmedos.

Las bacterias que producen dermatitis amoniacal (eritema del pañal) se desarrollan en un medio alcalino. Los bebés amamantados padecen menos el eritema del pañal que los alimentados con biberón. Seguir los consejos indicados (derecha) disminuirá la posibilidad de que su bebé padezca el eritema del pañal.

Si a pesar de todas las precauciones el bebé sufriera de un trasero inflamado, compruebe el cuadro que sigue para ver si necesita tratamiento. En caso contrario, siga tomando medidas preventivas (excepto para el uso de una crema protectora) y aplique las siguientes:

- Cambie más a menudo el pañal del bebé.
- Use una compresa desechable dentro de un pañal de tela de toalla, para lograr una absorción extra durante la noche, sobre todo si el bebé duerme durante toda la noche.
- Una vez que el bebé tenga eritema del pañal, es importante que se le airee la piel entre los cambios de pañal durante 15 a 20 minutos.

No todas las dolencias de piel que se presentan en la zona son verdaderos eritemas del pañal (véase cuadro siguiente). Es importante identificar correctamente un eritema, para poder tomar las medidas apropiadas.

ASPECTO DEL ERITEMA	CAUSA DEL TRATAMIENTO
Enrojecimiento general que empieza alrededor de los genitales, antes que del ano. Detectará un fuerte olor a amoniaco. En los casos graves, puede extenderse al trasero, la entrepierna, los muslos y conducir a la ulceración si no se atiende.	*Dermatitis amoniacal, causada por irritación producida por el amoniaco. Si no funcionara el tratamiento aquí indicado, consulte con el médico.*
Pequeñas ampollas extendidas sobre la zona cubierta por el pañal, además de un exantema aparecido en otra parte del cuerpo.	*Eritema causado por el calor. Deje de usar braguitas de plástico y deje al bebé sin pañal siempre que pueda. Enfríe al bebé usando menos ropa y mantas.*
Enrojecimiento y agrietamiento de la piel en los pliegues de las piernas.	*Secado inadecuado. Seque al bebé meticulosamente y no use polvos de talco.*
Eritema escamoso, de aspecto rojo-amarronado, en los genitales y pliegues de la piel, especialmente en la entrepierna, y en cualquier parte donde la piel sea grasienta, como el cuero cabelludo. Es muy raro en los bebés.	*Dermatitis seborreica. El médico le recetará un ungüento para el eritema, y quizá una loción especial en el caso de que se haya visto afectado el cuero cabelludo.*
Manchas de eritema que se inician alrededor del ano y se extienden a las nalgas y la parte interior de los muslos; también pueden observarse manchas en el interior de la boca.	*Muguet causado por una infección por levaduras. Consulte con el médico que probablemente le prescribirá un tratamiento antimicótico.*

PREVENIR EL ERITEMA DEL PAÑAL

Lo esencial es que la piel del bebé esté seca y bien aireada, y asegurarse de que los pañales se lavan siempre meticulosamente y se enjuagan bien.

- *Empiece por usar una crema contra el eritema a la primera señal de piel agrietada. Son especialmente buenas las que contienen sales de titanio. Deje de usar braguitas de plástico, que impiden la evaporación de la orina.*
- *No lave el trasero del bebé con agua y jabón, que descaman la piel.*
- *Use protectores del pañal o desechables con recubrimiento por un lado para mantener seca la piel del bebé.*
- *Use una crema protectora espesa aplicada generosamente, pero no con protectores del pañal o desechables que atascarán la tela absorbente por un solo lado.*
- *Procure eliminar todos los restos de amoniaco del pañal mediante lavado y enjuague meticulosos.*
- *No deje nunca al bebé con un pañal húmedo.*
- *Deje el trasero del bebé al aire siempre que pueda.*

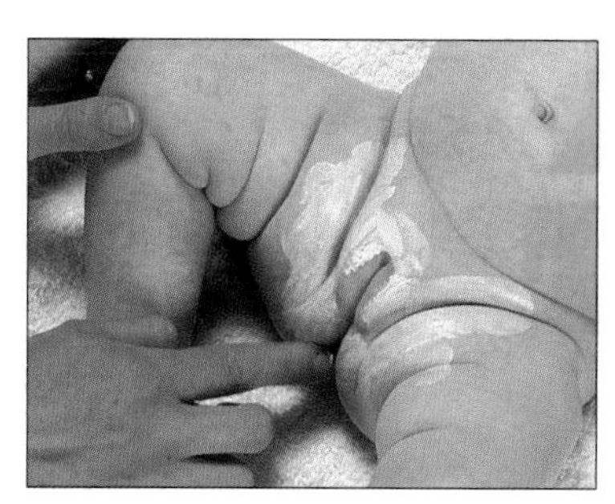

Crema protectora
Protege la piel del bebé del efecto irritante del amoniaco, pero no debe usarse si aparece un eritema del pañal.

INTESTINO Y VEJIGA

Una vez que el bebé empiece a tomar alimentos sólidos, disminuirá el número de defecaciones. Seguirá observando cambios en sus movimientos intestinales, a medida que madura su sistema digestivo, hasta la edad de cinco o seis años. Una vez que ha tomado alimentos sólidos durante varios meses, ha llegado el momento de usar el orinal, pero sin precipitarse (véase pág. siguiente).

CAMBIOS EN LOS MOVIMIENTOS INTESTINALES

En general, cabe esperar que las defecaciones del bebé sean más firmes y menos frecuentes a medida que se hace mayor. A algunas edades se producen cambios bastante estándar; los indico sólo como medio para tranquilizarla, no para que examine obsesivamente las deposiciones del niño. Las fechas sólo son aproximadas.

0-6 meses. Las deposiciones pueden ser tan frecuentes como las tomas de alimento, y muy blandas. Experimentan cambios de color: primero de un negro verdoso (meconio, véase pág. 104), luego amarillentas, y luego de un marrón claro.

6-12 meses. Cuando el bebé empieza a tomar sólidos, las deposiciones se hacen más secas, de color más oscuro y menos frecuentes, de unas tres veces al día. Beber mucho líquido mantiene las deposiciones blandas.

1-3 años. En cuanto el niño siga la dieta familiar, probablemente sólo defecará dos veces al día.

3-5 años. Las deposiciones son idénticas a las de un adulto, excepto por su tamaño, y el niño raras veces hará más de una al día.

ABSORCIÓN DEFICIENTE Y ENFERMEDAD CELÍACA

Mala absorción: absorción deficiente de los nutrientes en el intestino delgado; puede ser causada por una deficiencia enzimática o por la enfermedad celíaca. Se trata de una inflamación del intestino delgado debido a la sensibilidad al gluten, una sustancia que se encuentra en el trigo y el centeno. El intestino inflamado es incapaz de asimilar muchos alimentos, de modo que el bebé puede quedar desnutrido. Afortunadamente, esta enfermedad es bastante rara.

En la mayoría de casos, los síntomas de la enfermedad aparecen antes de los dos años, aunque en algunos niños los síntomas son poco acusados y la enfermedad tal vez no se detecte hasta la edad adulta. Los síntomas pueden incluir poco apetito, vómitos y diarrea, dificultad para ganar peso y escaso crecimiento, así como excreción de heces pálidas, grasientas y malolientes. Estas deficiencias pueden derivar en anemia.

Es muy importante que el bebé sea diagnosticado adecuadamente, pues en caso contrario podría verse dificultado su desarrollo, aparecerían numerosas deficiencias dietéticas y se vería disminuida su resistencia a la infección. Si sospecha la existencia de una enfermedad celíaca, consulte en seguida con el médico.

BEBÉ MAYOR

DESARROLLO DE LAS NIÑAS

El control del intestino y de la vejiga suele iniciarse antes y completarse más rápidamente en las niñas. Las edades que se dan a continuación son aproximadas.

Primeras fases: 1-1 1/2 años

- *La primera señal de que la vejiga está madurando aparece cuando la niña gesticula o emite un sonido para indicar que sabe que está orinando.*
- *En esta fase no suele aparecer ninguna señal de control intestinal.*

Fases intermedias: 1 1/2-2 1/2 años

- *Un día, entre los 15 y 18 meses, ella le traerá el orinal y, si es usted rápida, quizá la pille a tiempo.*
- *Entre los 18 meses y los dos años, quizá encuentre una deposición en el orinal después de una comida. Ella acudirá a usted para decirle que necesita el orinal y podrá esperar. Una vez que pueda esperar cinco minutos, pruebe a ponerle sólo braguitas durante el día.*

Fases finales: 2 1/2-3 1/2 años

- *Las niñas alcanzan el control intestinal con rapidez y se mantienen limpias día y noche.*
- *Se mantiene seca durante todo el día. Pruebe a dejarla sólo con braguitas durante la siesta y finalmente durante toda la noche.*
- *Puede pasarse seca la mayoría de las noches. El control intestinal es virtualmente completo y tiene muy pocos accidentes.*

El tratamiento es muy simple: el bebé tendrá que tomar alimentos sin gluten. Hay numerosos productos sin gluten y las comidas cocinadas con harina sin gluten son deliciosas. Una vez asistí a la fiesta de cumpleaños de un niño celíaco y no advertí ninguna diferencia con respecto a los pasteles de otras fiestas de cumpleaños.

UN COMENTARIO CONTRA EL «ENTRENAMIENTO»

Los bebés a los que se permite alcanzar el control del intestino y de la vejiga a su propio ritmo, aprenden a usar el orinal con mayor rapidez y tienen pocos accidentes. Cuando los padres interfieren en el continuo progreso de su hijo, imponiéndoles horarios o esperando demasiado muy pronto, es cuando las cosas empiezan a ir mal. Los bebés nacen con el deseo de estar limpios y secos; nuestra tarea debe consistir, simplemente, en permitirles alcanzar esa situación de una forma feliz.

Unos padres demasiado autoritarios pueden causar mucho daño, incluso en una fase muy temprana, y pueden ser responsables de los problemas surgidos más adelante en la vida. Imagine el escenario: una madre dominante e insistente inclinada sobre su hijo, diciéndole que no puede levantarse del orinal hasta que haya hecho lo que tiene que hacer. El niño no comprende lo que se le dice, porque no es consciente de la evacuación, ya que su vejiga y sistema nervioso son todavía demasiado primitivos. Pero aunque lo comprenda, no tiene «control», tal como usted lo concibe. No comprende por qué algo tan natural para él, es tan importante para usted, y no sabe cómo complacer a su madre, normalmente tan cariñosa. Cuando se levanta del orinal, usted se pone dura, él no puede hacer nada y terminará por llorar. Y si usted continúa con la misma actitud, seguro que más tarde él terminará por utilizar la obsesión de usted como un arma en contra suya. Verá sus defecaciones como algo que usted desea y las retendrá cuando enfrente su voluntad a la de usted.

No le presione o regañe en ningún momento. Elogie cada éxito. Deje que los niños pequeños vean orinar a sus padres. Los niños presionados demasiado pronto suelen mojar la cama más tarde y llevarse a la boca sustancias defecantes y de otro tipo, así como ensuciarse más que los niños que se desarrollan a su propio ritmo.

INTRODUCIR EL ORINAL

Esta es la forma en que puede ayudar a su bebé a mantenerse seco y limpio, pero sólo después de que él le haya indicado mediante sonidos o gestos que sabe que va a evacuar. Permítale encontrar su propio ritmo, sin presionarlo.

Paso 1. *Empiece por entregarle su propia silla-orinal, parecida a la taza del inodoro que usted usa. Permita que la vea a usted o a su padre usar el inodoro y que vea los resultados si así lo pide.*

Paso 2. *Deje que se siente en la silla-orinal completamente vestido, mientras le lee un cuento.*

Paso 3. *Acostúmbrelo gradualmente a que se siente sin el pañal.*

Paso 4. *Cuando haya manchado o humedecido el pañal siéntelo con suavidad en el orinal, después de haberlo limpiado, mientras busca un pañal limpio.*

Paso 5. *Una vez que se muestre interesado, déjelo sentarse en el orinal dos o tres veces al día.*

DESARROLLO DE LOS NIÑOS

Los niños suelen ir retrasados con respecto a las niñas en el control del intestino y la vejiga y mojan la cama con mayor frecuencia que las niñas. Las edades que se dan a continuación son aproximadas.

Primeras fases: 1 1/2-2 1/2 años

- *El niño no tiene ningún control en esta fase. Su vejiga inmadura no puede controlar la orina ni por un segundo.*
- *Sigue sin poder esperar a que llegue usted con el orinal, aunque le haya indicado que está evacuando.*

Fases intermedias: 2 1/2-3 1/2 años

- *El niño pequeño podrá traerle el orinal sólo después de que sea capaz de contener la orina durante uno o dos minutos.*
- *Acudirá a usted para decirle que necesita el orinal, pero todavía experimentará accidentes frecuentes.*
- *Cuando lo haya indicado, y pueda esperar varios minutos, y no antes, pruebe a ponerle braguitas sólo durante el día.*

Fases finales: 3 1/2-6 años

- *Puede mantenerse limpio durante el día, con algún que otro accidente, pero seguirá mojando la cama por la noche.*
- *Se mantiene limpio día y noche, con accidentes. Cuando se mantenga limpio durante todo el día, pruebe a ponerle calzoncillos si duerme la siesta.*
- *Se mantiene seco durante todo el día, pero necesita un pañal por la noche.*
- *Puede mantenerse seco durante toda la noche, con unos pocos accidentes.*

NIÑO PEQUEÑO

INTESTINO Y VEJIGA

AYUDAR A LA NIÑA

Enseñe buenos hábitos de higiene a la niña, como lavarse las manos y dejar ordenado el cuarto de baño tras haberlo usado. Probablemente, observará que responde muy bien a estas enseñanzas.

En general, las niñas son más limpias que los niños y disfrutarán convirtiendo la rutina de la limpieza en un juego. «Ahora tiramos de la cadena... Ahora lavamos el orinal... Ahora nos lavamos las manos.»

Higiene en el lavabo
Las niñas suelen ser más receptivas que los niños al enseñárseles buenos hábitos de higiene.

Una vez que su hijo muestre señales de estar preparado para usar el orinal, su objetivo debe ser ayudarlo y estimularlo. Si lo hace así, es muy probable que alcance el control con bastante rapidez y sin problemas, y que se mantenga feliz y seguro de sí mismo durante todo el proceso. Si insiste en que use el orinal antes de que esté preparado, o si intenta forzarlo, se sentirá desgraciado al principio por no ser capaz de complacerla, y luego culpable y resentido. La relación con su hijo se verá afectada y el entrenamiento se convertirá en una guerra de nervios en la que usted nunca puede ganar.

CONTROL DEL INTESTINO

Aunque el bebé se da cuenta primero de que vacía la vejiga, probablemente controlará primero el intestino, ya que le resulta mucho más fácil «contener» un recto lleno que una vejiga llena. En consecuencia, debe ayudarlo a usar el orinal primero para los movimientos intestinales; eso es más fácil porque también son más predecibles y ocupan más tiempo que para evacuar la orina. Cuando el niño indique que desea evacuar, sugiérale que use el orinal.

Una vez que haya terminado, límpiele el trasero (desde delante hacia atrás en las niñas), eche el papel y el contenido del orinal en el lavabo y tire de la cadena. Limpie cualquier resto de heces y enjuague el orinal, usando desinfectante. Lávese después las manos y anime al niño a hacer lo mismo. Si no desea usar el orinal cuando se lo sugiera usted, olvídelo por el momento y vuelva a intentarlo unos pocos días más tarde.

CONSEJOS PARA EL CONTROL

HACER

- *Elogie a su hijo y anímelo a considerar el control como un logro propio.*
- *Deje que el niño marque el ritmo. Usted sólo puede ayudarle, pero no acelerar el proceso.*
- *Sugiérale que se siente en el orinal, pero deje que sea él quien decida.*
- *Deje que sea tan independiente como quiera, que acuda al lavabo o use el orinal, y elogie su independencia.*
- *Use braguitas y calzoncillos para dar al niño una sensación de independencia.*

NO HACER

- *No insistir jamás en que el niño se siente en el orinal.*
- *No mostrar ninguna aversión a las heces del niño, que considerará el uso del orinal como un logro personal y que se sentirá orgulloso de ellas.*
- *No pedirle al niño que espere, ni siquiera por un momento, una vez que le ha pedido el orinal, porque sólo podrá «aguantarse» por un breve instante.*
- *No le regañe por los errores o los accidentes.*

CONTROL DE LA VEJIGA

La primera señal de que se está desarrollando el control de la vejiga del niño es cuando se hace consciente de que está evacuando la orina, y quizá intente llamar su atención y señalarse el pañal. A medida que madure la vejiga y sea capaz de contener la orina durante más tiempo, quizá descubra usted que el pañal se mantiene seco después de haber dormido la siesta. Una vez que eso suceda con regularidad, puede quitarle el pañal para dormir la siesta y animarlo a vaciar la vejiga antes de acostarse. Cuando sea capaz de hacerlo así y de hacerle saber a usted cuándo desea usar el orinal, puede empezar a dejarlo sin pañales durante el día, siempre y cuando sea capaz de esperar unos pocos minutos mientras usted le quita la ropa para que use el orinal. Cuando salga de casa le será útil llevar un orinal portátil.

En esta fase el niño todavía no podrá contener la vejiga llena durante mucho tiempo, y es inevitable que se produzcan accidentes, así que trate de sacar el mejor partido de ellos y nunca le regañe al pequeño. Limítese a limpiarlo, cambiarlo y decirle: «No importa. Ya habrá más suerte la próxima vez».

LOGRAR EL CONTROL POR LA NOCHE

El control de la vejiga durante la noche es lo último que se consigue, ya que un niño de dos o tres años no puede contener la orina más de cuatro a cinco horas. Una vez que el niño se despierte con regularidad con el pañal seco, puede quitarle el pañal de la noche, pero anímelo a vaciar la vejiga antes de acostarse. Es una buena idea dejar un orinal junto a la cama, para que el niño la use en caso necesario, pero procure que la ropa sea fácil de quitar y de dejar siempre encendida una luz por la noche, para que pueda ver lo que está haciendo. Sea paciente si acude a usted y pide ayuda; no le resulta fácil asumir por sí mismo la responsabilidad del orinal. Inténtelo durante una semana, pero si el niño moja la cama durante varias noches seguidas, ofrézcale un pañal durante un tiempo, ya que de otro modo se sentirá muy cansado a causa de la perturbación del sueño. Si muestra señales de sentirse más seguro de sí mismo, anímelo y estimule su confianza. Siempre tendrá accidentes, por lo que es una buena idea proteger el colchón con una sábana de goma, colocando encima la sábana habitual. También puede colocar media sábana de goma sobre la sábana normal, y una media sábana de tela encima, que puede quitarse fácilmente después del accidente, mientras que la inferior habrá quedado protegida por la de goma.

USO DEL LAVABO

Cuando el niño empiece a usar el orinal con regularidad durante el día, anímelo a sentarse en la taza del inodoro, lo que le ahorrará tener que llevar consigo un orinal cuando salga de casa. A muchos niños les pone nervioso sentarse en la taza porque tienen la sensación de que pueden caerse. Para que su hijo se sienta más seguro, puede usar una taza especialmente diseñada, tamaño infantil, que encaja dentro de la grande. Sugiérale que se sostenga con las manos a los lados, para que se sienta equilibrado. También debe permanecer usted cerca hasta que esté convencida de que el niño se siente cómodo en el asiento. Para ayudarle a levantarse con facilidad, coloque un pequeño escalón o caja delante de la taza, que también puede usar para llegar al lavabo y lavarse las manos.

AYUDAR A UN NIÑO

A menudo, los niños son más sucios que las niñas al usar el orinal o el lavabo, pero usted puede hacer algunas cosas para ayudarlo.

Los niños tienen mayores probabilidades que las niñas de jugar con sus propias heces. Si ocurriera eso, no muestre repugnancia; limítese a lavarle las manos tranquilamente, como haría si se las hubiera ensuciado con barro o pintura.

Muestre al pequeño cómo colocarse delante del lavabo y enséñele a apuntar a la taza antes de orinar. Para ello, puede dejar caer un trozo de papel higiénico hacia el que apuntar. Deje que vea orinar a su padre, de modo que pueda imitarlo.

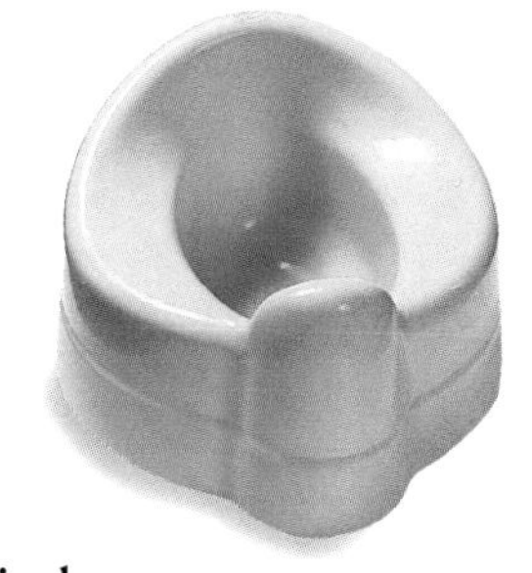

Orinales
Los orinales especialmente modelados ofrecen un apoyo conveniente y son adecuados tanto para los niños como para las niñas.

PREESCOLAR

INTESTINO Y VEJIGA

A los tres años de edad la mayoría de los niños ya han alcanzado un control de la vejiga y del intestino más o menos fiable, pero siempre se producirán accidentes. Durante el día, los accidentes ocurrirán más probablemente cuando el niño ignore las señales de que tiene la vejiga llena, bien sea porque está enfrascado en el juego o porque no desea utilizar el lavabo de un lugar que no conoce. Puede usted ayudarle a recordar que vaya al lavabo a intervalos regulares, e insistir en acompañarle cuando se encuentre en un ambiente desconocido. Anímelo a ir él solo al lavabo en lugares familiares, pero no insista nunca en que haga lo mismo en un lugar desconocido.

DESARROLLOS TARDÍOS

Algunos niños alcanzan tarde el control del intestino y de la vejiga porque las conexiones entre el cerebro y la vejiga tardan en formarse más de lo habitual, por lo que es un error y una crueldad echarle la culpa al niño. A menudo, la tardanza en adquirir el control es hereditaria; pregunte acerca de eso a sus padres y parientes. Si el médico sospecha que puede existir una causa subyacente, incluidas las psicológicas, deberá investigarse si se considera apropiado. De no ser éste el caso, por lo general no suelen tomarse medidas hasta los tres o cuatro años cuando el niño se moja de día o siente si moja la cama por la noche.

ACCIDENTES Y MOJAR LA CAMA

Cuando el niño se moje, recuerde que por muy mal que se sienta usted por el inconveniente, lo más probable es que él se sienta todavía mucho peor. Asegúrele que comprende que ha sido un accidente y que no por eso le ha fallado a usted. Estar preparada para los accidentes reducirá la ansiedad para ambos; cuando salgan juntos de casa lleve siempre consigo ropa interior de repuesto, así como pantalones.

El mojar la cama por la noche (véase pág. 115) puede sucederle a un niño de cualquier edad y es muy común en los niños de hasta cinco años de edad, con los chicos mostrándose proclives a ello. Después de esa edad, la mayoría de los niños superan esa fase sin ninguna ayuda. Podrá usted reducir al mínimo la sensación de azoramiento del niño si le mantiene los pañales por la noche hasta que esté segura de que ha alcanzado el momento en que puede mantenerse seco durante toda la noche. Una vez que le quite los pañales, debe estar preparada para que se produzcan algunos accidentes ocasionales. La preocupación por la frecuencia con que el niño moja la cama no debe ser comunicada al pequeño, ya que eso no hace sino aumentar su angustia. En lugar de eso, debe elogiarle de un modo especial si se ha mantenido seco toda la noche.

ESTREÑIMIENTO

Si las deposiciones del niño fueran infrecuentes, es decir, menos de una vez cada tres o cuatro días, y lo bastante duras como para causar incomodidad o dolor, es que está estreñido. El estreñimiento no es nada preocu-

CALZONCILLOS DE ENTRENAMIENTO

Antes de que su hijo haya desarrollado plenamente el control de la vejiga, quizá prefiera utilizar calzoncillos de entrenamiento.

- *Los calzoncillos desechables de entrenamiento disponen de costuras laterales que se desgarran con facilidad, de modo que se pueden quitar con rapidez en caso de accidentes.*
- *Los calzoncillos de entrenamiento no desechables y los desechables pueden dejarse puestos por la noche. Sin embargo, son abultados, por lo que a algunos niños les parecen incómodos.*

Calzoncillos de entrenamiento Probablemente, el niño preferirá los calzoncillos de entrenamiento a los pañales, porque parecen más propios de un niño mayor.

CONSEJOS DE CONTROL

HACER

- *Recuerde a su hijo que acuda al lavabo a intervalos regulares.*
- *Al salir, lleve consigo un juego de ropa interior.*
- *Acompañe a su hijo al lavabo en lugares extraños.*
- *Sea comprensiva y no dé importancia a los accidentes.*
- *Elogie a su hijo cuando se mantenga seco toda la noche.*
- *Si se moja o se ensucia después de un largo período de control fiable, busque la causa primero en la familia. Si persistiera, consulte con el médico.*

NO HACER

- *No le regañe ni le llame la atención sobre ningún accidente que haya sufrido.*
- *No le retire la ingestión de fluidos por la noche.*
- *No compare al niño con otros de la misma edad que puedan tener un mejor control.*
- *No saque a relucir el tema de los accidentes delante de sus amigos.*
- *No sea intolerante si su hijo necesita usar el lavabo en cualquier momento inconveniente.*

pante si no va a acompañado por otras señales de enfermedad, pero si causa incomodidad al niño, consulte con el médico. La mayoría de médicos no recomiendan usar laxantes o purgantes para un niño pequeño. (El estreñimiento es muy raro en los bebés pequeños, y casi siempre se puede corregir dándole a beber agua.) No debe intentar nunca corregir el estreñimiento por su cuenta dándole laxantes, o poniéndole supositorios o enemas sin consultar con el médico.

Una vez que el niño siga una dieta variada, no debe sufrir estreñimiento si le da suficiente fruta fresca, verduras y pan de harina entera; si lo sufriera, déle más de estos productos. Los hidratos de carbono complejos de las raíces y verduras verdes contienen celulosa que retiene el agua en las deposiciones y las hace más abultadas y blandas, al igual que los cereales de avena; unas pocas ciruelas hervidas o secas, que a menudo producen una deposición blanda en el término de 24 horas.

Un niño puede ir crónicamente estreñido por varias razones: si se muestra usted excesivamente preocupada y obsesiva por la frecuencia de los movimientos intestinales de su hijo, es posible que él los contenga como una forma de llamar la atención; si ha experimentado incomodidad y dolor al tratar de defecar, quizá se contenga para evitar que vuelva el dolor; y si le disgusta la escuela o cualquier otro lavabo extraño, quizá no esté dispuesto a utilizarlos.

El estreñimiento crónico también puede causar un estado llamado encopresis. Las deposiciones duras quedan como incrustradas en el intestino, y por el bloqueo se filtran movimientos sueltos y acuosos que en ocasiones provocan un estado erróneamente considerado como diarrea.

Una enfermedad acompañada por temperatura elevada puede ir seguida por unos días de estreñimiento debidos en parte a que el niño ha comido poco, así no hay productos de desecho, y en parte a que ha perdido agua debido al sudor que acompaña a la fiebre. Esta clase de estreñimiento se corrige por sí solo en cuanto el niño regrese a una dieta normal.

REGRESIÓN

La regresión a mojarse durante el día o por la noche en un niño que se ha mantenido fiablemente seco durante algún tiempo, suele ser una señal de ansiedad.

La llegada de un bebé nuevo es una de las razones típicas por las que el niño regresa a una fase anterior, como una forma de recuperar la atención de los padres, aunque eso puede estar causado por cualquier clase de alteración, como el traslado a un nuevo hogar o escuela. Ocasionalmente, la regresión viene causada por una infección del tracto urinario, de modo que al visitar al médico a causa de cualquier problema urinario, lleve consigo una muestra de la orina del niño para que sea analizada.

El control del intestino, una vez desarrollado, suele ser mucho más fiable que el control de la vejiga. Los accidentes de intestino son más insólitos y si ocurrieran con frecuencia, sobre todo después de que el control haya sido aparentemente fiable durante algún tiempo, pueden indicar la existencia de un problema subyacente, como la retención de la deposición o alguna forma de tensión emocional. En cualquier caso, consulte con el médico.

NOMBRE	*Fanny Hughes*
EDAD	*32 años*
HISTORIAL OBSTÉTRICO	*Hijo Will, de 5 años; parto normal*
	Hija Miranda, 7 meses; parto normal
HISTORIAL MÉDICO	*Enfermedades habituales de la infancia*
HISTORIAL FAMILIAR	*El esposo, Chris, de 35 años, se retrasó en el control de la vejiga y mojó la cama hasta la edad de 6 años*

Fanny había esperado que Will fuera un poco retrasado en el dominio del control del intestino y la vejiga, pues sabía que los niños suelen tardar más en alcanzar esta fase del desarrollo. También había leído que los padres de los retrasados en este tipo de control, también habían sido retrasados a su vez, como era el caso de Chris. En consecuencia, mantuvo la calma y la frialdad cuando Will desarrolló el control, y nunca lo presionó. Will, por su parte, se mostró muy cooperativo y ávido por complacer, y a los tres años y medio ya se mantenía seco y limpio.

UN CASO DE ESTUDIO

REGRESIÓN

Fanny estaba muy avanzada de su embarazo de Miranda, y Will no podía comprender lo que ocurría. Rechazó a su hermana desde el principio. Fanny hizo todo lo que pudo por infundirle seguridad, le mostró fotografías de bebés dentro de las barrigas de sus mamás, le hizo sentir las patadas del feto y le permitió participar en los preparativos. Un mes antes del nacimiento de su hermana, Will empezó a tener perturbaciones del sueño y balbuceaba hablando del bebé, pero no recordaba nada por la mañana. Miranda nació en casa. Will estaba sentado frente al dormitorio de su madre, como transfigurado por toda la actividad, y se negó a entrar y ver a su nueva hermana. Aquella noche mojó la cama, algo que no había hecho desde hacía un año.

SENTIRSE RECHAZADO

Chris se enfadó con Will por no mostrar más interés por Miranda, le reprendió y lo envió directamente a la cama. Aquella noche y debido a todo el ajetreo en el hogar, Will no escuchó el cuento que se le solía contar antes de dormirse y a la mañana siguiente la cama amaneció nuevamente mojada. Chris, preocupado por preparar el desayuno para todos y procurar que Fanny se sintiera cómoda, perdió la paciencia con Will, que estaba en la cocina y que volvió a mojarse encima. «No sé qué vamos a hacer contigo», fueron las últimas palabras de Chris antes de marcharse a trabajar.

Fanny se dio cuenta de que Will no se habría mojado encima si no hubiera estado tan alterado. La comadrona captó inmediatamente el problema al llegar y encontrar a Will llorando en la cocina. Le explicó a Fanny que Will sufría de «destronamiento». Tras haber sido la niña de los ojos de Fanny durante cuatro años y medio, se sentía desplazado del trono por Miranda, por lo que Fanny tendría que procurar que se sintiera amado y seguro de nuevo. También le dijo a Fanny que el médico tendría que analizar la orina de Will para asegurarse de que no había ninguna infección que fuera la causa de que mojara la cama; el análisis fue negativo.

BUSCAR CONSEJO

Fanny decidió hablar con su madre, que le recordó una de las reglas de la familia: papá siempre llevaba en brazos al nuevo bebé para que mamá tuviera las manos libres para los otros hijos. Le indicó que Will no se habría sentido abandonado si Chris hubiera sostenido a Miranda para que Fanny tuviera las manos libres para él. En tal caso, se habría dado cuenta de que Fanny todavía tenía tiempo para él y de que le amaba. Le recordó a Fanny otra tradición de su familia según la cual los hijos mayores siempre recibían un regalo cuando llegaba un bebé nuevo, para que supieran que el bebé también les quería. También sugirió que la primera noche se debería haber permitido a Will que durmiera en el sofá de la habitación de Fanny, para de ese modo sentirse especial e incluido en la familia.

Fanny se sintió culpable por no haber tomado ninguna de esas medidas para hacer sentir a Will seguro e importante, y pidió consejo a la comadrona acerca de cómo devolver a su hijo la confianza perdida. Ésta le explicó que un niño que se siente alterado, sea cual fuere la causa, ya sea por la presencia de un bebé nuevo o por tener que empezar a ir al jardín de infancia, regresa a una fase de desarrollo anterior y más primitivo, tal y como había hecho Will. Le indicó que Will no tenía control alguno sobre eso y que, en lugar de castigarlo por futuros accidentes, toda la familia tenía que mostrarse muy relajada y quitarles importancia, diciendo cosas como: «No importa, Will. Déjame que te limpie y luego podemos jugar si quieres». Pero Will se sentía demasiado inseguro para experimentar una recuperación rápida, y a la mañana siguiente sufrió una mayor regresión y se negó a alimentarse él solo, exigiendo que le dieran la comida.

Un plan de acción

Fanny y Chris decidieron emprender una acción positiva inmediata y, siguiendo el consejo de la comadrona, iniciaron un programa para reconstituir la seguridad de Will en sí mismo.

- Le contaron a la maestra de Will las dificultades por las que atravesaba en casa, y pidieron al personal que se mostrara comprensivo y que elogiaran los esfuerzos de Will en cada oportunidad que se presentara.
- Cada tarde, al regresar a casa, Chris pasaría media hora con Will, dedicándole toda su atención, dándole muchos abrazos y diciéndole que le quería con toda la frecuencia que quisiera.
- Fanny también le dedicaría a Will media hora de su tiempo en cuanto regresara de la escuela, con muchos abrazos y expresiones de amor, y mostrándose muy interesada por las actividades escolares.
- Fanny desayunaría regularmente con Will, dejando a Miranda fuera de la vista, en su cuna. En estas ocasiones especiales no entraría a Miranda en la habitación a menos que Will lo sugiriera.
- Fanny le señalaría a Will todas aquellas cosas que ya dominaba y que Miranda, un bebé diminuto, no podía hacer, y le sugeriría que quizá, como niño mayor que era, podía enseñar a Miranda y protegerla.
- Will dispondría de su propio horario privado para tomar el baño, y Fanny y Chris se turnarían para leerle cada noche un cuento antes de dormir.
- Fanny y Chris se turnarían para sacar a Will cada semana en una ocasión especial.

Fanny y Chris pusieron inmediatamente en marcha este plan, y al cabo de tres días Will volvía a alimentarse por sí solo. Al cabo de un par de semanas pidió mostrarle a Miranda su osito de peluche, aunque no dejó que lo tocara. Después de dos semanas no volvieron a producirse accidentes durante el día, y cuatro semanas más tarde volvía a permanecer seco durante toda la noche. Seguro de contar de nuevo con el amor y la atención de sus padres, Will aceptó mejor a Miranda y, de hecho, tres meses más tarde dijo que se casaría con Miranda si no se pudiera casar con Fanny.

Nombre	*Will Hughes*
Edad	*5 años*
Historial obstétrico	*Nacimiento normal, sin complicaciones*
Historial médico	*Pequeñas infecciones en el oído durante el tercer año, desaparecidas después del tratamiento adecuado*

BEBÉ PEQUEÑO

SALIDAS NOCTURNAS

Como resulta fácil llevar a los bebés pequeños y éstos duermen mucho, todavía puede usted disfrutar de algunas salidas llevándose al bebé consigo.

Durante las primeras semanas, es bueno que los padres, y sobre todo las madres, salgan de la casa y se relajen con los amigos. Es más fácil hacerlo cuando el bebé es pequeño porque dormirá en cualquier parte. Un asiento de coche que sirva también como silla portátil es ideal para esto, ya que se puede sujetar con firmeza en el coche y luego entrar en la casa al llegar a su destino, mientras el bebé duerme.

Aproveche esta flexibilidad mientras pueda; una vez que el bebé empiece a dormir durante toda la noche, tendrá que atenerse a una rutina regular de irse a la cama.

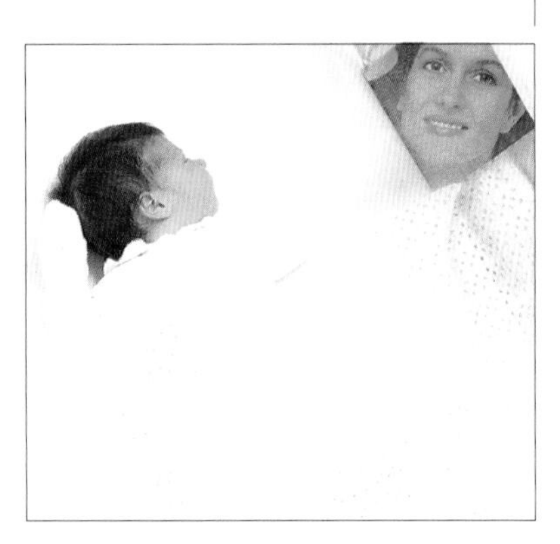

Dormir
Procure que el bebé esté caliente y cubierto, pero no demasiado (véase pág. 123). La foto de un rostro llamará su atención si se despierta.

SUEÑO Y VIGILIA

El bebé recién nacido necesita mucho sueño y lo más probable es que se pase dormido por lo menos el 60 por ciento de su tiempo, a menos que tenga hambre, frío o se sienta incómodo.

El bebé puede quedarse dormido inmediatamente después de alimentarse y a veces incluso mientras se alimenta. Será indiferente a los ruidos como una puerta que se cierra o la radio encendida y, de hecho, los ruidos habituales lo tranquilizarán. Las pautas de sueño de los bebés varían, de modo que si permanece despierto después de alimentarse, no insista en acostarlo.

Es importante que el bebé aprenda a distinguir entre el día y la noche. Cuando se haga de noche, cierre las cortinas y ponga la luz muy baja. Procure que esté caliente y cubierto y, si se despierta por la noche, aliméntelo lo más rápida y tranquilamente posible, sin encender las luces y sin jugar con él. Con el tiempo aprenderá la diferencia entre una toma de alimento nocturna y otra diurna.

¿DÓNDE DEBE DORMIR EL BEBÉ?

Probablemente, le resultará más fácil dejar que el bebé duerma en algo que sea portátil. Durante el día, lo ideal si tiene que conducir es un asiento de coche con asas para transportarlo. Si no tiene coche, lo adecuado es un capazo portátil, tanto de día como de noche, puesto que es móvil y lo puede colocar sobre el chasis de un cochecito para salir de casa. Cuando se haga mayor necesitará una cuna.

Dormir con usted. Al principio, algunos padres optan por dejar que el bebé recién nacido duerma con ellos porque les resulta más fácil alimentarlo por la noche. Ese hábito no debería ser difícil de romper al cabo de un par de semanas. Si duerme con el bebé, déjelo entre usted y su cónyuge para que no se caiga de la cama. No se preocupe, porque no hay riesgo de que, al volverse, caiga sobre el bebé, siempre y cuando no haya tomado alcohol o medicamentos que la hagan dormir muy profundamente.

La habitación del bebé. Preste mucha atención a la temperatura de la habitación del bebé. Los bebés no pueden regular la temperatura de sus cuerpos tan bien como los adultos, y para mantener el nivel adecuado de calor necesitan una temperatura constante, así como suficientes mantas para conservar un calor que no sea excesivo (véase pág. 123). Una tenue luz nocturna encendida le permitirá vigilar a su bebé durante la noche sin despertarlo.

Dormir al aire libre. El bebé dormirá felizmente al aire libre, excepto cuando haga frío, pero envuélvalo bien, vigílelo siempre y no lo coloque directamente bajo la luz del sol; elija una zona sombreada o protéjalo con un toldo. Si hace viento, levante la capucha del cochecito a modo de parabrisas. Coloque una redecilla sobre el cochecito.

Ropa. Hay que cambiar al recién nacido con frecuencia, y mientras duerme puede llevar algo que le permita a usted un acceso fácil al pañal. Lo mejor es un mono o un pijama con abertura en la entrepierna, de modo que no tenga que quitárselo por la cabeza.

Es importante que el bebé no esté demasiado caliente o frío. Con tiempo cálido será suficiente con un pañal y un chaleco. En invierno puede comprobar que está lo bastante caliente tocándole la nuca con la mano. Su piel debe estar más o menos a la misma temperatura que la de usted. Si lo nota demasiado caliente y pegajoso, debe quitarle una manta y dejar que se enfríe un poco.

PROBLEMAS

Si el bebé la despierta con frecuencia por la noche, o llora cuando usted intenta regresar a la cama, experimentará falta de sueño y le será difícil afrontar el día. Es esencial que descanse lo suficiente y debe compartir con su cónyuge la responsabilidad de alimentarlo por la noche; aunque le dé de mamar, algunas noches puede alimentarlo su cónyuge con leche exprimida. Alternativamente, también puede ser su cónyuge quien le traiga al bebé a la cama y luego lo cambie. Si se siente agotada, consiga la ayuda de una amiga o pariente, relaje su rutina, levántese tarde y duerma la siesta.

Anime al bebé a dormir por la noche, cansándolo durante el día con abundantes estímulos: háblele, tómelo en brazos y dele numerosas cosas que mirar. Si se despierta mucho por la noche porque está mojado, use pañales dobles o protectores, y si llora al dejarlo, no regrese inmediatamente a su lado para tomarlo en brazos. Es posible que sea suficiente con mover rítmicamente la cuna, quitarle una manta o cambiarle de posición.

Envolver al bebé puede ayudarle a dormir; la sensación de hallarse estrechamente arropado da a los bebés una gran sensación de seguridad. También es una forma útil de calmar a un bebé angustiado.

ENVOLVER AL BEBÉ

Para envolver al bebé, necesitará un chal o una manta pequeña. Doble por la mitad el chal para formar un triángulo y coloque al bebé sobre él, alineando su cabeza con el borde más largo. Pliegue una punta del chal sobre el bebé y remétala bajo su espalda. Haga lo mismo con la otra punta. Remeta la parte inferior del chal bajo los pies del bebé para mantenerlos cubiertos. Esa manera de envolverlo mantiene los brazos del bebé en una postura cómoda que le da sensación de seguridad, y que puede contribuir a que duerma más tiempo. Si agita los miembros mientras duerme, es menos probable que se despierte si está envuelto.

No a todos los bebés les gusta que los envuelvan, y si al suyo no le gusta no se preocupe. Es seguro envolver al bebé cuando hace frío, pero compruebe su temperatura tocándole la piel. Destápelo enseguida si está demasiado caliente o parece acalorado.

PONER A DORMIR AL BEBÉ

He aquí varias cosas que puede hacer para procurar que el bebé se quede dormido.

- *Durante el primer mes, envuélvalo antes de ponerlo a dormir (véase abajo).*
- *Dele al bebé un alimento de consolación, del pecho o del biberón.*
- *Oscurezca la habitación por la noche.*
- *Con tiempo frío, deje una bolsa de agua caliente en la cuna durante un momento, antes de acostar al bebé, pero no la deje nunca en la cuna.*
- *Cuelgue un móvil musical sobre la cuña para tranquilizar al bebé.*
- *Si no parece que tenga ganas de dormir, acúnelo con suavidad o acaríciele la espalda o las extremidades para tranquilizarlo.*
- *Intente llevarlo de unas correas balanceándolo arriba y abajo; su propia cercanía y los latidos del corazón le ayudarán a quedarse dormido.*

REDUCIR EL RIESGO

Al seguir estos consejos reducirá mucho el riesgo de muerte súbita del bebé.

- *Para dormir, acuéstelo siempre de espaldas.*
- *No fume, no permita que fume nadie en su casa, y evite los lugares con humo.*
- *No deje que el bebé esté demasiado caliente.*
- *Al cubrir al bebé, tenga en cuenta la temperatura de la habitación; cuanto más alta sea, menos mantas y ropa necesitará y viceversa (véase pág. siguiente).*
- *Evite envolverlo demasiado estrechamente, para que el mismo bebé pueda apartarse la ropa si tiene demasiado calor.*
- *Si cree que el bebé no está bien, no vacile en consultar con el médico.*
- *Si el bebé tiene fiebre, no aumente la ropa; redúzcala para que pierda calor.*

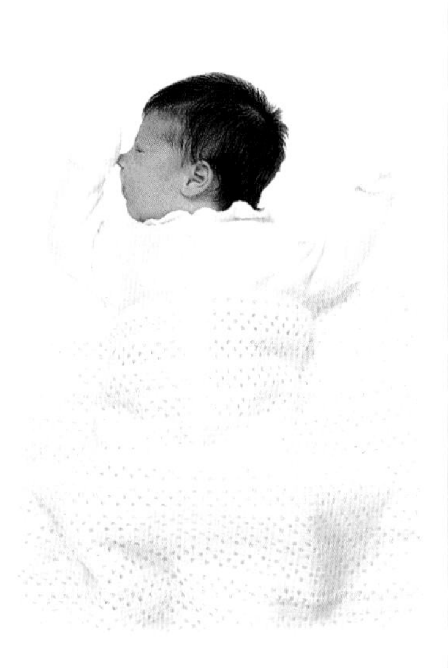

Proteger a su bebé
Lo más importante que puede hacer es poner a dormir al bebé de espaldas. También debe asegurarse de que no está demasiado caliente.

REDUCIR EL RIESGO DE MUERTE SÚBITA

El síndrome de la muerte súbita del niño (SIDS) es la muerte repentina e inesperada de un bebé sin ninguna razón aparente. El índice actual de muertes súbitas en Gran Bretaña es de 1 por 2.000 nacidos. En cifras reales eso supuso la muerte de 344 bebés en 1998, una disminución del 71 % desde 1991.

Las causas son desconocidas y, en consecuencia, no hay consejos que garanticen la prevención. Existen, sin embargo, muchas formas de reducir el riesgo.

Estudios recientes han demostrado que la inmunización reduce el riesgo, así como también que duerma con usted en su habitación por la noche durante los seis primeros meses. Dormirse en el sofá con el bebé incrementa enormemente el riesgo de muerte súbita.

POSICIÓN PARA DORMIR

Uno de los factores de riesgo más cruciales es la posición en la que se deja dormir al bebé. Tradicionalmente, a los bebés se les dejaba dormir de espaldas, y así sucedió hasta la década de 1960, cuando los índices de muerte súbita todavía eran bajos. En la década de 1970, sin embargo, las unidades infantiles de cuidados intensivos para niños prematuros empezaron a acostarlos boca abajo porque les pareció que de ese modo se mejoraba la respiración y se reducía el riego de vómitos; finalmente, la práctica también se extendió a los bebés nacidos a término.

Ya en 1965 se consideró la importancia de la posición en relación con la muerte súbita, pero las pruebas no eran convincentes, y no fue hasta 1986 cuando se compararon los índices de SIDS, cuando quedó claro que ésta era menos común en bebés acostados de espaldas. En esa época y en el Reino Unido, el 93 % de los bebés eran acostados boca abajo.

Desde entonces, investigaciones llevadas a cabo en Nueva Zelanda han demostrado que se producen menos muertes súbitas en los niños acostados de lado, aunque pueden rodar sobre sí mismos y colocarse boca abajo si no tienen apoyo. En consecuencia, la posición más segura para el bebé es acostarlo de espaldas. Algunos dirán que esta posición permitirá inhalar los vómitos, pero no disponemos de pruebas que apoyen esta afirmación.

HUMO DEL TABACO

Una mujer que fuma en el embarazo aumenta el riesgo de la SIDS (al igual que el riesgo de tener un hijo prematuro o bajo de peso). El riesgo aumenta con el número de cigarrillos fumados. El riesgo de la SIDS en bebés nacidos de fumadores es el doble que para bebés nacidos de padres no fumadores, y ese riesgo aumenta tres veces por cada diez cigarrillos diarios.

En el Reino Unido podrían evitarse 365 muertes súbitas al año si todas las madres dejaran de fumar. Los estudios realizados en Estados Unidos sugieren que la exposición de un bebé al humo del tabaco aumenta su riesgo de sufrir una SIDS en un 200 %, riesgo que aumenta mucho más si fuman los dos progenitores.

TEMPERATURA

No cabe la menor duda de que el exceso de calor debido a demasiada ropa, mantas y temperatura ambiental elevada, es un factor de riesgo, ya que la SIDS es más habitual en los bebés sobrecalentados.

Muchos padres abrigan más a sus hijos cuando éstos no se encuentran bien, pero no es eso lo que necesita el bebé. El riesgo de sufrir una muerte súbita aumenta mucho con la temperatura elevada provocada por una infección en bebés de más de diez semanas. Si se impide la pérdida de calor, la temperatura del cuerpo de un bebé inquieto con una infección aumentará en por lo menos 1 °C por hora. El bebé pierde la mayor parte del calor por el rostro, el pecho y el abdomen, por lo que permanecer tumbado de espaldas permite controlar mejor la temperatura del cuerpo.

Las redes protectoras, las pieles de oveja, los edredones y las almohadas antigolpes de las cunas son aislantes del calor y no deben usarse en bebés muy pequeños, ya que impiden la pérdida de calor. No hay necesidad de calentar la habitación del niño durante toda la noche, a menos que haga mucho frío; sólo tiene que procurar que el bebé tenga mantas suficientes (véase abajo). Si tiene un calefactor en la habitación del niño, use un termostato que apagará la calefacción si hace demasiado calor y se vuelve a encender cuando la habitación se enfría.

LA INVESTIGACIÓN CONTINÚA

Aunque se han identificado los factores de riesgo, se desconocen las causas de la muerte súbita. Actualmente se investiga el desarrollo de los mecanismos de control de la temperatura del bebé y su sistema respiratorio durante los seis primeros meses; recientemente se ha descubierto que una deficiencia enzimática heredada puede ser la responsable de un pequeño número de muertes súbitas (aproximadamente un uno por ciento). Un reciente estudio en el Reino Unido relacionó la muerte súbita con el empleo de sustancias químicas que retrasan la combustibilidad de los colchones de las cunas, pero esa conexión no se ha demostrado. Dos tercios de las muertes súbitas se producen habitualmente en invierno.

CONSEGUIR AYUDA

La muerte inesperada de un niño es particularmente dolorosa, pero se puede encontrar apoyo que ayude a los padres a superar el dolor, la desesperación y la culpabilidad.

- *Son muchos los padres que buscan ayuda inmediatamente después de la muerte, a veces en el término de pocas horas, y llaman a las líneas telefónicas de apoyo que ofrecen información y un oyente comprensivo.*
- *A largo plazo, los padres pueden buscar ayuda profesional. En ocasiones es muy valioso el apoyo continuado de un especialista, asistente social o consejero religioso, así que no tema solicitarlo.*
- *A los padres les ayuda el poder hablar con alguien que haya pasado por una experiencia similar, ya sea en grupos de apoyo o en forma individual.*
- *En algunos países existen programas de amistad que continúan mucho después de que se haya interrrumpido la ayuda profesional, y que pueden ser muy valiosos en momentos de dolor particular, como en los aniversarios del nacimiento y muerte del bebé.*
- *Los padres que han perdido a un bebé a causa de la muerte súbita muestran una mayor ansiedad cuando les nace otro bebé. Existen programas de apoyo en los que intervienen padres, comadronas, médicos y asistentes sociales para procurar que el nuevo bebé reciba el mejor cuidado posible.*

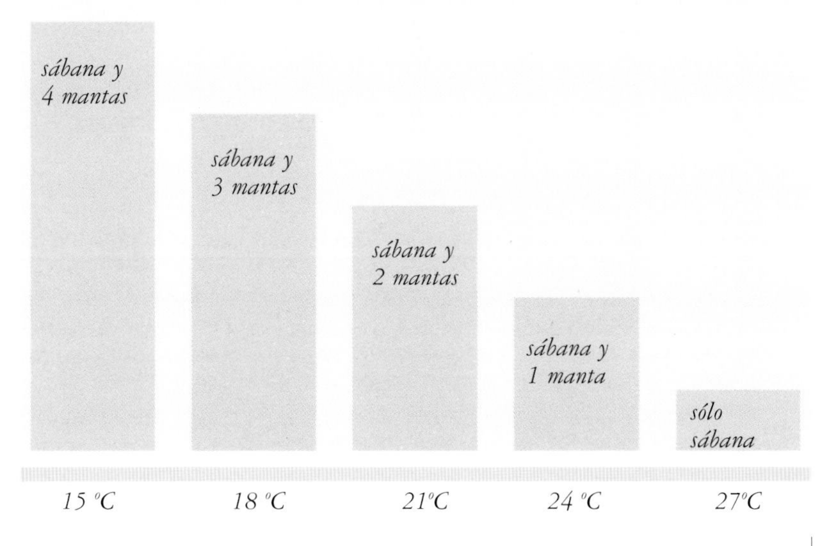

Controlar la temperatura
Tenga un termómetro en la habitación del bebé, de modo que pueda decidir cuántas mantas utilizar en cada momento. A 18 °C de temperatura ambiente es adecuado usar una sábana y tres mantas.

BEBÉ MAYOR

SUEÑO Y VIGILIA

CAUSAS DE LA VIGILIA

He aquí algunas de las cosas que puede hacer si su bebé se despierta durante la noche.

- *Compruebe que el bebé no tiene ni demasiado calor ni demasiado frío (véase pág. 123).*
- *Compruebe que el bebé no se siente incómodo a causa de un pañal sucio o un eritema del pañal.*
- *No se asome continuamente a la habitación para comprobar si se ha dormido.*
- *Si el niño tiene un insomnio repentino, piense en las posibles causas, como un cambio de rutina, una persona nueva que haya a su alrededor, o el hecho de que usted empiece a trabajar. Sea cual fuere la causa, el bebé necesitará de toda su atención.*

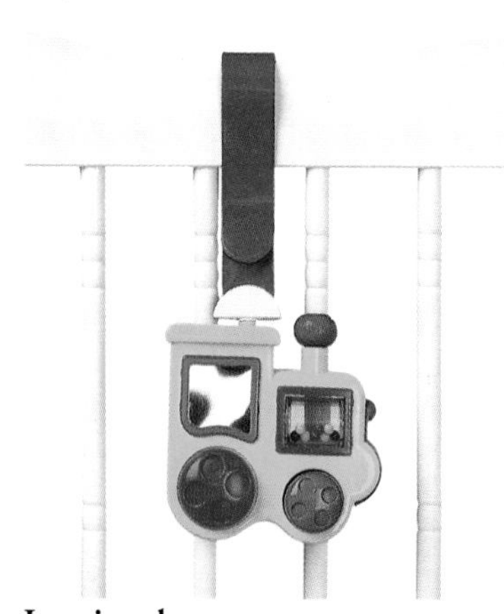

Inquietud
Coloque espejos y juguetes ruidosos en el lado de la cuna para entretener a su bebé inquieto.

Habitualmente, los bebés establecen sus pautas de sueño en los primeros durante meses de vida y si resulta que duerme mucho el primer año, es probable que haga lo mismo en el segundo. En algún momento del primer año dormirá durante toda la noche (aunque en el caso de algunos bebés puede ser más tarde), y una vez que empiece a gatear utilizará tanta energía durante el día que dormirá ininterrumpidamente de 10 a 11 horas diarias. No obstante, es capaz de mantenerse despierto, aunque necesite dormir, con tal de estar en su compañía. Es posible que gimotee y llore, se acalore o se aburra, y luego se sienta tan tenso e infeliz que se le haga imposible conciliar el sueño. Si el bebé se muestra pesado e insomne y parece no sentirse seguro, el mejor tratamiento para él es usted. Quédese con él, sosténgalo cerca de usted, acúnelo, cántele, tranquilícelo y camine arriba y abajo con él hasta que tenga la sensación de que no lo dejará y esté seguro de su compañía. Es posible que tarde media hora, pero habitualmente se quedará dormido en sus brazos en unos diez o quince minutos, y luego podrá dejarlo en la cama.

BEBÉS DESPIERTOS

No cabe la menor duda de que algunos bebés necesitan dormir poco. Los bebés despiertos, como suelo llamarlos, son habitualmente brillantes, curiosos, inteligentes y muy afectuosos. Aprovechan rápidamente el hecho de que está usted presente durante toda la noche y pueden llamar su atención con llantos o llamándola. Estoy firmemente convencida de que no debe ignorarse el llanto de un niño. Un bebé al que se deja llorar aprende rápidamente que los adultos no responden a sus llantos que reclaman ayuda y amor. Dejará de pedir atención y es posible que se vuelva solitario y retraído. Intente no alterarse por el hecho de que el bebé esté despierto; demuestra su sociabilidad e inteligencia porque aprende continuamente, y verá como será un amigo muy considerado cuando sea mayor. Si el bebé se despierta antes de que usted se acueste, intente llevarlo consigo durante un rato, o póngalo en una silla plegable para que se pueda cansar.

Soluciones. A menudo, los bebés despiertos necesitan diversión, de modo que en cuanto el bebé pueda sentarse, deje en la cuna algunos de sus juguetes blandos preferidos. Póngale un espejo en el lado de la cuna, de modo que pueda mirarse en él y hablar consigo mismo. La presencia por encima de la cuna de un móvil que emita sonidos puede fascinar al bebé durante largo rato.

Yo tuve dos bebés despiertos y me vi obligada a recurrir a medidas extremas para lograr dormir yo misma. Monté un camastro junto a la cuna del bebé y cada vez que se despertaba en plena noche, lo tranquilizaba, de modo que se volvía a dormir sin apenas despertarse. Eso impedía que se alterara con un acceso de llanto.

Si el bebé sólo gimotea, no se levante en seguida, porque es posible que se quede nuevamente dormido sin necesidad de que usted acuda.

No obstante, si el gimoteo se convierte en verdadero llanto, debe acudir a verle. Lo primero que debe hacer es hablarle suavemente, al tiempo que le acaricia la espalda. Si eso no funciona, tiene que levantarlo para tranquilizarlo un rato y luego dejarlo en la cuna y sàlir de la habitación. Si continúa llorando, quizá sea mejor que regrese cada pocos minutos para calmarlo. En tal caso, intente calmarlo sin levantarlo, moviendo suavemente la cuna o hablándole.

RUTINAS PARA IRSE A LA CAMA

A medida que el bebé se hace mayor, necesitará más de su atención en el momento de irse a la cama, y probablemente habrá que emplear alguna rutina que necesite para quedarse dormido, como contarle un cuento, cantarle una canción o participar en alguna clase de juego suave. Haga todo lo que pueda por conseguir que el bebé se calme y esté tranquilo y feliz antes de dormirse. Si fuera necesario, pase por alto una reprimenda por alguna travesura menor; no querrá que el niño tenga que irse a la cama sintiéndose lloroso y alterado.

No hay nada de mágico en las habitaciones o las cunas. Usted es su compañero de juegos favorito y él se sentirá más feliz si se va a dormir en su compañía. Si tiene energía suficiente, déjelo en su compañía hasta que se duerma, acurrucado en el sillón, a su lado, o colóquese una almohada sobre las rodillas, en el sofá y deje que se quede dormido con la cabeza apoyada en su regazo. En cuanto se haya quedado dormido, puede llevarlo a su cuna y en lugar de un niño solitario metido en su habitación, alterado y sin dejar de llamarla, tendrá un niño seguro de sí mismo y tranquilo que probablemente dormirá durante toda la noche.

Hábitos reconfortantes. Es posible que su hijo se acostumbre a un objeto reconfortante, como una muñeca, un pequeño pañuelo o un trozo de manta desgarrada. Sea cual fuere el objeto, no se lo quite y no intente cambiárselo. Quizá observe que hábitos tales como moverse rítmicamente, chuparse el pulgar, retorcerse el cabello o frotarse el labio superior se conviertan en parte de la rutina para irse a la cama. No hay nada de malo en eso. El uso de una acción reconfortante que le ayude a dormir le permite emplear sus propios recursos internos y cobrar confianza en sí mismo. A su debido tiempo abandonará esos hábitos.

CÓMO CAMBIA LA SIESTA

Algunos bebés duermen durante toda la noche desde el principio, y otros no. Por regla general, cuando más activo sea el niño, tanta más energía empleará y más profundamente dormirá, con el sueño dividido entre siestas diurnas y las horas nocturnas.

Cuando el niño haya crecido, el sueño nocturno suele ser ininterrumpido y las siestas son bastante regulares, con una por la mañana y otra por la tarde durante períodos de tiempo que pueden variar.

Más adelante, el bebé cambiará los momentos de la siesta; dejará de dormir por la mañana y lo hará después del mediodía y quizá también hacia las 15.30 o las 16.00 horas antes de quedarse dormido por la tarde, hacia las 19.00 horas. Pero cada día puede ser diferente.

Haga caso de las señales de su hijo cada vez que esté dispuesto a dormir; no intente imponerle horarios para dormir la siesta. Y procure descansar usted también cuando duerme el niño; de ese modo, ambos habrán recargado las pilas cuando se despierten.

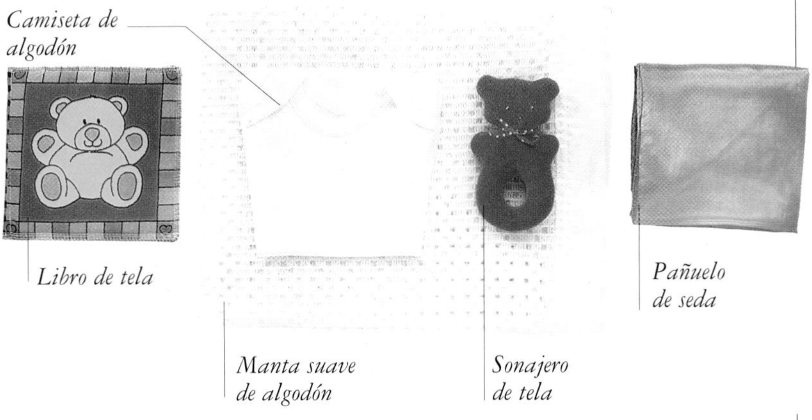

Camiseta de algodón

Libro de tela

Manta suave de algodón

Sonajero de tela

Pañuelo de seda

Objetos de seguridad
El niño puede emplear un objeto reconfortante como un juguete blando o una manta como medio de ayuda para quedarse dormido. Eso es bastante normal y no debe intentar quitárselo o cambiárselo.

NIÑO PEQUEÑO

SUEÑO Y VIGILIA

Muchos niños de dos años se despiertan periódicamente durante la noche. Si su hijo es uno de ellos, la situación puede ser agobiante para usted y su cónyuge, pero es habitual y normal, y no debe negarle nunca a su hijo amor, consuelo y afecto. Es posible que exista algún problema claro pero a menudo no logrará encontrar ninguna razón que explique por qué se ha despertado su hijo. Quizá se deba a que tiene un poco de miedo a la oscuridad, pero no sabe explicarle lo que le pasa, y usted tampoco puede tranquilizarlo con palabras. Tendrá que consolarlo con acciones, así que déle muchos besos y abrazos para demostrarle que lo quiere.

Siesta durante el día. A medida que el niño se hace mayor verá que no desea dormir necesariamente la siesta, pero sí necesita un descanso. Intente convertir eso en una rutina, tanto si el niño duerme como si no, tocando algo de música o leyendo, por ejemplo. Quizá el niño se quede durmiendo la siesta si usted le permite, como tratamiento especial, dormir en su cama, o si le da alguna idea de cuánto tiempo durará la siesta; una forma de hacerlo es ponerle su cinta musical preferida y decirle que la siesta habrá terminado cuando termine la cinta.

DE LA CUNA A LA CAMA

Cuando el niño sea lo bastante fuerte y sus movimientos sean lo bastante bien coordinados como para bajarse de la cuna y entrar en su habitación, habrá llegado el momento de empezar a usar una cama. A la mayoría de los niños les agradará y se sentirán excitados ante una cama nueva, pero si su hijo parece ponerse nervioso, puede hacer muchas cosas por ayudarlo (véanse págs. 128-129); la más sencilla consiste en dejar que duerma la siesta en la cama nueva hasta que esté listo para usarla por la noche. Si le preocupa que se caiga de la cama, puede colocar una protección de almohadas a uno o ambos lados.

LEJOS DEL HOGAR

Es bastante razonable que el niño se sienta asustado o se niegue a acostarse en una cama extraña cuando se queda en casa de unos amigos o de la abuela, por ejemplo, y cuando ustedes salen de vacaciones.

- *Convierta la nueva cama en una zona de juegos: deje muchos juguetes en la cama y permita que su hijo tome bebidas y alimentos en ella, de modo que la asocie rápidamente con experiencias placenteras.*
- *Demuéstrele a su hijo que se encuentra usted cerca. Deje que le llame y contéstele, para que sepa que no está lejos.*
- *Si se asusta y se niega a usar la cama, no lo ridiculice, no le obligue a acostarse, no lo deje a solas y no cierre la puerta. Eso no hará sino empeorar las cosas, de modo que concédale un respiro.*
- *Intente decirle que como es un niño tan mayor que ya es capaz de usar una cama nueva, puede recibir algo especial, como un cuento nuevo al acostarse, o diez minutos sentado en sus rodillas viendo la televisión.*

Siestas
Durante el día observe a su hijo para ver si muestra señales de mal temperamento o de inquietud y procure que descanse o que participe en un juego tranquilo.

ES AGRADABLE IRSE A DORMIR

A partir de los tres años, el niño puede emplear tácticas dilatorias para retrasar el momento de irse a la cama. Su forma de manejar la situación dependerá realmente de la energía de que disponga al final del día y de la rutina que haya empleado hasta entonces.

Si ha cuidado de su hijo y se ha ocupado de las tareas de la casa durante todo el día, necesitará de un momento de intimidad y quizá se sienta con ánimos para insistir en que se vaya a la cama. Por otro lado, si ha estado fuera de casa trabajando todo el día, deseará ver a su hijo y quizá se muestre muy comprensiva con sus ruegos de atención.

Si ha seguido siempre una rutina estricta a la hora de irse a la cama, y el niño se aparta repentinamente de ella, quizá sea mejor para ambos reimplantar con firmeza la hora de irse a la cama, pero siempre con una actitud cariñosa. Pero si se ha mostrado hasta entonces flexible en la hora de irse a la cama, probablemente sea más conveniente para la felicidad de su hijo y para su propia serenidad permitirle que se quede con usted y ponerse cómoda. Se quedará dormido en pocos minutos.

TRANQUILIDAD A LA HORA DE ACOSTARSE

Estoy convencida de que en el momento de irse a la cama debe ser feliz y con mis propios hijos siempre estuve dispuesta a hacer concesiones para que así fuera. Hacía cualquier cosa con tal de evitar que se acostaran sintiéndose desgraciados. Hacía todo lo que podía para que no lloraran y mientras que durante el día castigaba una pequeña travesura, la pasaba por alto a la hora de acostarse para que mi hijo no se acostara con el sonido de la voz enojada de uno de sus progenitores.

Si tiene más de un hijo, deje que disfruten del momento de irse a la cama en la misma habitación. La compañía es tranquilizadora y ver a un hermano o hermana en pijama al mismo tiempo permite al niño sentir que el momento de dormir es tan feliz como cualquier otro, aunque al niño mayor se le permita quedarse despierto un rato más. Mientras alcanzan una edad en la que empiecen a necesitar una mayor intimidad, es una buena idea dejar que compartan un mismo dormitorio.

TEMOR A LA OSCURIDAD

A medida que el niño se hace mayor y su imaginación se hace más fértil, resulta muy fácil imaginar cosas aterradoras en las sombras. El temor a la oscuridad es completamente normal, y hasta los adultos lo conservan. Deje una luz encendida en la habitación, o en el exterior, con un interruptor regulador de la luminosidad, para que el niño pueda ver hasta llegar al cuarto de baño si lo necesita, o hasta la habitación de usted si está asustado. (Si utiliza una luz por la noche, procure que no arroje sombras que asusten.) No insista nunca en dejarle el dormitorio totalmente a oscuras y no ridiculice nunca su temor; es en realidad una señal de que el niño crece y aprende sobre el mundo que le rodea. Dígale que si se despierta por la noche y tiene miedo, siempre puede acudir a su lado para recibir un abrazo.

PREESCOLAR

INTIMIDAD

A partir de los dos años puede enseñarle a su hijo a mantenerse dentro de su propio espacio, pero el pequeño estará abierto al razonamiento a partir de los tres años. Aprenderá que tiene la responsabilidad de no perturbarla irreflexivamente sólo porque le apetece.

Enseñarle a respetar la intimidad de sus padres es mucho mejor que expulsarlo de su dormitorio, algo que nunca debe hacer. Estimulará un comportamiento maduro al proporcionarle su propio espacio íntimo, que sólo sea suyo, en el que guarde todas sus pertenencias y donde encuentre todas sus cosas favoritas. Los niños responden muy rápidamente a la idea de intimidad, sobre todo si se les ofrece un espacio íntimo y propio que deben mantener ordenado, del que puedan sentirse orgullosos, y al que puedan acudir si desean estar tranquilos y jugar a solas.

Puede usted afirmar esa sensación de intimidad al indicarle siempre a su hijo que ciertas cosas le pertenecen: este es su libro, su juguete, su vestido, y todo ello debe ocupar un lugar adecuado. De ese modo, el niño se familiarizará con sus pertenencias y sabrá dónde encontrarlas. A la edad de cuatro años tendrá la madurez suficiente para darse cuenta de que si él tiene sus propias cosas, usted también tiene las suyas y del mismo modo que no desea que nadie le toque sus cosas, tampoco él debe tocar las de sus padres.

NOMBRE	*Rachel Freiman*
EDAD	*28 años*
HISTORIAL MÉDICO	*Nada anormal*
HISTORIAL OBSTÉTRICO	*Una niña, Hella, de tres años. Embarazada de tres meses de un segundo hijo*

Hay varias formas de atraer a un niño para que pase de la cuna a la cama, pero la que produce menos lágrimas es aquella que implica un poco de preparación, de modo que es mejor planificar con unos pocos meses de anticipación. Rachel y su esposo Zac decidieron trasladar a una cama a su hija Hella, de tres años, cuando Rachel estaba embarazada de tres meses de su segundo hijo, y su decisión se vio influida tanto por la necesidad de disponer de espacio extra, como por la edad de Hella.

UN CASO DE ESTUDIO

DE LA CUNA A LA CAMA

A Rachel y a Zac no les pareció práctico que Hella compartiera la habitación con el bebé que esperaban, y tampoco querían que se ofendiera por haber sido expulsada de su dormitorio para dejar espacio al recién llegado. Decidieron efectuar el cambio al mismo tiempo: una habitación y una cama nuevas, antes de que llegara el bebé, para que no hubiera nada de extraño. Según Rachel, «retrospectivamente, eso podría parecer demasiado cambio, porque aunque a Hella le entusiasmaba su habitación nueva, no dejaba de ser un ambiente con el que estaba poco familiarizada y eso hizo que tuviera más dificultades para dormir por la noche».

Rachel y Zac hicieron participar a Hella todo lo posible; le permitieron elegir los colores de su nueva habitación, y la llevaron de compras para que eligiera el edredón de Minnie Mouse, una forma inteligente de entusiasmarla con su cama nueva. Si no necesita un edredón nuevo, es igualmente efectivo ofrecerle un juguete al niño, como un osito de peluche o una muñeca que «viva» en la cama. Eso hará que se sienta más segura.

POCO A POCO

Rachel y Zac permitieron que Hella practicara un poco en la nueva cama, lo que es una buena idea. Según Zac, «le escondíamos un pequeño juguete bajo el edredón y luego dejábamos que lo encontrara. Dos semanas antes de lo previsto para el traslado, empezamos a dejarla que durmiera la siesta en su nueva cama, un buen consejo que Rachel recibió de otra madre. Como Hella dormía la siesta, se acostumbró a su cama sin complicaciones a los temores nocturnos.

»Creo que fue una buena idea hacerlo gradualmente, porque los niños pueden experimentar temores que los adultos ni siquiera imaginamos. Una de las cosas nuevas que compramos para la habitación de Hella fue un despertador Mickey Mouse, que hacía juego con el edredón. La segunda noche que pasó en su nueva cama, la oímos llorar y acudimos enseguida. Estaba aterrorizada y dijo que allí había un hombre. Le aseguramos que no había nadie, pero ella insistió y dijo que escuchaba sus pasos con toda claridad. Afortunadamente, Rachel la tomó en serio y llegó a la conclusión de que lo que escuchaba era el fuerte tictac del reloj.»

Aunque Rachel y Zac sacaron el reloj de la habitación, Hella se negó a pasar el resto de la noche en su habitación. Las cosas fueron mejor a la noche siguiente, aunque durante las dos semanas siguientes hubo ocasiones en que mojó la cama. Parece ser que eso formó parte del proceso de adaptación, ya que no lo ha vuelto a hacer desde entonces.

«Es difícil ver las cosas desde el punto de vista de un niño –explica Zac–, pero supongo que debe ser terrorífico encontrarse en una cama tan grande en medio de una nueva habitación. Al principio pensé que Rachel exageraba cuando dijo que prepararía a Hella para el traslado, pero a la vista de la experiencia me doy cuenta de que tenía razón.»

¿Cuándo es el momento adecuado?

No hay reglas fijas a la hora de decidir cuándo es el momento adecuado para efectuar el cambio. En general, es mejor hacerlo entre los dos años y medio y los tres años y medio, aunque eso depende considerablemente del temperamento del niño y de sus propias circunstancias personales; como en el caso de Rachel y Zac, es posible que no tenga usted otra alternativa, o que el niño crezca tanto que deje la cuna pequeña y se niegue a seguir durmiendo en ella. Un niño capaz de bajarse por sí solo de la cuna puede hacerse daño y es más seguro ponerlo en una cama baja que correr el riesgo de que se caiga desde lo alto de los barrotes de la cuna.

Tenga en cuenta que una vez que el niño se acueste en una cama, podrá bajarse de ella e investigar los rincones y recovecos de su habitación al despertarse por la mañana. Eso significa que será aconsejable considerar de nuevo las medidas de seguridad para que un niño no vigilado no pueda hacerse ningún daño.

Si espera otro bebé, como en el caso de Rachel y Zac, no cambie al niño de habitación o de la cuna a la cama cuando llegue el nuevo bebé, ya que eso no hará sino estimular los celos. Como sucede con todo lo demás, es mejor dar tiempo al niño para adaptarse a la nueva idea y hacerlo participar en los preparativos siempre que sea posible.

A menos que se vea obligada a trasladar al niño, no vale la pena intentar forzar el tema. Aunque algunos niños desean abandonar la cuna lo antes posible, otros necesitan un poco más de tiempo y de persuasión. Si falla todo lo demás, atraiga al niño hacia la cama metiéndose en ella usted misma; los niños suelen sentir curiosidad por lo que hacen sus padres y no tardará en imitarla.

Efectuar una transición suave

Ayude a su hijo a efectuar el cambio a una cama grande recreando un ambiente seguro, como el que tenía cuando dormía en la cuna. Si el niño se asusta o no se queda dormido, lo que significa que usted tampoco dormirá, vale la pena prepararlo para el cambio. Empiece por procurar que el cambio sea positivo y atractivo, como hicieron Rachel y Zac.

Dígale a su hija que ahora ya es una niña mayor, y que tiene mucha suerte al poder dormir en una cama grande «como mamá y papá». Coloque allí muchos de sus juguetes preferidos y considere la idea de instalar una luz nocturna o dejar abierta la puerta de la habitación para que pueda ver la luz del rellano. Si le ayuda a tranquilizarse, póngale música mientras se duerme.

Una vez que haya acostado al niño, no cometa el error de desaparecer de repente, ya que eso lo intranquilizará y quizá tenga que volver en seguida. En lugar de eso, asegúrese de que está cómodo, cántele una canción o léale un cuento, déjele un vaso de agua junto a la cama y un orinal si fuera necesario, y luego dele las buenas noches más de una vez, sin cerrar la puerta, para que él sepa que usted sigue allí.

Si el niño no cambia de habitación, ponga la nueva cama en su dormitorio habitual, antes de efectuar el cambio, para que se familiarice con ella. A algunos niños les asusta la posibilidad de caerse de la nueva cama porque no tiene barreras. Si eso fuera un problema, coloque barreras temporales con unas pocas sillas cerca de la cama, o con una hilera de almohadones entre el niño y el borde de la cama.

NOMBRE	*Hella Freiman*
EDAD	*3 años*
HISTORIAL MÉDICO	*Achaques infantiles menores. El control del intestino y de la vejiga es ahora casi completo; se pone braguitas de entrenamiento por la noche*

BEBÉ PEQUEÑO

LLANTO Y CONSUELO

NIÑOS QUE LLORAN

La cantidad de llanto y las razones para llorar son diferentes en los niños y en las niñas.

- *Las niñas son menos vulnerables que los niños a la tensión en el momento de nacer y es menos probable que lloren.*
- *Un estudio ha demostrado que las niñas son menos irritables a la edad de tres semanas y que, por tanto, lloran menos que los niños.*
- *Ante las situaciones nuevas, las niñas lloran menos que los niños.*
- *Las madres suelen prestar una atención especial a las niñas que lloran mucho.*

Todos los bebés lloran bastante, y lo mismo le sucederá al suyo, así que esté preparada para ello. Habrá momentos en que las razones del llanto serán evidentes: tiene hambre, demasiado calor o frío, está aburrido o incómodo debido a un pañal húmedo o sucio, o simplemente desea su afecto y contacto. Una de las razones del llanto que los padres suelen pasar por alto es el deseo de dormir. Recuerdo que trataba de consolar a mi hijo recién nacido de todos modos antes de que se me ocurriera que quizá sólo deseaba que lo dejara a solas para dormir.

Los bebés muy pequeños lloran cuando se les molesta, cuando son manejados bruscamente, como en el momento de bañarlos, o cuando reciben un susto, como al sentir que se les va a dejar caer, o escuchar un ruido fuerte o ver una luz demasiado brillante. Un bebé de dos semanas siempre responde a la seguridad de verse firmemente envuelto en un chal o sostenido en unos brazos fuertes y seguros. Una vez que haya investigado el llanto del bebé, no se preocupe demasiado, ya que el llanto es prácticamente su única forma de comunicarse.

Reconocer los diferentes llantos. A las pocas semanas distinguirá entre los diferentes llantos que significan que el bebé tiene hambre, está inquieto porque se siente aburrido, desea que lo pongan a dormir o que lo abracen. El bebé también aprende acerca de usted y de cómo comunicarse . Llora por necesidad y usted responde dándole lo que desea.

RESPONDER A SU BEBÉ

Creo que debe usted responder con bastante rapidez al llanto del bebé. Si no lo hace así, el bebé tiene la misma sensación que experimentaría usted si ignoraran su presencia durante una conversación. Numerosas investigaciones han demostrado que el bebé se ve afectado por su forma de responder ante su llanto. Por ejemplo, las madres que responden con rapidez ante el llanto suelen tener hijos con habilidades de comunicación más avanzadas, incluidos el habla y el comportamiento hacia el exterior. Los bebés que son ignorados lloran con más frecuencia y durante más tiempo en el primer año que los bebés atendidos con rapidez. Parece ser que las madres inducen a sus hijos a seguir una pauta persistente de llanto porque no responden con la suficiente rapidez, con lo que se crea un círculo vicioso en el que el bebé llora, la madre no responde, el bebé llora más y la madre se siente menos inclinada a actuar. Una respuesta sensible por parte de usted promueve la seguridad en sí mismo y la autoestima en la vida

Comunicación
El bebé sólo puede dar a conocer sus necesidades mediante el llanto, de modo que procure responder siempre.

de adulto. Algunas madres creen que responder siempre supone consentir a sus hijos, pero lo cierto es que un bebé pequeño tiene una capacidad ilimitada para absorber amor y no hay forma de que usted lo consienta con la atención suficiente durante el primer año.

ACCESOS DE LLANTO

La mayoría de bebés sufren accesos de llanto. A menudo se producen a últimas horas de la tarde o primeras horas de la noche, cuando el bebé puede llegar a llorar durante media hora. Si sufre un cólico (véase pág. 133), los accesos de llanto pueden durar hasta dos horas. Hubo un tiempo en que las madres decían que el niño necesitaba de este ejercicio para desarrollar pulmones sanos y que por lo tanto podían dejarlo llorar. Eso es una tontería: debe intentar consolar siempre a un bebé durante un acceso de llanto. Una vez que el niño establezca una pauta de accesos de llanto, ésta puede durar varias semanas. Es comprensible, ya que es la forma que tiene el bebé de adaptarse a estar en un mundo muy diferente al que experimentó dentro del útero. Cuanto más sensible sea su respuesta ante el llanto, tanto más rápidamente se adaptará él a su nuevo estilo de vida; cuanto antes se adapte usted a los gustos y aversiones de su hijo, antes desaparecerán los accesos de llanto.

LLANTO NOCTURNO

No cabe la menor duda de que a los padres les resulta difícil soportar los accesos de llanto, sobre todo si se producen por la noche. No se sienta frustrado porque el niño no responda a sus intentos por calmarlo. Si no funciona caminar arriba y abajo, cantarle canciones, envolverlo o acunarlo, puede sacarlo a dar un corto paseo en coche; el suave movimiento bamboleante del coche puede hacerlo dormir.

Durante la noche, el llanto hará que usted se sienta impaciente y, en el peor de los casos, dispuesta a hacer lo que sea con tal de que el bebé deje de llorar. Esos sentimientos son normales, así que no se asuste ni se ponga tensa, ya que en tal caso el llanto no haría sino empeorar. Cuando mi bebé de cinco días estuvo llorando insistentemente durante la noche, llegué a pensar en arrojarlo contra la pared con tal de que callara. Naturalmente, no hice tal barbaridad, pero es bastante normal llegar a pensar esas cosas; en realidad, lo anormal habría sido no pensarlas.

¿POR QUÉ LLORA TANTO EL BEBÉ?

Las investigaciones han demostrado que el bebé puede llorar a pesar de todos sus esfuerzos por consolarlo, al margen de que sienta o no alguna incomodidad. Por ejemplo, los bebés de madres a las que se ha sometido a anestesia general durante el parto, o que han tenido un parto con fórceps tienden a llorar más en las primeras semanas de vida. De modo similar, los bebés nacidos después de un parto prolongado es más probable que duerman a intervalos relativamente breves, y que lloren mucho entre medias. No cabe la menor duda de que una madre comunica su estado de ánimo al bebé, de modo que si se siente tensa, irritable e impaciente, el bebé lo percibirá y llorará. Hay diferencias individuales y raciales entre los bebés. Algunos lloran una cantidad de tiempo diferente aunque se les ofrezca la misma clase de cuidados y atención. Los investigadores han observado que los bebés chinoamericanos lloran menos que los europeoamericanos.

NIÑOS QUE LLORAN

Los niños también se diferencian de las niñas en cuanto a sus razones para llorar, así como en la forma de responder a los intentos por tranquilizarlos.

- *Los niños suelen beneficiarse de una rutina regular, y si está se ve perturbada recurren a menudo al llanto.*
- *Los niños suelen necesitar más tiempo para adaptarse a situaciones nuevas, y lloran si son presionados.*
- *Un mayor número de niños que de niñas son considerados como difíciles, pero los estudios demuestran que el niño «difícil» no lo es más que cualquier otro a la edad de dos años, sobre todo si los padres trabajan para consolarlos y hacerlos felices.*
- *Para sentirse felices, los niños parecen necesitar más que las niñas una pronta respuesta por parte de los padres, y lloran con facilidad si no cuentan con la atención y el amor de los padres.*
- *Las madres de los niños suelen prestar menos atención extra y abrazos al bebé que llora mucho porque desean, erróneamente, que el niño sea duro.*

Llanto del recién nacido
Muchos recién nacidos lloran bastante al principio, pero se tranquilizan al cabo de pocas semanas.

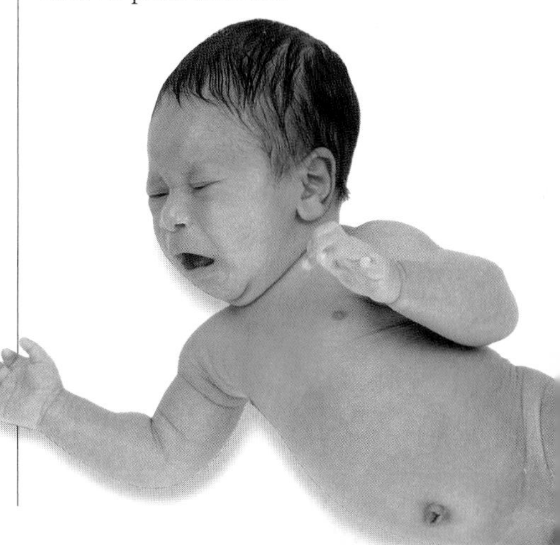

Chupetes

Los bebés nacen con un reflejo de succión, sin el que no chuparían ni se alimentarían. Me parece importante permitir que los bebés satisfagan su deseo de chupar.

A algunos bebés les gusta chupar más que a otros; yo tuve uno que deseaba chupar todo el tiempo, tanto si tenía hambre como si no. Con mis cuatro hijos utilicé la táctica de meterles el pulgar en la boca, para que chuparan y se tranquilizaran por sí solos. Pero al mismo tiempo no veo nada de erróneo en el uso de chupetes como consoladores, aunque los recién nacidos no suelen aceptar el chupete con facilidad.

Mientras el bebé es muy pequeño, el chupete debe esterilizarse exactamente del mismo modo que esteriliza las tetinas y los biberones. Una vez que haya destetado al bebé y que este empiece a usar los dedos para alimentarse, no sirve de nada esterilizar los chupetes, y todo lo que necesitará es un lavado y enjuague cuidadosos.

Tenga varios chupetes, de modo que se puedan intercambiar cuando se ensucien o resulten dañados.

Tranquilizar al bebé

Hay numerosos remedios para tratar de tranquilizar y consolar al bebé que llora. Por regla general, la mayoría de bebés responden al movimiento y al sonido, de ahí la efectividad de sacarlos a pasear en el coche, cuyo movimiento y el ronroneo continuo del motor suele tranquilizarlos bastante. Probablemente, cualquiera de los siguientes movimientos o sonidos será tranquilizador para el bebé:

- Un movimiento de balanceo, ya sea de usted mismo, de una mecedora, una cuna o un columpio.
- Caminar o bailar con el énfasis puesto en el ritmo, puesto que eso le recuerda el tiempo en que era llevado de un lado a otro en el útero.
- Acunarlo en los brazos o en la cuna.
- Llevarlo de un suspensor.
- Cualquier forma de música, siempre que sea rítmica y no demasiado fuerte; en el mercado encontrará cintas especialmente grabadas para dormir.
- Un juguete ruidoso que el bebé pueda agitar o traquetear.
- Un ruido continuo y habitual del hogar, como el de la lavadora.
- Su propia voz que le canta, especialmente una nana.

Comprender la causa

Tiene que aprender a captar las señales de su hijo y comprender sus necesidades y deseos. Una vez que reconozca el llanto del bebé tiene que responder al mismo, pues si no lo hace llorará más. Mire, escuche y trate de interpretar lo que intenta decirle a través de su comportamiento. A medida que conozca al bebé aprenderá a comprender lo que realmente quiere decirle. Si sabe, por ejemplo, que tiene hambre, no retrase el momento de darle de comer por querer darle antes un baño simplemente por seguir su rutina. De vez en cuando tiene que ignorar las rutinas para responder al llanto del bebé.

Hay toda clase de señales de pequeñas incomodidades a las que debe estar alerta. Cuando el bebé tenga un resfriado, por ejemplo, se le puede obturar la nariz dificultándole la respiración y el alimentarse al mismo tiempo, así que tendrá hambre, se sentirá frustrado y casi seguro que se pondrá a llorar.

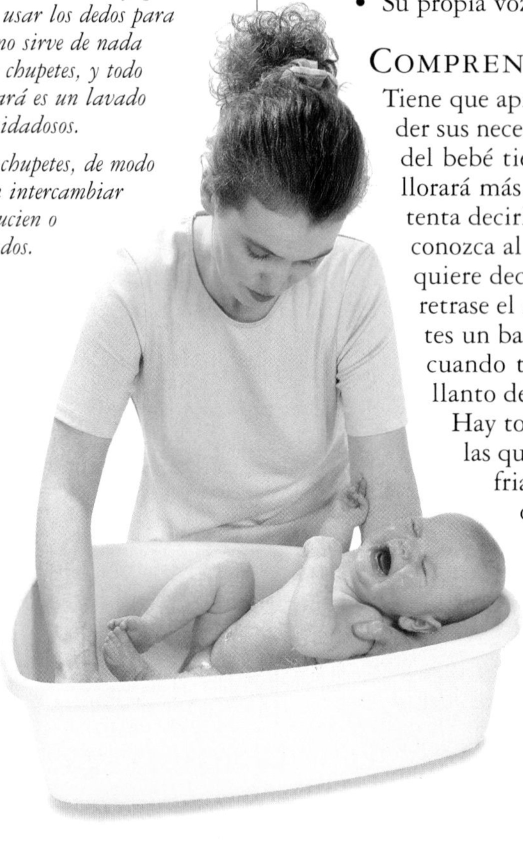

Desnudarlo
Muchos bebés pequeños lloran cuando se les da un baño porque detestan notar su piel expuesta al aire.

Causas del llanto	Qué hacer
Hambre. *El llanto del hambre es casi siempre el primero que reconoce una madre y es la razón más habitual por la que llora un bebé. Raras veces llora después de ser alimentado. Al bebé le encanta la sensación del estómago lleno, más que la de ser sostenido en brazos o chupar.*	*Alimentarlo cuando se lo pida. Si tiene un bebé que desea chupar todo el tiempo, no necesita alimentarlo; limítese a darle una biberón de agua hervida y enfriada. Utilice un chupete, sosteniéndoselo en la boca si fuera necesario, de modo que pueda chuparlo.*
Cansancio. *Hasta que no se acostumbran a su nuevo mundo, los bebés lloran cuando están cansados y se necesita ser muy observador para darse cuenta de ello y ponerlos a descansar.*	*Deje al bebé en un lugar donde esté tranquilo y caliente. También ayuda el envolverlo bien antes de ponerlo a dormir en la cuna.*
Falta de contacto. *Algunos bebés dejan de llorar en cuanto los toman en brazos porque lo que desean es ser abrazados. Los bebés criados en culturas donde son llevados constantemente a la espalda o de un colgante, raras veces lloran.*	*Tome siempre al bebé en brazos en cuanto llore. Llévelo de un lado a otro envuelto en un chal o sujeto con un colgante. Coloque el vientre del bebé sobre su regazo y dele un suave masaje de espalda.*
Susto. *Un movimiento brusco, un ruido repentino o una luz brillante asustan al bebé. Si los juegos físicos son fuertes, también pueden llorar.*	*Sostenga al bebé cerca de sí, acúnelo con suavidad y cántele algo. Evite los movimientos bruscos, los ruidos y las luces brillantes.*
Desvestirlos. *A la mayoría de bebés les disgusta que los desnuden, ya que eso supone que sus cuerpos tienen que realizar movimientos a los que no están acostumbrados y que no son cómodos, y al mismo tiempo ven expuesta su piel al aire. Moverlos repentinamente los hace temerosos.*	*Desnude al bebé lo menos posible durante las primeras semanas, y manténgalo envuelto o cubierto con una toalla a medida que le quita la ropa. Mientras lo desnuda, no deje de hablarle suavemente para tranquilizarlo.*
Temperatura. *Los bebés suelen llorar si notan demasiado calor o demasiado frío. También lloran si un pañal húmedo o sucio se enfría o si sufren a causa de un eritema del pañal.*	*Mantenga la habitación del bebé entre los 16 y los 20 °C, y cúbralo con las mantas que se indican en la página 123. Quítele mantas y ropa si el bebé tuviera demasiado calor, o añada otra capa de ropa si tuviera mucho frío. Cámbiele el pañal si fuera necesario.*
Dolor. *Una infección de oído, un cólico o cualquier otra fuente de dolor puede hacer llorar al bebé. Si le duele el oído, quizá se lo golpee con el puño; si es un cólico puede contraer las piernas contra su abdomen.*	*Sostenga al bebé cerca de usted, acúnelo y háblele tranquilizadoramente. Si descubre la fuente del dolor, como por ejemplo el imperdible de un pañal, quítesela inmediatamente. Si el bebé parece estar enfermo, consulte en seguida con el médico.*

Cólico

El cólico describe accesos de llanto inexplicables y recurrentes que suelen producirse a última hora de la tarde o por la noche, pero que pueden darse a cualquiera hora. El llanto puede ser muy intenso y breve o prolongarse durante horas y no suele calmarse con los remedios habituales. El rostro del bebé enrojece intensamente, las piernas se encogen hacia el abdomen y aprieta los puños. El cólico no se debe al dolor.

Generalmente, los cólicos desaparecen entre los tres y los cuatro meses de edad sin necesidad de que usted haga nada, raras veces son graves y no hay necesidad de aplicar tratamiento alguno. No obstante, pueden ser muy angustiantes para los padres. No se sabe por qué se producen pero suelen empezar en las tres primeras semanas de vida. Está establecido que los bebés que sufren cólicos son sanos y siguen desarrollándose bien.

Se han formulado toda clase de causas posibles, como exceso o falta de alimentación, gases en el intestino, tomarlo en brazos demasiado o muy poco, indigestión y tensión.

Siempre he tenido la sensación de que la tensión es la causa más probable. Por la noche, a la madre le preocupa el baño y la hora de dar de cenar y acostar al bebé. Es probable que el bebé capte esa tensión, y bastante normal que responda con un llanto.

Como es probable que el bebé llore cada noche durante 12 semanas, estoy en contra de usar cualquier clase de medicamento para prevenir el llanto. Debe intentar tranquilizar al bebé, pero no espere que él responda con facilidad. Intente consolarse pensando que estos llantos sólo se producen por la noche y no duran más de tres meses, de modo que hay luz al final del túnel.

BEBÉ MAYOR

LLANTO Y CONSUELO

A medida que el bebé se hace mayor y su mundo se vuelve más complejo, cambian las causas del llanto. En un bebé mayor la causa del llanto es casi siempre alguna clase de perturbación emocional: la madre que se marcha, la privación de su cariño, el temor, la ansiedad o la separación.

ABURRIMIENTO

Cuanto mayor se hace tanto más tiempo pasará despierto y, por lo tanto, más posibilidades tendrá de sentirse aburrido. Muchos niños lloran de puro aburrimiento, sobre todo si se les deja solos, sin distracciones, sin nada que mirar y sin nadie con quien jugar. El niño de un año disfruta con la compañía más que con ninguna otra cosa, y está constantemente interesado por lo que usted haga.

Qué hacer. Deje siempre juguetes en la cuna, especialmente viejas revistas con fotografías en color y libros de tela. Los móviles o las hileras de objetos interesantes colgadas sobre la cuna le ayudarán a divertirse y distraerse. Aunque sea aburrido para usted, el bebé llorará mucho menos a causa del aburrimiento si lo mantiene a su lado durante todo el tiempo que pueda.

TEMOR A LA SEPARACIÓN

Cuando el bebé tiene de seis a ocho meses de edad, el separarse de la madre se convierte en su principal fuente de tensión, y casi siempre precipita el llanto. Procure acostumbrar a su hijo a la separación a lo largo de varios meses, dejándolo solo durante períodos de tiempo cada vez más prolongados, como veinte minutos, luego una hora, luego tres horas. Si tiene que ir a trabajar, el temor de su hijo le parecerá preocupante, pero esta fase pasará a medida que se acostumbre a verla y sepa que siempre regresa. Mientras dure, sea muy cuidadosa acerca de la forma en que deja al bebé, y procure que esté familiarizado con el ambiente que le rodea, y con las personas con las que se queda. Si la separación le resulta muy desagradable la primera vez, es probable que responda con llanto la segunda vez. Depende de usted el lograr que la separación sea lo más fácil posible.

Qué hacer. Sea comprensiva y apóyelo, sin burlarse nunca de los temores del niño, que responderá mejor a las acciones tranquilizadoras que a las palabras, de modo que si le promete que regresará, cumpla siempre su promesa. Si le dice que sólo va a estar fuera cinco minutos, abandone la habitación, realice cualquier pequeña tarea y regrese exactamente en ese tiempo.

INSEGURIDAD Y ANSIEDAD

Al hacerse mayor, el bebé se siente cada vez más inseguro ante las personas extrañas. Las situaciones que mayor ansiedad le causan son el estar en un lugar extraño con usted, o el estar con extraños. Mientras usted se encuentre presente, podrá afrontar la situación, pero le saca de quicio

Cómo afrontar la ansiedad
Las personas y lugares con los que no está familiarizado hacen que el bebé se sienta angustiado, así que procure tranquilizarlo con muchos abrazos.

que lo dejen en un lugar extraño con gente que no conoce. No lo haga nunca. Cualquier fuente de ansiedad hará que el niño se muestre pegadizo. Se volverá hacia usted en busca de consuelo. Hasta puede llegar a renunciar a alimentarse. Si es usted consciente de que el niño está angustiado, debe responder inmediatamente.

En su búsqueda de consuelo, el niño puede vincularse con un objeto como una manta, o volver a meterse el pulgar en la boca como un consuelo por el hecho de que usted no esté presente. Casi todos los niños necesitan alguna forma de consuelo que puedan controlar. Los objetos reconfortantes son a menudo aquellos que puedan chupar o acariciar en momentos de ansiedad o tensión, para simular el efecto de ser acariciado o reconfortado.

Qué hacer. Lo mejor que puede hacerse es ofrecerle seguridad extra, contacto físico, abrazos, amor y charla tranquilizadora. El niño superará esta fase de ansiedad, pero ayuda el no verse nunca obligado a acudir a un extraño si realmente no desea hacerlo. Explique a los extraños que es tímido y que necesita algún tiempo para acostumbrarse a ellos. Su presencia le ayudará a afrontar las situaciones y experiencias nuevas, aunque al principio se sienta temeroso e incómodo. Haga lo que haga, deje siempre que el niño disponga del objeto consolador que él mismo elija, y dele siempre muchos abrazos para transmitirle seguridad.

Eso no quiere decir que no pueda estimular suavemente al niño a mostrarse curioso y aventurero. Para crecer con una sensación de seguridad en sí mismo, el niño necesita de su amor, aprobación y elogio, así que ofrézcaselo cada vez que muestre algún rasgo de independencia.

FRUSTRACIÓN

A medida que el bebé crece, su deseo de hacer cosas supera su capacidad para hacerlas, así que se sentirá frustrado. Ello tiene como resultado frecuente el llanto. Al empezar a gatear, cruzar hacia otro mueble o luego empezar a andar, es casi seguro que tendrá que contenerlo, lo que no hará sino aumentar la frustración y el llanto cada vez que lo haga así. Cuando tenga 18 meses, el espíritu de aventura del niño supera con mucho su equilibrio, movilidad y coordinación. Lo más probable es que intente realizar tareas que están más allá de sus posibilidades y que se sienta frustrado por ello. Aunque usted sepa que eso le causará frustración, tendrá que detenerlo, aunque sólo sea para protegerlo.

Qué hacer. Procure que su hogar sea lo más seguro posible para el niño (véanse págs. 306-311); aparte de su alcance los objetos valiosos y ponga enchufes de seguridad y protectores por toda la casa para evitar que se haga daño. La distracción es una buena estratagema para superar la frustración, así que tenga siempre a mano uno de sus juguetes favoritos, y esté preparada para jugar.

Acostarse relajadamente
Dedique algún tiempo a estar con su hijo justo antes de acostarlo, con alguna actividad tranquila, de modo que se acueste tranquilo y relajado.

LLANTO AL ACOSTARSE

Los bebés suelen llorar a la hora de acostarse porque están cansados, se sienten irritables y no desean separarse de usted. Puede tranquilizarlos estableciendo rutinas felices para irse a la cama (véase pág. 125).

Procure que la hora anterior a irse a la cama sea lo más feliz posible para el niño. Siéntelo sobre su regazo, léale un cuento o un libro, o juegue con él tranquilamente, o cántele una canción.

- *Tomar un baño suave y con juegos hará que el niño se sienta ligeramente somnoliento, así como tomar una bebida caliente antes de acostarse.*
- *El bebé tendrá casi con toda seguridad un juego, canción o cuento preferidos; su repetición es una verdadera felicidad para el bebé, así que haga lo que él le pida porque eso hace que se sienta seguro.*

NIÑO PEQUEÑO

LLANTO Y CONSUELO

HERIDAS

Los niños pequeños suelen llorar incluso ante la herida más pequeña, como un pequeño arañazo, una abrasión o un golpe leve.

En nuestra casa siempre tuve a mano «la crema mágica» (una suave crema antiséptica) y mis hijos respondieron casi inmediatamente a la atención, la seguridad y una pequeña pizca de crema mágica. En ocasiones, tuve que sentarme con ellos, sostenerlos cerca de mí, darles un fuerte abrazo, y efectuar sonidos de comprensión para demostrarles que sabía lo mucho que les dolía o lo muy asustados que se sentían; a muchos niños pequeños les aterroriza el ver la sangre. El consuelo y la crema mágica casi siempre tienen un efecto calmante.

Cada vez que el niño acuda a usted angustiado, llorando a causa de una pequeña herida, sea comprensiva. Dígale que sabe lo mucho que eso duele, y no intente animarlo a que sea valiente. Al cabo de unos pocos momentos se bajará de sus rodillas y regresará a su juego después de haber recibido un beso que le hará sentirse mejor, un abrazo o de tomar un vaso de agua o su golosina preferida.

Si fuera necesario, inculque en la mente de su hijo alguna idea interesante para distraerle de la herida, como ofrecerle un manjar especial para merendar, un rato especial de juego con papá, un picnic, o una salida a uno de sus lugares favoritos.

A medida que el pensamiento del bebé se haga más sofisticado, logrará una mejor percepción de lo que ocurre en el mundo que le rodea, y resultará más difícil averiguar sus verdaderas razones para el llanto. Empieza a comprender lo que usted le dice, no sólo en términos de hechos, sino de sus respuestas, y empieza a usar su propia razón y responde a un argumento razonado. Aumenta su conciencia de sí mismo y de otras personas, así como de la voluntad de los demás con respecto a la propia. En consecuencia, sus temores están mucho más relacionados con sus actividades diurnas y cualquier alteración que surja de ellas. Emocionalmente, también se desarrolla con suma rapidez. Puede sentir culpabilidad, vergüenza, celos y aversión, y sentirse tan alterado que sus emociones le hagan llorar.

TEMORES

Los temores más habituales a esta edad son la oscuridad y la tormenta. El temor a la oscuridad es tan común que es casi universal. No tiene explicación y el razonar con su hijo no sirve de nada. Es cruel burlarse de su temor y no debe usted hacerlo nunca. Déle a su hijo una excitante luz nocturna, quizá una bombilla de colores, u otra que toque una melodía al encenderse.

El temor a la tormenta y a los rayos también es muy común, y la mejor forma de afrontarlo consiste en distraer al niño mientras la escucha. Puede poner música fuerte, encender la televisión o llevarlo a una habitación tranquila y leerle un cuento. También puede ofrecerle el juguete especial que ha guardado para un día de lluvia.

CÓMO AFRONTAR LOS TEMORES

Una de las mejores formas de disipar los temores consiste en hablar de ellos, así que procure que el niño sea abierto y franco con respecto a lo que le asusta. Préstele toda su atención y hágale preguntas, para que sepa que usted habla seriamente con él. A menudo resulta difícil expresar los temores con palabras, pero escuche a su hijo. Ayúdele a explicarse aportando unos pocos ejemplos, y confiese que usted también experimenta temores similares. No se burle nunca ni ridiculice a su hijo por sus temores. Haga algo sencillo y tranquilizador, como demostrarle que es divertido estar en la piscina y que el agua no es nada de lo que deba tenerse miedo. El niño confiará en usted y su temor disminuirá gradualmente. Cuando tenga edad suficiente, intente explicarle cómo funcionan las cosas; por ejemplo, que el rayo sólo es una chispa gigante.

Si el niño tiene miedo de ir a casa de un amigo, convénzalo paso a paso: «Primero te llevaré a casa de Johnny, luego le darás el regalo a Johnny y él te pedirá que juegues con él...». Casi todos los niños experimentan algunos temores irracionales, como el temor a los monstruos, fantasmas o dragones. Recuerde que el temor es algo serio para su hijo, por lo que no debe intentar decirle que sus temores no son reales.

EL TEMOR A LA SEPARACIÓN

Aunque el niño tenga tres años, seguirá teniendo temor a perderla. Cuando era más pequeño le preocupaba perderla de vista; ahora teme que usted no regrese, que se muera mientras está lejos de él, y que se vea privado de usted para siempre. Una vez más, la mejor forma de tranquilizarlo consiste en avanzar paso a paso por lo que vaya a suceder cuando usted lo deje. Cuantos más detalles le dé, y más pueda confirmar esos detalles, tanto mejor. Lo que puede decirle es: «Cuando papá venga de trabajar, los dos nos vamos a preparar para ir a visitar a tía Sarah. Yo tomaré un baño, papá se afeitará, y nos cambiaremos de ropa. Luego, te acostaremos en la cama y te contaré el cuento o te cantaré la canción de siempre. Luego, mamá se tumbará un rato en tu cama y te abrazará mientras hablamos de cómo has pasado el día y de lo que vas a hacer mañana. Mamá no te dejará hasta que estés casi dormido; lo siguiente de que te darás cuenta es que ya es por la mañana y mamá está aquí».

DESTRONAMIENTO

El niño se sentirá muy angustiado ante la idea de la llegada de un nuevo hermano o hermana y del «destronamiento» que cree se producirá. Tome todas las precauciones que pueda para que se sienta bien con respecto al nuevo bebé. Hable del bebé como de su hermano o hermana, y deje que le palpe el vientre a medida que el bebé crece y patalea. Muéstrele dónde va a dormir el bebé, y enséñele toda clase de cosas útiles que puede hacer para cuidarlo. Si tiene al bebé en el hospital, asegúrese de que el niño se siente a gusto con la persona que cuidará de él mientras usted esté fuera. Al regresar a casa, haga que otra persona lleve al bebé, ya que debe tener los brazos libres para levantar a su hijo y darle un abrazo. Hasta que éste no pida verlo, no le muestre el bebé. Procure llevarle un regalo de parte del bebé. Si tiene que quedarse en el hospital, deje que la visite con toda la frecuencia que quiera y cuando lo haga procure no tener al bebé en sus brazos, sino acostado en una cuna a su lado, de modo que tenga las manos libres para abrazar a su hijo.

CANSANCIO EXCESIVO

Un niño de esta edad suele excitarse en exceso y sentirse muy cansado a la hora de acostarse. Intentará retrasar todo lo posible el momento de acostarse, lo que no hará sino ponerle más tenso. El niño puede llegar a sentirse tan frágil que cualquier pequeña incomodidad o frustración le hará llorar inconsolablemente.

Si espera que el niño se acueste tarde, o si desea ofrecerle un trato especial con motivo de una fiesta o juego en la escuela, procure que duerma la siesta durante el día, para que le dure la energía. Si se excita demasiado o está muy cansado, es especialmente importante que usted mantenga la calma y la tranquilidad. Háblele con suavidad, dele muchos abrazos, sea infinitamente paciente y llévelo con suavidad a la cama. Cántele una canción o léale un cuento hasta que se calme y se tranquilice.

RABIETAS

Los niños pequeños casi siempre tienen rabietas debido a la frustración o a que prueban su voluntad en contra de la de los demás.

Los niños mayores tienen rabietas porque no se les ocurre otra forma de demostrar su determinación. La mejor forma de afrontar una rabieta en la intimidad de su propio hogar consiste en ignorarla y abandonar la habitación.

La situación es algo más difícil en público; puede hacer varias cosas: no arme jaleo, ni grite ni se altere. Lleve tranquilamente al niño a un lugar aparte e intente calmarlo. Si está en una tienda, sáquelo a la calle, o llévelo al coche, o sáquelo del restaurante y llévelo al lavabo.

El niño pequeño
Tome siempre muy en serio los temores de su hijo pequeño y pídale que se los explique si puede.

PREESCOLAR

LLANTO Y CONSUELO

TEMORES

A los tres años se tienen muchas ansiedades, pero los temores de su hijo ya estarán claramente definidos a los cuatro años.

Se asustará fácilmente, por ejemplo, con los sonidos, sobre todo con los ruidos fuertes procedentes del exterior, como la sirena de un coche de bomberos. Quizá tema a las personas de cultura o aspecto diferente a sí mismo, a los ancianos, a los «duendes», a la oscuridad, a los animales y a que usted le deje... sobre todo por la noche. Los niños de esta edad disfrutan al ser suavemente asustados por un adulto en el juego, siempre y cuando sea una situación claramente fingida.

A los cinco años, el niño experimentará probablemente temores más concretos, como el daño físico, el caerse, los perros, los sonidos, el trueno, los rayos, la lluvia, las tormentas (sobre todo por la noche), y que su madre no regrese a casa o no esté en casa cuando él regrese.

Del mismo modo que la aversión contra ciertos alimentos es sugerida por comentarios ocasionales hechos por los adultos, el temor a los animales, los coches y los truenos son sugeridos de un modo similar. Los cuentos e historias horribles sobre fantasmas, diablos y otros similares pueden aterrorizar a un niño pequeño y producir graves perturbaciones de su sueño. Por eso, debe elegir cuidadosamente los cuentos que le cuenta a la hora de acostarse, no dejar que el niño vea películas de horror en la televisión justo antes de acostarse, y no asustarlo nunca deliberadamente con historias de «duendes» para que se porte bien.

El niño de cuatro años llora bastante y puede gimotear si no se satisfacen sus deseos y no hay nada interesante con que jugar. A la edad de cinco años, el niño llora bastante menos, aunque puede hacerlo si se siente enojado, cansado o no puede salirse con la suya. El llanto es ahora de duración más corta, y el niño puede controlarlo y contener las lágrimas. Raras veces está de mal humor y puede sentirse perfectamente bien en cuanto ha pasado el llanto. Esta fase, sin embargo, pasará y aparecerán las rabietas temperamentales, con llantos coléricos y golpes. Puede aparecer de nuevo el malhumor, el gimoteo y expresiones de resentimiento, pero a menudo podrá usted hacerle reír cuando llore haciendo bromas con él. El niño puede ser asombrosamente valiente frente a las heridas importantes y, sin embargo, llorar solo por pequeñas heridas.

MALOS SUEÑOS Y PESADILLAS

Entre las edades de tres y cinco años, los niños tienen a menudo malos sueños. Es posible que camine o hable en sueños, o que experimente terrores nocturnos. Eso es normal pues aunque su comprensión del mundo va en aumento, no acaba de encontrarle sentido, de modo que se acuesta con cuestiones que no ha resuelto. También entra más en contacto con sus propios sentimientos y sabe lo que significa tener miedo o sentir algo que no sea del todo correcto. Estos sentimientos surgen por la noche.

A menudo, el niño no puede explicar sus sueños y tiene dificultades para volver a dormirse. Durante una pesadilla, quizá los animales persigan a su hijo, sobre todo los lobos y osos, o quizá sueñe con ancianos extraños, malvados y de aspecto raro, con incendios y aguas profundas. Sólo si se despierta debe usted tratar de consolarlo y tomarlo en sus brazos. Si continúa dormido, no haga nada por despertarlo; simplemente, quédese a su lado. Si descubre que es sonámbulo, tiene que colocar una puerta en la escalera para evitar que se caiga.

Terrores nocturnos. En ocasiones, encontrará a su hijo en la cama, aparentemente despierto, aterrorizado, y posiblemente debatiéndose y gritando. Quizá esté enojado o desesperadamente alterado. Se trata de un terror nocturno, antes que de una pesadilla, y puede ser alarmante. Se sentirá usted muy angustiada ante el temor y el dolor de su hijo, pero lo único que puede hacer es permanecer cerca de él y esperar a que pase el terror. No sirve de nada tratar de tranquilizarlo específicamente, ya que el niño se siente como si hubiera perdido la razón. No lo deje a solas ni le regañe, porque eso sólo contribuiría a empeorar el terror.

NERVIOS PREESCOLARES

Es bastante insólito el niño que se marcha al jardín de infancia sin echar una sola mirada atrás, se despide de su madre y se enfrasca directamente en el juego. La mayoría de los niños abrigan temores a un lugar extraño, con personas extrañas, así como a separarse de usted. Tiene que darle al niño tanto el tiempo como la oportunidad para adaptarse a este cambio un tanto aterrador en su vida.

Puede hacer mucho por aliviar los temores del niño, familiarizándolo con el trayecto a la escuela, la entrada en la escuela, su clase, algunos de los compañeros que estarán con él, su maestra, dónde jugará y algunas de las rutinas que realizará. La mayoría de maestras admitirán que lleve usted al niño a la escuela en varias ocasiones, antes de que empiece a asistir a ella, para que luego se sienta cómodo en su nuevo ambiente. Procure que la primera visita sea tan casual como le sea posible. Quédese sólo unos minutos, de modo que el niño no se aburra o se asuste, y no le obligue a hacer nada que no quiera hacer.

Facilitar la separación. Es muy probable que la primera mañana sea difícil para ambos, e incluso que tenga que quedarse con su hijo toda la mañana, pero eso no debería suceder más de una vez. No olvide que para él se trata de una gran transición, así que sea paciente. En más de un jardín de infancia se le permitirá quedarse para darle seguridad al niño. Finalmente, cuando el niño se dé cuenta de que usted no se va a marchar, se sentirá feliz con la realización de las rutinas de la clase, siempre que usted permanezca sentada en alguna parte, tranquila y discreta.

Quizá durante la primera mañana, pero desde luego en la segunda, sugiera que va a salir a comprar un periódico, pero regrese al cabo de cinco minutos para que el niño se sienta tranquilo. No se marche si ve que el niño se siente muy angustiado ante la perspectiva de su partida. Una vez que lo vea feliz, sugiera que se marcha de nuevo, esta vez durante una media hora y regrese exactamente cuando dijo que lo haría. A lo largo de los días siguientes márchese durante períodos de tiempo cada vez más prolongados, según la forma de reaccionar del niño. Verá como al cabo de poco tiempo ya no tendrá necesidad de quedarse. Un niño seguro de sí mismo querrá ser independiente y quizá le sugiera que se marche antes de lo que usted pensaba que era capaz de separarse de usted. A veces, la maestra le indicará cuándo es el momento de irse.

Empezar el jardín de infancia
Una vez que el niño se haya enfrascado en alguna actividad, difícilmente se dará cuenta de que usted se marcha.

CONFLICTOS FAMILIARES

El niño se sentirá muy angustiado si cree que las personas que le son más queridas en el mundo, su madre y su padre, ya no se aman el uno al otro, y existe el peligro de que se separen o lo dejen a él.

Los niños son extremadamente sensibles a los ambientes que reinan en el hogar, de modo que si usted y su cónyuge pasan por un mal momento, procuren comportarse de modo cariñoso y afectuoso delante del niño, y demuestren preocupación del uno por el otro. Asistir a una pelea es una de las experiencias más nocivas que puede provocar en su hijo, de modo que la reflexión debería actuar como disuasión.

Por otro lado, no creo en que los padres deban presentar un frente unido ante cada cuestión planteada. El niño ha de comprender que es correcto que mamá y papá tengan opiniones diferentes, siempre y cuando se expresen sin acritud.

Los niños tienen que acostumbrarse al conflicto porque se van a encontrar con él muy rápidamente, en cuanto salgan del hogar. El mejor lugar para familiarizarse con el conflicto lo encontrarán en la seguridad de su propio hogar.

La mayoría de niños se acusarán a sí mismos por cualquier conflicto que estalle entre sus padres, y harán todo lo posible para que los adultos vuelvan a hacer las paces. Asegúrele a su hijo que no tiene la culpa de ninguna cólera que pueda sentir hacia su cónyuge y que usted lo quiere incondicionalmente.

QUÉ LLEVAR: BEBÉ PEQUEÑO

Necesitará equipo básico para cambiarlo y alimentarlo, así como un juguete para el bebé.

- *Bolsa para cambiarlo.*
- *Pañales de tela o desechables.*
- *Pañuelos de papel.*
- *Crema protectora.*
- *Un recipiente hermético o bolsas de plástico para los pañales sucios.*
- *Un biberón completo si toma éste.*
- *Un repuesto de protectores almohadillados de pecho si le da de mamar.*
- *Sombrero.*
- *Rebeca.*
- *Un par de los juguetes preferidos del bebé.*

VIAJES Y SALIDAS

Nunca habrá perdido el tiempo que dedique a planificar sus salidas o viajes. Cuanto más pequeño sea el bebé, más tendrá que planificar. Es posible que la pauta de alimentación de su hijo no sea muy predecible durante los primeros meses, así que necesitará al menos un biberón de reserva si no lo amamanta y, naturalmente, todo el equipo que usa normalmente para cambiarlo. En el mercado encontrará bolsas ligeras para cambiar al bebé, con una pequeña colchoneta portátil. Planifique la ruta para saber dónde detenerse, dónde puede cambiar al bebé, y dónde puede alimentarlo sin azoramientos o inconveniencias. Si tiene la intención de ir de compras, vale la pena llamar a unos grandes almacenes para averiguar si disponen de una habitación para cambiar a un bebé, y evite aquellos que no la tengan.

Con un bebé muy pequeño no vale la pena emprender una salida muy ajetreada en la que se vea obligada a caminar mucho, llevar cargas pesadas o efectuar muchos cambios de medio de transporte. Sea condescendiente consigo misma. Pruebe a llevar consigo a una amiga, o a su cónyuge si puede, para que haya siempre un par de manos extra dispuesto a ayudar si se encuentra en un apuro. El bebé puede acompañarla a cualquier parte, siempre que esté usted bien preparada y disponga de algo en que llevarlo, como un suspensor, un cochecito de niño o un asiento de coche.

USO DE LA SILLITA DE RUEDAS

Si no desea llevar al bebé colgado de un suspensor, la sillita de ruedas será ideal para él, que encajará muy bien y cómodamente en su forma. Los bebés se interesan desde muy pronto por todo aquello que les rodea, así que en cuanto pueda sentarse, coloque la sillita de ruedas en un ángulo adecuado para que pueda ver lo que sucede a su alrededor.

Debe poder cerrar y abrir la sillita de ruedas en unos pocos segundos y sin problemas, así que practique en casa antes de salir por primera vez. Si no puede plegarla con facilidad, se encontrará con gente que se empuja cuando esté en una cola, lo que no hará sino aumentar su frustración. Debería poder desplegarla, por lo menos, con una sola mano, dejarla fija con los pies y saber cómo hacer funcionar los frenos. Y no olvide que tendrá que hacer todas esas cosas mientras sostiene al bebé en brazos. He aquí unos pocos consejos de seguridad:

- Al abrir la sillita de ruedas, procure dejarla en posición completamente desplegada, con los frenos puestos.
- No coloque nunca al bebé en la sillita de ruedas sin ponerle las correas de seguridad.
- Jamás deje al bebé en la sillita de ruedas, sin vigilancia.
- Si el bebé se quedara dormido en la sillita, ajústela en la posición de tumbado, para que duerma más cómodamente.
- No cuelgue las bolsas de la compra de los manillares de la sillita, ya que pueden desequilibrarla y causar daño al bebé.

- Al detenerse, ponga siempre los frenos, porque podría apartar las manos de los manillares sin darse cuenta y la sillita se le escaparía.
- Compruebe el estado de la sillita con regularidad, para comprobar el buen funcionamiento de los frenos y pestillos, así como la solidez de las ruedas.

TRANSPORTE PÚBLICO

Usar el transporte público puede ser una verdadera prueba, ya que ni los autobuses ni los vagones de metro están bien equipados para atender a las madres y a los niños pequeños. Imagínese con una sillita de ruedas, un bebé pesado que no deja de moverse, la bolsa del bebé, su propio bolso, un abrigo y posiblemente un niño pequeño al que lleva de la mano; seguro que el transporte público sería lo último que desearía probar.

Naturalmente, facilitaría las cosas no desplazándose nunca en horas punta, o llevando al bebé pequeño colgado de un suspensor. Para llevar a un bebé mayor es mejor el suspensor tipo mochila, que le permite mayor independencia y tener las manos libres. Prepárese siempre con antelación suficiente. Yo nunca salía de casa con mis hijos sin llevar algún juguete que los distrajera, uno de sus libros o de sus bocados preferidos. Debe reunir todas sus pertenencias, incluida la sillita de ruedas, antes de salir, y con tiempo suficiente para comprobar que las lleva todas y no se le ha olvidado nada. Lo mismo cabe decir si tiene que tomar un autobús o un tren; prepárese para salir con mucha antelación y, si lo necesita, pida siempre ayuda a los demás pasajeros.

SALIDAS ESPECIALES

El bebé nunca es demasiado pequeño para salir; de hecho, puede usted ir prácticamente a cualquier parte con un bebé pequeño, siempre que él tenga la posibilidad de mirar a su alrededor, ya que eso le permitirá disfrutar con el cambio de ambiente, aunque no entienda lo que sucede. Al planificar una salida con un niño mayor intente considerar siempre cómo puede afrontarla mejor el niño con su personalidad. Si tiene un niño tranquilo, con una capacidad de concentración muy larga, puede llevarlo a una exposición de flores o a un mercado de antigüedades y señalarle todo lo que le rodea. Si es muy activo, necesitará más espacio para correr, por lo que será más apropiada una visita al zoológico, a un terreno de juegos o a un parque de atracciones. Vaya adonde vaya, debe estar preparada para efectuar numerosas paradas ante cualquier cosa que llame la atención de su hijo. Lleve siempre suficiente bebida y bocados intermedios para que el niño pueda disfrutar de toda la duración del viaje. No emprenda ningún viaje si el niño se siente mal, ya que podría crearle dificultades durante el mismo, y no se sienta culpable por tener que cancelarlo.

QUÉ LLEVAR: BEBÉ MAYOR

Para un bebé mayor necesitará alimentos sólidos, y equipo para alimentarlo y cambiarlo.

- *Bolsa para cambiarlo.*
- *Pañales de tela o desechables.*
- *Pañuelos de papel.*
- *Crema protectora.*
- *Un recipiente hermético o bolsas de plástico para los pañales sucios.*
- *Comida para bebé, plato y cuchara.*
- *Biberón para alimentarlo.*
- *Bocado intermedio, como fruta.*
- *Zumo de fruta diluido.*
- *Sombrero para el sol o gorro de lana.*
- *Rebeca o suéter.*
- *Chupete.*
- *Libro favorito.*
- *Juguete preferido.*

Manejo de una sillita de ruedas
Asegúrese de que puede plegarla de una patada, abrirla con una sola mano y hacer funcionar los frenos.

SALIDAS DE COMPRAS

Llevar a un bebé de compras plantea sus propios problemas. El bebé se aburre con facilidad, tiene hambre, se siente inquieto y es difícil de controlar, así que vale la pena planearlo con antelación para reducir las tensiones al mínimo. Ir en coche supone una gran diferencia, ya que puede alimentar y cambiar al bebé dentro del coche, y no se preocupará por tener que tomar autobuses y trenes. Si no tiene coche, quizá valga la pena pedirle a una amiga que la acompañe en su expedición de compras, o pedirle a un pariente que le preste el suyo. Intente realizar las compras lo más pronto posible, cuando hay menos ajetreo en calles y tiendas, y también cuando existen menos distracciones para el bebé. Procure darle siempre una comida abundante antes de salir; de ese modo, dispondrá de dos o tres horas para realizar sus compras sin que tenga hambre.

Lleve consigo el equipo que llevaría en cualquier otro viaje. Los juguetes pueden parecer una carga, pero valdrá la pena llevarlos porque puede fijarlos a la mochila, la sillita de ruedas o el carro del supermercado para que su hijo juegue sin que pueda tirarlos al suelo. Lleve también algún tipo de bocado intermedio porque el ir de compras parece abrir el apetito de los niños, o impacientarlos, y un bocado apaciguará ambas cosas.

LLEVAR AL BEBÉ

Necesita tener las manos libres para comprar, por lo que vale la pena prestar un poco de atención a la forma de llevar al bebé. Una vez que sea capaz de sentarse, con un buen control de la cabeza y de la espalda, puede dejarlo en el interior de un carro de supermercado. Ahora son muchos los supermercados que tienen carros con asientos integrales para bebés, incluidas correas de seguridad, pero con los antiguos asientos elevados tiene que sujetar al bebé con riendas. El asiento tipo mochila es ideal para llevar al bebé de compras; de ese modo aumentará el interés del bebé, se sentirá muy seguro con el contacto físico con usted, se comportará bien y llorará poco; pero lo mejor de todo es que tendrá usted las manos libres. Intente ir de compras con su cónyuge y que sea él quien lleve al bebé a la espalda, dejándola a usted libre para hacer las compras. Las riendas son una muy buena idea para un niño mayor, que experimentará una sensación de libertad e independencia, pero que nunca podrá alejarse mucho de usted; una sujeción de muñeca, fijada con seguridad a las riendas, impedirá que se separe del niño.

MANTENER AL NIÑO BAJO CONTROL

Como los bebés siempre tratan de coger toda clase de objetos que les parecen interesantes, procure caminar por el centro del pasillo, para que el bebé no sienta la tentación de desmoronar latas y paquetes. Una forma de controlarlo consiste en interesarlo, algo que se consigue mediante comentarios continuos, observaciones o preguntas que atraigan la atención del niño. A los niños pequeños les encantará participar en las decisiones de compra, y se sentirán muy importantes y necesitados si hace usted caso de sus preferencias. En aquellos artículos donde la marca no sea importante para usted, pídale al niño que elija los productos,

DE COMPRAS CON EL BEBÉ PEQUEÑO

Al desplazarse con su bebé planifique siempre sus movimientos y paradas con detalle, para utilizar su tiempo con eficiencia.

- *Intente efectuar la salida de compras entre dos tomas de alimento; si cree que va a ser más prolongada que el intervalo habitual entre dos comidas, lleve bocados intermedios consigo.*
- *Lleve siempre el equipo básico para cambiar al niño por si necesitara un pañal limpio. Ya son muchos los grandes almacenes que disponen de zonas especiales para madres y bebés.*
- *Si viaja en coche, ajuste el asiento del bebé en una posición reclinable, para que pueda dormir.*

Arnés y riendas
Lleve a su hijo seguro en las calles con gente mediante un arnés y riendas. El arnés también puede usarse en una silla alta con correas de anclaje.

indicándole cuál le gustaría que comprara. Cuando mis hijos se hicieron mayores y los pude colocar en los carros de los supermercados, solía pedirles que ellos mismos eligieran los artículos y los dejaran en el carro, de modo que siempre estaban ocupados en buscar sus artículos favoritos, experimentaban un gran sentido de orgullo al encontrarlos y una sensación de satisfacción al ir llenando el carro. Una vez estemos en la caja, no se sienta obligada a pagarlo todo; sin que su hijo lo vea, puede descartar aquellas cosas que usted no deseaba comprar.

Una de las formas de distraer a mis hijos durante una salida de compras consistía en preguntarles si tenían sed o hambre inmediatamente después de entrar en el supermercado y comprarles una bebida o un bocado intermedio saludable. De ese modo, mordisqueaban o bebían por todo el supermercado, se sentían felices y ocupaban todo su tiempo. No obstante, si tiene un hijo travieso, la única forma de controlar la situación es sujetarlo con riendas o una sujeción de muñeca que le impida alejarse demasiado, molestar a los demás o perderse.

APRENDER

Puede utilizar sus salidas de compras como una oportunidad para enseñarle toda clase de cosas a su hijo, como por ejemplo los colores: «Esta lata es roja; ese paquete es azul; ese jarro tiene una envoltura amarilla». El niño reconocerá el paquete de copos de maíz que ve cada día sobre la mesa del desayuno, y pronto comprenderá lo que significan las palabras, de modo que ya a los 18 meses, por ejemplo, puede preguntarle: «¿Ves los copos de maíz por alguna parte?», o «¿Dónde estará la mermelada?». Se puede estimular también la lectura enseñando a su hijo a asociar el contenido de un paquete o lata con las cosas que come en casa. Por ejemplo, si bebe chocolate con regularidad, sólo tiene que tomar usted la lata que ve cada día en casa y preguntarle: «¿Qué dice esta palabra?», para que él responda «chocolate», porque ha aprendido por experiencia que el chocolate es lo que sale de una lata como esa. Todos mis hijos empezaron a leer paquetes de alimentos antes de leer ninguna otra cosa.

Las salidas al supermercado también le enseñarán a su hijo el mismo acto de comprar, y la elección y toma de decisiones que eso supone. Puede hablarle del valor del dinero y, hasta cierto punto, puede enseñarle buenos modales y sociabilidad porque aprenderá con rapidez lo justo que es permitir que otras personas lleguen hasta las estanterías, cuando él mismo tiene tanto interés como ellas en poder hacerlo.

IR DE COMPRAS CON EL NIÑO PEQUEÑO

Una vez que el niño camine, perderlo entre la multitud puede ser una preocupación, así que tome precauciones para evitarlo.

- *Use riendas o una sujeción de muñeca en los lugares con gente, para que no pueda ir de un lado a otro.*
- *Vista al niño con prendas de vivos colores, para que usted pueda verlo a distancia.*
- *Cree alguna especie de código familiar para que sus hijos regresen a su lado. Yo solía llevar un silbato colgado del cuello.*
- *Todas las salidas de compras pueden ser lecciones, aunque sólo le enseñe a su hijo a comer saludablemente (las verduras frescas son mejores que las enlatadas).*
- *Procure que el niño aprenda lo más pronto posible su nombre, dirección y número de teléfono, para que pueda repetirlo si se pierde.*
- *Enséñele a no alejarse nunca con extraños.*
- *Procure que su hijo reconozca lo que le rodea cuando esté cerca de casa, señalándole elementos característicos en cada salida: «Ahí está esa columna en la esquina, y la puerta azul y luego viene nuestra casa».*

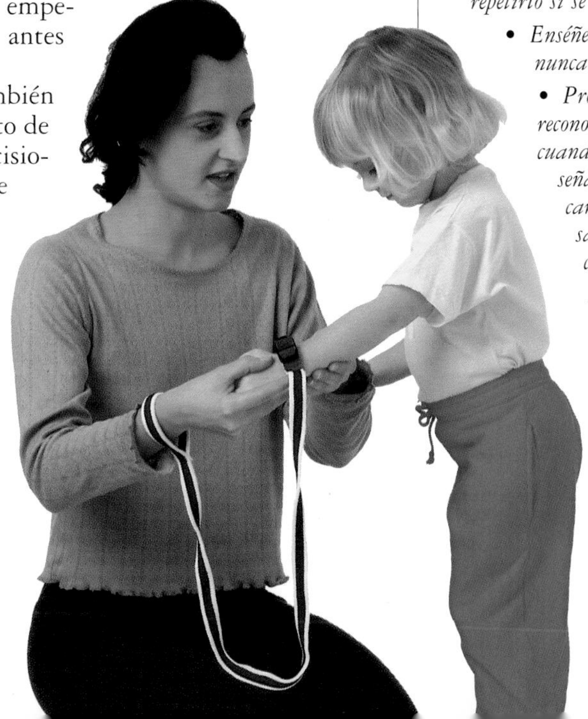

Sujeción de muñeca
Una cinta ajustable se halla sujeta a la muñeca de su hijo por un extremo y a la de usted por el otro extremo, para impedir que se pierda.

VIAJES EN COCHE

Los niños pueden ser muy activos en los viajes en coche. Están aprendiendo y se enorgullecen mucho de las habilidades físicas recién adquiridas, como saltar, brincar, ir a la pata coja, escalar y correr, y les resulta muy difícil verse confinados a un espacio pequeño. Todo eso se intensifica con tiempo cálido, porque el niño se sentirá cansado, quisquilloso y lloroso con mayor facilidad que cuando la temperatura es más suave. No deje nunca al niño dentro del coche cuando haga calor, porque la temperatura dentro del coche puede ser mucho más alta que la del exterior, con lo que experimentará rápidamente un fuerte acceso de calor y hasta puede deshidratarse. Debe protegerlo siempre de la luz del sol, poniendo una persiana o cortina sobre la ventanilla por la que brilla el sol. También puede sujetar un toldo sobre el asiento del bebé que sirva para el mismo propósito.

Dentro de las estrechas circunstancias de un viaje largo, no puede esperar que el niño se comporte bien, y su tarea consiste en procurar que no tenga ni demasiado calor ni demasiado frío, que se alimente, tome bebida suficiente, disponga de cosas suficientes para ocuparse y distraerse, vaya al lavabo sin armar jaleo y se acepten los accidentes filosóficamente.

SEGURIDAD

En cualquier caso, el bebé debe ser transportado con seguridad en el coche. Un bebé pequeño debe ir en un asiento de coche que mire hacia atrás, y que puede usarse en la parte delantera o trasera del coche, o bien en un capazo, en la parte de atrás, con sujeciones adecuadas. Si tiene que viajar con el bebé sobre sus rodillas, siéntese siempre en la parte de atrás. No se siente nunca delante con un bebé sin sujetar, porque si el coche tiene que detenerse con brusquedad, el bebé se le escapará de las manos y resultará herido. El bebé mayor debe sentarse en un asiento de coche que mire hacia adelante. Después de cualquier accidente, debe sustituir los cinturones de seguridad, el asiento del niño y los anclajes, ya que pueden haber experimentado tensiones y daños. Por esa misma razón, no debe comprar nunca asientos de seguridad de segunda mano, ni arneses, ni anclajes: nadie sabe qué ha pasado antes con ellos.

No debe tolerarse el mal comportamiento, como los gritos y las patadas, ya que eso distrae mucho al conductor y puede ser peligroso. Si el niño se porta mal, deténgase de inmediato al lado de la carretera y solucione la dificultad. Dígale al niño que no continuará a menos que empiece a comportarse adecuadamente.

VIAJES LARGOS

La mayoría de niños se sentirán inquietos si tienen que viajar durante más de una hora y media. El niño no tiene la menor idea del tiempo, por lo que preguntará constantemente cuándo van a llegar o si están cerca. La inquietud se alivia con paradas de cinco minutos cada hora, permitiendo que el niño corra de un lado a otro, explore y, en general, dé rienda suelta al exceso de energía. Adviértale por adelantado sobre las paradas para que se prepare poniéndose un abrigo y un gorro si hiciera frío en el exterior.

BEBÉ A BORDO

Lleve más o menos casi siempre los siguientes artículos importantes en el coche, preparado para viajar con su bebé:

- *Un asiento de coche correctamente sujeto y con correas de segurida* *(véase pág. 312).*
- *Una cortina para proteger del sol.*
- *Una bolsa con equipo básico para alimentarlo y cambiarlo; reponga su contenido con frecuencia.*
- *Juguetes de viaje para el bebé.*
- *Una alfombrilla.*
- *Un par de sus cintas preferidas.*
- *Pañuelos de papel.*

LISTA PARA VIAJAR

Como con cualquier salida con su hijo, lo esencial es prepararse y planificar con antelación. Los consejos siguientes la ayudarán a facilitarle las cosas:

- *Intente iniciar pronto el desplazamiento por la mañana, o hágalo por la noche, cuando las carreteras están más vacías.*
- *Lleve una bolsa de ropa de repuesto por cada niño que vaya en el coche; sea filosófica con los accidentes, y cambie a su hijo con ropa seca.*
- *Como medida de seguridad, sujete con cinta los cubiertos a la cara interior de los recipientes de comida.*
- *Lleve siempre alguna prenda de ropa suave, como un anorak o suéter, que el niño pueda usar como almohada.*
- *Tenga siempre a mano unas cuantas bolsas donde guardar cartones, botellas y envoltorios una vez usados.*
- *Lleve una caja de pañuelos de papel para limpiar manos y caras sucias.*

Alimentación. Un viaje en coche es cuando se aprecian todas las ventajas de dar de mamar a su hijo, ya que no hay que efectuar preparativo alguno. Sin embargo, no debe alimentarlo con el coche en marcha, ya que el bebé se sentiría muy inseguro. Si lo alimenta con biberón, use biberones desechables, o prepare una serie de biberones, enfríelos en la nevera, y luego llévelos en alguna clase de nevera portátil. Como alternativa, mezcle la fórmula cuando la necesite en un biberón esterilizado con el agua caliente que lleve en un termo. No trate nunca de mantener calientes los biberones hechos previamente porque eso permite la multiplicación de los gérmenes. Una vez destetado el bebé, tendrá que llevar comida, un plato, una cuchara de plástico, un biberón, una taza con pitorro, bebidas de reserva y algo que el niño pueda mordisquear, como un paquete de tostadas o costras de pan. Puede alimentar al bebé directamente de la jarra pero recuerde que lo que se deje debe tirarlo después, porque estará contaminado con saliva y los gérmenes se desarrollarán con mucha rapidez.

Cambiarlo. Aunque utilice normalmente pañales de tela, olvídese de lo que cuestan y compre pañales desechables para el viaje, que son convenientes, rápidos y fáciles tanto para usted como para el bebé. Siempre puede cambiar al bebé en el asiento de atrás del coche, o incluso en el portamaletas, sobre una alfombrilla o toalla. Durante el viaje no hay necesidad de lavarlo de pies a cabeza, pero sea meticulosa con la limpieza de la zona del pañal, y tenga siempre una reserva de crema protectora para impedir el eritema del pañal. Es esencial llevar pañuelos de papel, así como un recipiente hermético para los pañales sucios.

El niño mayor. El niño se sentirá aburrido y hambriento, así que lleve siempre algún alimento nutritivo, como pasas, copos de maíz sin azúcar, o trozos de queso en bolsas de plástico, así como más bebida de la que crea necesitar, ya que la capacidad del niño para beber aumenta mucho cuando viaja. Las uvas sin pepitas constituyen un bocado muy útil porque aplacan la sed del niño y satisfacen su hambre. Necesitará juguetes para distraerlo mientras viaja (los libros son una mala idea si el niño se marea), y pueden disponerse de formas diferentes por motivos de seguridad y conveniencia. Compre o prepare un cobertor especial para el reposacabezas delantero del coche, con bolsillos donde llevar bebidas, bocados y juguetes, o ate los juguetes a las manijas para que no se pierdan por debajo de los asientos. Los juegos de fichas imantadas son particularmente útiles en los coches, ya que no se pierden, y puede adherir velcro a ciertos juguetes para que se sujeten al asiento del coche y se mantengan en el mismo lugar mientras el niño juega con ellos.

A mí siempre me pareció mejor permitir a mi hijo que eligiera algunos de los juguetes que deseaba llevar consigo, y ser responsable de guardarlos en su propia caja o bolsa. Los casettes con música o cuentos infantiles le proporcionarán media hora de tranquilidad, así que tenga siempre uno preparado. Los juegos de «espías» son siempre preferidos, sobre todo si usted interviene, y mantendrán al niño ocupado durante un tiempo si procura que el objeto sea interesante. Conserve algún regalo especial oculto en la guantera del coche para aliviar la tensión o las lágrimas.

MAREO POR EL MOVIMIENTO

Si ha sufrido usted de mareo o existe en la familia un historial de migraña, eczema o alergias, es muy probable que el niño sufra también de mareo causado por el movimiento. Puede hacer algunas cosas para reducirlo.

- *No dé al niño una comida abundante o grasa antes del viaje.*
- *Puede darle un medicamento contra el mareo, que le recetará el médico; déselo siempre por lo menos media hora antes de salir.*
- *Conserve la calma. Si se muestra angustiada, el niño también se angustiará. El mareo es causado por la ansiedad y la excitación, y es más probable que ocurra durante el viaje, así que sea paciente al salir de casa.*
- *Es una buena idea llevar bocados intermedios que se puedan chupar porque no manchan, así que lleve una buena provisión de dulces.*
- *Mantener al niño ocupado o distraído ayudará a impedir el mareo, pero no deje que lea, ya que eso puede producirlo.*
- *Si observa que el niño se pone pálido o está muy tranquilo, pregúntele si desea detenerse. Consiga que cierre los ojos hasta llegar a un lugar seguro para detenerse, sáquelo del coche y sea muy comprensiva si realmente vomita. Dele un poco de tiempo para recuperarse antes de continuar el viaje.*
- *Si vomita, una caja de pañuelos de papel le ayudará a limpiar al niño (y el coche si fuera necesario).*
- *Después de haber vomitado, dele a beber algo para eliminar de la boca el gusto a vómito.*

PLANEAR LAS VACACIONES

Nunca piense que el niño es demasiado pequeño para viajar. Los niños casi siempre nos sorprenden y están a la altura de la ocasión de formas que nunca creímos posibles. Viajar con bebés pequeños es una especie de afición en mi familia. Me han dicho que cuando sólo tenía seis semanas mi madre y mi padre me llevaron de camping y durante dos semanas vivimos bajo toldos junto al mar. Cuando mi tercer hijo sólo tenía diez semanas lo llevamos a Italia y mientras buscábamos nuestro equipaje perdido en Roma, él fue el que mejor se comportó de todos nosotros. Incluso aceptó filosóficamente mis esfuerzos por encontrar la fórmula correcta para él, tarea que me costó tres días.

ANTES DE PARTIR

Si se marcha al extranjero de vacaciones, una regla de oro es asegurarse de que el hotel disponga de instalaciones para niños, y que éstos sean realmente bienvenidos. Entre las cosas a buscar en un hotel se incluyen instalaciones como un *crèche*, un lugar adonde pueda llevar a su hijo para darle de cenar temprano, un menú para niños, sillas altas y cunas, una sala de juegos y una zona de juegos al aire libre, atendida por cuidadoras profesionales. Vale la pena tomarse la molestia de comprobar que el hotel dispone de esas cosas porque si sus hijos no se sienten a gusto, usted tampoco disfrutará de las vacaciones. Si piensa ir a la playa, compruebe que ésta sea segura.

Vacunas. Debe procurarse consejo sobre las vacunas que se necesitan, y hacerlo con bastante antelación (seis meses por lo menos), porque las normas cambian constantemente en todo el mundo. La razón para empezar pronto es que algunas vacunas necesitan bastante tiempo para hacer efecto, mientras que para otras, como la hepatitis, quizá tenga que esperar hasta seis semanas entre inyecciones, o no pueda ponerse una vacuna inmediatamente después de otra. Puede obtener información en el médico o en las agencias de viaje importantes, algunas de las cuales disponen de médico que puede vacunar o preparar certificados de vacunación, además de recetarle cualquier medicamento que necesite, como pastillas esterilizadoras de agua.

Alimentos. Otra regla de oro para los niños es empezar en casa a introducirles la ingestión de cualquier alimento exótico, para determinar así sus gustos y aversiones con antelación. Si al niño le gusta experimentar con los alimentos, no hay razón alguna para que no pueda dejarle comer los alimentos habituales, siempre y cuando estén bien cocinados y limpios.

VIAJE EN AVIÓN

La mayoría de compañías aéreas disponen de instalaciones especiales para niños, siempre que sean advertidas con antelación. Intente reservar plaza en un vuelo donde no vaya mucha gente, y si tiene un bebé pida un asiento especial con mesa plegable para un cesto o una cuna. Si no dispusiera de éstos, pida cualquier asiento que permita disponer de más espacio para las piernas. En el vuelo se ofrecen mantas de viaje. Pregunte al personal si pueden calentar biberones para el bebé. En algunos

QUÉ LLEVAR

Use la siguiente lista para comprobar que lleva todo lo que necesita para el niño.

- *Pasaporte y documentos de vacunación.*
- *La bolsa del bebé.*
- *Manta de viaje.*
- *Sillita de ruedas o suspensor.*
- *Sillita balancín si la usa.*
- *Equipo para cambiarlo u orinal.*
- *Equipo para alimentarlo.*
- *Un frasco al vacío para bebidas frías.*
- *Juegos y juguetes.*
- *Chupetes.*
- *Sombrero para el sol.*
- *Prendas de vestir inarrugables y de lavado en seco.*
- *Ropa abundante para proteger a su hijo del calor o las quemaduras solares.*

Protección solar
Póngale al niño un sombrero para protegerlo del sol y una camiseta, y aplíquele con regularidad crema solar protectora cuando esté al aire libre, jugando bajo el sol.

vuelos se ofrecen comidas para niños, pero si no fuera así tendrá usted que llevar la suya. La mayoría de agencias de viaje harán esas indagaciones para usted. Dado que los niños son impredecibles, es esencial efectuar planes muy cuidadosos y, si fuera posible, no viajar sola. He aquí algunas de las cosas que puede hacer antes de viajar:

- Procure llegar al aeropuerto con tiempo suficiente para evitar largas colas, y concédase mucho tiempo para llegar allí.
- Guarde todos los documentos de viaje en una bolsa especial, dentro de un bolso ligero que pueda llevar colgado del hombro. Si puede, incluya también la bolsa del bebé, con pañales de repuesto, ropa y algunos alimentos.
- Asegúrese de que todo lo que suba a bordo lleve una etiqueta indestructible, incluida la bolsa del bebé.
- Lleve consigo algunos de los juguetes preferidos del bebé, o vea si algunos de los juegos sugeridos para su uso en el coche (véase pág. 145) le sirven también para entretener a su hijo en el avión.
- Lleve a su hijo colgado de un suspensor para tener las manos libres.
- Cámbiele el pañal justo antes de subir al avión.
- Lleve una sillita de ruedas plegable al avión; la tripulación se hará cargo de ella al subir a bordo y se la devolverá al salir.
- Los bebés y los niños experimentan algún dolor al despegar y aterrizar, así que lleve un pequeño regalo o el chupete del bebé, para que pueda chupar y equilibrar la presión en sus oídos.

BAÑOS DE SOL SEGUROS

Los niños pueden sufrir una insolación (véase pág. 340) en muy poco tiempo; se trata de una situación grave. Ocurre, sobre todo, cuando se ve expuesta la nuca al sol caliente, lo que interfiere con el centro regulador de la temperatura, que está en el cerebro.

Si el bebé tiene menos de seis meses, no le exponga nunca la piel directamente al sol interino. Las guías que se indican (abajo, derecha) son para niños mayores de seis meses. Aunque los tiempos de exposición al sol parecen cortos, es importante atenerse a ellos y hacer que los niños lleven camisetas y sombreros para protegerse del sol durante el resto del tiempo. Deben ponerse protector solar (véase derecha) siempre que estén al aire libre, aunque naden o el cielo esté nublado, ya que todavía podrían sufrir una insolación.

Si al cabo de los seis primeros días no se han producido efectos notables, puede ampliar los períodos de exposición hasta varias horas, siempre y cuando el niño se sienta a gusto y su piel no se inflame.

Puede prevenir la insolación cubriendo al niño con crema solar de un factor de protección 15 o superior en toda la piel que quede al descubierto, aumentándola si fuera necesario.

Un bebé debe mantenerse lo más fresco posible y eso significa llevar un mínimo de prendas ligeras de algodón, así como algo que cubra casi la totalidad de su cuerpo, a menos que se mantenga constantemente bajo una sombrilla y no se exponga nunca a la luz directa del sol. Si puede, procure que el cochecito del bebé se halle situado siempre allí donde una brisa ligera refresque la piel del bebé. Los niños sudan mucho más que los adultos en un clima cálido, así que lleve siempre agua consigo y dele al niño toda la que quiera tomar.

CREMAS SOLARES

Hay numerosas cremas solares disponibles en el mercado. Utilice una que proteja tanto contra los rayos UVA como UVB, con un factor de protección solar (SP) de por lo menos 15.

Para un bebé debe utilizar la crema protectora más fuerte que encuentre; los factores SP llegan hasta 30.

El factor SP significa que puede permanecer al sol ese número de veces más, sin sufrir quemaduras, de lo que podría si no se pusiera la crema; si el niño sufriría normalmente quemaduras al cabo de diez minutos, con un protector solar de factor SP de 10 podría permanecer bajo el sol durante cien minutos sin sufrirlas.

Muchos protectores solares aseguran ser impermeables, pero si su hijo entra y sale del agua de mar o de la piscina, vuelva a aplicar el protector solar aproximadamente cada media hora.

Bajo cualquier otra condición, vuelva a aplicar crema protectora sobre la piel del niño al cabo de dos horas.

TIEMPOS DE EXPOSICIÓN

Al principio, deje que el niño se exponga al sol sólo por breve tiempo y luego aumente gradualmente éste.

Día 1	*5 minutos*
Día 2	*10 minutos*
Día 3	*15-20 minutos*
Día 4	*20-30 minutos*
Día 5	*45 minutos*
Día 6	*60 minutos*

CAPÍTULO 3

JUEGO *y desarrollo*

Al nacer el niño, se ve inmerso en un mundo confuso de visiones y sonidos, ninguno de los cuales tiene sentido para él. El proceso de identificar y memorizar las cosas que le rodean se inicia de inmediato. Como madre o padre, puede ayudarle a encontrar sentido a lo que le rodea.

El punto de partida en el desarrollo social del bebé es la presencia física de usted. En cuanto el bebé nace, se familiarizará con su olor, voz y aspecto y acabará por asociarla con la comodidad y el amor. Usted puede estimular su deseo instintivo de comunicarse con el habla, el tacto, el contacto visual y el juego.

Durante el primer año de vida el cerebro del bebé duplica su peso, no porque adquiera más células cerebrales, sino porque se establecen más y más conexiones entre las células cerebrales ya existentes. «Aprender a pensar» es un proceso complejo de construcción de asociaciones que es el resultado de la observación y la interacción con el mundo.

El niño no sólo madurará social y mentalmente, sino que también adquirirá habilidad física. Aprenderá a sentarse, luego a gatear, y más tarde a caminar y correr, y desarrollará exquisitas habilidades de manipulación. Todas estas cosas abrirán ante él nuevos ámbitos de experiencia.

TODO SOBRE EL DESARROLLO

El desarrollo es continuo, aunque en ocasiones el progreso de su hijo parezca ser muy lento. La velocidad y facilidad con que se adquieren las habilidades es algo totalmente individual así que no se preocupe si su hijo es más lento en desarrollar algunos aspectos en comparación con otros niños de la misma edad.

Aunque puede usted influir en el ritmo de desarrollo de su hijo, ofreciéndole los estímulos correctos en el momento adecuado, las fases de desarrollo se producen según una secuencia estrictamente invariable.

DESARROLLO FÍSICO

Hay unos pocos principios generales que se aplican al desarrollo físico de todos los bebés. Esas fases siempre siguen el mismo orden, ya que cada una de ellas depende de las anteriores. Para dar un ejemplo evidente, el niño no puede andar hasta que no pueda ponerse de pie.

A menudo parece como si se olvidara una habilidad previamente aprendida, mientras el bebé se concentra en aprender otra nueva, pero la anterior reaparecerá una vez que haya aprendido la nueva. A veces, una actividad generalizada da paso a otra específica: un bebé de seis meses puede efectuar movimientos aleatorios de las piernas que se parezcan al andar, pero son muy diferentes a los que realizará cuando efectivamente empiece a caminar hacia el año de edad.

Una fase física importante será aquella en la que empiezan a salirle los dientes. Aunque quizá no le parezca una fase del desarrollo, lo cierto es que los dientes son esenciales para que su hijo aprenda a masticar alimentos sólidos y a hablar adecuadamente.

LOCOMOCIÓN

Quizá le sorprenda saber que toda la locomoción, es decir, caminar y correr, empieza con la adquisición del control de la cabeza. El niño no puede sentarse, levantarse o gatear si no es capaz de controlar la posición de su cabeza. El desarrollo de cualquier clase procede desde la cabeza a los pies.

Al principio, los movimientos del bebé parecerán aleatorios, como a tirones y muy impredecibles; el bebé recién nacido mueve brazos, piernas, cabeza, manos y pies cuando únicamente desea sonreír.

Poco a poco, durante los tres años siguientes, va refinando sus movimientos, que son cada vez más específicos para dominar la tarea que se ha propuesto.

Gatear, aunque inteligente, es una forma ineficiente y torpe de moverse, pero el niño tiene que aprender equilibrio y coordinación, y adquirir seguridad en sí mismo, antes de lanzarse al espacio.

Manipulación. El primitivo reflejo de prehensión del recién nacido (véase pág. 20) debe desvanecerse antes de que el bebé pueda coger un objeto a propósito. Al principio usa la boca como órgano principal del tacto; las puntas de los dedos sólo toman el relevo una vez que ha apren-

DESARROLLO EN LAS NIÑAS

El género es un factor importante que afecta al desarrollo. Los niños y las niñas tienen fuerzas distintas y se desarrollarán de modo diferente, ya sea física, intelectual y socialmente. En general, las niñas:

- *Superan a los niños en habilidades basadas en el lenguaje, como hablar, leer y escribir.*
- *Suelen ser más sociables que los niños y se muestran más interesadas por las personas que por las cosas.*
- *Suelen caminar antes que los niños.*
- *Crecen con mayor rapidez y de forma más predecible y regular en sus pautas de crecimiento que los niños.*
- *En los años preescolares, son mejores que los niños en saltar, brincar y mantener el equilibrio.*
- *Es más fácil relacionarse con ellas que con los niños.*
- *Afrontan la tensión mejor que los niños.*

Saltar
En contra de las expectativas, las niñas pequeñas superan a los niños en saltar y brincar.

dido a usar las manos. Perfeccionará su habilidad para coger cosas, primero tomándolas en la palma de la mano y finalmente aprendiendo a usar el índice y el pulgar. También aprenderá a soltar un objeto que ha cogido.

Oído y visión. La capacidad auditiva del niño es esencial para el desarrollo del lenguaje y hay varias claves que puede observar desde muy temprano y que le indicarán si esa capacidad auditiva es normal: ¿se vuelve, por ejemplo, en dirección a la procedencia del sonido, o responde a su voz volviéndose o sonriendo?

La visión del bebé mejora muy rápidamente durante las primeras semanas de su vida y aunque no podrá ver las cosas a distancia, puede enfocar la vista sobre su rostro en cuanto nace, siempre que esté sólo a 20-25 centímetros de distancia.

DESARROLLO INTELECTUAL

El cerebro del bebé duplica su peso durante el primer año debido no al crecimiento en el número de células cerebrales, sino a las conexiones que se establecen entre ellas. Esas conexiones sólo empiezan a formarse una vez que el bebé ha *pensado* en algo. El contacto con las nuevas vistas, sonidos, olores, gustos y tactos hacen pensar al bebé, y por esa razón es esencial estimularlo desde que nace.

Para que el bebé comprenda lo que sucede a su alrededor, tiene que utilizar sus sentidos, su intelecto y su cuerpo para formar conexiones mentales de modo que pueda comprender la causa y el efecto. Para tomar un juguete preferido, por ejemplo, tiene que poder verlo, recordar cómo es, extender la mano hacia él y luego tomarlo.

Las habilidades mentales del bebé avanzarán con la estimulación y la enseñanza, por lo que la participación de usted es crucial en todo momento, sobre todo cuando el cerebro pase por impulsos de crecimiento, en el primer y tercer años. Es usted la primera y más importante maestra de su hijo.

SOCIABILIDAD

Tiene usted la responsabilidad de darle a su hijo la voluntad y la habilidad para formar relaciones cariñosas y abiertas con los demás a medida que crezca. Los bebés llegan al mundo con capacidad para dar y recibir amor desde el principio, así que tenemos que responder a sus exigencias de afecto y a su necesidad para recibirlo.

Los bebés se hacen sociables por imitación y responden a la voz humana desde que nacen, así que debería hablar con el bebé desde el día en que nazca. La personalidad del bebé y las habilidades sociales pueden afectar a sus logros de desarrollo. Un niño independiente y decidido intentará llevar a cabo movimientos nuevos antes que otro más tímido, y el niño sociable buscará el contacto social y la comunicación con los demás, y desarrollará antes que otros niños la facultad para hablar.

La personalidad del niño tiene tres componentes principales: sociabilidad (la medida en que busca y disfruta con el contacto con los demás), actividad (el progreso y el disfrute del movimiento y la energía) y la emoción (su tendencia a cambios de humor). Si cualquiera de esos rasgos fuera especialmente pronunciado en su hijo, debería tratar usted de acomodarse, al mismo tiempo que estimula el desarrollo de las otras dos cualidades.

DESARROLLO EN LOS NIÑOS

El ritmo del desarrollo se ve afectado por muchas cosas y el género es una de ellas; los chicos y las chicas se desarrollan según «horarios» diferentes. En general, los chicos:

- *Empiezan a hablar más tarde que las chicas y muestran más inclinación a sufrir perturbaciones del lenguaje.*
- *Tienden a ser menos sociables que las niñas y se interesan más por los objetos que por las personas.*
- *Suelen aprender a andar más tarde que las niñas.*
- *Corren mayores probabilidades que las niñas de crecer a base de accesos repentinos.*
- *Perfeccionan el salto, la carrera y el lanzamiento después de los años preescolares.*
- *Son más agresivos, competitivos y rebeldes que las niñas.*
- *Son más vulnerables al estrés que las niñas y tienen más probabilidad de tener problemas de comportamiento.*

Juego activo
Los juguetes de construcción estimulan el desarrollo de las capacidades manuales del niño.

ELEGIR JUGUETES

El niño crecerá y aprenderá muy rápido durante los tres primeros años, por lo que la elección de los juguetes debería reflejar sus necesidades cambiantes.

- *Los juguetes sencillos son mucho más versátiles, por lo que duran mucho y son mejores para el juego imaginativo.*
- *Un bebé necesitará juguetes que estimulen sus cinco sentidos. Introduzca al bebé en colores, texturas, formas y ruidos diferentes.*
- *Los bebés mayores disfrutan con juegos que supongan construir, particularmente con juguetes de «colocar y sacar», por lo que son ideales las piezas de tamaños diferentes.*
- *A medida que se desarrolla la capacidad manual del niño podrá controlar piezas que encajen entre sí y otros clasificadores más avanzados de figuras diferentes.*
- *Los niños en edad preescolar disfrutan con el dibujo, la pintura y el juego imaginativo, y con juegos sencillos como el dominó de figuras.*

Pintar
Ofrezca a su hijo materiales para pintar y dibujar y deje que desarrolle su creatividad.

PROMOVER EL DESARROLLO

Las seis primeras semanas de vida son un período de aprendizaje crítico para el bebé, en el que usted debe participar activamente. Su papel como maestra empieza en el momento de nacer el niño y continúa durante muchos años; su tarea consiste en lograr que el mundo sea un lugar interesante y excitante en el que pueda crecer y aprender.

Estoy firmemente convencida de que la maestra más importante en la vida del bebé es la persona que cuida de modo más permanente de su salud y bienestar; es decir, usted. El bebé la reconocerá desde muy pronto, primero por el olor y el sonido, y disfrutará del establecimiento de un vínculo singular con usted, lo que significa que es usted la persona más capacitada para enseñarle su mundo, ya que, incluso de adultos, aprendemos mejor de aquellas personas con las que nos sentimos cómodas y con las que establecemos una relación. Su cónyuge también juega un papel muy importante. Debe formar lo antes posible una relación íntima y cariñosa con el bebé, para poder participar igualmente en la enseñanza. Busque cualquier oportunidad para compartir el progreso del bebé, ya que buena parte de su desarrollo inicial dependerá de que disponga de un ambiente seguro y atento, así que procure dedicarle mucha atención.

OFRECER EL AMBIENTE ADECUADO

El bebé exige y merece un ambiente rico y estimulante para experimentar plenamente tantas sensaciones como le sea posible, mientras dependa todavía de sus sentidos para aprender. Rodee al bebé durante los seis primeros meses de una amplia variedad de sonidos, olores, vistas y texturas. En los primeros meses, el bebé no puede interactuar con lo que le rodea tal como podrá hacer cuando aprenda a moverse y hablar. Por tanto, su desarrollo intelectual y emocional sólo mejorará a través de las distintas experiencias que usted pueda introducirle.

Cuando el niño empiece a jugar y andar, preste atención a su forma de usar los juguetes. Procure que sean atractivos, disponiéndolos de modo imaginativo, y en lugar de comprarle juguetes nuevos constantemente anímelo a interactuar con los que ya tiene de una manera diferente, como por ejemplo mostrándole la forma de usar una caja de cartón como un coche o un barco. Los niños no siempre necesitan juguetes caros para animarse a jugar. A menudo, recibirá estímulo de juguetes improvisados: una tienda de campaña hecha con sábanas, por ejemplo; una tabla de madera a modo de balancín, una pequeña colina hecha de tierra o un túnel hecho a base de mantas y sillas. Todo ello le proporcionará el ambiente para un juego imaginativo.

En términos prácticos, la zona donde juegue debe ser segura, una vez eliminados los peligros potenciales para que no se lastime, o romper o dañar nada. Los cuadrados de arena en el jardín son ideales (pero deben estar cubiertos para que los animales no hagan en ellos sus necesidades), o puede destinar un rincón de la habitación como zona específica de juego.

TRABAJAR CON SU HIJO

Con objeto de permitir que su hijo alcance todo su potencial, debe disponer de tiempo para trabajar con él, adaptando sus esfuerzos a las fases de desarrollo de su hijo. Los padres responsables realizan sin esfuerzo y de modo natural el papel de maestros. El niño siempre está ávido por aprender cosas nuevas, así que procure que la experiencia sea divertida y mutuamente gratificante. Aproveche cualquier oportunidad que se presente, como momentos íntimos de juego o para contar cuentos, por ejemplo, para enseñarle colores, texturas, formas opuestas, etcétera.

Enseñar al niño no es un proceso formal en que se tengan que seguir reglas específicas y satisfacer objetivos concretos. Toda enseñanza debe basarse y realizarse en el juego. Alimente a su hijo con una creciente curiosidad y necesidad de nuevas experiencias. Introdúzcale conceptos nuevos, responda a sus preguntas pero, sobre todo, elógielo en cada fase para que el proceso de aprendizaje sea inconsciente y disfrute de él, y desee repetirlo una y otra vez con usted.

Al trabajar con su hijo, procure detenerse en cuanto muestre cualquier señal de aburrimiento y lleve cuidado de no someterlo a ninguna presión. Si decide que aprender es divertido, se abrirá paso en la vida y disfrutará con el conocimiento.

LA IMPORTANCIA DEL JUEGO

El desarrollo del niño se centrará alrededor del juego y esa es la forma más natural que tiene de aprender. El valor del desarrollo a través del juego sólo se ha comprendido a lo largo de los últimos veinte años, puesto que hasta entonces se consideraba como una actividad vacía, sólo apta para llenar el tiempo que los niños no pudieran emplear útilmente de otro modo. Ahora sabemos que el juego es un medio esencial para adquirir la mayoría de las habilidades de adultos, particularmente las sociales. El niño aprenderá primero a formar relaciones y a compartir con otros niños de su misma edad a través del juego, y los juguetes tendrán un importante papel educativo en todas las fases de desarrollo de su hijo.

Elija los juguetes por su valor educativo. La excelencia en lectura, escritura y aritmética exigen ciertas habilidades básicas que el niño adquirirá mediante juguetes de construcción, al jugar con rompecabezas, al conjuntar colores, formas y texturas. Los mejores juguetes son aquellos a los que los niños regresan una y otra vez porque tienen para ellos un atractivo ilimitado, y suelen ser aquellos que estimulan la inventiva. Por esta razón, un objeto del hogar, como una escoba o un colador pueden proporcionarle más satisfacción duradera que cualquier otro juguete caro y elaborado. Al compartir y estimular a su hijo en este juego, se fortalecerá el vínculo entre ambos y él la verá como alguien que le aporta conocimiento y diversión.

Lugares para jugar. Resulta agradable reservar un espacio especial para su hijo, como un cuadrado de arena o una zona donde pintar o practicar juegos de agua, pero el niño puede jugar en cualquier parte siempre que tome usted las medidas de seguridad adecuadas (véanse págs. 306-313). La cocina es un lugar ideal, mientras esté usted presente para vigilarlo. Puede organizar un rincón de muñecos para que cada noche los acueste y los levante a la mañana siguiente para el desayuno.

TELEVISIÓN

El niño occidental medio llega a ver hasta ocho horas diarias de televisión. Una hora al día es más que suficiente para su hijo pequeño.

Más tiempo puede impedirle adquirir habilidades de comunicación, imaginación y coordinación que se podrían desarrollar más a fondo mediante juegos y el contar cuentos. Debe usted controlar la cantidad de tiempo que su hijo ve la televisión, así como la forma de usarla como una herramienta para entretener al niño cuando usted no se siente con ánimos para divertirlo. Usada cuidadosamente, sin embargo, la televisión constituye una ayuda muy útil para adquirir nuevos conceptos, como por ejemplo para determinar la hora.

La investigación ha demostrado que el niño puede seguir viviendo en el mundo de fantasía de la televisión hasta mucho después de que haya dejado de verla, lo que puede provocar pesadillas si ha visto algo aterrador o violento en la pantalla.

Los investigadores suecos han demostrado que al hacer retroceder al niño al mundo real, contándole un cuento, cepillándole los dientes o preparando las ropas que se pondrá al día siguiente, se eliminan los efectos desagradables de la televisión.

BEBÉ PEQUEÑO

LOCOMOCIÓN

CONTROL DE LA CABEZA

El cambio físico más importante que experimentará el bebé en las primeras semanas de vida será el desarrollo de fuerza en el cuello y el control de la cabeza.

La cabeza del recién nacido es proporcionalmente muy grande y pesada para su cuerpo, lo que significa que antes de que el bebé empiece a controlar el resto del cuerpo, tiene que lograr primero el control de su cabeza.

Una vez que el bebé pueda levantar la cabeza del colchón, empezará a aumentar su fortaleza y eso le animará a dominar otras habilidades locomotoras. Sostener al bebé en el aire cabeza abajo lo animará a levantar la cabeza, algo que intentará hacer por sí solo cuando esté tumbado boca abajo.

A medida que aumenta su fortaleza, se hace más firme su control sobre la cabeza y la columna vertebral soportará gradualmente más el peso de su torso. Esta es la primera fase de su aprendizaje para sentarse, gatear y andar.

Los primeros meses del desarrollo del bebé son un período excitante para los padres que observan cómo el bebé ve el mundo por primera vez, para luego empezar a moverse para participar en él. A medida que aumentan su coordinación y fuerza muscular, mejora con rapidez el control del cuerpo del bebé. El refinamiento gradual de sus movimientos y su creciente curiosidad por lo que le rodea constituyen un estímulo excelente para todos los aspectos de su desarrollo. Cada niño se desarrolla a su propio ritmo y las edades citadas a continuación para las diversas fases de coordinación y control sólo son aproximaciones.

Recién nacido

El bebé flexionará las extremidades hacia el cuerpo, que permanecerá curvado durante varias semanas, mientras se fortalece y abandona la posición fetal.

Al principio, la cabeza caerá fláccidamente, pero observará que es capaz de volverla hacia el lado preferido cuando está tumbado boca abajo. Sosténgale siempre la cabeza y la nuca al levantarlo.

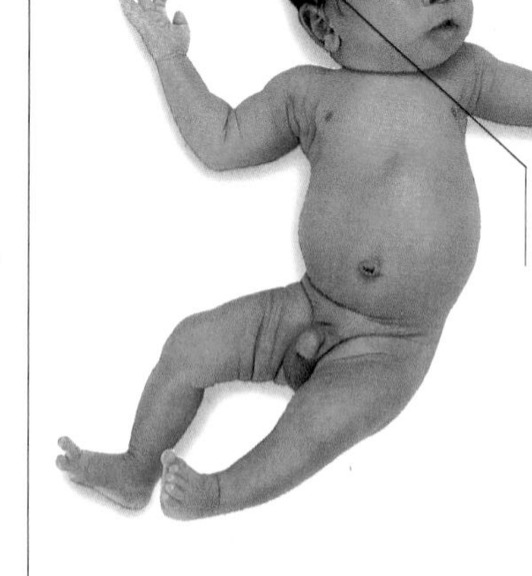

El bebé sólo puede levantar la cabeza momentáneamente

Si sostiene al bebé, podrá mantener la cabeza levantada un momento

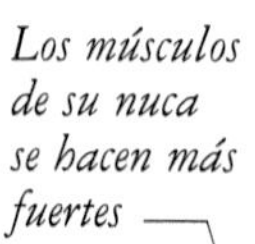

Los músculos de su nuca se hacen más fuertes

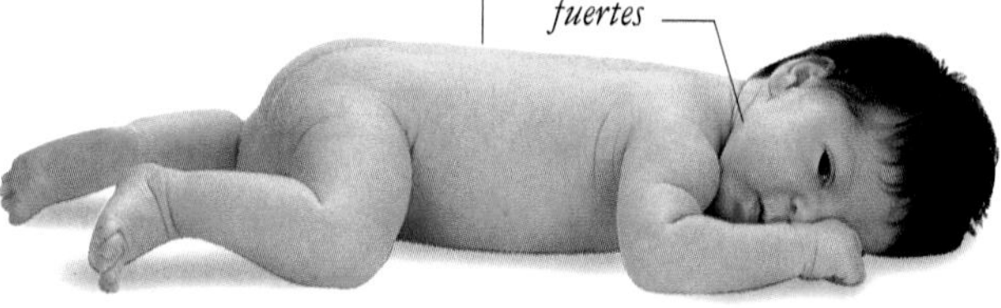

1 mes

El bebé podrá levantar la cabeza ligeramente unos pocos segundos y ya habrá perdido su aspecto de recién nacido. Si lo levanta, podrá mantener la cabeza a la altura de su cuerpo durante un segundo o dos.

Las rodillas y caderas se fortalecen y empiezan a enderezarse cada vez más.

2 meses

El bebé puede sostener la cabeza más tiempo. Tumbado boca abajo sostendrá la cabeza a la altura de su cuerpo y desarrollará rápidamente la capacidad para levantar el rostro del colchón en un ángulo de 45°.

3 meses
Ahora, el bebé puede permanecer tumbado boca abajo y sostener el peso de sus hombros y cabeza con los brazos extendidos. Mantenido en posición de sentado o de pie, hay ya poca flaccidez en la cabeza.

El bebé puede mantener la cabeza en alto tumbado boca abajo

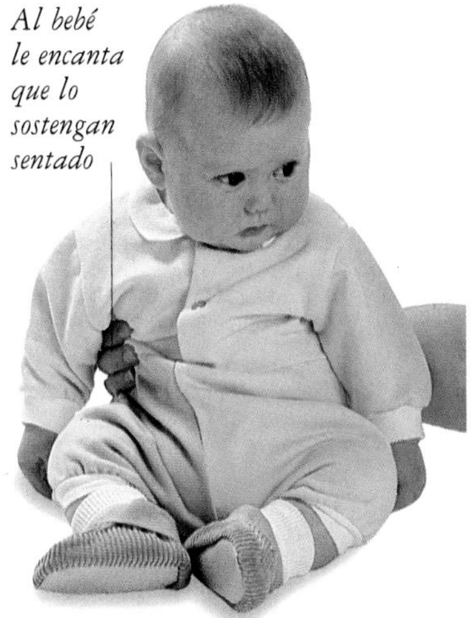

Al bebé le encanta que lo sostengan sentado

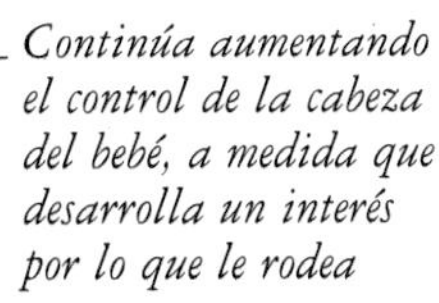

4 meses
Ahora, el bebé se concentra en aprender a permanecer sentado sin necesidad de ayuda. Continúa aumentando su control de la cabeza y se vuelve hacia la derecha o la izquierda cuando algo atrae su atención. Tumbado boca abajo, es capaz de sostener el peso del pecho y la cabeza sobre los antebrazos, levantar las dos piernas del colchón, y balancearse de un lado a otro. Al final aprende a rodar sobre sí mismo.

LA POSTURA DEL BEBÉ

Aunque la postura del bebé madurará a medida que sus músculos se fortalecen de una manera natural, ambos disfrutarán con ejercicios de inclinación y estiramiento.

El momento para cambiarlo es una buena oportunidad para hacerlo así; el bebé terminará por asociar el placer de estar limpio y seco con el movimiento. Tome suavemente los pies del bebé por los tobillos y dóblele y enderécele las piernas unas pocas veces. Hágalo con lentitud, y deténgase si el bebé parece sentirse incómodo.

Continúa aumentando el control de la cabeza del bebé, a medida que desarrolla un interés por lo que le rodea

El control de la cabeza y la fuerza de la nuca del bebé aumentarán con la práctica

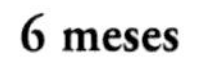

5 meses
El bebé alcanza el pleno control de la cabeza incluso cuando está sentado. Puede sostener todo el peso de la cabeza, los hombros y el pecho sobre las manos extendidas. Sus movimientos de balanceo se hacen más fuertes.

6 meses
A medida que fortalece sus extremidades puede soportar buena parte de su peso sobre los brazos. Se sentará, con las manos hacia adelante a modo de apoyo, y extenderá las manos hacia usted cuando desee que lo levanten. Puede permanecer sentado sin apoyo durante pocos segundos. Si lo balancea arriba y abajo sobre su regazo, podrá soportar parte de su propio peso con los músculos de las piernas.

ESTIMULAR EL MOVIMIENTO

Aunque es posible que el bebé parezca realizar movimientos de gateo en las primeras semanas (véase pág. 21), interrumpirá ese proceso a medida que su cuerpo se enderece a partir de la posición fetal. Antes de poder empezar a gatear, tiene que enderezar su cuerpo, controlar la cabeza, levantar el pecho del suelo y desarrollar fuerza en brazos y piernas.

Los estímulos y elogios que usted le dedique harán que este período sea excitante y placentero para ambos. A medida que logre controlar la cabeza, puede animarlo a levantarla al sostener sobre él un juguete de brillantes colores. Al cobrar fuerza los músculos de la espalda y de los hombros, ayúdele ocasionalmente tirando de él hasta colocarlo sentado, cuando esté tumbado de espaldas. Una vez que aprenda a sentarse, puede jugar con él a juegos que le animarán a girar en su posición, como el escondite, sitúese de forma que tenga que volverse para buscarla. A los cinco meses, cuando tenga un pleno control de la cabeza, los juegos de balanceo y oscilación le permitirán practicar la estabilidad de la misma.

APOYO

Ya a partir de las seis semanas debería incluir al bebé en la vida cotidiana, apoyándolo sobre almohadas en posición de sentado. Puesto que ahora puede enfocar mejor la mirada, eso le permitirá ver lo que sucede a su alrededor y captar su interés por lo que le rodea. Una vez que se inicia su estimulación, el deseo de participación será irresistible para él.

PREPARARSE PARA GATEAR

El bebé tiene que ser lo bastante fuerte para sostener la cabeza y alejar el pecho del suelo antes de poder gatear. Cuando tenga unos seis meses podrá apartar claramente el pecho del suelo y sostener esta posición con las rodillas, por debajo, pero tendrá unos ocho meses antes de que pueda impulsarse hacia adelante a lo largo del suelo.

Es imposible indicar con exactitud la edad a la que gateará el bebé, si es que lo hace. Si está enfrascado en observar lo que pasa a su alrededor, quizá deteste estar tumbado sobre el estómago y deje el gateo para una etapa posterior. Algunos bebés se saltan esta fase, y pasan a aprender a andar perfectamente.

Puede animar a su hijo a gatear de una serie de formas, la mejor de las cuales es convertirse usted misma en el cebo. Elogie cualquier esfuerzo que haga el bebé, para impedir que se sienta cansado o frustrado con los intentos fallidos. Su ayuda y apoyo serán mucho más útiles para él que cualquier intento que haga por «enseñarle» a gatear moviéndole los brazos y las piernas en un movimiento similar, pero sin que él se esfuerce.

ARRASTRARSE

Antes de poder gatear, el bebé quizá elabore su propia forma individual de moverse de un lado a otro utilizando la coordinación que ha dominado.

Algunos bebés se arrastran de un lado a otro sobre las nalgas, mientras que otros usan movimientos laterales, como de cangrejo, y otros se inventan sus propios y singulares métodos.
La maniobra personal que desarrolle su hijo para desplazarse no tiene la menor importancia: ha alcanzado un gran logro al moverse con independencia y eso es lo único que importa. Nunca debe usted desanimar al bebé en sus primeros intentos por alcanzar movilidad. Esas son sus herramientas para aprender a controlar su cuerpo, y es importante que se le permita descubrir los límites de ese control. Así pues, dé rienda suelta a su curiosidad y espíritu de aventura.

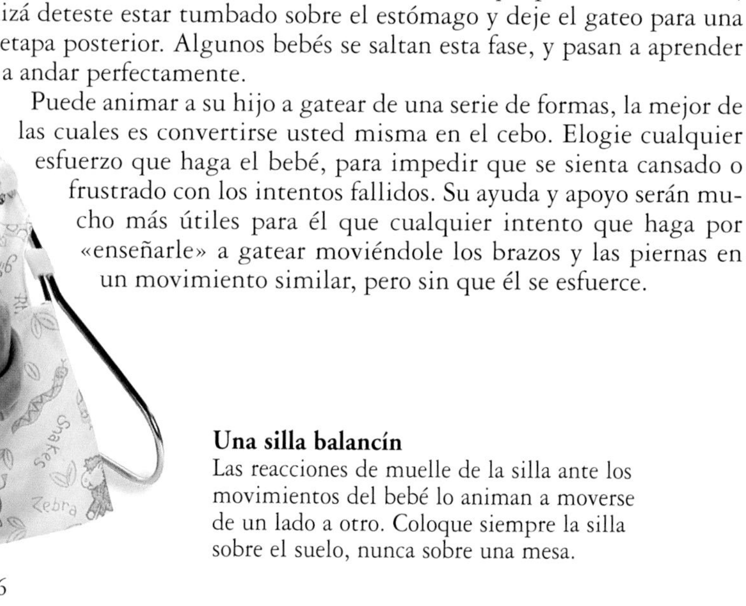

Una silla balancín
Las reacciones de muelle de la silla ante los movimientos del bebé lo animan a moverse de un lado a otro. Coloque siempre la silla sobre el suelo, nunca sobre una mesa.

PREPARARLO PARA LEVANTARSE

Antes de que el bebé pueda levantarse, debe tener fortaleza y equilibrio. Aunque antes de los 10 u 11 meses no es probable que tenga los músculos de las piernas fuertes o control sobre ellos, uno de los juegos con los que más disfrutará es ser balanceado arriba y abajo sobre las rodillas de usted. Sosténgalo frente a usted, con los pies sobre las rodillas, para elevarlo y descenderlo, procurando sostenerle la nuca. El bebé disfrutará con la sensación de sostener su propio peso, y eso fortalecerá los músculos de las piernas, como preparación para caminar. Desde los seis meses probará a doblar y extender las piernas en un movimiento de salto cada vez que lo sostengan en posición de pie. Esos movimientos son los primeros intentos que hará por andar.

EJERCICIOS

Puede estimular el desarrollo físico del bebé desde una edad muy temprana practicando sencillos juegos de ejercicios con los que él disfrutará. Debe vestirlo cómodamente, pero sólo necesitará el pañal si está en una habitación cálida, sin corrientes de aire.

ACTIVIDADES FORTALECEDORAS

Aviador
Túmbese de espaldas, con las rodillas levantadas y balancee al bebé sobre su estómago, apoyándolo en las espinillas y las rodillas. Extienda los brazos a un lado, lo que le hará levantar la cabeza, para luego llevarle los brazos a la posición original y empezar de nuevo.

Extensión de brazos
Tumbe al bebé de espaldas y deje que la tome por los pulgares. Extiéndale uno de los brazos por encima de su cabeza. Al descender el brazo extendido, levántele el otro brazo por encima de su cabeza.

El bebé se sentirá más feliz si puede verla a usted y seguir sus movimientos

SEGURIDAD

Desde el momento en que el bebé adquiera movilidad es vital que su hogar sea a «prueba de niños» (véanse págs. 306-311) para prevenir los accidentes.

- *No deje nunca al bebé sin vigilancia. Incluso antes de adquirir movilidad, necesitará estar con usted para sentirse tranquilo y seguro.*
- *Una vez que el bebé aprenda a rodar sobre sí mismo, no lo deje nunca en ninguna otra parte que no sea el suelo, y en una zona donde no haya objetos duros o afilados.*
- *Aunque haya logrado controlar su cabeza, siga colocando almohadones alrededor de las nalgas y la parte baja de la espina dorsal del bebé.*
- *Guarde fuera del alcance del bebé todas las sustancias venenosas.*
- *Proteja bien todos los fuegos, cajones, bidones y escaleras.*

Cruces
Sosteniendo las manos del bebé, extienda sus brazos a los lados y luego a través de su pecho. Repita.

UN CASO DE ESTUDIO

SÍNDROME DEL NIÑO HIPOTÓNICO

NOMBRE *Catherine Dallas*
EDAD *31 años*
HISTORIAL OBSTÉTRICO *Primer bebé, parto normal, sin complicaciones*

Desde los cuatro meses, a Catherine le pareció que Henry era un poco lento: todavía no tenía control sobre la cabeza, que tendía a quedar colgante, y no había efectuado ningún intento por sentarse. Si trataba de mantenerlo en posición de sentado, el bebé rodaba hacia un lado o hacia el otro. Cuando estaba vistiendo a Henry, Catherine observó que sus brazos y piernas volvían a caer sobre la cama después de que ella le hubiera metido las mangas o las perneras.

Como Henry era su primer bebé, Catherine no estaba segura si se trataba de un retraso en el desarrollo, pero decidió consultar con el médico. Interrogada por el médico, recordó algunas otras señales de que no todo era normal con Henry; al nacer había observado que sus ojos parpadeaban rápidamente adelante y atrás, pero no sabía que eso no era habitual en los recién nacidos. Henry había parecido bastante débil a la hora de mamar, con una tendencia a soltar babas, lo que indicaba dificultades para tragar, pero se le dijo que eran muchos los recién nacidos con el mismo problema.

Después de examinar cuidadosamente a Henry y de hacerle algunas preguntas a Catherine, el médico dijo que sería mejor que Henry fuera visto por un neurólogo pediatra para una valoración completa. Empleó la expresión «síndrome del niño hipotónico», diciendo que tenía muchas causas y que quizá se tardarían unos pocos meses en detectar la que lo producía. Catherine se sintió convulsionada por el temor y la ansiedad después de escuchar la opinión del médico y necesitó desesperadamente respuestas a sus numerosas preguntas. ¿Qué es un síndrome del niño hipotónico? ¿Cuál es la causa? ¿Es hereditario? ¿Se verían afectados otros bebés que pudiera tener? ¿Cuáles eran las perspectivas de Henry? ¿Sería normal alguna vez? ¿Cómo podía ayudarle?

POSIBLES CAUSAS

Le sugerí a Catherine que diera un solo paso a la vez: los análisis podían contestar a todas sus preguntas. La lista de posibles causas del síndrome del niño hipotónico es enorme porque el nombre se limita a describir el estado del bebé, no la causa. La «flaccidez» del bebé puede estar causada por cualquiera de cientos de enfermedades raras, ninguna de las cuales se puede diagnosticar sin efectuar amplias investigaciones de alta tecnología. No obstante, el historial familiar y el examen clínico cuidadoso estrechan la lista a una de tres categorías principales.

Genética. Puede ser evidente si otros miembros de la familia han sufrido lo mismo, pero es posible que sólo salga a la luz mediante análisis genéticos realizados con una muestra de ADN capaz de detectar anormalidades genéticas.

Muscular. Las enfermedades como la distrofia muscular se pueden detectar con la EMG (electromiografía) y análisis de sangre. El análisis de sangre mide los niveles de una sustancia química cuya presencia en la sangre indica la degeneración del tejido muscular. También se puede llevar a cabo una biopsia muscular para estudiar bajo el microscopio un fragmento diminuto de músculo, en busca de anormalidades.

Cerebral. El cerebelo, la parte del cerebro responsable de mantener el tono muscular, se halla situado en la parte posterior de la espalda y es posible que no se haya desarrollado normalmente mientras el bebé estuvo en el útero. Se emplean escáneres de CT (tomografía computarizada) y de MRI (imagen de resonancia magnética) para obtener imágenes del cerebro que luego se examinan con minucioso detalle. Es muy raro que el cerebro se vea afectado durante el parto.

Claves para el diagnóstico

La puntuación Apgar de Henry (véase pág. 24) había sido baja en el momento de nacer para el tono muscular, una clave precoz para descubrir más tarde lo ocurrido. Otra clave fue el nistagmo observado por Catherine en Henry al nacer (los movimientos rápidos de los ojos). El nistagmo se origina a menudo a causa de un daño o de un desarrollo incorrecto del cerebelo, de modo que esa ya era una indicación de que ahí se encontraba probablemente la primera zona a examinar.

Todas las señales observadas pero no tenidas en cuenta por Catherine (debilidad al mamar, babeo, deficiencia al tragar, nistagmo, bajo tono muscular) son síntomas del síndrome del niño hipotónico, aunque su importancia no se pone de manifiesto hasta que se las relaciona. Intenté tranquilizar a Catherine y decirle que no debía sentirse culpable por haber pasado por alto esas primeras señales, puesto que eso no habría representado para Henry ninguna diferencia en cuanto a su posible tratamiento futuro.

Aprender a afrontarlo

Antes de que se practicaran las pruebas y con la cooperación de su médico, animé a Catherine y a Mike a ver a un asesor psicológico, en lugar de intentar afrontar solos la situación. Es de una enorme ayuda el poder charlar constructivamente con un experto capaz de hablar y comprender las emociones conflictivas y de ayudar a las parejas a afrontarlas y a planificar. Eso resultó ser muy reconfortante para Catherine y Mike, que siguieron viendo al asesor durante muchos meses.

El diagnóstico de Henry

Una vez realizados los análisis, hubo buenas noticias entre algunas malas: las pruebas genéticas fueron claras, lo que significaba que las discapacidades de Henry eran espontáneas y que los futuros bebés serían muy probablemente totalmente normales. En opinión de los médicos, la inteligencia del niño no se había visto afectada y la biopsia muscular no mostraba ninguna distrofia. La lesión parecía estar en el cerebro y los escáneres MRI así lo confirmaron, con imágenes que mostraban un cerebelo ligeramente pequeño y subdesarrollado.

A los 16 meses de edad, Henry se encontraba retrasado en términos de desarrollo, pero se creyó que eso se debía a sus músculos débiles, y no al retraso mental. No obstante, era un niño pequeño maravillosamente sociable y muy cariñoso que ofrecía momentos gratificantes a Catherine y Mike. Fue lento en hablar, pero emitió sonidos, de modo que sabían que tenía el deseo de comunicarse mediante palabras, lo que era una buena señal. Poseía un mejor control sobre su cuerpo y se estaba fortaleciendo con lentitud, aunque probablemente no caminaría hasta quizá los cuatro o cinco años. Su visión y oído son normales.

Nombre	*Henry Dallas*
Edad	*18 meses*
Historial médico	*Parto normal; nistagmo al nacer (movimientos de parpadeo de los ojos), y puntuación Apgar baja para el tono muscular (hipotonía). Posterior desarrollo motor lento*

Gracias al médico, la asistenta social y el especialista, Catherine descubrió que hay toda clase de ayudas disponibles para Henry. Sabe que debe estar preparada para el hecho de que Henry pueda tener que vivir en un centro de cuidados especiales. Mientras tanto, lleva a Henry a sesiones de fisioterapia para ayudarle a fortalecer sus músculos y mejorar su coordinación física. La fisioterapeuta está muy contenta con sus progresos y también le complace comprobar que Catherine se está convirtiendo en una buena maestra. Ahora que se da cuenta de lo mucho que puede hacer por ayudar a su hijo Henry, Catherine se siente más segura de sí misma en cuanto a su propia fortaleza y capacidad de recursos.

BEBÉ MAYOR

LOCOMOCIÓN

Durante los primeros meses de vida, el bebé ha logrado controlar la cabeza y aprendido a coordinar y refinar sus movimientos, en fases fácilmente reconocibles, a medida que sus músculos se fortalecen y mejora su equilibrio. Ahora está preparado para empezar a moverse de un lado a otro, y el año siguiente será excitante para ambos, mientras aprende a gatear y a andar.

Es importante recordar que todos los bebés se desarrollan a su propio ritmo y que las edades dadas aquí son los momentos generales en que la mayoría de bebés han alcanzado estas habilidades. Unos pocos bebés caminan ya a los seis meses; otros no muestran el menor interés por andar, pero lo hacen perfectamente más tarde, así que no se preocupe si el desarrollo de su bebé no concuerda exactamente con estas fases. Algunos bebés pasan por alto la fase del gateo y pasan directamente desde el arrastrarse al andar (véase pág. 156). Otros gatean como osos sobre manos y pies, en lugar de hacerlo sobre manos y rodillas. Ambas formas son normales.

El bebé puede equilibrarse sobre tres extremidades, mientras extiende la mano hacia un objeto

8 meses

El bebé se extenderá para coger cosas que estén fuera de su alcance. Se sentará sin apoyo, brevemente al principio, pero poco a poco durante períodos de tiempo más prolongados. Dominará el inclinarse, tanto hacia adelante como a los lados, y pondrá a prueba su propio equilibrio balanceándose adelante y atrás en posición de sentado o girando, aunque probablemente se caerá.

10 meses

El bebé puede sentarse sin ayuda durante unos 10 minutos. Probablemente ha dominado el andar a gatas. Es capaz de incorporarse sobre los pies, pero tendrá usted que sostenerlo en posición erecta y ayudarlo a sentarse de nuevo.

Ahora, los brazos pueden sostener parte de su peso

FASES DEL PONERSE DE PIE

A medida que el bebé aprende a permanecer sentado sin apoyo durante períodos más largos de tiempo, aumentarán también su sentido del equilibrio y su deseo de caminar.

- *A partir de los seis o siete meses, el bebé empezará a sostener todo su peso sobre las rodillas y las caderas, pero necesitará que usted lo ayude a equilibrarse. Pondrá a prueba la fuerza de sus piernas con una especie de movimiento de baile; un desplazamiento de un pie a otro y al aumentar la seguridad en sí mismo practicará el doblar y extender las piernas.*
- *A los nueve meses ya habrá aumentado mucho la capacidad del bebé para equilibrarse. Es posible que sea ya capaz de sostener todo su peso sobre las piernas, pero todavía necesitará apoyarse en algo. Cualquier mueble estable le servirá para apoyarse, pero en esta fase no se le debe dejar nunca a solas; le resultará difícil sentarse cuando esté en posición de pie, y una caída puede afectar gravemente su seguridad en sí mismo y el placer que le produce estar de pie.*
- *Hacia los diez meses, el bebé ya podrá levantar un pie mientras está incorporado, siempre y cuando esté apoyado. Será capaz de tirar de sí mismo hasta ponerse de pie, pero seguirá teniendo problemas para descender y volver a sentarse.*

1 año
El bebé puede gatear o arrastrarse. Sostenido en posición erecta, intentará dar pasos. Es posible que intente andar de lado mientras se sostiene en algo.

Mientras está sentado, el bebé podrá volverse y coger un objeto situado detrás de él

14 meses
Después de avanzar apoyándose en los muebles, el bebé ya podrá permanecer de pie y es posible que de entonces sus primeros pasos independientes. Pronto dará unos cuantos pasos seguidos para moverse entre un apoyo estable y otro. Necesitará apoyo para sentarse una vez que está de pie.

16 meses
Los pasos del bebé serán altos e inestables, pero no tardará mucho en refinar su estilo. Se levantará y sentará ya sin ayuda alguna, y es capaz de gatear escalera arriba. Debe vigilar usted por su seguridad, pues ahora que es móvil deseará investigar todo lo que ve a su alrededor.

18 meses
El niño pequeño es capaz de subir la escalera a gatas y sin ayuda, aunque necesita apoyo para equilibrarse. Sus pasos son más bajos y firmes y raras veces pierde el equilibrio. A medida que mejoran su equilibrio y coordinación, progresará y será capaz de caminar hacia atrás y de correr.

Equilibrio

Entre los siete meses y el año, el bebé desarrollará reflejos de enderezamiento que le permitirán controlar los movimientos básicos de su cuerpo.

Estos le ayudan a pasar de una posición de tumbado a otra de pie y viceversa, apoyarse sobre manos y rodillas y sentarse. Controlan la posición y el movimiento de la cabeza y son los responsables del desarrollo del equilibrio.

- *A los ocho meses, el bebé se inclinará hacia adelante y hacia atrás con objeto de poner a prueba su equilibrio.*
- *A los nueve meses puede inclinarse hacia adelante y hacia un lado sin perder el equilibrio. Es capaz de rodar sobre sí mismo e intentará gatear.*
- *A partir de los diez meses puede girar la mitad superior del cuerpo mientras está sentado. Eso fortalece los músculos laterales del tronco y mejora su capacidad para equilibrarse mientras se mueve.*

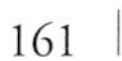

ESTIMULAR HABILIDADES

La transición que efectúa el niño, de bebé descoordinado a niño pequeño independiente constituye uno de los puntos cruciales de su desarrollo, y puede usted ayudar a estimularlo a ponerse en pie durante sus primeros intentos por andar.

Necesita mucho espacio para moverse, y algo blando bajo los pies para poder disfrutar plenamente de su recién encontrada libertad. Elógielo mucho en cada una de las fases, pero no intente presionarlo para que vaya más rápido de lo que a él le parezca; andar supone dominar complicadas técnicas de equilibrio y coordinación, y es una de las habilidades más difíciles que aprenderá su hijo.

AYUDE AL NIÑO A PONERSE EN PIE

Desde el momento en que sea capaz de controlar la cabeza, deje que soporte cada vez más su propio peso al estar de pie. Los músculos de piernas, caderas y rodillas se fortalecerán gradualmente y disfrutará dejando caer su propio peso sobre ellos. Al sostenerlo de las manos, se balanceará de un lado a otro y jugará de pie. Sosténgalo sobre su regazo, o sobre almohadones, la cama o el baño y anímelo a participar en juegos activos.

Desde los nueve meses ya podrá apoyar casi todo su peso sobre las piernas, pero necesitará apoyo para hacerlo porque la fuerza muscular que tiene es superior a su dominio del equilibrio. Puede estimularlo ofreciéndole apoyo para avanzar hacia muebles estables en los que pueda apoyarse y guardar el equilibrio. Mientras lo hace, permanezca cerca de él. Necesitará desarrollar su equilibrio para permanecer en pie con seguridad, de modo que cuando esté sentado, anímelo a inclinarse hacia adelante y a los lados, colocando juguetes justo fuera de su alcance, delante de él y a sus lados; eso fortalecerá los músculos del tronco. Le resultará difícil sentarse desde la posición erecta, pero usted se lo puede facilitar mediante una suave manipulación de sus caderas y rodillas. A los diez meses el bebé es mucho más móvil sobre las manos y rodillas. Los músculos del tronco se fortalecen continuamente, mientra él gira y se vuelve cuando está sentado o gatea. Ofrézcale los dedos para animarlo a auparse hasta sentarse o ponerse de pie. Le encantará este logro, de modo que elógielo siempre.

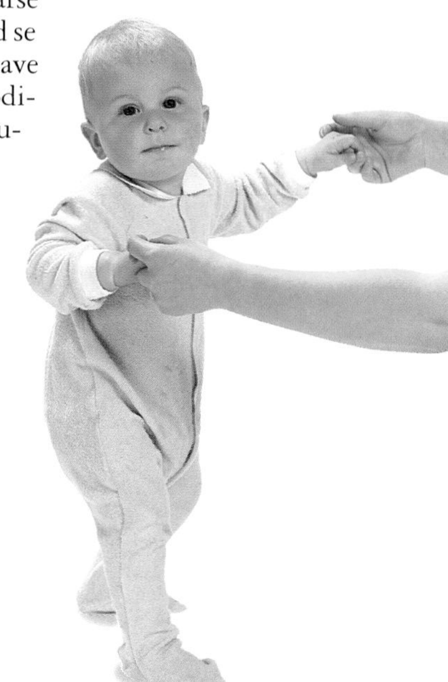

Aprender a estar de pie
Enseñe al bebé la sensación de sostener su propio peso tomándolo de las manos y jugando a suaves juegos en los que doble las piernas.

FASES DEL ANDAR

Los primeros intentos del bebé por andar serán inestables y se sujetará en los muebles en busca de apoyo, pero al cabo de un par de meses se moverá independientemente

- *El bebé avanzará de lado y sujetándose a los muebles, antes de caminar; es decir, se aupará apoyándose en un mueble y luego lo rodeará. Asegúrese de apartar de su camino cualquier mueble inestable o demasiado ligero.*
- *A continuación, empezará a mover una mano sobre la otra mientras avanza de lado, en lugar de deslizarlas juntas y mover manos y pies al mismo tiempo. Esta es una fase importante, porque el bebé desarrolla seguridad y equilibrio al soportar todo su peso sobre un solo pie, aunque sea brevemente.*
- *Su siguiente objetivo será salvar espacios vacíos entre dos puntos de apoyo. Se apoyará en ambos al mismo tiempo, y sólo se soltará de uno cuando esté firmemente apoyado en el otro.*
- *Pronto progresará y podrá salvar espacios más grandes. Sosteniéndose todavía sobre un punto de apoyo con una mano, avanzará hacia el centro del hueco y, una vez recuperado el equilibrio, soltará un punto de apoyo, dará un paso hacia el siguiente y se sujetará a él con ambas manos.*
- *Finalmente, empezará a dar un par de pasos vacilantes hasta llegar al segundo punto de apoyo. Se lanzará hacia el espacio vacío y dará varios pasos, sin apoyo alguno y con seguridad en sí mismo. Es posible que pierda el equilibrio y se siente de golpe, pero probablemente volverá a ponerse en pie y continuará hacia su objetivo con los brazos abiertos y extendidos ante él.*

AYUDE A SU HIJO A ANDAR

El bebé aprenderá por sí solo a andar, pero es divertido ayudarle a practicar si dispone de tiempo. Ponga al bebé sobre sus manos y rodillas y siéntese a corta distancia. Eso lo impulsará a moverse hacia usted. Acudirá más prestamente si extiende usted sus brazos hacia él, pronuncia su nombre, o le ofrece un juguete de colores brillantes. Para estimular al bebé a girar sobre sí mismo, coloque un juguete a su espalda y sosténgalo mientras se gira. Cuando cumpla los diez meses podrá incorporarse apoyándose en los muebles. Mientras está de pie y firmemente apoyado, dóblele una de las rodillas y levántele el pie; eso le ayudará a aprender a dar un paso y a sostener momentáneamente el peso sobre el otro pie.

A partir de los once meses, ayude al bebé a practicar los pasos hacia adelante, sosteniéndolo de las manos y guiándolo. Le puede facilitar el ir de lado si coloca muebles lo bastante cerca unos de otros, pero aparte todos aquellos que puedan caerse con facilidad cuando él los empuje.

Mejore las habilidades del bebé llamándolo mientras él se dedica a cruzar la habitación de un punto de apoyo en otro. Anímelo a lanzarse apartando un poco más los muebles. Siéntese a distancia de él, mientras se sostiene en los muebles, extienda los brazos y llámelo, pero esté siempre lo bastante cerca como para cogerlo en el caso de que se tambalee.

A partir de los trece meses ya es capaz de permanecer de pie él solo y puede dar los primeros pasos independientes. Un juguete alto y estable, como un taca-taca, es un estímulo ideal para que practique el andar él solo. A los 15 meses podrá arrodillarse, bajar el cuerpo sin apoyo y levantarse sin ayuda. Una silla con brazos le permitirá sentarse sin caerse y le proporcionará una buena práctica para doblar sus caderas y rodillas.

Practique más movimientos de las piernas con el bebé, usando una gran pelota blanda que puede intentar enviarle a usted con una patada. Eso es bueno para adquirir equilibrio. Enséñele a sentarse en cuclillas, y ayúdelo a dominar el doblar las caderas y las rodillas, algo de lo que ambos disfrutarán más si lo hacen al ritmo de la música. Los juegos que utilizan pasos hacia atrás o de lado aumentarán mucho la habilidad del niño para andar y mantener el equilibrio. Es muy divertido un juego en el que sostiene las manos del niño mientras caminan, se sientan y se ponen de pie; le permite imitarla, lo que aumentará todavía más sus logros.

No existe una edad correcta para que el niño aprenda a andar, pero lo más probable es que dé sus primeros pasos sin apoyo entre los 9 y los 15 meses de edad.

Juguetes para caminar
La movilidad y la independencia del niño pequeño aumentarán con el uso de juguetes fuertes, con ruedas, que le ayuden a caminar.

SEGURIDAD

A medida que aumenta la independencia del bebé, la seguridad de su ambiente adquiere una importancia creciente.

- *Procure permanecer cerca cuando el bebé dé sus primeros y vacilantes pasos; lleve un cuidado particular cuando ande y gatee para subir escaleras. Asegúrese de que el suelo no resbala, y no le ponga zapatos hasta que no salga a caminar al exterior.*
- *Ofrezca al bebé mucho espacio libre para sus intentos. Tenga en cuenta que puede caerse al apoyarse en carritos o muebles pequeños.*
- *Hay protectores especiales para bordes y cantos agudos o para las manijas de las puertas.*
- *Debe dejar fuera de su alcance los objetos con tapaderas de cristal, o asegurarlas con adhesivo.*
- *Coloque puertas de seguridad en lo alto y en lo bajo de la escalera. Las puertas de arriba deben abrirse hacia el rellano y no deben tener barras horizontales que permitan escalar al bebé.*
- *Deje bien fuera del alcance y de la vista todas las sustancias venenosas, guardadas en un armario cerrado con llave. Hasta las pastillas de vitaminas son peligrosas.*
- *No deje objetos afilados o calientes al alcance del bebé.*

NIÑO PEQUEÑO

LOCOMOCIÓN

Entre los 18 meses y los tres años, el niño progresará rápidamente en cuanto a su movilidad. Será muy activo de pie, perfeccionará el caminar y el mantenimiento del equilibrio, y puede usted estimular este desarrollo haciéndole participar en sus actividades cotidianas. Empezará a disfrutar con los juegos de pelota, los juguetes con ruedas y los juegos que supongan brincar, saltar o escalar. Dedique tiempo para animar a su hijo a desarrollar sus nuevas habilidades y a aumentar su seguridad en sí mismo; eso será vital para la continuación de su desarrollo físico.

LOCOMOCIÓN EN LAS NIÑAS

Las niñas parecen seguir un ritmo más rápido que los niños durante todo el proceso de su desarrollo; suelen crecer con mayor regularidad y de un modo más predecible que los niños.

En los años preescolares, las niñas son mejores a la hora de saltar, brincar y efectuar movimientos rítmicos y de equilibrio, por lo que disfrutarán con aquellos juegos en los que participen estas actividades. Jugar a la pata coja, saltar y bailar dará a la niña pequeña una oportunidad para desarrollar estas habilidades.

21 meses
El niño es capaz de inclinarse para recoger objetos sin caerse hacia adelante. Su andar es más firme y puede caminar con los brazos a los costados, en lugar de extendidos y abiertos. También es capaz de correr bastante bien, pero tendrá dificultades para doblar las esquinas y quizá se caiga si se detiene de repente. Empieza a ser capaz de darle patadas a una pelota, aunque desmañadamente, ya que no puede equilibrarse bien sobre una sola pierna.

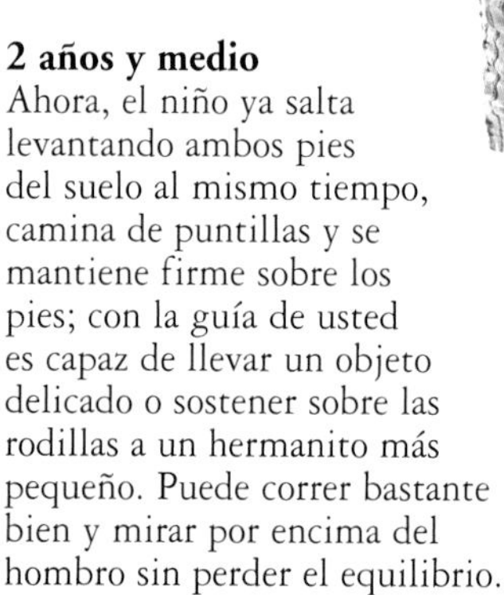

2 años
El niño es más fluido en los juegos de pelota, tanto para cogerla como para pegarle patadas y es capaz de caminar tanto hacia atrás como hacia adelante. Puede subir y bajar escaleras sin sujetarse, avanzando cada paso con un pie. Ahora ya puede cambiar de dirección y regatear mientras corre, así como detenerse de pronto en plena carrera sin caerse.

2 años y medio
Ahora, el niño ya salta levantando ambos pies del suelo al mismo tiempo, camina de puntillas y se mantiene firme sobre los pies; con la guía de usted es capaz de llevar un objeto delicado o sostener sobre las rodillas a un hermanito más pequeño. Puede correr bastante bien y mirar por encima del hombro sin perder el equilibrio.

CÓMO AYUDAR

La época en que el niño es pequeño supone el despliegue de una gran actividad para ambos. El niño se interesará por todo lo que vea, y desarrolla las habilidades que le permitirán tomar parte por primera vez en una serie de actividades. Eso le ofrece a usted una gran oportunidad para hacerlo intervenir en numerosas tareas cotidianas que serán divertidas para él e importantes para su desarrollo.

Déle al niño numerosas oportunidades para practicar la habilidad de caminar y correr, de subir y bajar escaleras, o de salir al exterior dejando la sillita de ruedas en casa, para dar cortos paseos. Sosténgalo de la mano si necesita apoyo o cuando vaya de compras. Sujetarlo con unas riendas es una forma más segura y dará al niño una mayor sensación de libertad, lo que es particularmente adecuado para el parque o las zonas de juego. No exija demasiado de sus capacidades para andar en esta fase, ya que no podrá caminar más de unos pocos cientos de metros seguidos. Es inevitable que sufra algunos lapsus en su aprendizaje, así que no se preocupe si experimenta retrocesos, tropieza o se cae; no tardará en recuperar la seguridad en sí mismo.

Los juegos que supongan saltar y caminar de puntillas también desarrollan la habilidad para caminar y correr. Anime a su hijo a bailar con usted al son de la música. Necesitará practicar mucho el equilibrio, y eso puede ayudarse con juegos de pelota y otros juguetes adecuados. Empiece con una pelota grande y blanda. Deje que intente caminar por lo alto de un muro bajo, sosteniéndolo de la mano para que no se caiga. Quizás todavía es demasiado pequeño para ir en bicicleta, pero un juguete con ruedas y un asiento que le permita impulsarse con los pies le permitirá desarrollar el gusto por el movimiento y fortalecerá sus músculos. En casa déle juguetes blandos como colchonetas o trozos de gomaespuma sobre los que saltar y hacer cabriolas. En el exterior, el columpio le ayudará a desarrollar fuerza y coordinación, pero compruebe que las instalaciones de juego en el exterior sean seguras (véase pág. 310).

Cuanto más haga participar a su hijo en las actividades cotidianas, como limpiar y lavar, subir la escalera, tantas más enseñanzas y prácticas recibirá. Tome precauciones sensatas contra las caídas y otros peligros del hogar, pero tampoco se preocupe indebidamente; los niños pequeños son extraordinariamente resistentes y no harán caso de la mayoría de golpes que se den inevitablemente durante estos años tan activos e inquisitivos.

Juguetes con ruedas
Tanto en casa como en el exterior se puede usar una bicicleta de impulso, que mejorará la coordinación y fuerza muscular del niño.

LOCOMOCIÓN EN LOS NIÑOS

Durante los años preescolares hay muy pocas diferencias entre los niños y las niñas en términos de fortaleza y velocidad.

Los niños pequeños alcanzan con menos rapidez que las niñas habilidades como saltar, brincar, el movimiento rítmico y el mantenimiento del equilibrio, así que suelen alcanzar más tarde otras fases importantes como recoger un juguete del suelo sin necesidad de sentarse antes. En consecuencia, debe ofrecerle mucha ayuda para alcanzar estas habilidades, permitiéndole la suficiente libertad de movimientos. Aumentará sus habilidades mediante juegos que supongan dar patadas a una pelota o bailar y saltar.

Preescolar

Locomoción

Durante estos dos años preescolares el niño está realmente desarrollando sus habilidades físicas y enorgulleciéndose de adquirir cada nueva habilidad. A los tres años, el niño ya tiene mayor destreza, sube la escalera con seguridad, salta del último escalón y se mantiene por un instante en equilibrio sobre un solo pie. Es capaz de balancear los brazos al caminar y de montar en triciclo. A los cuatro es muy activo y bien coordinado. Se precipita de un lado a otro saltando, brincando y escalando, es capaz de bajar la escalera con rapidez, con un pie a cada paso, y hasta puede llevar un vaso lleno sin derramarlo. A los cinco ya habrá desarrollado bien su coordinación. Es capaz de caminar por una línea recta, bajar la escalera con pies alternos, saltar sobre una cuerda con pies alternos, escalar con seguridad y disfrutar de juegos y juguetes que se muevan con rapidez.

Estimular las habilidades

Puede usted estimular las habilidades de salto del niño de tres años jugando a la pata coja, o tomándose de las manos y saltando sobre un solo pie. Eso le permitirá gastar el exceso de energía. Practique con él el balanceo de brazos marchando al son de la música. Dejarle montar en triciclo le fortalecerá los músculos de las pantorrillas y estimulará la flexibilidad de los pies, mientras que el columpio, el balancín o el tobogán aumentarán su seguridad en sí mismo.

A los cuatro, el niño debería tener acceso a aparatos externos, como una estructura de escalada en el jardín donde pueda ejercitar sus músculos. También puede ayudarle a dominar el salto a la comba y probar con una amplia gama de otros juegos físicos. A los cinco años podrá saltar a la comba y disfrutar con juguetes como zancos, tabla de patinaje y otro equipo que sea desafiante.

Animar a las niñas

A las niñas se las considera a menudo menos extrovertidas y aventureras que a los niños, pero es importante animarlas a ser curiosas y activas, y a desfogarse mediante la actividad física.

- *No se preocupe en exceso por la posibilidad de que la niña pequeña se haga daño o se manche la ropa, ya que esa actitud inhibe al niño y le impide descubrir su potencial físico.*
- *Las niñas son naturalmente más sociables, así que anímelas a jugar en equipo o a participar en juegos cooperativos, como saltar a la pata coja o a la comba.*
- *Procure incluir en sus juegos movimientos más enérgicos.*
- *Las niñas suelen estar mejor dotadas para juegos que supongan interpretaciones imaginativas, así que trate de animar a la pequeña para que incluya en sus juegos de fantasía más creatividad física, con habilidades espaciales y de construcción.*
- *No ponga nunca obstáculos al espíritu aventurero y a la curiosidad de su hija; anímela a escalar y a saltar como haría con un hijo.*

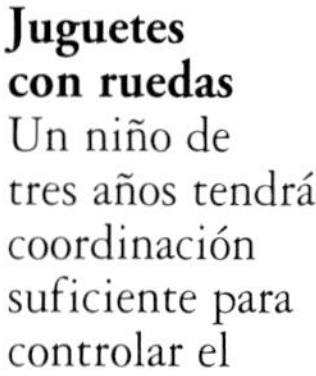

El baile mejorará la postura y el equilibrio

Baile
A muchas niñas pequeñas les encanta la idea de ser bailarinas, y las lecciones pueden ser una ocasión social atractiva y un modo de estimular las habilidades físicas.

Juguetes con ruedas
Un niño de tres años tendrá coordinación suficiente para controlar el pedaleo.

Los pedales recios son fáciles de maniobrar

JUEGO AVENTURERO

Si anima al niño a ser aventurero, estará dispuesto a exigirse a sí mismo hasta el límite y a desarrollar todo su potencial. Un niño de tres o cuatro años tiene un sentido muy claro de sí mismo y de sus capacidades, y está descubriendo los límites de lo que es seguro y factible. Si es demasiado protectora o no le permite poner a prueba sus habilidades, dominar una nueva habilidad y continuar, lo contendrá en su desarrollo, como consecuencia de ello le faltarán coordinación y seguridad en sí mismo. Tiene que separar los temores propios de los de él; los temores de él harán que sea prudente y sensato, mientras que los de usted actuarán como un estorbo ante su curiosidad y espíritu aventurero.

Cuando tenga tres años de edad, el niño ya podrá caminar y correr con seguridad. Suele tener una energía ilimitada y está preparado para afrontar actividades cada vez más exigentes, así que dele el margen más amplio posible; correr, saltar y pedalear mejorarán sus habilidades y le ayudarán a quemar la energía sobrante. Si se lo puede permitir, instale una estructura de escalada, una escala de cuerda o un columpio en el jardín, donde pueda supervisarlo desde la casa. Dependiendo de la habilidad y confianza de su hijo, es posible que esté preparado para aprender a patinar, montar en bicicleta con ruedas estabilizadoras. Introducir al niño ahora en deportes y otras actividades puede colocar los fundamentos para una vida llena de satisfacciones deportivas, así que dele la oportunidad para probar numerosas cosas diferentes como natación, baile, fútbol o equitación. Intente asegurarse de que disponga de algún sitio donde pueda correr, saltar o darle patadas a la pelota.

Siempre puede ayudar a su hijo a afrontar tareas nuevas y difíciles, sosteniéndolo al principio de la mano y guiándolo, hasta que esté segura de que es competente y que por lo tanto está seguro. Amplíe el espíritu aventurero y la curiosidad de su hijo no sólo en el desarrollo físico, sino también con los juguetes, la música, la pintura, los libros y los juegos.

ANIMAR A LOS NIÑOS

A los niños se les supone y se les anima a ser aventureros en su juego, pero es un error suponer que todos los niños son extrovertidos y activos. Algunos tienen una preferencia evidente por juegos bulliciosos, mientras que otros prefieren actividades tranquilas y contemplativas.

- *Los juegos sobre grandes almohadones blandos y muebles rellenos de espuma son una diversión excelente y buenos para fomentar el equilibrio y la coordinación.*
- *Los niños suelen ser considerados mejores para las «relaciones espaciales», como por ejemplo saber cómo encaja mejor un objeto en otro. Estimule esta habilidad introduciendo juguetes de construcción en cuanto pueda encajar objetos.*
- *Ofrézcale al niño numerosas oportunidades para ser creativo, con objetos como tubos vacíos de papel higiénico, viejas cajas de huevos o cartones de yogur que pueden convertirse en cualquier cosa que surja en su imaginación.*

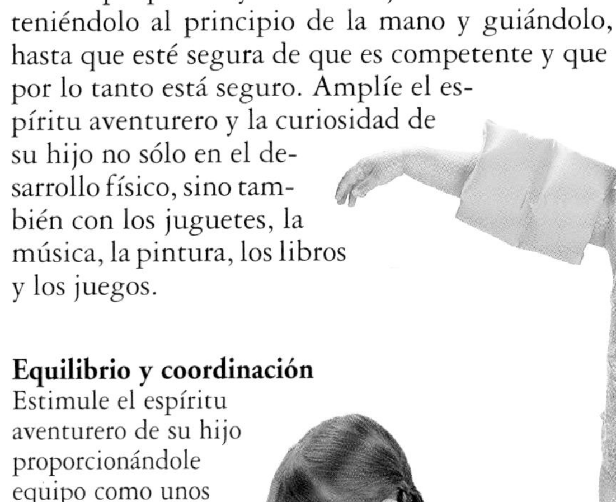

Equilibrio y coordinación
Estimule el espíritu aventurero de su hijo proporcionándole equipo como unos patines.

Los patines ajustables son cómodos y se adaptan al crecimiento

Las bandas inflables dan confianza al niño

Natación
La práctica de la natación desarrollará la buena forma y la fortaleza muscular de su hijo, particularmente en los brazos.

BEBÉ PEQUEÑO

MANIPULACIÓN

LAS MANOS DEL BEBÉ

Al principio, el bebé muestra poco interés por sus manos, pero a medida que se hace más consciente de su cuerpo, empieza a sentirse más y más fascinado por ellas.

Al mover los brazos de un lado a otro, la mano toca accidentalmente la cara y se la lleva a la boca para chuparla. A los dos o tres meses le resultan fascinantes los movimientos de los dedos que contempla interminablemente. A los cuatro meses agarra y sostiene objetos para «probarlos» llevándoselos a la boca. A los seis meses refina sus habilidades manuales y percibe tanto con los dedos como con la boca.

El bebé nació con el reflejo de prehensión, por el que toma todo lo que se le pone en la palma de la mano, como un dedo de usted, y no lo suelta; el agarre es tan fuerte que puede sostener su propio peso (aunque no debe dejar que lo haga). Cuando no sostiene algo, mantiene las manos fuertemente cerradas en un puño, aunque probablemente las abre y cierra al llorar, y las abre instintivamente al asustarse (véase pág. 20). El reflejo de prehensión tiene que perderse para aprender a seleccionar un objeto, extender la mano hacia él y tomarlo con el índice y el pulgar, la habilidad básica de la destreza manual. La mayoría de bebés ya han madurado la sujeción en «pinza» al año de edad.

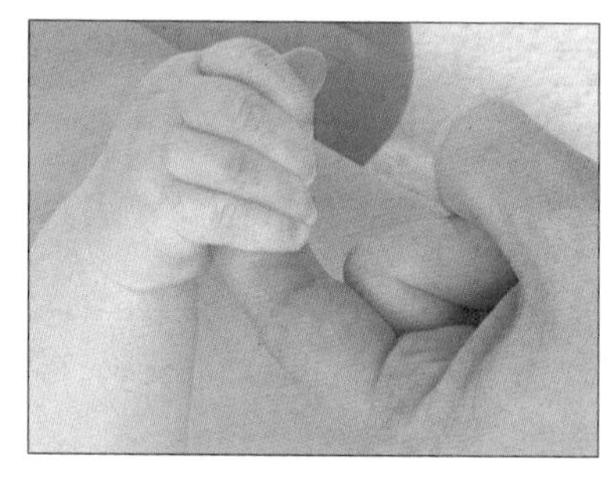

Recién nacido
Desde que nace, el bebé tiene la habilidad para tomar un objeto y sostenerlo. Este reflejo de prehensión es tan fuerte que le permite sostener su propio peso.

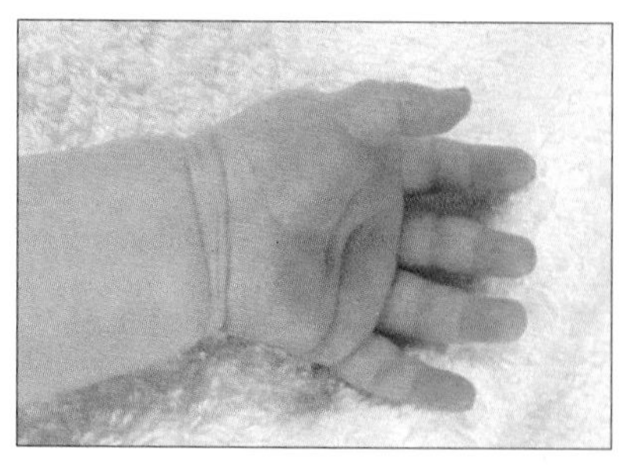

2 meses
El bebé es cada vez más consciente de sus manos y ya casi ha desaparecido el reflejo de prehensión. Ahora, sus manos están más abiertas.

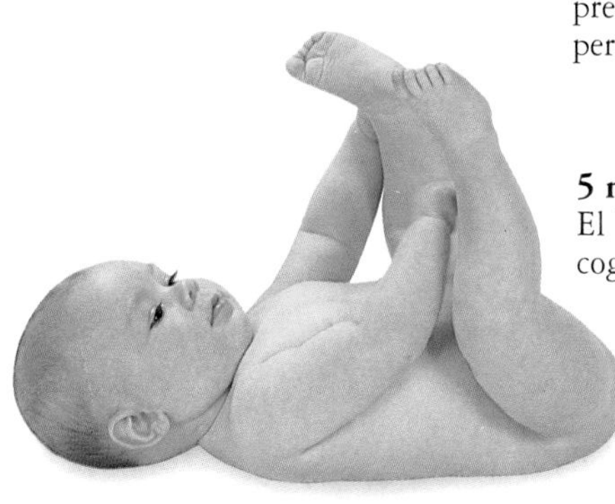

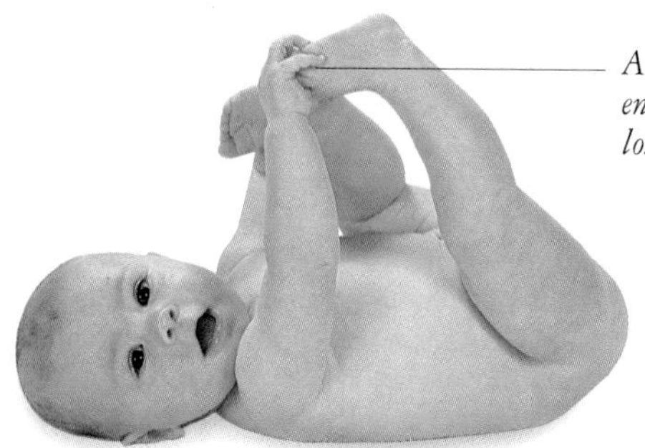

5 meses
El bebé siente avidez por coger cosas con la mano. Se cogerá los pies, o un juguete blando, y se los llevará a la boca para chuparlos.

Al bebé le encantará chuparse los dedos de los pies

6 meses
El bebé sostiene el biberón o la taza, y podrá sostener entre las dos manos cualquier objeto que se le dé.

El bebé aprende a alimentarse por sí mismo

ESTIMULAR LAS HABILIDADES

Hasta las actividades más sencillas consiguen aumentar las sensaciones de confianza y logro del bebé. Necesita sentir que el duro trabajo que realiza no pasa desapercibido y es apreciado por usted, y que se siente tan contenta como él por su inteligencia y creciente independencia.

0-6 semanas. El bebé tiene que ignorar el instintivo reflejo de prehensión antes de poder manipular los objetos. Ponga a prueba ese reflejo dejando que le agarre los dedos y viendo hasta dónde puede tirar de él separándolo del colchón. Anímelo a abrir los dedos desplegándolos con suavidad uno tras otro con juegos como «los cerditos».

6 semanas. Empiezan a abrirse las manos del bebé, que es consciente de ellas. Ayúdelo a despertar interés por ellas rozándole las palmas y las yemas con materiales de texturas diferentes: blando, peludo, suave o basto, como la pana. Un suave masaje o frotamiento de las palmas de las manos le animará a abrirlas.

2 meses. Ahora, las manos del bebé están más abiertas, así que continúe proporcionándole más estímulo táctil ofreciéndole objetos de diferentes texturas para que los sostenga. Coloque cada objeto a través de la palma, siguiendo los pliegues horizontales, para que pueda rodearlo con la mano.

3 meses. El bebé usa una mano totalmente abierta para coger objetos y la extiende con inexactitud hacia ellos. Anímelo a madurar su capacidad para cogerlos dándole cosas. Colóquele un sonajero en la mano y sacúdalo unas pocas veces; se sentirá fascinado, tanto por el tacto como por el sonido. Coloque un móvil por encima de la cuna para que pueda mirar algo, y juguetes colgando de una cuerda a través de la cuna, procurando que sean seguros (véase pág. 310).

4 meses. A medida que el bebé empieza a controlar los movimientos de la mano y del brazo, los extenderá para coger cosas con mayor exactitud. Anímelo presentándole objetos interesantes, mientras está sentado con apoyos o tumbado. Sus movimientos todavía no serán precisos cuando intente coger algo y tendrá usted que compensar la posición del objeto para que pueda cogerlo.

5 meses. El bebé cogerá todo lo que esté a su alcance y le encantará sobre todo arrugar papel, así que dele papel para jugar. Le gustará jugar con sus pies de modo que pueda verlos, así que juegue a contarle los dedos. Los juegos que supongan dar y recibir le animarán a abrir los dedos y soltar lo que tenga en la mano. Extenderá las manos hacia el biberón para tratar de alimentarse por sí mismo.

6 meses. Los movimientos de sus dedos se hacen cada vez más precisos. Puede dejar que sostenga el biberón con las dos manos, y darle una variedad de alimentos en forma de dedos (véase pág. 61) para que los coja y se alimente. Enséñele a alimentarse con una cuchara y a pasarse un objeto de una mano a otra. Una vez que haya dominado eso, empezará a practicar alegremente su habilidad para soltar y lo arrojará todo al suelo.

Autoalimentarse
A los seis meses de edad, la coordinación entre la mano y la vista del bebé es lo bastante buena como para coger alimentos en forma de dedo y empezar a alimentarse por sí mismo, aunque no será muy preciso al llevarse el alimento a la boca.

BEBÉ MAYOR

MANIPULACIÓN

DIESTRO O ZURDO

Ser diestro o zurdo es algo que se desarrolla durante los primeros meses, a medida que se hace dominante uno u otro lado del cerebro del bebé; si domina el lado derecho, será zurdo, y viceversa.

Incluso como recién nacido, quizá haya observado en el bebé una tendencia a girar la cabeza más hacia la derecha que hacia la izquierda. Ahora, es posible que empiece a favorecer el uso de una mano. No intente nunca disuadirlo de ser zurdo, ya que podría causarle problemas psicológicos secundarios, así como problemas de lectura y escritura.

A los seis meses, el bebé habrá aprendido a coger objetos voluntariamente, y ahora refinará poco a poco sus habilidades manuales, a medida que aprende a usar las manos para comer, vestirse, lavarse y coger cosas. Esta época será gratificante y frustrante a un tiempo: el bebé aprende a hacer más cosas por sí mismo, pero al principio no será muy aficionado a ello y tendrá usted que ser paciente mientras aprende.

A los 12 meses ya habrá madurado su prehensión adulta, un exquisito movimiento que se logra al juntar los dedos índice y pulgar (oposición). Podrá darle algo a usted simplemente soltándolo y será capaz de hacer rodar una pelota hacia usted.

El bebé usa toda la mano para coger algo

9 meses
El bebé puede coger cosas pequeñas juntando los dedos índice y pulgar. Señala con el dedo índice cuando se extiende para coger algo, y desea alimentarse por sí mismo.

El bebé puede coger objetos entre el índice y el pulgar

12 meses
El bebé aún disfruta arrojando cosas mientras practica la «desaprehensión». Es capaz de construir una torre de dos bloques y de trazar líneas con un lápiz. Mejora su coordinación y derrama menos comida.

18 meses
Ahora, el niño pequeño es capaz de pasar dos o tres hojas de un libro a la vez y construir una torre de tres bloques. Puede alimentarse con una cuchara y beber de una taza sin derramar nada. Se pondrá algunas prendas de ropa, se siente fascinado por las cremalleras y disfruta pintando y garabateando con los dedos.

CÓMO PUEDE USTED AYUDARLE

Puede estimular las nuevas habilidades adquiridas por el bebé mediante una variedad de juegos. Ahora que ya es algo mayor es capaz de realizar algunas actividades por sí solo y también será capaz de aplicarse a la ejecución de tareas cotidianas.

Actividades cotidianas. La tarea de llevarse comida a la boca le dará al niño una motivación poderosa para mejorar su coordinación mano-ojo. En cuanto sea capaz, aproximadamente a partir de los seis meses, deje que sostenga su propio biberón o taza, mientras bebe de ella, y dele alimentos en forma de dedo para estimular los movimientos exquisitos de la mano. Al cabo de poco tiempo se alimentará a sí mismo con una cuchara, una habilidad que puede estimular preparándole alimentos semisólidos que se peguen a la cuchara.

Vestirse es otra actividad cotidiana que el niño intentará hacer cada vez más por sí solo. Procurará ponerse y quitarse algunas prendas de ropa, pero todavía no será capaz de manejar bien los cierres, aunque estará dispuesto a intentarlo.

Construcción de bloques. Una vez que el bebé sea capaz de coger un bloque, puede enseñarle a colocar uno encima de otro. A los seis o siete meses habrá dominado esa tarea, pero siga amontonando bloques, tres o cuatro a lo alto o uno al lado del otro, para que lo vea y lo copie. A medida que se desarrolla su prehensión (véase derecha) practica la nueva habilidad de soltar y dejar caer las cosas y empezará a arrojar bloques. Al año podrá construir una torre de dos bloques y a los 15 meses logrará probablemente construir una de tres.

Juegos. Hay toda clase de juegos sencillos que el bebé puede practicar para desarrollar sus habilidades. Le encantará hacer ruido con una cuchara de madera y algunas ollas y sartenes. Una vez que aprenda a soltar objetos disfrutará arrojándolos desde la silla alta. Puede usted convertir eso en un juego mostrándole cómo colocar objetos en un recipiente grande y volverlos a sacar.

Dibujar. El bebé no podrá manejar un lápiz hasta que tenga un año de edad, pero una vez que lo haga intentará garabatear. Dele mucho papel (los recortes de papel de pared son buenos) y sujete sus imágenes en alto con chinchetas, donde pueda verlas.

Construir bloques
Ayude al niño a desarrollar su prehensión para que sea capaz de soltar al mismo tiempo que de sujetar, introduciéndolo en el juego de los bloques.

LA PREHENSIÓN DEL BEBÉ MAYOR

La capacidad para coger pequeños objetos con precisión entre el índice y el pulgar (oposición), será uno de los grandes logros del primer años de su hijo.

- *A los cinco meses el bebé cogerá objetos en la palma, por el lado del dedo meñique.*
- *A los ocho meses podrá coger un objeto entre los dedos, quizá empujándolo contra la base del pulgar.*
- *A continuación aprende la «desaprehensión», que practica dejando caer y arrojando cosas.*
- *A los nueve meses utilizará el índice para señalar, un paso hacia el sostenimiento de pequeños objetos con el índice y el pulgar.*
- *Para cuando cumpla un año ya habrá logrado dominar el movimiento de «pinza», y cogerá objetos entre el índice y el pulgar.*

NIÑO PEQUEÑO

MANIPULACIÓN

En términos de desarrollo general, la fase del niño pequeño marca un cambio espectacular de transición del bebé al niño, y a partir de los 18 meses observará usted esta transformación, sobre todo en lo que se refiere a las habilidades de la manipulación. Durante los próximos 18 meses el bebé será cada vez más independiente y aprenderá a vestirse y a realizar movimientos cada vez más complejos. En esta fase también empezarán a destacar sus habilidades creativas, a medida que la construcción de casas con bloques se haga más complicada y se empiecen a reconocer sus dibujos.

Acontecimientos destacados
El niño quizá sea capaz de subirse una cremallera. A los dos años intentará realizar el movimiento de «desenroscar» la tapa de un bote y de hacer girar el pomo de una puerta. Utilizará lápices más deliberadamente y quizá sea capaz de construir una torre de cuatro bloques.

El niño tiene una prehensión fina para coger y hacer girar objetos

El niño puede coger y tirar de materiales delicados

El niño manejará con facilidad una cinta gruesa o unos cordones de zapatos

Los objetos caseros, como carretes de algodón, pueden ensartarse en cuerdas

Vestirse
A los dos años y medio le será más fácil ponerse y quitarse la ropa, y se sentirá ávido por hacer esas cosas por sí mismo.

Movimientos precisos
A los dos años y medio, el niño será capaz de insertar grandes cuentas o carretes en una cuerda.

ESTIMULAR LAS HABILIDADES

Ahora, el niño tiene capacidad para realizar por sí mismo toda clase de tareas cotidianas, así que déle oportunidades para hacer las cosas sin ayuda. Los juguetes más complicados, y especialmente los de construcción o habilidad, le ayudarán a practicar y desarrollar sus habilidades.

Vestirse. A la edad de dos años, el niño ya dominará una serie de habilidades que le permitirán vestirse, aunque todavía tendrá dificultades para ponerse los calcetines, los zapatos y los guantes, así que deje que elija la ropa y que pruebe a vestirse. Las prendas con cierres adhesivos y botones grandes, siempre que los hojales no sean muy estrechos, también estimularán el desarrollo de habilidades manuales. Continúe estimulando esa capacidad y pronto podrá ponerse y quitarse la ropa interior, los pantalones y las camisetas. Una vez que sepa arreglárselas con todos los botones, incluidos los pequeños, podrá vestirse y desnudar él solo.

Juguetes de construcción
Los bloques de construcción que encajan entre sí son muy populares e ideales para el desarrollo de los movimientos de las manos.

Mejorar la destreza. En cuanto el niño sea capaz de hacer girar el pomo de una puerta con dos manos y abrir la tapa enroscada de un bote, dele juguetes que tenga que encajar unos en otros. También le gustará lavarse y secarse las manos, así que anímelo a hacerlo. Procure que el niño de dos años tenga a mano muchos cuadernos de imágenes de colores, ya que ahora puede pasar las páginas una a una. El niño también puede construir una torre de cuatro bloques y, con estímulo, hará estructuras más complicadas. Los bloques de construcción que hay que encajar unos en otros por presión le ayudarán a desarrollar los pequeños movimientos de sus manos. Las tareas complicadas, como insertar grandes cuentas en un trozo de cuerda, o encajar las piezas grandes de un rompecabezas le ayudarán a desarrollar sus habilidades manipulativas.

Habilidades artísticas. A esta edad, el niño disfruta mucho dibujando, así que dele mucho material de dibujo, incluida una amplia gama de lápices y tizas de colores, y empiece por mostrarle el efecto de los diferentes colores. También disfrutará con las pinturas, sobre todo si le permite ensuciarlo todo y pintarse las manos. También puede ayudarle a relacionar sus dibujos con el mundo que le rodea diciéndole el nombre de los colores y señalándole los mismos colores en los objetos cotidianos. Pronto producirá imágenes de personas y objetos familiares, que ya serán más reconocibles a los dos años y medio.

ESTIMULAR LA INDEPENDENCIA

Con tantas habilidades nuevas que aprender en esta fase, es importante no esperar que el niño las desarrolle a un ritmo que sea demasiado rápido para él.

Todos los niños progresan a su propio ritmo, algo que viene determinado por la velocidad que permite su cerebro y nervios en desarrollo. El niño querrá complacerla y quizá intente hacer cosas que sean más complicadas de lo que le permite su desarrollo. El fracaso es desmoralizador porque tiene la sensación de que le ha fallado. La mejor actitud consiste en ofrecerle toda la ayuda y ánimo que necesita, mostrarle lo complacida que se siente con cada una de las tareas que realiza, sin plantearle objetivos que estén más allá de sus capacidades actuales.

Elegir la ropa
Anime al niño a interesarse por vestirse él solo, permitiéndole elegir la ropa que quiere llevar.

PREESCOLAR

MANIPULACIÓN

El niño de tres años madura rápidamente y es muy probable que ya se vista y desnude por completo, siempre y cuando los cierres sean fáciles de manejar. Dibuja y colorea con bastante exactitud y sus dibujos son cada vez más reconocibles. A los cuatro años habrá dominado la complicada acción de usar unas tijeras. Los bloques de construcción empiezan a ser demasiado sencillos para él, y está preparado para pasar a conjuntos de construcción más complejos. Ya realiza tareas simples por la casa y a partir de los cuatro años mejorará la realización de ciertas tareas, como poner la mesa, lavarse la cara y las manos, hacer su cama y guardar ordenadamente su ropa.

DIBUJO

La mejora de la destreza manual del niño queda claramente demostrada con su habilidad para copiar un círculo.

Dos años y medio
Sus primeros intentos por trazar un círculo pueden terminar con una figura redonda continua, como una espiral.

Tres años
Sus intentos son más controlados, pero el círculo quizá no cierre del todo o las líneas se superpongan.

Tres años y medio
El niño debería poder trazar una figura cerrada formando un verdadero círculo o una forma ovalada.

Destrezas
La habilidad del niño de cuatro o cinco años para usar las tijeras representa un paso enorme hacia la destreza manual y la coordinación entre el cerebro y el músculo. Dele modelos sencillos para recortar. Cualquier tijera que use no debe tener las puntas afiladas.

Dibujar
A partir de los tres años, el niño es cada vez más hábil con el dibujo, y empieza a dominar habilidades como copiar dos líneas rectas trazadas en ángulos rectos.

A los cuatro años empieza a incluir más detalles en sus figuras. Puede prepararle rompecabezas sencillos, como dibujar una persona incompleta y pedirle que la termine.

DIENTES

BEBÉ MAYOR

En el pasado se creyó que los dientes primarios (de leche) no eran muy importantes porque los dientes adultos los seguirían a su debido tiempo. Ahora sabemos que su formación es vital porque guían a los dientes adultos, de modo que crezcan en la posición correcta. Además, si los dientes primarios se pierden a causa de la caries, ésta puede extenderse al hueso situado debajo, causando erosión del apoyo que necesitan los dientes adultos.

Período de la dentición. No hay un período estándar para que le salga el primer diente al bebé. Algunos nacen incluso con un diente, mientras que otros todavía no tienen ninguno a los 12 meses. (Si un bebé nace con un diente, a veces se le quita si está torcido o mal situado, o si está suelto y corre el riesgo de que se caiga y atragante al bebé.) Por regla general, sin embargo, la dentición empieza hacia los seis meses aproximadamente, así podrá tomar los alimentos sólidos y habituarse también al cambio de dieta, después de lo cual aparecen muchos dientes más hasta el final del primer año. Si está atenta, probablemente observará el primer diente del bebé que empieza a abrirse paso a través de la encía y forma un pequeño bulto de color pálido. La dentición durará la mayor parte del segundo años y debe estar preparada para que la salida de los molares, que aparecen los últimos, sea poco complicada.

Señales de la dentición. Se dará cuenta de que le está saliendo un diente al bebé porque se le nota irritable. La encía aparecerá roja e hinchada y podrá sentir el diente a través de ella. Es posible que al bebé se le pongan rojas las mejillas y probablemente babeará. Darle algo para masticar la ayudará. Síntomas como temperatura alta, vómitos o diarrea nunca son causados por la dentición, así que no debe pasarlos por alto; consulte con el médico.

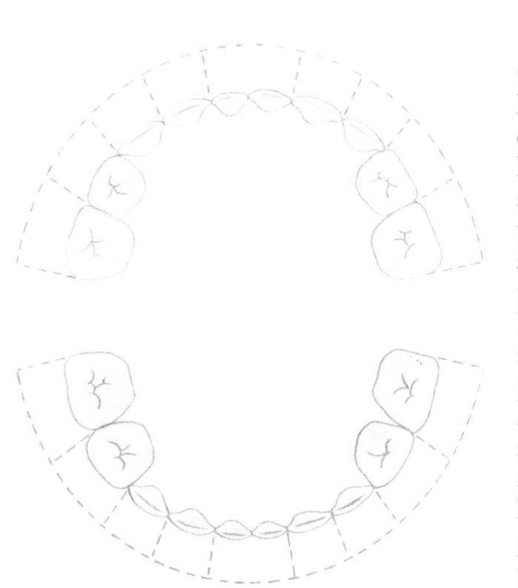

Cómo aparecen los dientes
Los números indican el orden en que aparecen los dientes. Los primeros en aparecer suelen ser los dos delanteros inferiores y luego los superiores. Luego siguen los laterales superiores y después los laterales inferiores. Después aparecen los primeros molares superiores y luego los primeros molares inferiores. A continuación vienen los caninos superiores, uno a cada lado, seguidos por los caninos inferiores. Los segundos molares aparecen primero en la mandíbula inferior y después en la superior.

USO DE LOS DIENTES

Una zanahoria cruda o una galleta tostada darán al bebé algo firme que masticar durante la dentición. Este principio también puede aplicarse una vez que le hayan salido todos los dientes.

Masticar los alimentos y particularmente la fruta fresca y las verduras crudas estimulará el desarrollo de fuertes músculos de las mandíbulas. También fortalecerá los dientes y tendrá un efecto limpiador, ya que las fibras que contienen se deshilachan durante el proceso de masticación. La dieta del bebé debe contener mucho calcio y vitamina D (que se encuentra en los productos lácteos y en los peces grados, como el arenque), para asegurar una formación sana de los dientes permanentes que ya están creciendo en los maxilares.

BEBÉ PEQUEÑO

VISIÓN

AYUDAR AL BEBÉ

El desarrollo de una visión normal exige dos ojos que funcionen adecuadamente y mucho estímulo visual. Ponga en práctica las siguientes ideas para estimular la visión de su bebé:

- *Desde el momento de nacer, ponga al lado de la cuna la foto de un rostro, el de usted o algún otro recortado de una revista, para que el bebé pueda mirarlo.*
- *La colocación de un móvil sencillo sobre la cuna, o de objetos de brillantes colores colgados de un elástico darán al bebé algo interesante que mirar.*
- *El bebé nunca es lo bastante pequeño como para salir de paseo a mirar. Sentado en una sillita de ruedas, puede mirar todo lo que ocurre a su alrededor.*

Reconocer los rostros
Dele al bebé un espejo irrompible para que pueda contemplar su propio reflejo.

El hecho de que el bebé recién nacido no pueda cambiar de enfoque no quiere decir que está ciego. Puede verlo todo en su enfoque fijo de 20 a 25 cm de distancia, con la misma claridad que usted o yo. Antes se creía que el mundo visual del bebé no debía de ser muy estimulante porque no podía ver. Ahora sabemos que el bebé necesita mucho estímulo visual ya desde el nacimiento para poder desarrollar plenamente su visión. No obstante, la visión del recién nacido es más limitada que la del niño mayor, así que tendrá usted que adaptar su mundo visual dentro de un espacio que él pueda percibir. Las células sensibles al color de los ojos de un recién nacido no están totalmente desarrolladas, así que sólo verá el mundo en sombras apagadas.

Su recién nacido. Aunque la visión del bebé es limitada, sus ojos son muy sensibles al rostro humano y a todo aquello que se mueva. Al principio no podrá enfocar la mirada sobre nada situado más allá de 25 cm de distancia, pero si usted coloca su rostro a 20 cm del suyo podrá verla y observará cómo sus ojos se mueven con una expresión de reconocimiento y cómo cambia su expresión.

Creciente reconocimiento. Si pocos minutos después de su nacimiento habla animadamente con el bebé, mueve los ojos y abre y cierra la boca, éste responderá abriendo la boca y sacando la lengua. A las pocas horas de nacer ya es capaz de posar la mirada sobre un objeto y seguirlo si se mueve. A las dos semanas levantará automáticamente la mano para protegerse de algo que se mueva rápidamente hacia él. A las tres semanas todo su cuerpo puede reaccionar con movimientos de sacudida cuando su rostro entre en su campo de visión. El bebé puede enfocar a las ocho semanas y ya debería reconocer su rostro y responder al mismo con sonrisas y movimiento de brazos. También es más consciente de otros objetos, pero como sólo puede enfocar la mirada sobre objetos cercanos, el mundo aparece bastante plano y los detalles distantes se le pierden.

Profundidad de visión. A los tres o cuatro meses, el bebé puede captar detalles y es capaz de construirse una imagen tridimensional del mundo, un paso necesario antes de adquirir movilidad, ya que probablemente no empezará a gatear hasta que su visión le permita comprender la profundidad, la altura y la anchura. Es capaz de conocer la diferencia entre imágenes con dos o tres objetos y de reconocer diseños. Esta captación del detalle mejora hasta que de cinco a seis meses, ya discrimina entre diferentes expresiones faciales, como tristeza, temor y alegría, y responderá a ellas con su propia expresión. Manifestará nerviosismo cuando ve que se le está preparando la comida.

Un sentido de permanencia. A partir de los seis meses es capaz de identificar objetos y de ajustar su posición para ver aquellos que más le interesan. Desde entonces, el desarrollo más importante en la habilidad visual del bebé es la forma en que el cerebro interpreta la información que captan los ojos.

PROBAR LA VISIÓN

La primera prueba de visión que puede usted llevar a cabo al nacer, consiste en anotar la reacción del bebé a su rostro cuando lo acerque usted a 25 cm del de él. La expresión facial del bebé debe cambiar al ver el rostro de su madre, que mirará y probablemente abrirá y cerrará la boca. Hay muchas claves que advierten a los padres cuando un niño tiene un defecto de visión. Si tiene alguna duda sobre la visión del bebé, si los ojos de su hijo le lloran mucho y si las luces brillantes le producen alguna incomodidad, consulte con el médico. Los siguientes estados oculares pueden aparecer incluso en bebés muy pequeños. Aunque no debe intentar diagnosticarlos, he aquí algunas de las cosas que puede observar; en tal caso, consulte con el médico.

Ojo perezoso. Si el niño sufre debilidad en los músculos oculares que rodean un ojo, puede girar la cabeza para que el ojo con mejor visión pueda seguir con mayor facilidad la acción que transcurre a su alrededor. Compruebe que los dos párpados están al mismo nivel cuando el bebé se concentra en un objeto en movimiento. Si favorece un ojo sobre el otro, consulte con el médico.

Bizqueo (estrabismo). Si observa que el bebé sólo enfoca uno de los ojos sobre el objeto de interés, mientras que el otro señala hacia el interior o el exterior, es posible que sufra estrabismo. Entonces, ladeará la cabeza o la sostendrá en una posición insólita, para alinear su visión. Tome un objeto interesante, como un juguete y, manteniendo quieta la cabeza del bebé (quizá necesite a otro adulto para que la ayude), mueva el objeto para trazar la letra H en el aire. Compruebe que ambos ojos siguen el juguete al unísono (véase también «Bizqueo», pág. 287).

Daltonismo. La forma más común es la incapacidad para distinguir entre el rojo y el verde (la mayoría de los casos se encuentra en los niños, aunque no exclusivamente). Use dulces de color, como peladillas, y pídale al niño que elija ciertos colores. Si no ha aprendido todavía a distinguir los colores, pídale que elija los mismos que usted.

Visión periférica. Para comprobar si el niño tiene un campo de visión normal que se extiende ampliamente a cada lado, elija un juguete preferido y, con el niño mirando fijamente hacia adelante, muévalo lentamente desde el exterior hacia el interior del rostro hasta que su rostro lo vea. Su campo visual debería extenderse unos 45° a cada lado.

Exactitud visual. Compruebe la exactitud visual del niño con los juegos siguientes. Sitúese a unos 6 metros de distancia y levante algunos dedos. Pregúntele cuántos dedos tiene en alto o pídale que levante el mismo número de dedos que usted. Si no lo consigue, consulte con el médico.

BEBÉ MAYOR

EL BEBÉ CON DEFECTO VISUAL

Si la visión del bebé es deficiente, debe usted ser sensible a sus necesidades. Procure que reciba atención profesional y que se someta a controles regulares.

- *Los niños con hipermetropía son sometidos a controles cada seis meses para ver si hay que cambiar su prescripción para las gafas. Un niño con hipermetropía o con astigmatismo quizá sólo necesite llevar gafas durante dos o tres años antes de que la visión se le desarrolle normalmente.*
- *Cuanto antes empiece un niño a llevar gafas, mayor será la probabilidad de que las acepte. Al principio, el niño puede quitárselas y jugar con ellas, pero pronto mostrará preferencia por ver el mundo con claridad.*
- *Un niño con defecto visual necesita estimulación mediante el tacto, el ruido y el olor, así que elija juguetes que tengan texturas interesantes y produzca ruidos diferentes. Los rompecabezas son particularmente importantes; los mejores son los que tienen piezas grandes, de colores vivos.*

Juguetes de colores vivos
El niño necesitará estimulación visual si tiene una visión defectuosa, por lo que serán importantes para él los juguetes con una amplia variedad de formas y colores.

BEBÉ PEQUEÑO

AUDICIÓN

AYUDAR AL BEBÉ

Al explicarle sonidos y jugar apropiadamente a juegos con su bebé, puede ayudarle a escuchar de una forma perspicaz la confusión de sonidos que oye.

- *Sea histriónica al explicar los sonidos. Por ejemplo, llévese un dedo a los labios y diga: «Ssssh, seamos tan silenciosos como el ratón», para explicarle la idea de silencio.*
- *Describa los sonidos y la música con adjetivos apropiados como «fuerte» o «suave».*
- *Enseñe con las canciones el concepto de notas altas y bajas.*
- *Enseñe ritmo con los versos y las canciones que supongan dar palmadas, lo que también ayudará a desarrollar el habla del niño.*
- *Cite el nombre de cada sonido, como el ronroneo del gato, e imítelo.*

El bebé necesita escuchar toda la amplia gama de sonidos que son esenciales para que pueda hablar correctamente. Sólo cuando el niño demuestre primero que es capaz de escuchar, más tarde que puede imitar sonidos, y finalmente que puede utilizar diferentes sonidos de un modo correcto para formar el habla, estará usted segura de que es capaz de discriminar entre diferentes sonidos en el ámbito normal del oído.

Hay varias pistas indicativas de la capacidad del oído de su hijo, y podrá llevar a cabo varias pruebas sencillas para juzgar su progreso. Observe cuidadosamente sus reacciones ante sonidos diferentes y tome nota de lo que vea. Si encuentra algo que le preocupa en la forma de responder del bebé ante los sonidos, consulte con el médico, que llevará a cabo una prueba más meticulosa sobre el oído del bebé.

El recién nacido reacciona ante los sonidos sin comprenderlos realmente. Si se asuste ante un ruido repentino, como una palmada o un portazo, puede levantar brazos y piernas en una acción refleja de «alarma», como si tratara de salvarse de una caída. Un poco más adelante, los sonidos repentinos le hacen parpadear o abrir los ojos con sorpresa. A las cuatro semanas empezará a notar ruidos prolongados repentinos, como el producido por la aspiradora eléctrica.

Cuando tenga cuatro meses ya debería discriminar entre ciertos sonidos. Por ejemplo, al escuchar la voz de su madre se tranquilizará o sonreirá y volverá la cabeza hacia el lugar de donde procede el sonido, aunque no pueda ver dónde está usted.

Al cabo de los seis meses, el bebé se girará inmediatamente para investigar ruidos más bajos hechos a ambos lados de donde él se encuentra, o ante el sonido de su voz desde el otro lado de la habitación. Un bebé de nueve meses debería balbucear para escuchar su propia voz, y escuchará con atención sonidos familiares, al mismo tiempo que buscará la fuente, fuera de la vista, de donde proceden sonidos más bajos.

PRIMERAS PRUEBAS

Las primeras pruebas a las que es sometido el niño para medir su reacción al sonido, es muy posible que se realicen en la unidad de maternidad poco después de su nacimiento. En esas pruebas se usan sonidos suaves (palmadas, cantos, tintineos) para medir la respuesta del bebé ante el sonido. Las respuestas varían desde un ligero movimiento de la cabeza hasta un cambio en el índice respiratorio. Aproximadamente a las seis semanas, y entre los seis y los diez meses, se llevan a cabo pruebas más formales en sesiones rutinarias de valoración del desarrollo.

El problema de las primeras pruebas es que hasta los siete meses los bebés reaccionan de modo irregular al ruido, y necesitan un cuidadoso control y maquinaria compleja para alcanzar resultados fiables.

Habitualmente, los padres con niños sordos profundos se dan cuenta del problema bastante pronto. A menudo resulta más difícil identificar a los que sufren de una pérdida auditiva parcial porque sus síntomas se confunden con falta de atención, aprendizaje lento o timidez. Si le preocupa la audición de su hijo, debe hacerlo examinar por el médico lo antes posible, para que pueda recibir una ayuda adecuada.

COMPROBAR EL OÍDO

Puede usted efectuar pruebas sencillas para comprobar el oído del bebé desde que éste tiene unos seis meses de edad. Para obtener los mejores resultados, las pruebas tienen que realizarse en una habitación silenciosa y sin distracciones.

Necesitará un sonajero de sonido agudo, algo de papel de embalar, una taza de porcelana, una cuchara y una campanilla. Siente al bebé sobre su regazo, a no menos de un metro de cualquier pared, y pídale a otro adulto que se sitúe al lado del bebé, al nivel de su oreja y fuera de su campo visual inmediato. La persona que efectúa la prueba debe estar a 45 cm de distancia de un bebé de seis meses, a un metro de uno de nueve meses, y efectuar sonidos, al nivel de la oreja del bebé, de acuerdo con este orden:

- Producir con su voz sonidos bajos y agudos.
- Agitar el sonajero.
- Chocar la cuchara contra la taza.
- Arrugar el papel.
- Hacer sonar la campanilla.

Si no obtiene respuesta a ninguno de estos sonidos, espere dos segundos antes de repetirlo. Espere otros dos segundos, y si no obtiene respuesta después del tercer intento, pase al sonido siguiente.

Los niños mayores de nueve meses deben volverse en seguida al escuchar el sonido y a menudo sonreirán. Los bebés menores quizá reaccionen con mayor lentitud. Una respuesta clara a tres de estos sonidos significa que el bebé cuenta con capacidad auditiva suficiente para hablar. Si la respuesta fuera inferior, repita la prueba antes de tres meses y si se repite, acuda al médico.

De 18 meses a dos años. Para un bebé mayor o un niño pequeño debe juzgar usted a partir de su respuesta a las instrucciones habladas. Siéntelo frente a usted, sobre una mesa baja, con otro familiar adulto cerca (como su padre). Pídale que entregue cierto objeto a papá, como una pelota, taza y cuchara, muñeca, coche de juguete, y vea cómo responde. Vuélvaselo a pedir desde distancias diferentes, de hasta tres metros. Para niños de hasta tres años, puede intentar hacer la misma prueba mientras se cubre parcialmente la boca con un trozo de tarjeta para amortiguar el sonido. Es importante que no efectúe con demasiada frecuencia estas pruebas de oído, porque hasta un niño pequeño llegará a saber qué cabe esperar, y se volverá hacia la persona que hace la prueba, tanto si escucha el sonido como si no.

BEBÉ MAYOR

EL NIÑO CON OÍDO DEFECTUOSO

Los niños tienen que oír para poder hablar, y tienen que hablar para aprender, leer y escribir, de modo que es esencial detectar pronto cualquier defecto de la capacidad auditiva, y buscar ayuda profesional lo antes posible.

Los niños con una pérdida de audición incurable pueden funcionar bastante bien con ayudas auditivas, que muchos médicos colocan ahora durante la infancia, en lugar de esperar a los cuatro o cinco años. En los niños profundamente sordos está afectada de forma importante la comprensión del sonido y del lenguaje.

Hay muchas formas de abordar la comunicación con los niños profundamente sordos, y a menudo se utilizan combinadamente. Entre ellas se encuentran: implantes cocleares, empleo de una de las diversas lenguas cantadas, lectura de labios y lenguaje oral.

Sencilla prueba de oído
Un bebé de seis meses con capacidad auditiva normal volverá la cabeza si hace usted sonar una pequeña campanilla cerca de él, pero fuera de su campo de visión.

DESARROLLO MENTAL

El bebé nace con un número finito de células cerebrales, a pesar de lo cual su cerebro duplica su peso entre el nacimiento y los 12 meses. El aumento de peso se debe al crecimiento de las conexiones entre las diferentes células usadas en el pensamiento. Cuando el bebé ve un trozo de pan, lo señala, extiende la mano hacia él, lo toma, se lo lleva a la boca, lo mastica, lo degusta y se lo traga, ha construido ocho conexiones cerebrales y lo ha guardado todo en su memoria.

PREDECIR LA INTELIGENCIA

Aunque resulta difícil decir qué es la inteligencia «normal», muchos expertos en el ámbito del desarrollo definen la secuencia y velocidad del desarrollo mental del niño medio y usan esa definición para predecir la inteligencia. Recuerde que el niño medio no existe: la media es teórica, de modo que no debe aplicarla nunca a su hijo, ni debería compararlo con los otros niños de su edad.

Se producen grandes variaciones en el índice del desarrollo de un niño a otro, y no existe una edad correcta en la que el niño haya tenido que adquirir una capacidad determinada. La mayoría de los niños experimentan brotes y pausas de crecimiento. Algunos muestran una pausa temporal de desarrollo y luego se desarrollan normalmente; otros parecen avanzar mucho en la infancia, para luego situarse más cerca de la media. Existen también los que «empiezan despacio», el niño ligeramente retrasado en la infancia, que más tarde se desarrolla muy bien. Unos pocos niños muestran un índice de desarrollo progresivamente más lento. Hay niños en los que resulta tan difícil predecir el curso del desarrollo, que la perspectiva sólo puede contemplarse con mucha precaución y después de efectuar repetidos exámenes. La conclusión es que no debería tratar de predecir la inteligencia de su hijo a menos que tuviera muy buenas razones para hacerlo.

La gran mayoría de bebés resultan ser niños perfectamente normales. Desgraciadamente, unos pocos quedan gravemente retrasados en todos los ámbitos del desarrollo y pueden llegar a crecer sin que educativamente logren alcanzar la media, a menos que ello se deba a un grave handicap físico. El niño mentalmente discapacitado muestra, durante los tres primeros años, una concentración e interés por lo que le rodea que están por debajo de la media. Se retrasa en aspectos del desarrollo como el control de la cabeza, el sentarse, y cogerse los dedos de los pies, así como en el mantenimiento hasta bastante después de la edad habitual de los primitivos reflejos de nacimiento.

Aunque hay indicadores de que un niño es mentalmente lento, resulta más difícil detectar al niño con capacidades superiores a la media. Un niño particularmente inteligente puede alcanzar antes que la media aspectos clave de su desarrollo, pero los verdaderos indicadores de su inteligencia superior son más sutiles: mostrará una mayor variedad de comportamiento, un mayor interés por lo que le rodea y una mayor interacción con su ambiente en comparación con el bebé medio.

EL CEREBRO DE LA NIÑA

Al nacer, el cerebro de la niña ya es sexuado, es decir, está programado para la feminidad. La estructura del cerebro es la responsable de muchas diferencias de desarrollo que se producen entre niños y niñas.

- *Todavía en el útero, el córtex, que determina el intelecto, se desarrolla antes en las niñas que en los niños.*
- *La mitad izquierda del córtex, la que controla el pensamiento, se desarrolla antes en las niñas que en los niños.*
- *El* corpus callosum, *la parte del cerebro que conecta el lóbulo derecho con el izquierdo, está mejor desarrollado en las niñas.*
- *El desarrollo del lado izquierdo del cerebro, que se produce antes en las niñas, les confiere mayores habilidades relacionadas con el lenguaje en comparación con los niños.*
- *Los lados derecho e izquierdo del cerebro «hablan» entre sí antes y mejor en las niñas, lo que les da ventajas en la habilidad de la lectura, que utiliza ambos lados.*
- *Las niñas muestran un temor anterior y mayor a la separación que los niños, ya que sus conexiones nerviosas maduran antes. Eso produce una transmisión más rápida de los mensajes, por lo que las niñas se dan cuenta antes de lo que sucede a su alrededor.*

EL PAPEL DE LOS PADRES

Son muy pocos los niños retrasados, y también son muy pocos los especialmente bien dotados, de modo que lo más probable es que su hijo entre dentro de la categoría del ámbito normal de inteligencia. Su tarea como madre y padre consiste en aceptar sus habilidades y ayudarle a desarrollar sus potencialidades mediante una enseñanza cuidadosa. Recuerde también que hay muchos ámbitos de habilidad: tenemos tendencia a pensar en la inteligencia de un modo bastante estrecho, como habilidades verbales y aritméticas, pero el niño puede tener también habilidades creativas y artísticas que son igualmente valiosas y que necesitan estímulo. No presione nunca a su hijo: acéptelo por lo que es, dele todas las oportunidades para desarrollar sus talentos; demuéstrele y hágale saber que usted lo ama y lo respeta tal como es.

PRUEBA DE INTELIGENCIA

Los sistemas modernos de comprobar la inteligencia fueron desarrollados en 1905 por dos franceses. Originalmente, tenían la intención de predecir si los niños alcanzarían buenos resultados en la escuela, y se concentraron en el juicio, la comprensión y el razonamiento. Las pruebas modernas consideran la inteligencia como la capacidad para procesar información, de modo que se han diseñado las pruebas para ver cómo progresa el niño en la adquisición de habilidades de pensamiento y en su aplicación a la vida cotidiana. Se limitan a habilidades que son importantes en la escuela, y no tienen en cuenta la creatividad o el talento artístico. Es erróneo usar la puntuación del CI para predecir el éxito que pueda alcanzar un niño en la vida, puesto que las habilidades de pensamiento se desarrollan con el tiempo.

CREATIVIDAD

Todos los niños tienen alguna habilidad creativa, y desarrollarla en los años preescolares es tan importante como enseñarles las letras y los números. Hay una amplia gama de habilidades y procesos mentales que puede usted fomentar en su hijo para estimular sus habilidades creativas: indíquele las cosas que suceden a su alrededor, muéstrele pautas, colores, flores, animales, olores, actúe por empatía con otras personas, háblele sobre sentimientos, invente historias e imagine: «¿Qué sucedería si...?». Disfrazarse, pintar y dibujar, o confeccionar juguetes son actividades prácticas que ayudan a su hijo a desarrollar su creatividad e imaginación.

Crear disfraces
Anime a su hijo a hacer sus propios disfraces para juguetes mediante el uso de una variedad de cartón de colores, lápices o tizas de colores, tijeras y cinta adhesiva.

EL CEREBRO DEL NIÑO

Cuando todavía está en el útero, el cerebro del bebé ya está programado para la masculinidad. Las diferencias en la estructura y funcionamiento del cerebro entre niños y niñas afectan a la forma en que se desarrollan a medida que crecen.

- *El peso y el volumen del cerebro de un niño son mayores que el de una niña en aproximadamente de un 10 a un 15 %.*
- *Cuando el lado derecho del cerebro está preparado para enviar conexiones al izquierdo, en los niños todavía no existen las células apropiadas para hacerlo. Como resultado de ello, las fibras retroceden al lado derecho. Eso enriquece las conexiones del lóbulo derecho y podría explicar por qué los niños tienen una mayor conciencia espacial que las niñas.*
- *Los niños muestran menos temor a la separación que las niñas porque tienen una transmisión de mensajes más lenta que la de las niñas hasta que madura el cerebro. A los nueve o diez meses logran controlar el temor mediante actividades como jugar con un juguete o gatear para investigar un objeto y de ese modo distraerse. Esta actitud continúa durante la vida adulta.*

BEBÉ PEQUEÑO

DESARROLLO MENTAL

Al principio, el mundo del bebé es una confusa impresión borrosa de imágenes y sonidos, y durante las primeras semanas de vida está totalmente ocupado en clasificar las cosas que tienen significado; el rostro y la voz de su madre estarán entre las primeras cosas que reconoce. Demostrará reconocimiento con respuestas como sonrisas, sacudidas de piernas y brazos, o arrullos y gorgoteos. Demuestra su buena memoria y capacidad auditiva al tranquilizarse si le hace escuchar la grabación del latido de un corazón humano, algo que lo ha reconfortado durante nueve meses.

Recién nacido. Media hora después de nacer, el bebé parpadeará cuando se le hable. Al cabo de una semana reconoce la voz de su madre y a las dos semanas demostrará que la reconoce. Si se le habla desde 20 a 25 cm de distancia, de modo que pueda ver su rostro, abrirá y cerrará las manos en respuesta.

Un mes. Responderá al tono de su voz, tranquilizándose si le habla suavemente, y poniéndose tenso ante los tonos duros. Se excita mucho y todo su cuerpo se sacude al intentar «hablar». Sigue con la mirada el movimiento de un objeto.

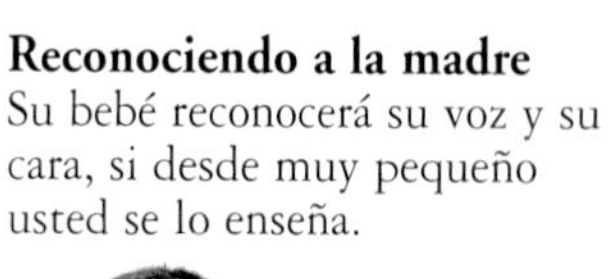

Reconociendo a la madre
Su bebé reconocerá su voz y su cara, si desde muy pequeño usted se lo enseña.

Dos meses. Sonríe fácilmente en respuesta a su rostro y voz. Mira a su alrededor en respuesta a los sonidos, y mira fijamente los objetos, con un intenso interés.

Tres meses. El bebé es cada vez más consciente de su cuerpo, se mirará las manos y las moverá. Responde a la conversación con sonrisas, gorgoteos y moviendo todo el cuerpo.

Cuatro meses. El bebé muestra curiosidad por todo lo que ve y oye, así como por la gente. Le gusta estar sentado, apoyado en almohadones, para mirar a su alrededor. Ahora reconoce objetos familiares y recuerda rutinas: se excitará a la vista del pecho de su madre o del biberón. Tumbado de espaldas, juega con sus pies muy a menudo.

LA SONRISA DEL BEBÉ

La primera vez que el bebé le sonríe constituye un momento fundamental en la relación entre ambos; también es una importante señal que indica que se está desarrollando mentalmente.

Cuando el bebé empieza a sonreír, está demostrando que es capaz de reconocerla y que desea establecer un intercambio con usted, lo que indica que empieza a ser sociable. A partir de ese momento empezará a responder con sonrisas a las palabras que usted le dirija porque ha aprendido que eso la complace y le hace hablarle más; esos son sus primeros intentos de «conversación» *(véase pág. 198).*

La sonrisa es un indicador importante de la madurez del bebé y de su deseo de interacción con los demás; los expertos consideran que un bebé que sonríe pronto de una manera sociable puede estar mostrando las primeras señales de inteligencia superior.

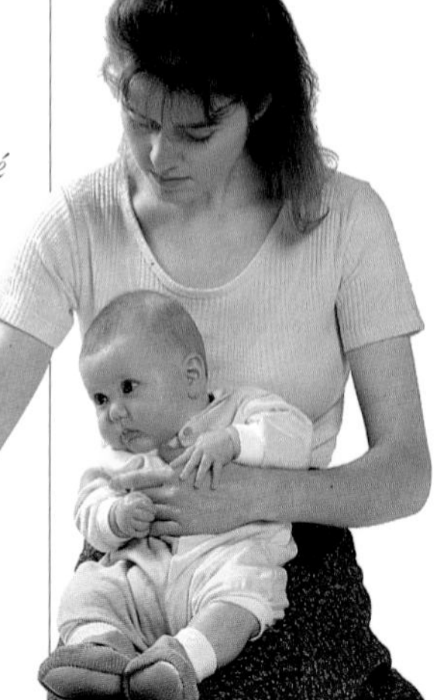

Un sonajero de color puede captar la atención del bebé

Estimular al bebé
Anime a su hijo a enfocar la mirada sobre objetos moviendo y sacudiendo un sonajero u otros juguetes situados en su línea de visión.

Cinco meses. El bebé se pasa ahora más tiempo examinando las cosas, demostrando que se desarrolla su concentración. Se vuelve hacia el lugar de donde proceden los sonidos y mueve brazos y piernas para atraer su atención.

Seis meses. El bebé emite sonidos para atraer su atención y extiende los brazos para que lo levanten. Sonríe y «habla» ante su propio reflejo en el espejo. Quizá empiece a demostrar timidez ante los extraños.

CÓMO PUEDE AYUDAR

Desde los primeros días debería hablar y cantar al bebé. Sus movimientos y sonidos son los primeros intentos que hace por hablar, así que contéstelos para animarlo; asegúrese de que puede ver su rostro con claridad y establecer contacto visual con él en todo momento, sonríale mucho y exagere los movimientos de la boca.

Alimente su curiosidad. Todo es nuevo e interesante para su bebé, así que dele objetos y ofrézcale una oportunidad para sostenerlos. Cuando tenga dos meses de edad, le gustará sentarse, incorporado, para poder mirar a su alrededor; coloque muchos juguetes pequeños y blandos a su alcance, donde pueda verlos y tocarlos. Háblele constantemente.

Estimule la conciencia de sí mismo. El descubrimiento de su propio cuerpo es un proceso gradual para el bebé. Cuando tiene unas ocho semanas de edad, puede empezar a mostrarle sus manos y a jugar sencillos juegos físicos. A los seis meses sonreirá al verse en el espejo.

PERCEPCIÓN

El bebé experimenta cosas a través de sus sentidos, como los adultos, pero tiene que aprender a distinguir lo que es y no es importante. Ayúdelo a conectar la información dada por sus diferentes sentidos: muéstrele un sonajero, deje que lo toque y luego sacúdalo y atraiga su atención hacia el sonido. El tacto es una de las formas principales de que dispone el bebé para explorar su ambiente, así que preséntele muchas texturas diferentes.

Use un espejo
Señale el reflejo de su bebé y pronuncie su nombre; así empieza a adquirir un sentido de sí mismo. Utilice su nombre con frecuencia para fomentar su sentido de la identidad.

Procure que su hijo pueda verse claramente en el espejo

COMPROBAR LA PERCEPCIÓN

Desde muy corta edad, el bebé puede establecer distinciones básicas entre grande y pequeño. También mostrará interés por vistas y sonidos nuevos, como demuestra la siguiente prueba, que puede llevarse a cabo a partir de los cuatro meses.

- *Muestre al bebé una cartulina con un pequeño círculo situado sobre un círculo más grande.*
- *A continuación, muéstrele una cartulina con un triángulo pequeño dibujado sobre otro más grande. El bebé ya empieza a ver la relación entre las formas pequeña y grande.*
- *Ahora muéstrele una cartulina con un rombo pequeño encima de otro grande. Como eso encaja en la misma pauta que los dos anteriores, quizás no muestre ningún interés.*
- *Si le enseña ahora una cartulina con un triángulo grande encima de otro pequeño, probablemente renovará su interés, porque aquí ha cambiado la pauta de lo pequeño sobre lo grande.*

Cartulinas de prueba
El bebé hará distinciones muy sutiles de pauta y forma.

APRENDER A TRAVÉS DEL JUEGO

Los bebés y niños aprenden a través del juego y éste es para ellos un asunto muy serio. Para el bebé, todo es una experiencia de aprendizaje y todo lo que sea nuevo, es divertido, así que no se puede distinguir el aprendizaje del juego. Si es usted consciente de las habilidades que desarrolla en sus seis primeros meses, puede elegir los juegos y los juguetes que le interesarán y que sean los más adecuados para estimular sus habilidades. A esta edad, los juguetes que estimulen sus sentidos serán los más interesantes para él.

Juegos sencillos. Como el bebé se siente fascinado por el rostro de usted, el juego del escondite es uno de los mejores que puede practicar con él. Esconda el rostro entre las manos, o tras un pañuelo o toalla, y diga: «¿Dónde estoy?». Los bebés desarrollan pronto un buen sentido del humor y este es un juego que les parece interminablemente divertido. Cuando tenga edad suficiente para permanecer sentado sin necesidad de apoyo, haga rodar hacia él una pelota grande y blanda; finalmente, intentará empujarla con las manos para hacerla regresar hacia usted. Entonces podrá participar en un verdadero juego y adquirirá pronto el sentido de la pelota.

Versos y canciones. Al bebé le encantará escuchar versos, incluso cuando es muy pequeño, porque le gusta que le hablen y los sonidos rítmicos resultan más fáciles de escuchar para él. Le gustará que le canten, tanto si se trata de una nana apaciguadora como de una canción más animada, cantándole mientras lo hace saltar sobre sus rodillas. Los versos, las canciones rítmicas y los juegos estimulan el habla precoz.

Actividades físicas. Hasta un bebé pequeño puede beneficiarse de juegos como saltar, balancearse y columpiarse. Eso hará que sea consciente de su propio cuerpo y mejorará sus habilidades locomotoras, como el gateo y el andar, al tiempo que aumentan su sentido del equilibrio y su coordinación.

Alimentar sus sentidos. El bebé explora el mundo a través de sus sentidos y cualquier cosa nueva le parecerá interesante (véase pág. 183). Deje que dedique todo el tiempo posible a permanecer en una posición sentada, apoyado sobre cojines, de modo que pueda ver lo que sucede a su alrededor, y deje a su alcance juguetes pequeños para que pueda manejarlos; los mejores son los juguetes que hacen ruido o que están hechos de materiales de texturas diferentes. Capte su interés primero mostrándole los juguetes desde cerca y demostrándole cómo puede hacerse el sonido; hasta algo tan sencillo como un recipiente lleno de judías grandes puede servir. Cuando sea mayor y capaz de coger objetos, puede darle tazas altas o anillos; los adecuados son los grandes, al menos mientras su prehensión sea todavía primitiva. La cocina es una buena fuente de juguetes interesantes para el niño, donde pueden encontrarse: cucharas de madera, espátulas, sartenes pequeñas y tapaderas, escurridores y coladores, embudos, un juego de medidores de plástico, tazas de plástico, bandejas de cubitos de hielo o cartones de huevos. Deje que su hijo cree su propio uso para esos objetos.

Mirar y aprender
El color, la forma y el ruido son interesantes para el bebé, así que elija juguetes que le ofrezcan variedad de estas

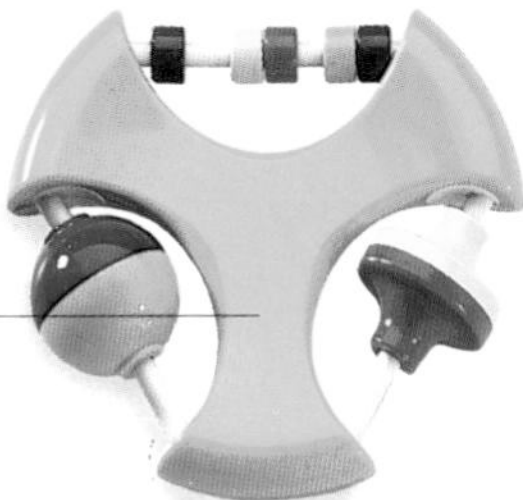

Un sonajero es un juguete ideal mientras el bebé aprende a coger objetos durante los seis primeros meses

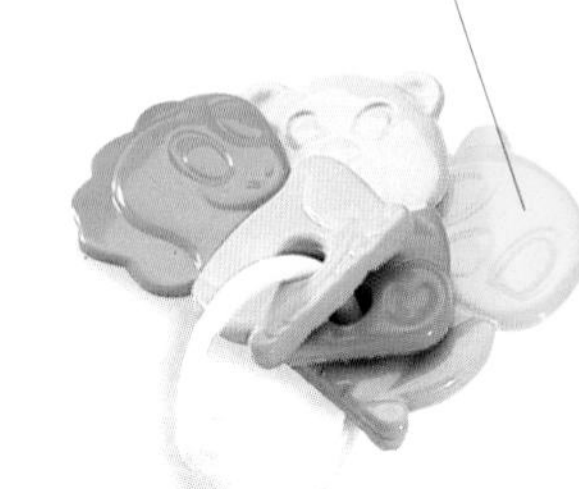

A los cuatro meses, el bebé explora el mundo a través de la boca, así que ofrézcale juguetes que pueda morder sin peligro

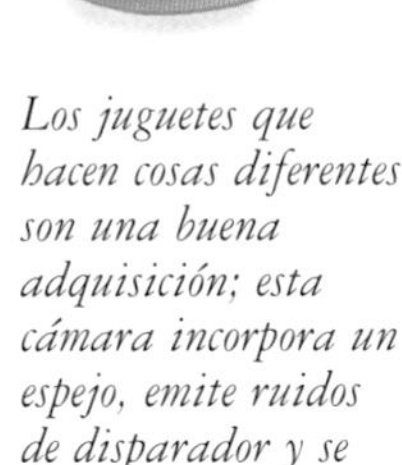

Los juguetes que hacen cosas diferentes son una buena adquisición; esta cámara incorpora un espejo, emite ruidos de disparador y se puede morder

Al bebé le encantan los juguetes que hacen ruido, así que cuelgue de la cuna o del cochecito una caja de música fácil de manipular

ELEGIR JUGUETES

A muchos padres y parientes les resulta difícil elegir juguetes para el bebé pequeño. Al principio, éste no podrá interactuar mucho con sus juguetes, por lo que éstos deberían ser blandos, sencillos, resistentes y atractivos a la vista y al tacto.

Juguetes blandos. Al bebé le encantarán los juguetes blandos que pueda apretar y que sean agradables al tacto. Asegúrese de que sean lavables, de colores resistentes y seguros, ya que no dejará de llevárselos a la boca.

Móviles. Para un recién nacido, un móvil colgado a 25 cm por encima de la cuna o del cochecito proporciona estímulo visual, pero asegúrese de que está fuera del alcance del bebé. A cada pocos días, cambie las partes de que se compone para conservar su interés.

Juguetes ruidosos. Los sonajeros, los juguetes blandos que chirrían al ser apretados y los juguetes musicales son adecuados para el bebé pequeño. A los seis meses le encantará jugar con una caja de música que pueda hacer funcionar tirando de una cuerda o apretando un botón.

Libros. Nunca es demasiado pequeño para leerle al bebé. Desde los tres o cuatro meses, elija libros con grandes imágenes de vivos colores; señale los objetos comunes y pronuncie los nombres mientras lo mantiene sentado sobre sus rodillas. Los rostros siempre le atraen, así que muéstrele imágenes de revistas: indique las partes de su cara y luego de la de él, y después las mismas partes en las imágenes.

SEGURIDAD

La seguridad es la consideración más importante a la hora de elegir los juguetes. Con un bebé pequeño debe tener en cuenta que es muy probable que se lo lleve todo a la boca.

- *Los juguetes como los sonajeros deben ser ligeros de peso para el caso de que el bebé se golpee con ellos.*
- *Evite juguetes que tengan pequeños agujeros donde puedan quedar atrapados los dedos del bebé.*
- *El bebé puede tragarse las cuerdas largas, o enrollárselas alrededor del cuello.*
- *Los juguetes blandos deben estar fabricados con materiales resistentes al fuego, de colores resistentes y que no ofrezcan peligro, ya que el bebé podría chuparlos y envenenarse con el tinte.*
- *Los componentes pequeños que puedan ahogar al bebé, como los ojos de los juguetes blandos, que deben estar firmemente sujetos.*

BEBÉ MAYOR

DESARROLLO MENTAL

ACCESOS DE APRENDIZAJE

El desarrollo mental del bebé se produce por accesos, en lugar de hacerlo a un ritmo constante.

Durante un acceso de aprendizaje, el niño captará nuevas ideas y habilidades con gran rapidez y las pondrá en práctica de inmediato.

Durante estas fases de aprendizaje rápido, es posible que las habilidades que ya ha adquirido parezcan retroceder un poco porque el bebé se concentra totalmente en aprender algo nuevo. Una vez que haya dominado la nueva habilidad, recuperará todas las habilidades aparentemente perdidas.

Si está claro que el bebé disfruta con ciertas actividades, repítaselas. A pesar de todo, no vacile en introducirle nuevas ideas, ya que es capaz de absorber información muy rápidamente y de desarrollar habilidades nuevas a una velocidad realmente sorprendente. Persiga el propósito de entretenerlo de la forma más amplia e interesante posible. El bebé se enganchará con aquello que desea y desdeñará el resto.

Habitualmente, tras un acceso de aprendizaje se produce un período en el que el desarrollo parece hacerse más lento, a medida que el bebé consolida habilidades recién adquiridas y se prepara para el siguiente acceso. Es entonces un buen momento para ayudarle a practicar las habilidades que acaba de adquirir, hasta que hayan sido absorbidas en su repertorio.

El bebé está desarrollando nuevas habilidades mentales a una velocidad sorprendente, la mayoría de ellas a través del juego, y usted puede ayudarle ofreciéndole numerosas experiencias nuevas e interesantes. Intente suprimir cualquier ansiedad acerca de lo que debiera aprender el niño en esta fase. Déjese guiar por él mismo y responda a sus necesidades. Se desarrollará mucho más rápidamente si le permite aprender que desea, en lugar de lo que a usted le parece mejor.

Siete meses. El bebé empieza a conocer el significado de las palabras y comprende el «no». Muestras señales de determinación tratando de coger juguetes que están fuera de su alcance. El bebé muestra un fuerte interés por los juegos y se concentra profundamente en sus juguetes. Mirará a su alrededor en busca de un juguete que ha dejado caer, lo que manifiesta el desarrollo de la memoria.

Ocho meses. A esta edad, la memoria del bebé experimenta un salto y es capaz de reconocer juegos y versos familiares, y girará la cabeza cuando escuche pronunciar su nombre. Puede anticipar el movimiento y extenderá las manos para que se las laven, pero apartará la cara de una franela.

Nueve meses. El bebé se familiariza con las rutinas, como agitar la mano para despedirse y adelantar el pie para que usted le ponga el calcetín. El bebé también sabe lo que es una muñeca o un osito de peluche, y sabe lo que significa darle «una palmadita». Si usted le dice: «¿Dónde está papá?», buscará un juguete o a papá a la vuelta de la esquina. Se trata de un paso perceptivo muy importante, ya que ha aprendido que las cosas siguen estando ahí cuando no las vea.

Diez meses. A esta edad, el bebé puede señalar cosas en un libro aunque no se concentrará en ellas durante demasiado tiempo. Dejará caer constantemente juguetes de su cochecito y querrá que se las cojan porque ha aprendido su nuevo habilidad de «soltarlas». Es posible que diga una palabra con significado. También empieza a comprender conceptos como «aquí» y «allí», «dentro» y «fuera», «arriba» y «abajo».

Once meses. Ahora es cuando empieza a mostrarse realmente el sentido del humor del bebé. Le encantan las bromas y repetirá cualquier cosa por la que usted se haya reído. Empieza a desarrollarse su interés por los libros y le gusta ques los señalen, para luego hacerlo él si usted le pregunta. Repetirá su nombre y sacudirá la cabeza diciendo «no».

Un año. Una vez que el bebé tenga un año de edad empezará a dar besos y dirá dos o tres palabras con significado. Cogerá un juguete y se lo entregará a usted, y quizá señale un objeto que reconozca espontáneamente en una fotografía. Empieza a comprender preguntas sencillas.

ESTILOS DE PERCEPCIÓN

A partir aproximadamente de los seis meses, el bebé desarrolla su propio «estilo de percepción», es decir, el tiempo y el cuidado que pone para considerar una situación antes de tomar una decisión. Hablando en términos generales, la mayoría de la gente se encuadra en uno de dos estilos: reflexivo o impulsivo. Un bebé reflexivo mirará algo con una concentración intensa, y se quedará muy quieto, mientras que el bebé impulsivo se sentirá muy excitado y apartará la mirada al cabo de un corto período de examen.

Cuando el bebé tenga 18 meses de edad, sabrá usted qué estilo le define mejor si lleva a cabo una sencilla prueba: muestre al bebé una cartulina donde haya una imagen, y debajo variaciones de la misma imagen. Pídele que señale la imagen que se corresponda exactamente con la representada en lo alto de la cartulina. El niño reflexivo observará cuidadosamente todas las opciones antes de elegir y, cuando lo haga, suele acertar. El niño impulsivo es más probable que mire rápidamente todas las imágenes y luego tome una decisión inmediata, que es a menudo la equivocada.

A menudo, a los niños reflexivos les va mejor en la escuela, sobre todo al aprender a leer. En consecuencia, es posible que el niño impulsivo necesite más ayuda en la escuela. La reflexión, sin embargo, no siempre es lo mejor. Hay ocasiones en que el niño tiene que pensar con rapidez, como al participar en juegos, y es entonces cuando el niño impulsivo es más capaz de tomar una decisión correcta para la que dispone de poco tiempo.

AYUDE AL DESARROLLO MENTAL DE SU HIJO

Para forzar la memoria de su hijo, juegue a esconder y encontrar. Coloque un juguete delante del bebé y deje que trate de alcanzarlo unas pocas veces; luego, sitúe un trozo de papel delante para ocultarlo. El bebé moverá el papel para encontrarlo. Hágale realizar tareas sencillas, como introducir y sacar cosas de contenedores.

Elija libros infantiles blandos con grandes ilustraciones en color y disponga cada día de un rato para leer. Los niños disfrutan especialmente con los cuentos sobre la madre y los animales pequeños, y esa clase de historias le ayudarán a aprender los sonidos que producen los animales. También puede leerles diferentes libros ilustrados y revistas. Pruebe a pronunciar varios objetos de una misma página y luego tome la mano del bebé y señálelos con ella. Vuelva a pronunciar los nombres.

Al año de edad, el bebé empezará a comprender la causa y el efecto si al mismo tiempo le describe sus acciones, como por ejemplo ponerle el abrigo y salir de casa, o vestir y desnudar a una muñeca. Descríbale lo que sucede mientras juega. Si los bloques de construcción se le caen de golpe, dígale: «Todo se ha caído». Juegue muchos juegos de agua con él, dele recipientes, jarros o botes que pueda usar para verter, llenar y vaciar. Deje sus juguetes fuera de su alcance y recójalos cuando él los pida. Anime la independencia con la autoalimentación.

A un niño mayor, de unos 15 meses, se le pueden encargar tareas sencillas, como ordenar y guardar las cosas en el sitio correcto, o traerle algo a usted, para estimular así su sentido del logro y para fomentar sus sentimientos de orgullo. Ayúdelo a formar frases sencillas de tres o cuatro palabras. Introdúzcale el concepto de la posesión, particularmente de sus propias cosas: «Esa es la pelota de Michael, tu pelota».

MEMORIA

Ahora que el bebé es mayor, se pone más de manifiesto su memoria en desarrollo. Hay muchas cosas que puede hacer usted para ayudarle a desarrollarla.

- *Repita una verso corto una y otra vez, hasta que el niño aprenda a decirla por sí mismo.*
- *Cántele una canción corta, acentuando la rima con palmadas, gestos de asentimiento de la cabeza y gestos del cuerpo.*
- *Leerle en voz alta es con mucho la mejor forma de desarrollar la memoria. Si se le repite una historia varias veces, anticipará los acontecimientos que sucedan en ella y los dirá antes de que usted llegue a ese punto. Si vacila usted espectacularmente en medio de una frase, él aportará la palabra que falta, como un pato, un árbol, un bebé, un gatito.*
- *Recitar secuencias de números estimula su memoria, lo mismo que repetir el alfabeto como un papagayo, sobre todo si le imprime usted un ritmo definitivo o una pauta rítmica.*

JUGUETES HECHOS EN CASA

Un bebé de menos de un año no necesita juguetes comprados en la tienda. Use objetos caseros de vivos colores y ruidosos para estimularlo y fascinarlo.

- *Cualquier cosa que ruede, como carretes de algodón o el tubo de cartón duro de los rollos de papel de cocina o higiénico.*
- *Texturas interesantes: trozos de fieltro, una sarta de cuentas, hilos de lana gruesa o bolsas de cuentas.*
- *Formas interesantes: bandejas de cubitos de hielo, escobillas, cartones de huevos, coladores y escurridores o botellas de plástico de todas las formas y tamaños.*
- *Cualquier cosa que sea ruidosa: cucharas y espátulas de madera, pequeñas cacerolas y tapaderas, latas de pastelería o tazas de plástico.*
- *Cualquier cosa que resuene: jarros de plástico con semillas o clips de papel en su interior (asegúrese de que la tapa es hermética).*

Ruidoso
A un bebé le encantará jugar con cazos, sartenes y tapas de cacerolas. Cuanto más ruido pueda hacer, tanto más se divertirá.

APRENDER A TRAVÉS DEL JUEGO

El bebé aprende a través del juego, y para desarrollarse plenamente necesita usar todos sus sentidos: vista, oído, olor, tacto y gusto. Para ofrecer la estimulación necesaria, sus juguetes y juegos deben estar llenos de variedad, de modo que atraigan a todos sus sentidos. Aunque es evidente que usted debe jugar con el bebé todo lo posible, también es importante que aprenda a jugar él solo, para dar rienda suelta a su sentido de la exploración y la imaginación.

A los siete meses, la boca del bebé sigue siendo un órgano sensorial importante, y querrá objetos interesantes que pueda investigar con seguridad. Sus juguetes deben ser de colores brillantes y vivos y tener una forma interesante para estimular su percepción de la forma y del espacio, así como del color. Los mejores a esta edad son los colores primarios. Pronuncie siempre el nombre del color de un objeto mientras juega.

Estimule el oído del niño con juguetes que produzcan sonidos de tintineo o traqueteo al agitarlos. Las cajas de música ofrecen una infinita fascinación para niños pequeños, sobre todo aquellas dotadas de una cuerda de la que el niño puede tirar. A medida que mejoran las habilidades manipuladoras del niño se sentirá cada vez más absorbido por el tacto, así como por el sonido. Le encantarán los objetos que emitan un ruido al apretarlos. En la cuna se pueden colocar centros de actividad dotados de gran cantidad de pomos y botones, que el bebé puede hacer girar o apretar para producir sonidos. Además de estimular tanto su sentido del oído como del tacto, le ayudarán a comprender el vínculo existente entre causa y efecto. Las pelotas de goma de todos los tamaños son sus preferidas.

Es ideal cualquier objeto bastante pequeño que sea interesante de tocar, con agujeros o manijas por las que el niño pueda introducir los dedos y poder agarrarlo. Intente buscar objetos de colores brillantes y que, si es posible, hagan ruido, como anillos con campanas. Le encantará un gran espejo infantil, especialmente diseñado, colocado en la cuna para que se pueda mirar. No ponga nunca uno de sus espejos habituales en la cuna, ya que podría romperse con facilidad. Cuando tenga de diez meses a un año de edad, el bebé cogerá objetos pequeños como lápices, tizas y eventualmente pinceles de pintar. Ahora tendrá mayor movilidad y disfrutará siendo capaz de empujar o tirar de juguetes como trenes, coches o camiones.

Desde un año hasta los 18 meses, y tras haber alcanzado un cierto grado de destreza, el bebé disfrutará con juguetes que desafíen sus habilidades manipuladoras, como los rompecabezas. Guardar y amontonar juguetes que se puedan encajar o con los que se pueda construir estimulará su destreza y visualización espacial. Ahora que ya pronuncia y comprende algunas palabras e ideas, le encantarán los cuentos y los libros. Los mejores serán los que tengan ilustraciones de brillantes colores y diferentes texturas.

JUEGOS Y JUGUETES

A medida que el bebé crece, sus habilidades de desarrollo y sus capacidades mentales se verán reflejadas en los juguetes que estimulen su imaginación. Los sonajeros que pueda agitar mientras se alimenta, por ejemplo, le producirán diversión al principio. Los grandes bloques blandos son ideales para un niño de seis meses porque se pueden utilizar para construir y para arrojar, pero un niño mayor preferirá bloques duros de madera o plástico, lo bastante estables como para formar estructuras más complicadas. Los rompecabezas sencillos y juegos cuya resolución desafíen al bebé son importantes para su desarrollo. Deberían tener pomos o botones para que pueda coger las piezas con mayor facilidad, o piezas muy grandes que sean fáciles de armar.

JUGAR JUNTOS

El bebé disfrutará jugando con usted. Para asegurarse de que saca el mejor provecho posible a los juguetes nuevos, muéstrele cómo puede usarlos y anímelo a ser imaginativo con ellos.

- *Haga rodar una pelota hacia él y anímelo a devolvérsela de la misma forma; así se desarrollará su coordinación entre la mano y el ojo.*
- *Muéstrele cómo construir una estructura más complicada con bloques, como por ejemplo un puente; de ese modo mejorará sus delicadas habilidades manipulativas.*
- *Llene un recipiente de agua o arena y muéstrele cómo llenar tazas de medición y otros recipientes; experimentará con el movimiento de sustancias diferentes.*

Jugar con agua
Todos los bebés disfrutan chapoteando en el agua o haciendo flotar un barco en un recipiente. Ofrézcale contenedores irrompibles en los que verter agua para llenarlos.

NIÑO PEQUEÑO

DESARROLLO MENTAL

En la fase del niño pequeño empezará a ser ya una persona independiente. Su lenguaje progresará durante esta fase y ya podrá pedir lo que desea, así como hacer algunas de las cosas que usted quiera que haga, si él lo elige así. Tendrá una curiosidad insaciable por el mundo y por todo lo que contiene, podrá abordar ideas cada vez más complejas y se sentirá ávido por utilizar todo aquello que aprenda.

MOMENTOS FUNDAMENTALES

18 meses. El bebé podrá pedir alimento, bebida y juguetes. Probablemente le dirá cuándo desea hacer uso del orinal, aunque quizá no pueda esperar y se produzcan accidentes frecuentes. Es capaz de cumplir con varias tareas y de empezar a comprender otras más complejas, como «Toma el cepillo de dientes del cuarto de baño, por favor». También puede sujetarla por el brazo o utilizar otros gestos para llamar su atención. Su vocabulario quizá esté compuesto por unas treinta palabras.

Dos años. Aumentará rápidamente su vocabulario de nombres y objetos. Describirá e identificará objetos familiares. Obedecerá órdenes complicadas y encontrará un juguete con el que ha jugado antes. Hablará ininterrumpidamente y hará preguntas ocasionales.

Poco después de esto, sabrá quien es y dirá su nombre. Intentará construir casas y castillos con bloques y repetirá palabras nuevas cuando se vea animado a ello. Empezará a oponer su voluntad a la de sus padres, y es posible que se ponga negativo diciendo «no» con bastante frecuencia y no cumpliendo siempre con los deseos de sus padres. Puede conocer la diferencia entre uno y varios, pero tiene muy poca idea sobre la magnitud de los números, aparte de que más de uno son «muchos».

Dos años y medio a tres años. El niño empezará a añadir detalles a conceptos amplios, como en «Un caballo tiene una cola larga» y será capaz de dibujar líneas horizontales y verticales. Será capaz de repetir una o dos poesías infantiles y encontrarlas en su libro, y conocerá algunos colores. También preguntará «¿por qué» y dirá «no lo haré» y «no puedo». Quizá haga intentos por copiar un círculo que le haya usted dibujado (véase pág. 174), pero probablemente no será capaz de completarlo. El niño disfrutará ahora ayudando con las tareas de la casa. Empezará a comprender el concepto de los números y es posible que pueda contar hasta tres. Un niño se dará cuenta de que sus órganos sexuales le sobresalen del cuerpo, en contraste con los de las niñas pequeñas que ha visto.

IMAGINACIÓN

La mayoría de niños mayores de 15 meses empiezan a desarrollar una imaginación muy viva, y hay diferencias individuales sustanciales. En general, cuanto mayor es la inteligencia, más grande es la imaginación.

Entre los 15 y los 18 meses, la imaginación empieza a aparecer en el juego con los muñecos. A los tres años, el niño es capaz de tener compañeros imaginarios de juego tras el sofá, contará historias de mayores y jugará a juegos muy imaginativos con los amigos. Su imaginación puede conducir al desarrollo de temores, como por ejemplo el de la oscuridad, el de los ruidos o el de los animales.

Tareas
El niño pequeño disfruta ayudando en la realización de tareas sencillas de la casa, como barrer.

El niño puede comprender preposiciones como «en», «sobre», «bajo», «tras» y «detrás». Hacia los tres años podrá formar frases más complejas y es posible que su vocabulario se compongan de unas doscientas a trescientas palabras. Esto, junto con su siempre creciente curiosidad, le inducirá a plantear preguntas continuas. Es capaz de distinguir entre «ahora» y «entonces» y se referirá al pasado. Conoce su propio género. Será más sociable y le gustará jugar con los demás.

RAZONAMIENTO

El niño puede que haya satisfecho su curiosidad y absorbido una gran cantidad de información nueva en el proceso, pero raramente lo relacionará con algo en su vida. Lo que sucede en el tercer año es que el niño empieza a pensar en sus experiencias y a aprender de ellas. La información se desplaza, se compara con otras experiencias para ver si encajan o difieren mucho, y luego se clasifica en lugares similares o diferentes. El niño empieza a razonar.

También empieza a planificar con antelación y se hace mucho más creativo e imaginativo. Gradualmente, empieza a utilizar toda la información que ha absorbido hasta el momento para aplicarla a una situación dada. Esta nueva capacidad para pensar, imaginar y crear cambia considerablemente la percepción que tiene del mundo.

Muchas de las cosas familiares de la casa o el jardín ya no contienen el mismo interés para él. Necesita horizontes más amplios; necesita explorar, empujar las fronteras de su experiencia y conocimiento más allá de donde están situadas. El niño se interesa mucho por saber cómo funcionan las cosas. Está ávido por recibir información y contesta continuamente «¿por qué?».

Un enorme paso consiste en darse cuenta de que el tiempo no es sólo el presente: hay un hoy, un ayer y un mañana. Planificar para el futuro es uno de los aspectos más críticos de nuestro intelecto y es durante este tercer año cuando oirá al niño decir por primera vez: «Me comeré eso más tarde», o «Podemos ir mañana».

FORMAR CONCEPTOS

Eso es un paso muy importante para él. Se pondrá de manifiesto cuando, entre las edades de 18 meses y dos años, empiece a clasificar objetos como una forma de juego: puede clasificar los bloques de construcción separándolos de otros juguetes, o los diferentes animales que forman una granja de juguete. También observará usted que el niño empieza a comprender cómo se agrupan las cosas; sabe, por ejemplo, que una pelota y una manzana tienen formas similares y ambas pueden rodar; que los gorriones y los cuervos son similares porque tienen plumas y vuelan, que los animales que ladran y tienen cuatro patas son perros.

Algo antes de cumplir los tres años, el niño empezará a dar nombre a estos conceptos: redondo, pájaro, perro. Utilizará los nombres en todos los casos en que sea apropiado, tanto si el perro en cuestión es el animal de compañía de la casa, o un perro que ve en la televisión o en un libro, o es de juguete. Cuando tiene tres años, describirá las cosas de una manera que demuestra que también comprende sus diferencias, y dirá: «Nuestro perro» o «Un perro de juguete».

COLORES

Para ayudar al niño a comprender la noción de color, mencione siempre el color de algo que esté usando o que desee.

- *Objetos caseros: «Busco el paquete verde», «¿Dónde está la lata roja?», «Ah, por fin he encontrado la jarra de la etiqueta azul».*
- *Las ropas de su hijo: «Es un vestido rosa muy bonito», «¡Qué suéter rojo tan elegante!».*
- *Flores, animales y especialmente pájaros: «¿Puedes ver la pechuga roja del petirrojo?».*
- *Muestre al niño cómo se forman los colores: «Mira, si mezclamos un poco de rojo con este poco de blanco, conseguimos un rosa; el amarillo mezclado con el azul nos dará el verde».*
- *Enseñe al niño los colores del arco iris y procure que los cite si viera un arco iris de verdad.*

Concepto de redondez
El niño pequeño puede empezar a afrontar ideas sutiles. Comprenderá que la redondez, por ejemplo, es una propiedad que tienen objetos diferentes.

APRENDER A TRAVÉS DEL JUEGO

El juego ayuda a aprender de muchas formas. Mejora la destreza manual; construir una torre con bloques o hacer un rompecabezas enseña al niño que sus manos pueden funcionar como herramientas. Jugar con otros niños le enseña la importancia de llevarse bien con otros; descubrirá la amistad, y aprenderá a ser amable y a demostrar consideración hacia otras personas.

El juego social ayuda a que el lenguaje del niño sea más sofisticado porque cuanto más imaginativo sea el juego, más complejas serán las ideas que tengan que expresarse con palabras. El juego ayuda al desarrollo físico; la libertad para balancearse, escalar, patinar, correr y saltar ayuda a perfeccionar la coordinación muscular y las habilidades físicas. El juego también mejora considerablemente el oído y la visión.

TIPOS DE JUEGO

Tanto a los niños como a las niñas les encantan los muñecos, que son sus familias fingidas, y que les ayudan a crear un mundo de fantasía hacia el que pueden escapar. Mientras juegan con muñecos, el niño comprende las emociones humanas. Será la madre o el padre del muñeco, le dará instrucciones, lo vestirá, lo llevará a la cama y le dará el beso de buenas noches. De este modo, el niño representa las cosas que le suceden y aprende a contarlas a otras personas. El juego con muñecos también puede despertar sentimientos protectores en los niños. El niño también puede usar los muñecos para librarse de instintos agresivos que, de otro modo, se dirigirían contra otros niños.

Un concepto importante de comprender para el niño es el de la clasificación, si las cosas son iguales o diferentes. Los animales de una granja de juguete pueden ayudarle a formarse esta idea; con una variedad de ovejas, caballos y pollos, el niño podrá clasificar a los animales que tengan el mismo aspecto. Puede ayudarle mostrándole las diferencias y nombrando a los animales a medida que los coloca en grupos.

A los niños les encanta jugar con el agua, especialmente en el baño. Dele al niño botellas de plástico vacías y recipientes, para que pueda crear una variedad de efectos acuáticos. A todos los niños les encanta soplar burbujas; ponga algo de líquido para lavar en un recipiente y emplee una pajita para soplar. Las pequeñas piscinas para chapotear son ideales en verano y no tienen por qué ser caras. Otro juego de verano consiste en extender una tela impermeable sobre el suelo y rociarla con una manguera; el niño disfrutará deslizándose de un lado a otro sobre la superficie resbalosa.

La pintura estimula las urgencias creativas del niño. Le encantará pintar con los dedos y puede producir una variedad de huellas y dibujos interesantes con peines, pinzas, esponjas, carretes de hilo y cartulinas en forma de tubo. Intente recortar estrellas y otros dibujos a partir de trozos de patata, para que él pueda crear dibujos insólitos. Los cartones de huevos o las bandejas para el horno son buenas paletas para el aspirante a pintor. Déle al niño pinceles gruesos, para que vea inmediatamente resultados claros. Ofrézcale pinceles de pasta, ovillos de lana, corchos, pajitas y tubos de la aspiradora para que encuentre variedad.

Disfraces
A los niños les encanta disfrazarse, así que procure tener una caja con zapatos viejos, camisas, faldas, vestidos, sombreros y bufandas, e incluya algunas piezas de bisutería.

JUEGOS Y JUGUETES

Hasta los dos años de edad, el niño pasará más tiempo con juguetes que pueda usar de modo independiente, sobre todo aquellos que le inicien al mundo adulto. Las muñecas, las casas de juguete y los coches, por ejemplo, le permitirán representar las escenas que ve en la vida real. A medida que se hace mayor, adquirirá nuevas habilidades y disfrutará de cualquier cosa que las ponga a prueba, como construir y derribar, o desmontar. Los objetos del hogar, como recipientes de plástico y los tubos de cartulina, estimularán su creatividad e imaginación. Dibujar, pintar y crear formas con arcilla o plastilina, así como encajar piezas estimularán la creatividad. Mucho antes de que sea capaz de escribir o dibujar formalmente, al niño le encantará garabatear y usar colores, así que dele lápices de colores y mucho papel. Le será muy útil una caja de tizas de colores y una pizarra montada sobre un caballete puesto a su altura, porque podrá dibujar y luego borrar lo que ha hecho y empezar de nuevo.

A los niños les encanta formar parte de la rutina doméstica. A un niño pequeño se le puede dar un cuenco pequeño con algo de harina para mezclar cada vez que usted prepare algo; también puede ayudar a llevar cosas y usar un pequeño plumero o cepillo para ayudar en la limpieza.

Un teléfono de juguete le permitirá imitar a los adultos y alimentar la necesidad de conversación y de juego con las palabras

El niño es capaz de hacer un uso cada vez más complejo de juguetes de construcción

Los libros de imágenes del niño deben introducirle palabras sencillas

Alimente el talento artístico de su hijo con juegos de pintura o plastilina

SEGURIDAD EXTERIOR

Una vez que un niño tenga edad suficiente para jugar con juguetes grandes en el jardín, pueden surgir toda una serie de nuevos peligros.

Es imposible ofrecer al niño un ambiente totalmente seguro, pero si toma algunas precauciones, reducirá mucho el riesgo de que se produzcan accidentes graves. Asegúrese, por ejemplo, de que el equipo exterior está cuidadosamente instalado y que lo compruebe con regularidad.

- *Los niños pequeños deben ser siempre adecuadamente supervisados y no se les debe dejar jugar nunca a solas en el exterior, sobre todo en las piscinas infantiles.*
- *El equipo de juego, como toboganes y columpios, debe comprobarse regularmente, para verificar su fortaleza, estabilidad y señales de corrosión. Debe instalarse en una superficie blanda y plana, como hierba o arena, nunca sobre cemento.*
- *Compruebe todo el equipo de juego para asegurarse de que no hay riesgo de que pueda producir cortes, pinzamientos o desgarrones, y que las superficies estén libres de nudos y astillas.*
- *Instruya cuidadosamente a los niños acerca de lo que pueden y no pueden hacer con el equipo de juego.*
- *Asegúrese de que las tiendas, casas de juego y túneles están hecho de materiales no inflamables.*
- *Procure que los bancos de arena estén cubiertos cuando no se utilicen para evitar que los animales hagan sus necesidades en ellos.*
- *Ponga vallas en las piscinas.*
- *Vacíe siempre una piscina infantil después de usarla.*

PREESCOLAR

DESARROLLO MENTAL

TALENTO

Resulta tentador pensar que el niño tiene talento si destaca sobre los demás en uno o dos ámbitos.

Los verdaderos niños con talento, sin embargo, están avanzados en la mayor parte de los logros , así como en la adquisición de habilidades. Disfrutarán con toda clase de ejercicios cerebrales y algunos de ellos hasta puede que les resulten muy fáciles. Un niño con talento aprende invariablemente con rapidez y es capaz de usar ese aprendizaje de una forma amplia y flexible. Si fuera ese el caso de su hijo, es importante ofrecerle mucho estímulo, juegos nuevos, nuevas ideas para jugar y gran cantidad de oportunidades creativas. De otro modo, es muy probable que se sienta aburrido y frustrado si su juego no le exige algún esfuerzo (véase pág. 252).

El desarrollo de su hijo como un individuo independiente y razonador florece realmente durante los años preescolares. El uso que haga del lenguaje será mucho más fluido y empezará a relacionar el lenguaje con la palabra escrita. La continua mejora de su comprensión de las formas y las secuencias significará que puede solucionar más rompecabezas complejos, como un reordenamiento de las imágenes en el orden correcto, o bien copiar un dibujo. También es mucho más imaginativo en su juego, de modo que podrá entretenerse durante períodos más largos, sin esperar que usted se le una.

Un niño de tres años querrá ayudar con tareas sencillas del hogar, como barrer o poner la mesa. Su juego imaginativo será más vívido, al inventarse personas y objetos y colocarlos en situaciones más complejas, que es la razón por la que las niñas disfrutan con las casas de muñecas y los chicos con los campamentos. Disfrutará jugando en el suelo, solo o con sus hermanos, durante períodos más prolongados. Y empieza a comprender que algunas cosas de las que disfruta tiene que dejarlas para el futuro, como una visita a un pariente preferido o el poder comprarse un helado.

Es más independiente y más egocéntrico a la edad de cuatro años. Será más quisquilloso y discutirá más para salirse con la suya. Habrá dominado los conceptos de pasado, presente y futuro, aunque es posible que no comprenda lo cerca o lo lejos que está el día de su cumpleaños.

A los cinco años será más sensible y controlado, y podrá jugar a juegos que tengan reglas más complicadas. Será capaz de apreciar la hora del reloj y eso le ayudará a relacionarse con una rutina diaria. Ahora también se habrá desarrollado más su sentido del humor y podrá contar chistes sencillos, representar situaciones cómicas y hacer cualquier cosa por arrancar una sonrisa.

Rompecabezas
Puede ayudar al desarrollo mental de su hijo en edad preescolar con algunos rompecabezas sencillos.

Pregúntele al niño qué parte falta de esta imagen

Pídale al niño que ponga las imágenes en el orden correcto

Haga dibujos con bloques especialmente pintados para que los copie su hijo

Recorte una fotografía o una postal para crear rompecabezas

PERCEPCIÓN

El estilo perceptivo, la forma en que el niño percibe una situación, depende de que sea capaz de distanciarse de lo que sucede en el fondo o si lo tiene muy en cuenta. El primer caso se llama independencia de campo, y el segundo dependencia de campo.

Las mediciones de la independencia o la dependencia de campo muestran una fuerte diferencia entre niños y niñas. En general, los niños tienen una mayor independencia de campo y son, por tanto, capaces de destacar una figura de entre un fondo complicado con mayor facilidad que las niñas. Eso puede deberse a que, en general, los niños destacan más que las niñas y a edades más tempranas en visualización espacial.

Puede ser útil saber si el niño tiene independencia de campo en cuanto a sus intereses y personalidad. Si la tiene, podrá enfocar la atención sobre objetos y tareas, mientras que los niños con dependencia de campo suelen enfocar la atención más sobre las personas. Eso puede explicar el hecho de que las niñas, al tener más dependencia, son mucho más sociables desde el principio que los niños.

COMPROBAR LA PERCEPCIÓN

Puede usted valorar la dependencia o independencia de campo de su hijo viendo si es capaz o no de detectar una figura geométrica en un dibujo complicado. Muestre al niño una figura sencilla, como un círculo, cuadrado o triángulo, y luego pídale que encuentre una figura exactamente igual en un dibujo más complejo.

Para encontrar la figura, el niño tiene que ignorar el detalle del fondo (el campo) y prestar atención únicamente a las figuras. En general, los niños alcanzan una mayor independencia de campo a medida que se hacen mayores. Al cabo de un tiempo, podrá introducir figuras más complicadas, como un animal oculto, con fondos más y más complejos.

Si el niño tuviera una mayor dependencia de campo, se basaría más en las claves exteriores y, en consecuencia, en el ánimo y el estímulo que usted le transmita. En contraste, sin embargo, el niño con independencia de campo, al tener una mayor capacidad para detectar las partes de un todo, será mejor en las tareas cognitivas, como aquellas que exigen un buen sentido espacial, como jugar al ajedrez, por ejemplo.

Rompecabezas
Los rompecabezas de madera son más fáciles de manejar y no se doblan, como los de cartón.

DISCAPACIDADES DE APRENDIZAJE

Los niños aprenden a ritmos diferentes, de modo que los problemas aparentes, como el retraso en aprender a leer, pueden ser simplemente una variación normal en cuando a su ritmo, y no una señal de discapacidad. Pero hay otras señales que también podrían indicar una discapacidad de aprendizaje, de la que usted debería ser consciente.

- *Las discapacidades de aprendizaje raras veces se producen solas. Suelen formar parte de una imagen más amplia, en la que quizá se incluya una pobre coordinación, memoria deficiente y la incapacidad para dibujar y encajar bloques de formas diferentes para conjuntar todos en un tablero.*
- *Entre las características comunes que acompañan las dificultades de aprendizaje se incluyen un corto período de atención, excesos de actividad sin objetivo, pobre concentración, impulsividad, agresividad y torpeza. A un niño así se le debe controlar la vista y el oído para descartar cualquier posible debilidad.*
- *La dislexia es una discapacidad de aprendizaje que debe detectarse lo antes posible. Comúnmente llamada «ceguera para las palabras», este estado forma parte de un espectro de problemas de aprendizaje más amplio, incluida la dificultad para deletrear y escribir. Entre las primeras señales se incluyen el retraso en el desarrollo del lenguaje, problemas aparentes de oído y torpeza; pero el diagnóstico adecuado sólo puede hacerlo un psicólogo infantil profesional* *(véase pág. 253).*

SALIDAS

La insaciable curiosidad del niño necesita más estímulo del que puede ofrecerle su hogar, así que acuda con regularidad al parque local y planifique salidas al campo o a un parque de vida salvaje.

- *Deje que el niño sepa por anticipado qué cabe esperar, como por ejemplo mediante la lectura de un libro, para que pueda sacar el mayor provecho posible de la experiencia.*
- *Hable sobre cuestiones de su interés y lleve lápices de colores y papel, o un libro para colorear, y anímelo a dibujar lo que ve.*
- *La playa está llena de nuevas vistas, sonidos y olores; no se olvide de un cubo y una pala. Los castillos de arena constituyen una de las aficiones favoritas más permanentes de los niños.*
- *Ofrézcale una cámara barata para dejar una constancia gráfica del viaje y ayúdelo a guardar sus fotos en un álbum.*

APRENDER A TRAVÉS DEL JUEGO

El juego seguirá aportando una contribución positiva al desarrollo del niño en edad preescolar. Una vez que haya practicado sus intereses creativos en el juego, puede aplicarlos al mundo real. En ocasiones, el niño estará absorbido en un mundo de ficción propio, y no necesitará de su participación; en otras ocasiones, usted puede aumentar su disfrute sugiriéndole nuevos juegos, o nuevas formas de jugar con los juguetes.

Juego de ficción. Su hijo creará un pequeño mundo propio como parte de su imitación de los adultos. Con un par de sillas o una pequeña mesa cubierta por una manta se construirá inmediatamente una tienda o una casa de juego. A los niños les encanta jugar con cajas de cartón, siempre que sean lo bastante grandes como para meterse dentro. Las más pequeñas se convierten en barcos y coches, y amontonadas se transforman en casas y castillos. Las cajas tumbadas de lado son túneles y colocadas unas al lado de otras son trenes.

Disfrazarse es uno de los juegos favoritos a esta edad; unos sencillos adminículos transforman al niño en un médico o un bombero y, en su mundo de fantasía, es un adulto, y un osito de peluche o un muñeco hace de hijo. Me sorprendió lo que mis hijos creían que era una familia.

Juegos con manchas. El intelecto del niño se verá desafiado con cualquier juego en el que intervengan el agua, la arena, el barro o la masa. El niño puede construir un muro en rectángulo de arena que luego se convierte en un castillo, o puede disfrutar con un cubo lleno de agua y objetos que flotan y que reaparecen en la superficie por muchas veces que él los empuje hacia el fondo. Para facilitar la supervisión, disponga de un tiempo para permitir todo tipo de juegos con los que el niño pueda mancharse, en un lugar donde las manchas queden controladas y anímelo a esperar con ilusión a que llegue ese momento.

Juego doméstico. El niño ya domina la coordinación necesaria para ayudar en la casa. Para él es más juego que trabajo, puesto que tiene ganas de imitarla. Ayuda en la cocina desgarrando las hojas de la lechuga o poniendo el pan en la mesa, y disfrutará poniendo la mesa, mejorando así sus habilidades manipuladoras y de contaje, así como su independencia y valor propio.

Juego musical. Cualquier niño con una audición normal escucha y disfruta con los sonidos musicales. Probablemente, no podrá interpretar melodías, pero puede que las tararee y disfrutará golpeando y creando un ritmo. Los sonajeros, badajos de madera, trompetas y tambores son buenos para este propósito, así como viejas cacerolas o latas de cocina y cucharas de madera. El xilofón le permitirá identificar los sonidos musicales y experimentar con

Juego fingido
La niña pequeña no tardará en adoptar un papel maternal hacia su muñeca y puede llegar a crear un mundo totalmente imaginario alrededor de esta relación.

notas altas y bajas. Es mejor no comprar un xilofón o cualquier otro instrumento hasta que no demuestre interés por él durante un largo período de tiempo, y entonces vale la pena invertir en un instrumento musical de buena calidad que será lo mejor para desarrollar el oído del niño.

COMPARTIR JUGUETES

El niño desea ser sociable, por lo que tiene que aprender la difícil habilidad de compartir. Es más fácil que aprenda a compartir primero con usted, así que dele buen ejemplo: «Toma un poco del helado de mamá», «Puedes comerte la mitad de mi manzana». Luego, preséntele el concepto de «Una para ti y otra para mí». Sólo después pregúntele: «¿Puedo tener tu lápiz?», «¿Puedo jugar con tu muñeca?».

La pizarra con tiza de colores es una buena forma de introducir al niño en los números y las letras

Una grabadora resistente permitirá al niño escuchar sus canciones y cuentos favoritos

Las pelotas blandas son seguras para el juego dentro de casa

Introduzca al niño en conjuntos de construcción más complicados

Un juguete musical, como el xilófono, permitirá al niño experimentar con sonidos

JUEGOS SENCILLOS

A los cuatro o cinco años, el niño tiene edad suficiente para comprender juegos de mesa sencillos. Disfrutará con juegos nada complicados, que supongan hacer girar una rueda, tirar un dado o mover piezas, así como con juegos de cartas basados en imágenes.

- *Hay muchos juegos que le ayudarán a mejorar sus habilidades para contar y también su capacidad para concentrarse. Los juegos con reglas que haya que seguir pueden servir como introducción al concepto de que el mundo real está lleno de convenciones aceptadas.*
- *Tendrá que aprender a esperar pacientemente a que le llegue el turno mientras juegan los demás. Eso le ayudará a darse cuenta de que los demás tienen derechos y necesidades que a veces cuentan con prioridad sobre las de él mismo.*
- *El factor de ganar y perder inherente a los juegos le enseñará a comprender y afrontar la desilusión, y a esforzarse más la próxima vez, así como a disfrutar del éxito de ganar. De todos modos, no se concentre usted demasiado en ganar, ya que eso puede hacerle indebidamente agresivo y competitivo en la vida.*

BEBÉ PEQUEÑO

HABLA Y LENGUAJE

PRIMEROS SONIDOS

El bebé empieza a comunicarse con usted por primera vez desde que nace, pero sin emitir sonidos.

Media hora después de nacer, el bebé mueve ya los ojos al escuchar su voz y cuando usted está a 25 centímetros de distancia de su rostro, sonreirá y abrirá la boca en imitación y reconocimiento del lenguaje que ha escuchado. ¡Ha nacido para hablar!

El llanto se convierte en su principal forma de decir que se siente descontento; los primeros borboteos de satisfacción no aparecen hasta el cabo de seis semanas.

La sonrisa social que aparece a las seis semanas indica su deseo de conversar y pocas semanas más tarde empezará a pronunciar sonidos vocálicos. Cuando tenga tres o cuatro meses ya producirá una variedad de sonidos: vocalizaciones, risas, grititos y soplidos entre los labios. Aproximadamente a los cinco o seis meses aparecerán las primeras consonantes: «m», «p» y «b», por lo que es muy posible que diga «ma» o «pa» muy pronto, aunque no le dará significado alguno a estos sonidos.

Los bebés necesitan y desean comunicarse desde que nacen, y mucho antes de que empiecen a vocalizar escucharán e intentarán imitar sonidos. Los elementos básicos del lenguaje se encuentran ya en el cerebro del niño. Un niño sordo empieza a balbucear a la misma edad que un niño con audición normal, por lo que sabemos que no se necesita el estímulo auditivo para el desarrollo del lenguaje. Algunos teóricos llegan a decir que tenemos un «instrumento de adquisición del lenguaje» en alguna parte del cerebro que hace que el habla sea inevitable.

Antes de que el bebé tenga seis semanas habrá aprendido que si sonríe o efectúa un sonido, usted responderá. Lo notable es que incluso a esta edad tan temprana sea capaz de relacionar la secuencia: él sonríe, usted se muestra contenta y le habla más, y él puede así mantener una «conversación». Al sonreír y hablar al bebé, y al mostrarle satisfacción cuando contesta, le está transmitiendo la primera lección de comunicación.

Recién nacido. El bebé responderá a las voces humanas desde el momento de nacer, y tratará de imitar los gestos y las expresiones. Se dará cuenta de que le habla usted, y responderá con sonidos y moviendo todo su cuerpo.

Cuatro a seis semanas. Ya reconoce su voz. Responderá a sus sonrisas y lenguaje con gorgoteos, y esperará a que usted responda. Mantenga el rostro cerca del suyo al hablarle, para que pueda verla y recompense los sonidos que produzca con más sonrisas y palabras.

Cuatro meses. Ahora, el bebé ya cuenta con una gama de sonidos, incluidos los gritos y soplidos entre los labios. Se comunica con usted a través de la risa, así que sonríale mucho al hablarle.

Seis meses. Hay muchos signos de que el bebé empieza a comprender lo que usted le dice. Balbucea y emite sonidos en cadena. Cantarle, repetirle rimas y hablar rítmicamente le ayudará a comprender el lenguaje y le animará a hablar pronto.

Hablar con el bebé
Sus primeras conversaciones con el bebé implicarán sonrisas antes que sonidos.

EMPEZAR A HABLAR

Para que el bebé hable, antes tiene que comprender lo que usted le dice, y su comprensión aumentará rápidamente hacia el final del primer año. A partir de los seis meses, comprenderá las ocasiones en que usted le diga «no» con firmeza, y a los nueve meses puede cumplir con órdenes sencillas, como decir adiós con la mano. Puede ayudarle dejándole bien claros los significados, con énfasis y gestos teatrales: léale, muéstrele imágenes y repita los nombres de las cosas que vea, y ofrézcale un comentario claro y lento sobre las acciones cotidianas.

Los niños a los que se les canta, se les repiten rimas infantiles, se les habla de una manera rítmica y participan en juegos de cantos, rimas y palmadas, aprenden a hablar antes y mejor que los niños que no lo hacen, por lo que debería hacerle todas esas cosas desde los primeros días de vida. En cuanto el niño pronuncie la primera palabra, o lo que usted crea que es una palabra, repítasela. Dígale que es un niño muy listo y demuéstrele lo complacido que se siente.

Siete meses. Ahora ya podrá distinguir sílabas claras en los sonidos del bebé, como «ba» o «ka». Probablemente, usará un sonido especial para atraer su atención, como una tos o un gritito, y empezará a juguetear con la lengua y los labios.

Ocho-nueve meses. Aumenta la gama de sonidos del bebé, y añade a su repertorio las consonantes «t», «d» y «v». Empezará a imitar verdaderos sonidos del habla y quizá use una palabra con significado. Presta mucha atención a las conversaciones de los adultos.

Once meses. Ahora, el bebé ya usa casi con seguridad una palabra con significado, y es capaz de comprender unas pocas palabras sencillas, como baño, bebida y cena. Elógielo por cada palabra que pronuncie, y repítala; él la dirá una y otra vez en cuanto vea su aprobación. Es usted el primer modelo de buen habla de su hijo, así que hable con claridad y lentamente.

Quince meses. El niño empieza a introducirse gradualmente en su propia jerga, con una cadena de sonidos en los que aparece alguna que otra palabra reconocible, y que contiene el fraseo y las inflexiones del verdadero lenguaje. Eso es una señal de que está a punto de empezar a hablar. Quizá empiece por alguna expresión favorita de usted, como «Oh, cariño», que pronunciará en las ocasiones adecuadas.

Dieciocho meses. El bebé ya podrá emplear unas diez palabras con significado. Aumenta constantemente su comprensión y si le pregunta es capaz de señalarle muchos objetos en el libro de imágenes o en el mundo que lo rodea.

Enseñar palabras
A medida que el niño empieza a aprender sus primeras palabras, juegue a entregarle objetos y repetirle sus nombres.

BEBÉ MAYOR

PRIMERAS PALABRAS

Adquirir el habla es un proceso complejo y hay unas pocas formas típicas con las que los niños simplifican la pronunciación.

Es posible que el niño adquiera las palabras poco a poco, de tal modo que «perro» lo pronuncia primero como «p», después como «pe» y finalmente como «perro». Hasta que no tenga cuatro o cinco años de edad es normal encontrarse con alguna dificultad para pronunciar las consonantes.

Le resulta especialmente difícil pronunciar dos consonantes seguidas en medio de la palabra, como la «dr» de «cocodrilo», y puede simplificar sonidos hechos en partes diferentes de la boca como «ventana», que quizá pronuncie como «tana». Puede usted ayudarle resaltando la primera sílaba de la palabra.

Haga todos los esfuerzos posibles para animarlo y comprender los intentos de pronunciación del niño.

NIÑO PEQUEÑO

HABLA Y LENGUAJE

LENGUAJE EN LAS NIÑAS

Desde el momento de nacer, las niñas responden mejor a la voz humana que los niños y demuestran mejores habilidades verbales durante toda la niñez.

Las niñas hablan antes que los niños y también empiezan a encadenar antes las palabras, para formar frases. Tienen una mejor articulación, pronunciación y gramática, y son mejores en el razonamiento verbal. También aprenden a leer antes que los niños.

Se cree que la razón de las superiores habilidades verbales de las niñas se encuentra en la estructura del cerebro femenino (véase pág. 180). Los centros del habla están más firmemente organizados en el cerebro de la mujer que del hombre, y tienen más y mejores conexiones con otras funciones del cerebro.

Ahora, el bebé aprende continuamente palabras nuevas y también empieza a pronunciarlas juntas. Su pronunciación será confusa, pero eso no debe preocuparla; si utiliza palabras con significado y las pronuncia juntas, significa que desarrolla el lenguaje. Los suaves defectos del habla, como el ceceo, son muy corrientes en los niños y suelen desaparecer sin tratamiento. Hay una gran variación en cuanto a la velocidad a la que los niños adquieren el lenguaje, así que no compare a su hijo con otros de su edad, y no se preocupe si el desarrollo no sigue exactamente el progreso indicado abajo. Doy las fechas simplemente como guía media, y ningún niño se corresponde exactamente con la media.

Dieciocho meses a dos años. El lenguaje del bebé será cada vez más complejo durante este período. Probablemente tendrá un vocabulario de unas treinta palabras, incluidas de posesión («mío») y de negación («no quiero») en lugar del simple «no». Empieza a combinar palabras para hacer afirmaciones sencillas como «No-tá pelota». Comprende que la conversación es un asunto de dos y esperará su turno para hablar; usa el lenguaje para dar información, preguntar por cosas, decir cómo se siente y relacionarse con los demás.

Recuerde que es capaz de comprender muchas más palabras de las que usa, así que puede seguir ayudándole enseñándole más palabras. Use adjetivos siempre que pueda y combínelos con nombres: «buen chico», «agua caliente», «perro grande». Introduzca también algunos adverbios: «Corre rápidamente», «Dale palmaditas suaves al perro». Al usar preposiciones como «sobre», «bajo» y «detrás», muéstrele siempre lo que quiere decir.

Dos-tres años. Probablemente, el niño tiene un vocabulario de 200 a 300 palabras y ya pueda hablar seguido. Se interesa por aprender palabras nuevas. Su atención se mantiene durante más tiempo y le escuchará cuando le explique las cosas o le dé razones. Seguirá pronunciando mal las palabras y es posible que cecee, pero su fluidez y seguridad mejoran continuamente. Puede conectar dos ideas en una sola frase: «Tomo el osito y juego en el jardín», y emplear correctamente pronombres como «yo», «mí» y «tú».

Puede ayudarlo a aumentar su vocabulario mediante el uso de palabras con las que no esté familiarizado, de tal forma que él pueda suponer cuál es su significado y repetirlas con frecuencia, para aprender así a usarlas. Léale con frecuencia y explíquele palabras nuevas a medida que surjan. Le gustará escuchar las mismas historias una y otra vez, y podrá comprender narraciones cada vez más complicadas.

El uso que hace el niño del lenguaje es cada vez más social, y hablará con otros niños mucho más que con los adultos, por lo que el contacto con los niños es la mejor forma de ayudarlo a desarrollar sus capacidades.

HABLAR CON SU HIJO

Es importante que siga usted hablando con su hijo pequeño, y pase a pronunciar palabras nuevas y a dejar bien claro su significado mediante gestos y expresiones faciales. Pero también es importante que le permita responder, para que aprenda que la conversación funciona en los dos sentidos. Si inicia una conversación mostrándole algo o haciéndole una pregunta, préstele siempre atención. Si se muestra usted impaciente o se limita a responder «Eso está bien», sin mirarlo siquiera, se sentirá desanimado y abandonará el intento de hablar con usted.

Háblele con detalle de todo aquello que haga usted. Al vestirlo, hágale un comentario: «Ahora abrocharemos los botones..., uno, dos, tres». Describa los objetos que utiliza: «Pongamos las manzanas en el frutero de cristal»; «¿Quieres un caramelo amarillo o rojo?».

Aunque no debe corregirle los errores que cometa, no hay razón alguna para hablarle en su mismo lenguaje infantil. Si comete un error de gramática o de pronunciación, limítese a pronunciar sus propias palabras pero correctamente: «¿Los mucígalos vuelan?»; «Sí, los murciélagos vuelan».

LENGUAJE Y COMPRENSIÓN

Podrá observar la forma en que el niño pequeño adquiere gradualmente conceptos en su uso del lenguaje. A menudo usará la misma palabra para describir objetos similares, de modo que manzanas, naranjas y melocotones son todos «manzanas» porque son redondas y son fruta, mientras que caballos, vacas y ovejas son «caballos» porque se trata de animales grandes con cuatro patas. Eso no significa necesariamente que él no sepa la diferencia, sino sólo que no dispone de palabras para describirlos, así que usa la que más se acerca.

Por esa misma razón, las preguntas que le hace el niño pueden ser muy sencillas porque no puede expresar plenamente lo que desea saber. Así que cuando pregunta: «¿Qué es eso?», quizá esté preguntando: «¿Qué es? ¿Cómo se llama? ¿Qué hace? ¿Cómo funciona?», todo al mismo tiempo. Ofrézcale tanta información como crea que puede comprender: «Esto son polvos para lavar. Es como el jabón, y se pone en la lavadora para limpiar la ropa al lavarla». Trate de contestar siempre la pregunta que él le plantea.

Relación social
Durante el tercer año mejorarán mucho las habilidades verbales del niño al hablar con otros niños.

LENGUAJE EN LOS NIÑOS

Los niños casi siempre son más lentos que las niñas en el desarrollo de las habilidades del lenguaje, y esta diferencia dura toda la infancia.

Los niños suelen hablar más tarde que las niñas, son más lentos en pronunciar palabras juntas para formar frases y tardan más tiempo en aprender a leer. Los desórdenes del habla, como el tartamudeo, son mucho más comunes en los niños que en las niñas, y el número de niños que tienen que asistir a clases de recuperación de lectura supera al de las niñas en una proporción de cuatro a uno.

Aunque esta diferencia en la capacidad lingüística queda relativamente compensada durante los años de la pubertad, puede usted ayudar a mejorarlas durante los años preescolares leyéndole en voz alta y jugando a juegos de palabras.

Preescolar

Habla y lenguaje

A medida que el mundo de su hijo se amplía, su lenguaje tendrá que mantenerse a la altura de las nuevas experiencias e ideas. Su percepción del mundo empieza a ser más compleja, y lo mismo sucede con su vocabulario; empezará a darse cuenta de que el malva es diferente al púrpura, y tratará de buscar las palabras que expresen esa diferencia.

Tres años. El niño disfrutará con el aprendizaje de palabras nuevas, por lo que escucha cuidadosamente las conversaciones de los adultos, y aumenta su capacidad para prestar atención. Es capaz de comprender palabras que describan cómo se siente, como «frío», «cansado» y «hambriento». También empieza a comprender palabras como «sobre», «debajo» y «detrás», aunque para eso necesitará más tiempo. Debe ser capaz de decir su nombre y apellidos. Como su mente va muy por delante de su capacidad para formar palabras en esta fase, quizá empiece a tartamudear, pero es muy probable que eso sea temporal. Si no ha superado el tartamudeo a los cuatro años y medio o antes, y fuera grave, valdrá la pena consultar con un logopeda.

Cuatro años. Los niños de esta edad hablan mucho: fanfarronean, exageran, cuentan grandes cuentos y mantienen conversaciones con amigos imaginarios. El niño hará muchas preguntas, tanto por deseo de que usted hable como por verdadera curiosidad, porque le encanta la conversación. Disfrutará inventándose palabras tontas y disfrutará con el empleo de palabras suavemente obscenas, especialmente relacionadas con la producción de sus necesidades. Es probable que empiece a usar vulgarismos y que la insulte y la amenace a usted.

Cinco años. El niño de cinco años planteará innumerables preguntas, y ahora sí que empieza a buscar verdadera información. Le encanta que le lean. Es muy consciente de que existe una forma «correcta» de decir las cosas, y a menudo le preguntará cómo es. Es capaz de comprender los opuestos, y resulta fácil de convertir esto en un juego, en el que usted pronuncia una palabra como «blando», «arriba» o «frío» y él tiene que decir la que signifique lo opuesto. También podrá definir palabras si usted se lo pide y eso es una buena forma de acostumbrarlo a las habilidades de clasificación, así como a las verbales. De hecho, todos los juegos de palabras constituyen un excelente ejercicio mental porque el hablar con claridad va de la mano del pensar con claridad.

Lenguaje de las niñas

Los estudios sobre la forma en que los niños usan el lenguaje demuestran la existencia de diferencias en la forma en que las niñas y los niños se hablan.

La razón de estas diferencias está relacionada con la forma en que los sexos se comportan en grupo. Las niñas desean formar parte del grupo, de modo que hablan con la intención de promover la unidad y de alcanzar compromisos. Las niñas:

- *Usan el lenguaje como una forma de establecer amistades íntimas.*
- *Hacen sugerencias al jugar en grupos, como «Juguemos a las casitas».*
- *Ofrecen razones de sus sugerencias: «Juguemos en el jardín porque allí hay más sitio».*

Las niñas en el juego
Las buenas amistades forman la base del mundo social de las niñas, y eso se reflejará en su elección del lenguaje que emplean.

LIBROS Y LECTURA

Estimular un interés por los libros es probablemente lo mejor que puede hacer usted por su hijo, así que léale con frecuencia; su capacidad para prestar atención aumenta ahora y podrá escuchar historias con un interés sostenido. Las palabras son cruciales para la forma en que funciona nuestro cerebro; son nuestro medio principal de comunicación y forman la base de todo lo que su hijo aprenderá en la escuela. Los libros proporcionarán al niño nuevas palabras e ideas, y le explicarán cómo funciona el mundo.

Leerle al niño
Aunque el niño haya empezado a leer por sí mismo, leerle será un tiempo muy valioso para compartir y aprender.

Deje que su hijo sepa que considera usted la lectura como un placer. Tenga muchos libros en la casa y déjele bien claro al niño que puede mirarlos cuando quiera. Guarde algunos de los libros del niño en estanterías bajas, donde pueda hojearlos con facilidad.

Elija para su hijo libros que sean visualmente atractivos; los primeros libros para leer deben ser breves, con sólo unas pocas páginas y con grandes ilustraciones, letra grande y vocabulario sencillo. Esté dispuesta a leerle al niño sus libros preferidos una y otra vez; finalmente, el niño memorizará las palabras, y cuando esté preparado para empezar a leer por sí mismo, le resultará más fácil reconocer las palabras.

ENSEÑAR LETRAS Y NÚMEROS

Aproveche cualquier oportunidad para ayudar a su hijo a familiarizarse con las letras y los números. Muestre al niño cómo se escribe su propio nombre y deje que lo copie. Al leerle, tome una palabra sencilla, como «gato» e indíquesela cada vez que aparezca en el texto. Luego, muéstrele la palabra escrita y pídale que la encuentre en una página en concreto. Al realizar tareas rutinarias, cuente en voz alta, como al abrochar los botones del jersey del niño o al poner la mesa. Al salir de compras, pídale al niño que le traiga cosas que necesita, como tres paquetes de sopa o dos naranjas.

Ayudas para el aprendizaje
Dé al niño números y letras con las que jugar. Las magnéticas pueden adherirse a la puerta del refrigerador.

LENGUAJE DE LOS NIÑOS

La forma en que los niños pequeños se hablan los unos a los otros es notablemente diferente a la forma en que interactúan las niñas entre sí, y eso no hace sino reflejar actitudes que se mantendrán durante toda la vida.

En cualquier clase de situación de grupo, los niños suelen desear destacar entre la multitud, por lo que las cosas que dicen tienen la intención de aumentar su estatus ante los ojos de sus compañeros de juego. Los niños:

- *Cuentan chistes e historias mucho más que las niñas, ya que eso les permite ser el centro de atención; a menudo interrumpen una historia que esté contando otro niño.*
- *Dan órdenes y tratan de ocupar posiciones favorables para sí mismos: «Muy bien, vamos a jugar a los médicos. Yo seré el médico y tú el paciente».*
- *Apoyan sus sugerencias insistiendo, ya sea mediante una apelación a las reglas o bien mediante amenazas: «Tienes que ser el paciente porque te toca a ti. No jugaré contigo si no lo eres».*

COMPORTAMIENTO SOCIAL

COMPORTAMIENTO DE LAS NIÑAS

Las niñas tienden a desarrollar habilidades sociales y disfrutan con la compañía de otras personas mucho antes que los niños. Aunque no todas se adaptan a un estereotipo, las niñas, en general:

- *Son más sociables que los niños y forman relaciones de amistad más estrechas desde una edad más temprana.*
- *En la primera infancia, son más complacientes que los niños con las peticiones de los adultos.*
- *Muestran menos rasgos competitivos que los niños, y socialmente son menos agresivas y dominantes.*
- *Superan con mayor facilidad que los niños la tensión física, emocional e intelectual.*

Hay muchas características de la personalidad de su hijo que tendrán una influencia vital sobre su desarrollo y sus perspectivas futuras en la vida. Entre los rasgos útiles se cuentan la capacidad para relacionarse con las personas, para concentrarse, aprovecharse de los errores, voluntad para trabajar duro, buenos poderes de observación, meticulosidad, creatividad, mente inquisitiva y determinación. Entre los rasgos menos útiles están la lentitud de pensamiento, la dificultad del niño para expresarse, el exceso de actividad y la disminución de la concentración, que pueden producirse incluso en un niño muy inteligente.

El recién nacido necesita interactuar socialmente, sobre todo con sus padres. Aprende a ser sociable por imitación, primero de las expresiones faciales, luego con gestos y movimientos y finalmente con pautas de comportamiento completas. De este modo, la relación entre padres e hijo forma el modelo de todas las relaciones posteriores, de modo que su responsabilidad consiste en ser más consciente que nunca de su propio comportamiento y respuestas. A partir del momento en que se empieza a hablar con el bebé, éste comienza a convertirse en un ser social porque anhela conversar con usted.

Lo mismo que sucede con todos los demás desarrollos, el social tiene sus propias fases bien definidas. Todo el mundo ha oído hablar de los «terribles dos años», en que el niño entra en una fase en la que empieza a negarse a obedecer y ha hacer todo aquello que se le dice que no haga. Esa es su forma de afirmar su independencia y, aunque en ocasiones creerá que eso durará siempre, se trata simplemente de una fase de su aprendizaje para interactuar con otras personas.

PREDECIR LA PERSONALIDAD

Sería maravilloso que pudiéramos predecir la personalidad futura de un niño cuando todavía lo es. Y eso es algo que podemos hacer con inteligencia. La personalidad y el carácter, sin embargo, se derivan en parte de la herencia y en parte del ambiente, de modo que siempre queda la posibilidad de que, como resultado de un mal ambiente o de la falta de relaciones seguras y cariñosas, el niño no tenga la oportunidad de crecer como un adulto cariñoso y agradable.

A la vista del profundo efecto que tiene el ambiente y la familia sobre el carácter, las predicciones hechas durante la infancia están condenadas al fracaso. No obstante, los padres observadores con varios hijos son capaces de detectar desde el principio las diferencias de sus personalidades. Quizá sea bueno que resulte tan difícil efectuar predicciones sobre la personalidad. Desde el punto de vista de la adopción, sería una lástima que esa clase de predicciones fueran factibles. Los padres adoptivos tienen derecho a desear conocer la inteligencia del niño al que están pensando adoptar. Pero no pueden esperar saber cómo será su personalidad. Todos los padres corren enormes riesgos al tener hijos, sin saber si serán mentalmente normales. Si no están dispuestos a correr ese riesgo, no deberían considerar la posibilidad de tener hijos.

INDIVIDUALIDAD

La individualidad del bebé se hace gradualmente más y más aparente a medida que crece y aprende. Debe usted atesorar la individualidad del bebé y alimentar su crecimiento y fortalecimiento.

La comprensión gradual que obtiene sobre la personalidad del bebé es como ver una película de suspense a cámara lenta. Todas sus preferencias, las cosas que lo hacen reír y llorar, los alimentos que le gustan, sus juguetes favoritos se conjuntan para crear su personalidad única.

Tipos de bebés. Existen pruebas de que una o dos semanas después de nacer el bebé muestra ya de una forma primitiva todos los rasgos que mostrará a medida que crezca y, probablemente, más tarde en la vida. Es indudable que el ambiente ejerce un profundo efecto sobre la formación del carácter, pero buena parte del carácter básico es heredado de sus padres, por lo que es justo decir que cada bebé mostrará rasgos de personalidad básicos que no cambian mucho con la edad.

Los rasgos que son fácilmente reconocibles por cualquier progenitor son la cantidad de energía que tiene el niño, lo bien que es capaz de controlar su cuerpo, la confianza en sí mismo, la capacidad de respuesta social, el apego a la familia, la capacidad de comunicación, la adaptabilidad a las diversas situaciones, la explotación de su ambiente, el sentido del humor, la expresividad emocional, la reacción al éxito, la reacción a la restricción, la predisposición a la sonrisa y la predisposición al llanto. Entre las seis semanas y los tres meses, el bebé encajará probablemente en uno de tres tipos de personalidad:

Puede ser bastante «bueno» o «fácil»; come y duerme, y se adapta cómodamente al medio ambiente cuando está despierto, al tiempo que raras veces se muestra demasiado entusiasmado en sus respuestas.

Puede ser lo que a veces se llama una «centella», tan exigente en sus demandas de entretenimiento y compañía como lo fue al principio para la comida y la comodidad; la avidez por vivir le permite crecer mientras juega consigo mismo.

Puede ser «intermedio», con altibajos en sus días y horas, y que sólo pide que se le responda de la misma forma según su estado de ánimo del momento.

Aunque las diferencias de personalidad pueden ser apreciables desde el principio, es en los primeros meses cuando el bebé empieza a ser más característicamente él mismo. He aquí algunos rasgos que quizá observe mientras crece:

- De trato fácil, plácido, soñador.
- Malhumorado e irritable, un líder.
- Sociable, un seguidor.
- Serio, decidido.
- Independiente, a menudo perverso.
- Imaginativo, a veces difícil.

COMPORTAMIENTO DE LOS NIÑOS

Los niños tienden a ser más lentos que las niñas en el desarrollo de las habilidades sociales. Aunque no todos los niños mostrarán estos rasgos hasta el punto de llamar la atención, los niños, en general:

- *Tienden a ser más lentos que las niñas en el desarrollo de habilidades sociales.*
- *Son mucho más agresivos socialmente que las niñas.*
- *Tienen más amistades que las niñas, pero suelen ser más superficiales y de más corta duración.*
- *Emocionalmente son más vulnerables que las niñas.*
- *Suelen tener más problemas de comportamiento, sobre todo en su relación con las figuras de autoridad.*

Habilidades sociales
Los niños pequeños juegan unos al lado de otros, más que juntos, pero disfrutarán con la compañía.

BEBÉ PEQUEÑO

COMPORTAMIENTO SOCIAL

VINCULACIÓN

La relación entre usted y su hijo empieza desde el momento en que nace, y cada aspecto de su ser se convierte en un consuelo y una alegría para el bebé.

Responderá al olor de usted, al sonido de su voz, al contacto con su piel y a la vista de su rostro. Esta vinculación es tan completa que el bebé podrá distinguirla de entre las demás personas en un tiempo asombrosamente corto. Lo mismo sucederá con su cónyuge si pasa tiempo a solas con el bebé.

Haga todos los esfuerzos posibles por asegurar que el contacto de usted y su cónyuge con el bebé sea agradable, tranquilo y cariñoso, aunque eso parezca imposible a veces.

Un comienzo fácil
Al desarrollar desde su nacimiento una relación íntima y cariñosa con el bebé, está colocando los fundamentos para establecer con él una buena relación en el futuro.

Sorprendentemente, los seis primeros meses de vida del bebé constituyen un tiempo crucial para su desarrollo social. Durante estas primeras semanas el bebé llega a comprender el placer de la interacción social y la importancia de la comunicación. Crece más allá de las exigencias básicas de calor y alimentación, a medida que empieza a disfrutar de los aspectos sociales de estar vivo. Como usted personifica para él la comodidad, el placer y la seguridad, es usted, naturalmente, la mejor persona para enseñarle unas relaciones cariñosas, cuyos elementos básicos se aprenden a través del contacto inicial de la piel que tanto le gusta al bebé durante las primeras semanas.

Recién nacido. El bebé deseará establecer un contacto estrecho con usted desde el principio. Apelará a usted a través del asentimiento con la cabeza, movimientos de la boca y la lengua y sacudidas del cuerpo. Esas son sus conversaciones iniciales; interactúa con usted y debe usted responder con ruidos, risas y movimientos de la cabeza. Pronto se dará cuenta de que puede hacer que usted le responda.

Tres meses. Los gestos de conversación del bebé son mucho más controlados. Se volverá hacia el sonido de donde procede su voz y se agitará con placer al verla. comprende que una sonrisa es un saludo feliz, su primer «hola».

Cuatro meses. Ahora, el bebé es ya un ser tan social que llorará poco después de que se le haya dejado solo, aunque tenga muchos juguetes a su alrededor. Se sentirá feliz de responder a las personas que reconocen su presencia, pero tendrá una respuesta especial para usted y para el resto de la familia.

Cinco meses. A esta edad, el bebé tiene cuatro métodos principales de comunicación: sonidos, gestos, expresiones faciales y llanto y hará uso abundante de las cuatro, a menos que esté dormido. Conoce la diferencia entre una voz enojada y otra amable, y reaccionará de modo diferente a cada una de ellas. Ahora muestra una cierta timidez con los extraños, pero sonreirá ante un rostro familiar.

Seis meses. Los avances sociales del bebé son bastante más físicos, e incluso agresivos, pero puede retraerse ante un creciente temor delante de los extraños, y la posesividad sobre usted. Explorará mucho más con las manos, dándole palmaditas y tocándole el rostro y las manos, en lugar de limitarse a buscar su rostro con la mirada.

RESPONDER A SU BEBÉ

Cualquier respuesta que dé usted a los intentos del bebé por entablar «conversación» aumentará su comprensión de la comunicación, así que debe intentar ser positiva en todo momento. Si los gorgoteos de un bebé se encuentran con el silencio, pronto se cansará de un juego tan poco gratificante y es posible que abandone todo intento de comunicación, excepto el más básico. Estimule siempre una conversación «en dos sentidos», ya sea imitando los gestos y ruidos del bebé de una forma abierta o hablando con él para obtener una respuesta. Sea teatral en su voz y en sus gestos. Cuanto más amplios sean sus gestos, más comprenderá, más se divertirá y más estrecha será la vinculación.

Un bebé pequeño es sensible a los ruidos repentinos, así que tenga en cuenta que aunque una variedad de ruidos son tranquilizadores para él, los ruidos duros o muy fuertes le asustarán y alterarán.

Anime al bebé a aceptar rostros nuevos, presentándole a todas aquellas personas a las que no haya conocido con anterioridad. Eso le permitirá acostumbrarse a los extraños en la seguridad de su propio hogar. Cuanto más disfrute el bebé en la interrelación con usted, más probablemente la buscará activamente cuando sea mayor. Las canciones y los juegos rítmicos le animarán a considerar el mezclarse con los demás como momentos de alegría.

EL BEBÉ COMO PARTE DE LA FAMILIA

El bebé anhela ser un miembro del grupo familiar, con todas sus rutinas, reglas y costumbres. Para sentirse interesado, necesita aprender cómo encajar. Por eso debe incluirlo lo más pronto posible en las actividades familiares, las salidas, el ir de compras, las tareas cotidianas y las visitas a los amigos.

El grupo familiar constituirá la base del aprendizaje del bebé sobre el funcionamiento de los grupos en general. Su comportamiento con los miembros de la familia le enseñarán cuál es el comportamiento que se espera de él con los extraños, y le abrirán a las costumbres colectivas de su sociedad.

El bebé aprende a través de la imitación, así que al copiar el comportamiento de sus padres aprende sus propios niveles de interacción social.

BEBÉS DIFÍCILES

Puede ser difícil relacionarse con un bebé exigente, que llora constantemente y al que no se puede consolar. Es vital que comparta la responsabilidad con su cónyuge y que haga todo lo posible por controlar su propio temperamento. Hay muchas causas y soluciones ante un bebé que llora, y las lágrimas constantes son una fase de corta duración. Si el bebé es difícil, es importante comprender por qué llora, la mantiene despierta o la ignora a propósito. Sea cual fuere el problema concreto, su actitud tranquila, cariñosa y comprensiva tendrán sobre él un efecto mucho más positivo que el castigarlo o ignorarlo. El médico puede ofrecerle consejo y apoyo.

Si tiene un bebé antisocial, como uno que se siente descontento cuando tiene hambre, pero que nunca disfruta cuando se le alimenta o se le sostiene en brazos, puede sentirse rechazada o responsable por su infelicidad. Intente controlar estos pensamientos negativos. Por mucho que lo rechace, trate de captar su interés. Hay que decir que esos bebés son antisociales desde que nacen y que rechazan los abrazos. Una vez que lo haya intentado, no se acuse a sí misma.

Uno más de la familia
Intente incluir al bebé en todas sus actividades, aunque no tengan ninguna relación directa con él.

BEBÉ MAYOR

COMPORTAMIENTO SOCIAL

UNA VOLUNTAD PROPIA

A partir de los seis meses, el bebé mostrará una cierta energía en cuanto a sus exigencias y preferencias. El bebé mayor se siente:

- *Ávido por demostrarle lo mayor que se está haciendo.*
- *Decidido a ser independiente y arreglárselas sin ayuda.*
- *Con el deseo de demostrar sus gustos y aversiones, mediante certidumbre y afirmación, si bien no con consistencia.*
- *Incapaz de considerar las consecuencias y muy enojado cuando tiene que esperar, lo que demuestra a menudo mediante ruidos y acciones violentas.*
- *Consciente de que es un ser separado de usted y de que, como tal, está decidido a salirse con la suya.*
- *A menudo confuso y desgraciado ante el conflicto surgido entre su urgencia de ser independiente y su deseo de cariño y de complacerla.*
- *Más voluntarioso de lo que le permite su madurez intelectual.*
- *Extremado en sus emociones, capaz de pasar de una gran felicidad a explosiones de rabietas emocionales.*
- *Aparentemente encaprichado con la pronunciación de la palabra «no».*

Ahora, el bebé está cada vez más socialmente adaptado y se complace mucho con las reuniones y estando en compañía de otras personas. Sus interacciones con usted son cada vez más amplias mientras aprende a comprender ciertas palabras y frases y utiliza las habilidades de comunicación que ha aprendido, con objeto de mezclarse con los demás, en el mundo que le rodea.

El tacto, la sonrisa, y toda clase de contacto de compañía general son vitales para la felicidad de su hijo en esta fase, a medida que aprende gradualmente a refinar sus gestos de conversación y sus gritos se convierten en signos reconocibles de comunicación.

Seis a ocho meses. El estar cerca de otro bebé será para él una delicia. Extenderá las manos, tocará a sus nuevos amigos y disfrutará con los juegos sociales como el escondite. Intentará comunicarse con una serie de gritos, gruñidos, sonidos groseros y toses, así como con expresiones faciales y gestos de conversación. Debe usted «contestarle» para estimular esta clase de «conversaciones» e imprimir en él esa interacción social como una actividad en dos sentidos.

Ocho a doce meses. Ahora responderá a su propio nombre, y comprenderá que un «no» firme significa que debe dejar de hacer lo que está haciendo. Es afectuoso y exigirá intimidad de usted, particularmente mediante fuertes abrazos y sonrisas íntimas. Ahora, ciertos rituales sociales le son comunes, como decir «adiós», que imitará a poco que se le estimule a hacerlo. Ya no consentirá tranquilamente que le quiten un juguete o cualquier cosa que considere propia, de modo que mostrará su enojo si eso sucede alguna vez.

Doce a quince meses. Su sociabilidad se expande constantemente y disfruta estando en grupos, especialmente cuando pueda seguir las conversaciones e intervenir cuando se produzca un respiro. A pesar de su actitud extravertida, necesitará estar cerca de usted para sentirse tranquilo y seguro, y a menudo la mirará al conocer a otras personas; sostenerlo simplemente de la mano le dará la seguridad que necesita. Es capaz de decir unas pocas palabras, de pedir las cosas, y de demostrar su agradecimiento cuando se le hacen cosas de una forma evidente. Le gusta ser útil y disfruta compartiendo tareas con usted.

Quince a dieciocho meses. Ahora, el bebé es incluso más útil en las tareas cotidianas, y le encanta la independencia de vestirse y desnudarse él solo. Es muy afectuoso, y manifiesta afecto por su familia, animales domésticos y juguetes preferidos. Imita el comportamiento adulto y se siente fascinado por la interacción y la conversación entre los adultos. A pesar de ser socialmente consciente, tenderá a jugar solo y aunque disfruta jugando cerca de otro niño más o menos de su edad, no será muy proclive a jugar con él.

Cómo ayudar

Al bebé le resultará particularmente difícil comprender el concepto de compartir. No es realista esperar que el bebé dé un juguete a otro bebé si está jugando todavía con él. Tampoco es justo esperar que comprenda que no puede apoderarse del juguete de otro sólo porque lo desea. Eso da lugar a una situación en la que usted puede demostrar los elementos básicos del dar y el tomar. El niño de 18 meses es capaz de comprender la reciprocidad, pero tiene usted que demostrársela de una forma que sea razonable para él; si toma el juguete de otro bebé, tiene que sustituirlo por otro juguete propio, de modo que ambos puedan jugar. El niño es capaz de demostrar desprendimiento y generosidad, pero cualquier acto de ese tipo debe ser visto como agradable por ambas partes. Si el bebé está dispuesto a compartir sus dulces con otro miembro de la familia, estimule esos pequeños actos de generosidad con los demás y trate de construir a partir de ellos.

Debe incluir siempre al bebé en las reuniones sociales y enseñarle lo antes posible los aspectos agradables básicos. Preséntele a gran cantidad de rostros nuevos para que no dependa tanto de usted y de la familia para la estimulación social. Le ayudará a sentirse seguro cuando esté lejos de usted, aunque eso no debería suceder con demasiada frecuencia o durante períodos prolongados de tiempo.

Introducir la disciplina

La disciplina debe aplicarse primero con el tono de voz, después con la palabra «no», luego con la distracción y sólo finalmente con un castigo muy suave. Los golpes, las amenazas y la retirada de placeres no deben aplicarse a los niños pequeños. Si es usted demasiado severo o liberal, el niño puede sentirse inseguro. Antes de los tres años el niño no puede responder a los razonamientos, y no comprenderá la conexión entre causa y efecto. Comprenderá perfectamente bien que ha hecho algo malo, o que usted está enfadada, pero tardará algún tiempo en recordar que debe relacionar una acción en particular con un resultado concreto. Por eso es vital que usted le señale inmediatamente un error, para que él pueda establecer la conexión entre la acción y el castigo. También debe tener en cuenta que la memoria del niño es muy corta, de modo que si usted se guarda el enojo y actúa después, él no comprenderá el por qué y no aprenderá nada de sus intentos por corregirlo.

Durante el primer año de vida del bebé hay muy pocas razones para decir «no». Yo mantuve las reglas con mis hijos a un mínimo y durante el primer año sólo apliqué una regla irrompible: cuando hicieran algo que no fuera seguro para sí mismos o para los demás. Entonces decía «no» con firmeza, al tiempo que le quitaba un objeto o detenía la actividad peligrosa de mi hijo. No esperaba a que el niño se detuviera. Puesto que intentaba demostrarle lo que era inseguro, siempre le ofrecía una explicación de por qué lo detenía.

El bebé será receptivo a la justicia y el juego limpio y a sus opuestos. Reconoce inmediatamente la incoherencia, de modo que una disciplina sistemática y aplicada con suavidad ayudarán al niño a desarrollar autocontrol y conciencia, lo que le ayudará a su vez en su toma de decisiones más adelante en la vida. Eso también le dará un sentido de la responsabilidad hacia los demás.

Identificarse con otros

Para un niño normalmente hablador y sociable, no es nada insólito que se muestre reservado, e incluso lloroso al ser presentado a personas extrañas o ser llevado a un lugar extraño. Eso es bastante normal y no debe ser ridiculizado o convertido en tema de discusión.

No insista en que se una inmediatamente al grupo. Una introducción suave por su parte es la mejor forma, y el niño no tardará en olvidarse de sus nervios y en encontrar su lugar dentro de la reunión social.

Hasta un niño muy tímido, estimulado con suavidad, se unirá a unos pocos amigos al cabo de una hora, pero presionarle para que lo haga no hará sino contribuir a que sea más inseguro. Un juguete preferido estimulará su seguridad en sí mismo, así que no le quite esa seguridad. Una vez que se sienta relajado, jugará felizmente con sus nuevos compañeros.

NIÑO PEQUEÑO

COMPORTAMIENTO SOCIAL

IDENTIFICACIÓN CON OTROS

Cuando el niño alcance la edad de tres años, empezará el proceso de la identificación, tanto consigo mismo como con las demás personas que le rodeen.

Empezará a ver pruebas de su conciencia de sí mismo, a medida que dé pasos para controlarse a sí mismo, demostrando que puede situarse en la posición de los demás. Quizá escuche a su hijo riñéndose a sí mismo cuando crea que ha hecho algo que usted desaprobaría. Empezará a representar el papel de los adultos que conoce, y particularmente de usted, adoptando a menudo frases o palabras que usted usa con regularidad.

Todo eso se convertirá en parte del proceso de su exploración y conocimiento de la forma en que funciona el mundo y del papel que él mismo juega en él. Ahora es el momento de introducirle la idea de un círculo más amplio de gente, de enseñarle a respetar y a ser amable con los demás. Presentarle a las personas que visiten la casa, así como a los amigos de usted, y lograr que el conocer a otras personas pase a formar parte de la rutina cotidiana.

Desde el primer momento, el bebé la miró a usted como el centro de su mundo, la principal proveedora de afecto y cuidados. No obstante, a medida que se hace mayor y se desarrollan su conciencia de sí mismo y las experiencias de la vida, empezará a verla como una persona separada, y extenderá su interés hacia otras personas. Aunque usted no puede hacer amigos por él, sí que puede ayudarle a presentarse a unos pocos primeros compañeros. Pronto aprenderá a adaptar sus habilidades y a desarrollar los hábitos sociales de los niños y niñas mayores.

Dieciocho meses a dos años. A esta edad debería animarlo a interactuar con otros niños. Invite a niños a su casa y ofrézcales juegos y material de juego que faciliten la socialización. Sea paciente; aunque su reacción inicial sea egocéntrica, modificará el comportamiento egoísta si se le resta importancia y se elogian los logros.

Dos a dos años y medio. A medida que aprenda a compartir, estimule juegos que supongan dar a los otros y respetar sus deseos. Quizá demuestre sentimientos de rivalidad como consecuencia de ello, y trate de imponer su voluntad a los demás. Necesitará utilizar bastante la disciplina mientras anima y apoya todos sus esfuerzos y logros, puesto que la aprobación es más importante en esta fase.

Dos años y medio a tres años. A medida que el niño sigue relacionándose con los demás, se hace más independiente de usted y más extravertido hacia los otros niños. Empezará a ser más generoso y desprendido en el juego con los demás, formará lazos de amistad más fuertes con los adultos y otros niños, así como señales de simpatía cuando los otros se muestren angustiados. Estimule siempre el decir la verdad y el ser honesto en sus relaciones con los demás.

CORRECTO E INCORRECTO

El niño sólo aprenderá la diferencia entre lo correcto y lo incorrecto si ésta se le indica con claridad. En el primer año puede usted representar por qué las cosas calientes o afiladas son peligrosas, mediante el uso de sonidos y acciones. Si el niño comprende por qué quiere usted que haga algo, estará más dispuesto a hacerlo de buena voluntad, así que trate de explicárselo y pregúntele su opinión. Hay situaciones que no son negociables: cuando está amenazada la seguridad del niño, cuando haya que tener en cuenta los sentimientos y pensamientos de los demás, y cuando el niño intente falsear la verdad. Debe usted ser muy firme en estos puntos, y él aprenderá gradualmente un sentido de la responsabilidad para disciplinarse a sí mismo a medida que crezca. A menudo, lo quisquilloso se confunde con lo impertinente, pero a menos que el niño trate de imponerse sobre los sentimientos de los demás, probablemente no hace más que desplegar una sana resistencia a la autoridad que puede ser útil si se dirige de modo sensible.

Un niño malcriado o consentido se comportará de un modo egocéntrico, y eso puede ser el resultado de una excesiva protección, favoritismo o elevadas expectativas de sus padres. La mejor cura consiste en dejarlo jugar en grupo o llevarlo al jardín de infancia a los dos años y medio o tres años, para que se acostumbre a mezclarse con los otros niños.

COMPARTIR

Los niños pequeños son naturalmente egoístas y sólo piensan en los demás cuando se les enseña a hacerlo así. El niño tiene que comprender que los otros niños sienten lo mismo que él, antes de poder captar la importancia de pensar en los sentimientos de los demás. No se preocupe si el niño parece lento para aprender a compartir; es muy difícil, pero con su paciencia llegará a adquirir esta capacidad.

REUNIRSE CON OTROS NIÑOS

Lo mismo que todas las demás lecciones que tiene que aprender en la vida, la capacidad del niño para hacer amigos puede desarrollarse de modo lento, así que vaya introduciéndolo gradualmente. Invite a los amigos a casa, uno cada vez para empezar, para que estén en un ambiente familiar donde el niño se sienta seguro. Procure estar cerca para ayudar y apoyar si lo necesitaran. Empezará así a crearse un pequeño círculo de amigos y adquirirá confianza a través del propio lugar que ocupe en ese círculo, una forma esencial de aprender las reglas básicas para amistades futuras. La timidez es algo que afecta a muchos niños. Los tipos más comunes de comportamiento tímido incluyen aversión por las experiencias nuevas, reuniones sociales, hablar con personas desconocidas y dificultad para hacer amigos.

Juguetes para compartir
Estimule la cooperación con los demás, consiguiendo que su hijo complete un rompecabezas como este con un amigo.

No piense en la timidez como algo equivocado en su hijo; muchos adultos bien adaptados son bastante tímidos. La mejor forma de afrontarla no es mediante la crítica o la presión para cambiar, sino preparando al niño para cualquier situación que le pueda resultar difícil.

La timidez excesiva no significa que el niño sea retrasado y debe evitar usted el mostrarse sobreprotectora o demasiado angustiada. En la mayoría de los casos lo único que se necesita es tiempo y paciencia.

RABIETAS

Los niños pequeños, entre los dos y los tres años, tienen a menudo rabietas como un medio de dar rienda suelta a su frustración cuando no consiguen lo que desean.

Eso es bastante normal porque el niño no tendrá juicio suficiente para controlar su fuerza de voluntad o el lenguaje para expresarse con claridad, pero a medida que se amplíe su conocimiento y experiencia del mundo, serán menos probables las ocasiones en las que enfrente directamente su voluntad con la de usted.

Una rabieta puede estar causada por sentimientos como la frustración, la cólera, los celos y la aversión. La cólera surge cuando no se puede salir con la suya; la frustración al no ser lo bastante fuerte o bien coordinado como para hacer lo que desea. Habitualmente, supondrá que el niño se arrojará al suelo y se dedicará a dar patadas y a llorar.

Lo mejor que puede hacer es conservar la calma, puesto que cualquier atención que le preste no hará sino prolongar el ataque. Si le sucede en público, procure alejarlo de la atención de los demás, sin armar un escándalo.

Una técnica efectiva para aplicar en casa es, sencillamente, salir de la habitación. Explíquele al niño que, aunque sigue amándolo, tiene que salir de la habitación porque se está enfadando. No lo encierre nunca en otra habitación, porque eso le niega la opción de regresar y decirle que lo siente.

PREESCOLAR

COMPORTAMIENTO SOCIAL

El niño en edad preescolar afronta muchos cambios en su modo de verse a sí mismo, a medida que aumenta su independencia y madura su personalidad. Alteraciones repentinas pueden hacer que el niño exhiba cambios de ánimo bastante violentos, al intentar relacionar su cambiante identidad con la vida familiar y con las guías de comportamiento social que ha aprendido y que son relativamente constantes. Sea paciente y permítale madurar a su propio ritmo. Las fases difíciles suelen verse superadas por las emocionantes, y el niño debe experimentar ambas para convertirse en un miembro socialmente adaptado de la comunidad.

Tres años. Si el niño ha sido educado para relacionarse con nuevos amigos, se separará de usted con facilidad a partir de los tres o tres años y medio, y aproximadamente al mismo tiempo aprenderá a participar en juegos interactivos, como al «tú la llevas». Es generoso y generalmente comprensivo cuando alguien se muestra angustiado.

Cuatro años. El niño tiene un sentido en expansión de sí mismo, indicado por un comportamiento caracterizado por la fanfarronería y la exageración. Empieza a darse cuenta de que los otros niños son entidades separadas. El niño de cuatro años desea crecer. Discute y puede ser egoísta, rudo o impaciente, especialmente con los amigos o hermanos y hermanas más pequeños. Expresará afecto a la hora de acostarse, pero puede sentir celos por el hecho de que usted y su cónyuge estén juntos. Los niños de cuatro años, en particular, siguen mostrando un humor tonto y turbulento.

Cinco años. Durante el quinto año, el niño empieza a ser serio, concreto y realista. Se excita con expectativa ante el futuro. A esta edad, la niña se muestra comprensiva, afectuosa y dispuesta a ayudar. Tiene fuertes sentimientos hacia la familia y el aspecto es muy importante para ella. No teme injuriar a los demás. Para el niño de esta edad, la madre es el centro del universo. Da por sentado la forma de ser de los demás y de sí mismo y le interesan las experiencias inmediatas.

CRECER COMO MAMÁ

A la edad de tres años, la niña pequeña ya es consciente del hecho de que es niña y de que crecerá hasta convertirse en una mujer.

Eso hace que se muestre muy atenta a todo lo que usted hace: su madre. Su visión de los roles de género se verá influida por las actitudes de usted. Si usted:

- *Se considera a sí misma como igual a su cónyuge, su hija verá eso como normal.*
- *Trata a otras mujeres como amigas y confidentes íntimas, su hijo verá de ese modo las relaciones con las mujeres adultas.*
- *Considera el trabajo como parte integral de la vida familiar, su hija verá la carrera profesional como algo compatible con el hecho de tener una familia.*

Un modelo de rol
Cuando la niña pequeña empieza a darse cuenta de que crecerá hasta ser como su madre, experimentará un interés especial por sus actividades.

SEXUALIDAD Y GÉNERO

Tres años. A los tres años la niña ya tiene un interés por su propio género y por la diferenciación de sí misma con respecto a los niños. A los tres y medio expresará el «Me gusta», y algo más tarde el «Amo», y si se le pregunta afirmará que es una niña y no un niño. Empezará a expresar interés por las diferencias fisiológicas entre los géneros y en las posturas de los niños y de las niñas al orinar.

No establece distinción entre el género en el juego y se da cuenta de que la gente toca a los demás por amistad, así como por amor. Empieza a sentirse interesado por los bebés y desea que su familia tenga uno. Hará preguntas como: «¿Qué puede hacer el bebé cuando llegue?», o «¿De dónde viene?», y la mayoría de los niños de tres años no entenderán cuando se les diga que el bebé crece dentro de su madre. Sigue siendo vital, sin embargo, que usted conteste las preguntas de su hijo de la manera más franca y honrada posible, de modo que no se vea socavada su confianza en usted.

Cuatro años. A la edad de cuatro años, los niños son extremadamente conscientes de su ombligo y, en una situación de tensión social, pueden tomarse de los genitales y quizá necesiten orinar. Pueden participar en un juego de «mostrar», en un juego verbal o de pronunciación del nombre de partes íntimas, y hacer bromas sobre la micción o la defecación. Muestran interés por los cuartos de baño de las demás personas y quizá exigen intimidad para sí mismos, pero están extremadamente interesados en cuanto a las actividades de los demás en el cuarto de baño. Pueden empezar a segregarse según los géneros. Todas las respuestas que dé a las preguntas que le haga el niño sobre el sexo deben resaltar los aspectos del cariño, el cuidado y las responsabilidades que exige una relación íntima. El niño también puede preguntar cómo salen los bebés del vientre de las mamás y quizá piense espontáneamente que nacen por el ombligo. Es una época en que el comportamiento estereotipado de género es aprendido más de los otros niños de su mismo género que de los padres.

Cinco años. A los cinco años, el niño estará familiarizado con las diferencias físicas entre los sexos, que no le interesarán mucho. La niña será más pudorosa y menos desinhibida y jugará menos que antes en el cuarto de baño. Será consciente de los órganos sexuales cuando vea desnudarse a los adultos y se preguntará por qué no tiene pechos o por qué su hermana no tiene un pene. La mayoría de niños de cinco años dan por sentada la existencia del otro género y establecen pocas distinciones entre el papel del género en el juego. Puede haber frecuentes parejas niño-niña. Continúa el interés de las niñas por los bebés, y quizá pidan tener un bebé propio, y hasta pueden representarlo en los juegos. El niño de cinco años preguntará constantemente: «¿De dónde vienen los niños?», y aceptará como respuesta «Del vientre de la mamá», pero a algunos se les fija la idea de que un bebé se compra en el hospital. Establecerá muy poca conexión entre el tamaño de una mujer embarazada y la presencia de un bebé en su interior.

CRECER COMO PAPÁ

A la edad de tres años, el niño pequeño ya se habrá dado cuenta de que crecerá hasta convertirse en un hombre, y se sentirá particularmente interesado por su padre.

El niño pequeño observará a su progenitor masculino y aprenderá de él lo que significa ser un hombre. Si su cónyuge:

- *Trata a las mujeres de un modo cariñoso y considerado, y particularmente a usted y a sus hijas, el niño pequeño creerá que ésa es la forma correcta de tratar a las mujeres.*
- *Ve a otros hombres como amigos, al niño también le parecerá aceptable acercarse a otros hombres mayores.*
- *Disfruta y participa de la vida familiar, el niño seguirá su ejemplo.*
- *Resuelve las discusiones con rudeza y violencia, el niño hará lo mismo.*

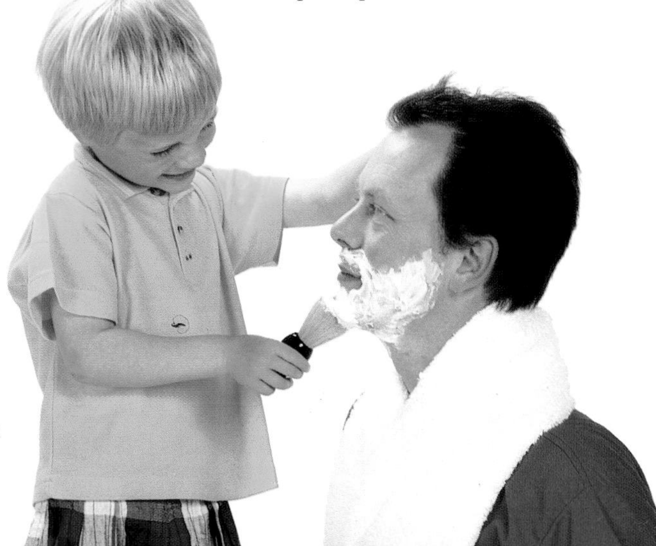

Un modelo de rol
Cuando el niño pequeño empieza a darse cuenta de que crecerá hasta ser como su padre, experimentará un interés especial por sus actividades.

FAVORITISMO

Resulta demasiado fácil favorecer a un niño en detrimento de otro, o al menos tratarlo de una forma que pueda parecer un favoritismo.

Si un niño nace varios años después que el anterior y es muy deseado, es posible que sea tratado de un modo preferencial. En ocasiones sucede que el preferido de la madre es el niño, mientras que el preferido del padre es la niña, mientras que el tercero no es favorito de nadie.

El favoritismo se revela de muchas formas diferentes, algunas de ellas aparentemente inconsecuentes, pero muy importantes en la mente de un niño. A un niño preferido:

- *Se le riñe menos.*
- *Se le permite una gama más variada de actividades.*
- *Se le ofrecen más recompensas especiales, como montar en la espalda de papá, o dulces.*
- *Se le defiende cuando se mete en problemas por haberse portado mal.*
- *Se le dedica más tiempo y atención.*

Naturalmente, todos los niños tienen necesidades diferentes y es imposible tratarlos a todos absolutamente iguales, pero debe ser usted consciente de que puede favorecer a un niño o incluso parecerlo; los niños se dan cuenta rápidamente de ese comportamiento y el niño que se siente dejado de lado sufrirá un golpe en su confianza en sí mismo.

RELACIONES

Los niños que crecen en un ambiente estable y seguro y que se sienten amados por sus padres es mucho más probable que se conviertan en adultos bien adaptados. Idealmente, usted y su cónyuge tienen que cumplir roles iguales pero complementarios: usted tiene autoridad sobre algunas situaciones, su cónyuge tiene autoridad sobre otras, de modo que el niño no puede utilizar a uno contra el otro. La forma de interactuar del niño con los padres y los hermanos evoluciona gradualmente entre los tres y los cinco años.

MADRE E HIJO

Tres años. A los tres años, los niños suelen mantener unas buenas relaciones con sus madres. La madre es a menudo el progenitor preferido, con el que a los niños les gusta hablar y recordar acontecimientos del pasado. A los tres y medio, la relación madre-hijo puede hacerse más difícil. Los niños pueden ser simultáneamente exigentes y resistentes. Un niño puede negarse a comer, vestirse o dormir una siesta por su madre, pero mostrarse complaciente con otra persona.

Cuatro años. A los cuatro años, el niño se enorgullecerá de usted, repetirá cosas que usted ha dicho y fanfarroneará acerca de usted delante de sus amigos, aunque en casa se resista ante su autoridad.

Cinco años. La relación madre-hijo suele ser más suave; al niño le gusta hacer cosas que usted le pide, disfruta jugando a su alrededor y necesita ser consciente de su presencia sin contar con toda su atención. Los niños expresan a menudo afecto como «Me gustas, mamá», y aunque aceptan el castigo de usted, es posible que no ejerza un gran impacto sobre ellos. Los niños pueden hablar de casarse con mamá.

PADRE E HIJO

Tres años. A los tres años la madre suele ser el progenitor preferido, pero el padre asume ese papel en muchas situaciones. Por ejemplo, un niño quizá pierda menos tiempo a la hora de irse a dormir cuando está en presencia de su padre. A los tres años y medio, las niñas pueden expresar más cercanía con sus padres.

Cuatro años. Fuera de casa, los niños fanfarronean al hablar de sus padres, y los citan como una autoridad. Algunos pueden sentirse celosos de que su padre pase tanto tiempo con su madre, y tienen la sensación de verse privados de la atención materna. Si fuera así, el niño puede llegar a expresar verbalmente aversión por su padre.

Cinco años. A los cinco años, los niños aceptarán que los padres asuman un papel de cuidadores si la madre está ocupada, enferma o fuera de casa. Las relaciones con los padres suelen ser suaves, agradables y no se ven perturbadas, y los niños valoran especialmente las salidas con sus padres. Suelen aceptar el castigo mejor de las madres que de los padres, aunque los padres tienen más autoridad y les desobedecen menos.

Relaciones entre hermanos
El niño disfrutará con la compañía de un hermano con quien jugar, pero no se sorprenda si se producen peleas, puesto que éstas son bastante naturales.

HERMANOS

A la edad de cuatro años, las relaciones con los hermanos pueden ser turbulentas. Un niño tiene edad suficiente para ser una molestia para los hermanos mayores y puede ser egoísta, rudo e impaciente con los hermanos menores. Las disputas y peleas físicas por las posesiones y los juguetes son comunes y habrá quejas por la justicia con que se le trata: «¡A él le has dado más que a mí!».

Un niño de cinco años suele ser bueno con los hermanos y hermanas menores. Las niñas, especialmente, pueden ser protectoras y amables hacia los miembros más jóvenes de la familia y se muestran dispuestas a ayudar, en lugar de ser dominantes. A pesar de todo, el niño de cinco años todavía es demasiado pequeño para ser responsable de sus hermanos menores, y aunque quizá sea cuidadoso en presencia de un adulto, puede llegar a atormentar a su hermano o hermana cuando están a solas. Los niños de cinco años interactúan bien con los hermanos mayores y a veces adoptan un papel de bebé en el juego doméstico.

EL HIJO ÚNICO

Aunque hay beneficios por el hecho de ser hijo único, como el disponer de mucho amor y atención, también hay desventajas. Sin la presencia de otros niños de edad comparable, el hijo único puede sentirse a veces solo y reticente en cuanto a mezclarse en grupos. Mientras sea usted consciente de ello, puede hacer cosas para compensarlo. Es importante presentar a su hijo a otros niños a edad temprana. Anímelo a invitar a los amigos a casa y a visitar las casas de los amigos, y disponga salidas con otros niños pequeños.

Otro problema asociado con los hijos únicos es la tendencia de algunos padres a ser posesivos y excesivamente protectores. Eso puede ser peligroso, tanto para los padres como para el niño. Si no le permite al niño un sentido de la aventura y de la libertad para experimentar y explorar, es posible que se haga tímido y receloso ante personas y experiencias nuevas. Los padres, por su parte, experimentarán una sensación de pérdida más intensa cuando el niño se haga independiente.

Un hijo único necesita la misma disciplina que los demás niños. No intente ser demasiado indulgente y procure que el niño se dé cuenta de que no siempre puede esperar disponer de toda su atención.

RECHAZO

Aunque es insólito, lo cierto es que algunos padres rechazan emocionalmente a sus hijos y eso puede expresarse en forma de crítica y de comparaciones desfavorables con los hermanos.

Las consecuencias del rechazo de los padres pueden ser intensas. Las señales de profunda inseguridad que aparecen en un niño rechazado pueden ser las siguientes:

- *Excesivo temor o timidez.*
- *Llorar mucho.*
- *Agresividad y rabietas.*
- *Celos y búsqueda de atención.*
- *Aferrarse en exceso a la madre, chuparse el dedo o la masturbación.*
- *Mojar o ensuciar la cama.*
- *Tics físicos.*
- *Golpearse la cabeza.*
- *Mostrar actitudes intimidatorias, robar o mentir.*
- *Crueldad con los animales.*

HACER AMIGOS

Cuando el niño alcance la edad de cuatro años, es muy probable que sea capaz de jugar con otros niños de una forma interactiva, imaginativa y sostenida. Los miembros del grupo del niño pueden cambiar con rapidez y en esta fase es posible que no se mantenga una fidelidad a un amigo especial, aunque las niñas muestran una mayor tendencia a emparejarse con una amiga particular. Aunque los niños gastan bromas a sus compañeras del sexo opuesto, el género no suele ser un criterio para seleccionar a los amigos, como tampoco lo es la raza.

A la edad de cinco años, los niños tienden a seleccionar a un solo compañero de juegos, aunque el juego no sea necesariamente interactivo; los niños juegan a menudo «en paralelo»; es decir, permanecen sentados ante la misma mesa, pero haciendo cosas diferentes. Los agrupamientos más frecuentes son los de dos niños del mismo género, pero el género tampoco es a esta edad uno de los grandes criterios selectivos para hacer nuevos amigos.

Aunque el juego en grupo exige alguna clase de cooperación de los niños, ésta es bastante superficial, ya que los niños pueden jugar a menudo pensando en sus propios fines, y les preocupa muy poco el grupo.

GRUPOS SOCIALES

Aunque los niños no encajan en estereotipos rígidos, hay algunas características comunes en la mayoría de los grupos de los niños en edad preescolar. La «estrella» es el niño popular con todos; el «rechazado» tiende a ser menos popular; el «descuidado» no despierta fuertes sentimientos entre otros niños y aunque no tiene enemigos, probablemente tampoco tiene amigos; la «pandilla» es un pequeño grupo de niños que buscan repetidamente la compañía de los otros.

Los problemas experimentados por el rechazado son evidentes y el personal docente suele detectarlos con rapidez. Los descuidados pueden sufrir de una forma de aislamiento social que es mucho más sutil, pero igualmente nociva. El descuidado típico es un niño tranquilo y reservado y puede fundirse fácilmente con el fondo y pasar desapercibido.

EL SOLITARIO

El aislamiento en los primeros años de la infancia puede tener varios efectos negativos a largo plazo. Los estudios han demostrado que los niños que tienen problemas para interactuar con sus compañeros no sólo sufren en los años de la edad preescolar, sino que también experimentan más perturbación emocional en su vida que los niños «sociables», y eso puede inclinarlos al suicidio en la adolescencia y la edad adulta. El solitario es más probable que sea perezoso y participe en actos de vandalismo y en pequeños delitos. Por esta razón, siempre vale la pena hacer esfuerzos para ayudar a un niño impopular. Afortunadamente, los niños en edad escolar son más capaces de desarrollar nuevas habilidades sociales que los niños mayores o los adultos.

Jugar juntos
Los niños juegan a menudo el uno al lado del otro, aunque no participen en el mismo juego.

Las primeras señales de que un niño es un solitario pueden aparecer cuando acude al jardín de infancia. Mientras que los otros niños se emparejan o forman grupos, este niño sigue siendo un solitario. Cuando se les pide que encuentren una pareja, el solitario se quedará el último, sin pareja, y cuando se les pide que formen en fila, el solitario se encontrará al final. Si cree que su hijo está siendo descuidado, es importante tomar medidas para ayudarle en su desarrollo social. Afortunadamente, los niños en edad preescolar son capaces de aprender nuevas habilidades sociales con suma facilidad si encuentran la ayuda necesaria en un personal docente comprensivo y en sus padres.

CÓMO AYUDAR

Si el niño tuviera unas habilidades sociales deficientes, hay varias formas de ofrecerle ayuda, tanto por parte de sus padres como por parte del personal docente. Entre ellas se incluye adscribir al niño a algo o a alguien que aumente su importancia, o darle una responsabilidad que aumente su seguridad en sí mismo.

Emparejamiento opuesto. Supone emparejar a un niño descuidado o poco sociable con otro que sea extravertido y sociable. Al ser visto como amigo de otro niño popular, el descuidado alcanzará en poco tiempo un nivel mucho más alto de aceptación social, que en algunos casos llega a ser tan sólo de tres semanas.

Emparejamiento con más pequeños. Emparejar a un niño con habilidades sociales deficientes con otro niño más pequeño puede ser otra forma de conferir estatus. Un estudio realizado en la década de 1980 demostró que cuando los niños impopulares de cuatro y cinco años jugaban con niños menores que ellos mismos, su nivel de popularidad aumentaba en por lo menos un 50 por ciento. Los compañeros de juego más jóvenes ofrecen experiencias sociales positivas a los descuidados y a los rechazados, lo que les ayuda a crear afirmación y autoestima.

Actividades de la pandilla. Aunque quizá no parezca bueno que los niños formen grupos pequeños y exclusivos dentro de un grupo más grande, permitirles mezclarse con su pandilla preferida los motiva a relacionarse con sus compañeros fuera de la pandilla. Las actividades basadas en la pandilla dan a los niños una sensación de seguridad y confianza en cuanto a todas las relaciones sociales.

Grupos pequeños. A veces se supone erróneamente que un niño no sociable se hará sociable cuando se vea rodeado por un grupo grande. De hecho, los grupos pequeños son mejores a la hora de facilitar las amistades porque el niño poco sociable puede permanecer en el fondo dentro del grupo más grande, mientras que en el más pequeño no se le puede ignorar. La maestra puede ayudar al situar al niño poco sociable en un grupo más pequeño, de unos tres o cuatro niños, para luego aumentar gradualmente el tamaño del grupo.

Responsabilidad de la estrella. Establecer roles definidos, como encargar la realización de tareas responsables a los niños más populares, parece tener un efecto de estabilización de todos los niños en edad preescolar. Las tareas pueden incluir el reparto de las pajitas para tomar la leche o la organización del arreglo de la clase. Los niños poco sociables parecen beneficiarse de esta estrategia tanto como los demás niños.

EL NUEVO MUNDO DE SU HIJO

Ahora que el niño se relaciona con otros niños de su misma edad, ya sea en el jardín de infancia o en el juego, tendrá nuevas preocupaciones de las que quizá usted llegue a darse cuenta.

- *Las ropas constituyen una de las primeras formas de expresar la individualidad, y los niños pueden identificarse a sí mismos con un grupo concreto de compañeros por las ropas que llevan. Cuando el niño alcanza la edad preescolar, probablemente querrá elegir cada día la ropa que se pone. Estimule su sentido de la identidad y de la independencia mostrando una actitud flexible hacia las ropas.*
- *Los juguetes, el equipo deportivo, cualquier clase de colección, como una de sellos o de pegatinas, los libros y los comics constituyen poderosos indicadores de estatus entre los niños. Hasta ganar dinero por realizar trabajos raros es un signo de progreso.*
- *El éxito académico o atlético, o la popularidad, también confie en distinción. Algunos niños también derivan estatus de sus propios padres, como aquellos que tienen un alto perfil o carrera profesional, son acomodados o han viajado mucho, señales que llevan consigo un cierto grado de prestigio.*
- *Si cree que su hijo concede demasiada importancia a algo en particular, o que valora algo que le parezca inapropiado, ayúdelo a volver a valorar las prioridades, o recompénselo quizá por algún logro que usted considere valioso.*

MENTIR

Para que un niño diga una mentira tiene que haber alcanzado una fase en su desarrollo psicológico que le permita distinguir la fantasía de la realidad. Por ejemplo, si se castiga a un bebé de quince meses por haber pintado la pared y él sacude vigorosamente la cabeza negándolo, no está mintiendo; es posible que se haya olvidado realmente de la acción, que desee no haberla realizado o simplemente que no reconozca la diferencia entre la fantasía y la realidad. Sólo cuando el niño alcanza los tres o cuatro años será capaz de mentir, y la mayoría de niños mentirán si les parece que una situación les resulta demasiado amenazadora.

¿ES GRAVE LA MENTIRA?

Los niños mienten por diferentes razones y algunos tipos de mentiras son más graves que otras. Por ejemplo, una mentira imaginaria forma parte natural de la vida de fantasía del niño, mientras que una mentira encubridora constituye un intento consciente para evitar el castigo.

Mentira exploratoria. Se dice, simplemente, para ver cuál es la respuesta de usted. Por ejemplo, un niño de cuatro años le dirá a su madre que no le gustó la comida, aunque se la comió toda. Eso tiene la intención de ver cómo reacciona usted. En la mayoría de los casos, su respuesta ante este tipo de mentiras es suficiente para que no lo vuelva a intentar. Algunos niños, sin embargo, se dan cuenta de que eso atrae la atención y lo emplearán una y otra vez a medida que crecen. Por esta razón se trata de algo serio y debe ser desanimado.

Hablar de un problema
Si descubre que el niño le ha mentido, explíquele que ha hecho muy mal, pero hágalo con paciencia y firmeza, en lugar de mostrarse enojado.

Fanfarronada. Este tipo de mentira suele adoptar la forma de una historia muy exagerada, que se cuenta con el único propósito de aumentar la seguridad del niño en sí mismo. Un niño de cinco años afirmará haber recibido muchos regalos caros en el día de su cumpleaños, o dirá que vive en una casa enorme, en un intento por impresionar a sus amigos. Aunque el fanfarroneo suele ser inofensivo, puede desanimar al niño para que no diga este tipo de mentiras, reforzando sus verdaderos logros.

Hay un pequeño número de niños para quienes el fanfarroneo se convierte en un hábito permanente. Los niños que fanfarronean a veces lo hacen porque desean desesperadamente impresionar a sus amigos y padres y necesitan sentirse amados. El peligro es que los demás terminarán por considerar con escepticismo todo lo que diga su hijo. Las fanfarronadas se convierten en una característica del niño que puede llegar a perder a muchos amigos como consecuencia de ello.

Mentiras ficticias. Se trata de mentiras en las que se mezcla la realidad con la fantasía y que sirven para aumentar la excitación de las experiencias cotidianas. Un niño de cuatro años, por ejemplo, puede tener un vivo mundo imaginario compuesto por hadas, monstruos y amigos invisibles, a todos los cuales es capaz de describir con vivo detalle. Las fantasías de la infancia no constituyen verdaderas mentiras y deben verse como una fase normal del desarrollo del niño.

Mentiras encubridoras. Las mentiras que tienen por objeto engañar deliberadamente son las que más deben preocupar a los padres. Los niños cuentan mentiras encubridoras para evitar el castigo, y aprenden esta táctica a una edad relativamente temprana. En una encuesta, se pidió a las madres que identificaran la razón más habitual por la que sus hijos les mentían. Casi la mitad dijeron que mentían para escapar a una reprimenda. Las mentiras encubridoras se hacen más sofisticadas y plausibles a medida que el niño se hace mayor.

Las mentiras para evitar el castigo pueden colocar a los padres en una posición difícil. Si castiga al niño cada vez que hace algo malo, puede aprender a mentir en respuesta a su actitud. Por otro lado, si no lo reprende, es posible que el niño siga comportándose de la misma forma. Hay que encontrar un cierto equilibrio entre ser demasiado liberal y demasiado punitivo. Yo intenté estimular a mis hijos a que dijeran la verdad diciéndoles que a un niño que dice la verdad nunca se le castiga. Se dieron cuenta de que yo era consciente del esfuerzo que se necesita para ser honrado y prometieron no mentir, y raras veces lo hicieron.

Cómo afrontar la mentira

Hace años se realizó un estudio para investigar el impacto de las diferentes respuestas de los padres ante la mentira. Se descubrió que los niños cuyos padres utilizaron principios morales para explicar a sus hijos por qué mentir está mal, redujeron la frecuencia de la mentira, mientras que la respuesta paterna a base de castigo no hizo sino aumentar la frecuencia de la mentira.

A veces, los niños cuentan mentiras encubridoras no para escapar del castigo, sino porque temen que su mal comportamiento haga que usted deje de quererles. En consecuencia, cualquier castigo por mentir debe ir acompañado por una actitud tranquilizadora. El niño debe ser consciente de que el castigo y el amor de los padres no son mutuamente excluyentes. Numerosas investigaciones demuestran que los padres honrados con sus hijos recibirán honradez a cambio. Procure que a su hijo le resulte fácil confesar sus travesuras hablando tranquilamente con él, en lugar de enojarse y hacerle acusaciones.

A menudo, los niños dicen cosas que son inexactas o inciertas y una razón importante por la que lo hacen así es porque oyen a sus padres hacer lo mismo: a menudo, los adultos dicen «mentiras de compromiso» para no causar un daño innecesario a los sentimientos de los demás. El niño quizá le oiga decir algo que contradice lo que normalmente dice. Si no se le explica la razón de esa conversación diplomática, no comprenderá por qué está mal que él haga lo mismo.

Explicaciones sobre la mentira. Si el niño sigue exagerando la verdad, es importante que resalte usted por qué es mala idea decir mentiras. Si tiene edad suficiente para comprenderlo, puede intentar contarle el cuento *Pedro y el lobo*. Hable más tarde de ello y asegúrese de que comprende que si no puede decirle la diferencia entre lo que es cierto y lo que no lo es, quizá no sepa usted cuándo le ha ocurrido a él algo realmente importante.

Ayudar a un niño que miente

Como quiera que los niños mienten por razones diferentes, cada niño debe ser tratado individualmente en este sentido. No obstante, hay una serie de normas que pueden aplicarse a todos los niños.

- *Actúe con calma; es muy posible que el niño confunda verdaderamente la realidad y la fantasía.*
- *Intente comprender el motivo por el que se dice una mentira. El niño no miente porque desee ser malicioso, sino porque teme el castigo que recibirá.*
- *Explíquele al niño por qué está mal mentir. Utilice ejemplos que pueda comprender.*
- *Procure que el castigo sea razonable. Si castiga excesivamente al niño, él se mostrará más decidido a mentir en el futuro.*
- *Procure que el niño sea consciente de que, aun cuando usted se siente enojado con él, sigue queriéndole.*
- *No ridiculice al niño que insiste en decir fanfarronadas. Las fanfarronadas indican un bajo nivel de autoestima y debe usted actuar para aumentar la seguridad en sí mismo del niño, mediante el elogio y el afecto.*
- *No utilice el castigo físico con un niño que miente. La investigación demuestra que aplicar un castigo corporal constante por las mentiras no hace sino animar a los niños a mentir más, porque temen que les vuelvan a pegar.*

CUANDO LAS COSAS SALEN MAL

Hay dos amplias categorías de desarrollo social anormal: trastornos de hábito y trastornos de comportamiento. El cuadro que sigue determina algunos de los más comunes e indica algunos de los factores que los causan. No obstante, las causas exclusivas no existen, sino sólo características del ambiente creado por los padres. En la situación pueden intervenir otros muchos factores. Naturalmente, no todos los niños responden con un trastorno ante estos rasgos familiares. El cuadro sólo es una guía para ayudar a los padres.

FACTOR	TRASTORNO DE HÁBITO	TRASTORNO DE COMPORTAMIENTO	ACTITUD
Actitud demasiado estricta	*Mojar la cama.*	*Actitud intimidatoria, pegar a otros niños, morder.*	*Relajar las actitudes demasiado autoritarias ante el entrenamiento en el lavabo. No regañar. Ofrecer al niño tiempo para él, mostrarle más afecto, y elogiarlo más.*
	Producir manchas fecales (véase también abajo).	*Mentir, acusar a los demás, robar, negativa a compartir.*	*Actitud más relajada ante el control del intestino. No aplicar nunca el «entrenamiento en el lavabo».*
		Destructividad.	*El niño necesita salidas para el comportamiento agresivo. Permitir el juego turbulento.*
Protección excesiva	*Comer poco (debido a una excesiva alimentación).*	*Comportamiento antisocial, negativa a «participar».*	*Ser más flexible y relajado en cuanto a la comida.*
	Negativismo.	*Se convierte en un solitario.*	*Animar al niño a ser independiente. Desarrollar el respeto por sí mismo y el autovalor.*
Falta de afecto	*Comer en exceso para compensar.*	*Robar, mentir, delincuencia.*	*Procurar demostrar afecto hacia el niño y elogiarlo.*
Hogar descuidado o desorganizado	*Comer cosas sin valor (véase pág. 222).*	*Mentir, robar.*	*Prestar una atención centrada una vez al día.*
	Producir manchas fecales (véase también arriba).	*Destructividad, intimidación.*	*Prestarle más atención centrada cada día.*
Gazmoñería, represión sobre la desnudez, actitud estricta	*Posiblemente masturbación obsesiva.*	*Anhelo por el sexo, relación sexual muy precoz.*	*Ser abiertos. No desanimar las preguntas sobre las cosas de la vida. Si puede, sea relajado en cuanto a la desnudez.*

Los desórdenes de hábito afectan a problemas relacionados con la comida, las deposiciones, el sueño o el habla, mientras que los trastornos de comportamiento afectan a problemas con la conducta social, como el robo, el hacer novillos o el vandalismo. En ocasiones, los padres pueden creer que su hijo con un problema de comportamiento está siendo manipulador o vengador. Deben darse cuenta, sin embargo, que los niños en edad preescolar son demasiado pequeños para comportarse de un modo calculado.

TRASTORNOS DE HÁBITO

Problemas como mojar la cama, la suciedad con materia fecal, el comer en exceso o el comer de capricho, se encuentran en los niños más normales y mientras sólo ocurran ocasionalmente, no deben considerarse como trastornos. No obstante, cuando un niño moje la cama repetidamente a una edad en la que sería de esperar que se mantuviera seco, o coma hasta el punto de ponerse obeso, debe buscarse ayuda. Los trastornos de hábito suelen ser el resultado de factores familiares, de traumas o conflictos emocionales (como la llegada de un nuevo bebé, un cambio de casa o de escuela) o de un retraso en el desarrollo. Quizá haya una base fisiológica que deba resolverse.

Mojar la cama. La enuresis es el trastorno de hábito más común y nunca es culpa del niño. Habitualmente, es nocturna y la causa más común es el retraso en el desarrollo. La mayoría de los niños se mantienen secos durante el día y por la noche a la edad de cinco años. Mojar la cama de modo habitual en un niño de siete años puede considerarse como anormal pero probablemente sea el resultado del estrés en el niño y mejorará en la medida en que lo haga el estrés. Mojar la cama de forma ocasional es muy común y a menudo viene causado por la excitación, el temor, la enfermedad o una sensación de amenaza, de modo que es algo que se puede ignorar por completo.

En algunas familias hay un historial de mojar la cama: nunca hay que acusar al niño por su lentitud. Sólo uno de cada diez niños que sufren de enuresis tienen una perturbación física o emocional, y esos niños suelen sufrir de enuresis tanto durante el día como durante la noche. Entre las causas físicas se incluyen perturbaciones fisiológicas o anatómicas de la función de la vejiga, infección urinaria, epilepsia nocturna y anormalidades congénitas de la vejiga.

En ocasiones, mojar la cama es una respuesta emocional a una presión excesiva de los padres para que el niño se mantenga limpio y seco. Algunas razones comunes son el estímulo insuficiente o aleatorio o unas expectativas poco realistas antes de que el niño esté preparado desde el punto de vista del desarrollo. La situación se ve exacerbada por la desaprobación de los padres o la burla de los hermanos. No riña ni ridiculice nunca al niño por ello, y elogie siempre su éxito.

Medidas como restringir la ingestión de líquido antes de acostarse o despertar al niño en plena noche en ocasiones son de ayuda. El método de colocarle un paño y una alarma que suena cuando se humedecen las ropas de la cama sólo tiene éxito en algunos casos, pero no debe usarse en niños menores de siete años. La mejor actitud es tratarlo como un retraso y no como una enfermedad, y no llamar la atención sobre el tema. Los niños muy pequeños pueden dejar de mojar la cama si se les permite dormir en la habitación de sus padres.

MANCHAS FECALES

A diferencia de mojar la cama, el producir manchas fecales en un niño bien entrenado es algo insólito e indica casi siempre la existencia de tensión o perturbación emocional.

A pesar de todo, debe descartarse antes la existencia de una causa física. Hay tres formas de producir manchas fecales: las que se mantienen desde que el niño era bebé; la que es de carácter regresivo, en la que un niño normalmente entrenado retrocede a una fase anterior del desarrollo; y la que es agresiva, en la que la defecación constituye una respuesta emocional a una actitud demasiado estricta por parte de los padres, o un entrenamiento desfasado o excesivamente severo (véase pág. 113).

Habitualmente, la producción agresiva de manchas fecales ocurre en niños que han sido entrenados demasiado pronto a ser limpios, porque los padres han puesto un énfasis demasiado exagerados en el mantenimiento de la limpieza. Si un niño se siente rígido y no se le permite jugar y ensuciarse, puede llegar a expresar su frustración y cólera defecándose encima.

La forma más efectiva de afrontarlo consiste en reducir la ansiedad del niño. Los padres demasiado estrictos deberían relajarse, y afrontar de una manera comprensiva los acontecimientos traumáticos o productores de tensión.

DEPRESIÓN

Los niños se sienten deprimidos cuando se enfrentan con un estrés que no pueden superar; ejemplos de ello son: un traslado de casa, un cambio de escuela, el dejar atrás a un amigo, la separación de los padres, un divorcio, o ser sujeto de abuso.

Se cree ahora que cualquier evaluación de las discapacidades de aprendizaje en un niño deberían incluir comprobaciones rutinarias de la depresión, puesto que ambas van juntas con frecuencia.

Un niño deprimido puede llorar más de lo normal, mostrar falta de interés por los juegos y los amigos, y ser irritable cuando se hacen esfuerzos por sacarlo de su apatía. La depresión raras veces aparece por sí misma en los niños; suele llegar combinada con fobias, obsesiones y comportamiento compulsivo. Otros rasgos característicos son la perturbación del sueño, la anorexia, la falta de concentración que causa a su vez dificultades en la escuela, y un comportamiento tenso e inquieto. La depresión crónica afecta al desarrollo de la personalidad de un niño; un niño deprimido que sea hostil y rebelde puede llegar a ser antisocial y hasta convertirse en un delincuente a medida que crece.

Hay muchas formas de ayudar a un niño deprimido. Si su ambiente es inseguro, puede ser útil que pase un período en una unidad infantil, como paciente diurno o incluso ingresado, combinado con ayuda de toda la familia. La psicoterapia puede ayudar a aliviar los conflictos inconscientes en el niño, tanto si se trata de crecer como de una excesiva dependencia de los padres. Es posible que los padres también necesiten ayuda y terapia, como en el caso de que sean excesivamente protectores. Deben hacerse todos los esfuerzos posibles por identificar y reducir el estrés en el niño.

Trastornos en la comida. Negarse a comer, comer en exceso, ser demasiado quisquilloso o comer cosas habitualmente consideradas como no comestibles, pueden clasificarse como trastornos en la comida siempre que ocurran con frecuencia. La negativa persistente a comer o el picotear la comida es común en los niños en edad preescolar. La falta de apetito puede ser el resultado de la ansiedad, o indicar la existencia de un problema entre padres e hijo. Es posible que los padres sean demasiado ansiosos, con ideas exageradas sobre las necesidades nutritivas, o que se use el alimento como un símbolo del afecto. Alimentar en exceso conduce a comer poco. Afortunadamente, el rechazo de la comida en los niños pequeños raras veces provoca malnutrición; el mejor tratamiento consiste en adoptar una actitud más flexible con respecto a la comida y ofrecer una amplia gama de alimentos.

La actitud quisquillosa al comer o el comer cosas sin alimento es común en niños sanos, que suelen pasar por alguna que otra fase de este tipo. Comer cosas sin alimento no constituye un problema; a menudo es la forma natural del niño de seleccionar una dieta equilibrada.

Comer en exceso ya es un problema más grave que puede conducir a la obesidad. La obesidad no sólo es mala para la salud del niño, sino que sus compañeros también pueden burlarse de él y provocarle una baja autoestima. Los niños comen en exceso por razones muy diferentes; en ocasiones usan la comida para compensar el sentirse poco queridos e inseguros; otras veces, una madre o un padre que se sienten inadecuados ofrecen demasiada comida al niño para compensar el hecho de no darles suficiente amor y afecto. Para prevenirlo, es esencial identificar la razón subyacente, tanto si se trata de inseguridad por parte del niño, como de dar, consciente o inconscientemente, una alimentación excesiva por parte de la madre o del padre. El médico aconsejará una dieta adelgazante adecuada.

También se produce el consumo de sustancias que no tienen ningún valor nutritivo, como tierra, gravilla, tiza, pintura, tela e incluso heces. Ocurre con mayor frecuencia entre niños de hogares descuidados, pobres o desorganizados. Estos niños también pueden mostrar otras señales de comportamiento trastornado.

TRASTORNOS DEL COMPORTAMIENTO

Habitualmente, el comportamiento antisocial procede de un problema existente en la familia, o de la incapacidad de ésta para adaptarse al conjunto de la sociedad. Un niño puede no lograr identificarse como parte de una familia, o no aceptar las actitudes y estándares de comportamiento de sus padres. Eso sucede con mayor probabilidad en los hogares desorganizados o desordenados, donde no hay modelos de rol adultos que sean consistentes, o donde continuamente se traslada al niño de un lado a otro, se le riñe, castiga o se le maltrata mental, física o socialmente. Entre los síntomas comunes de los trastornos del comportamiento están el lenguaje soez, las rabietas, desobediencia, agresión, robo y decir mentiras. A medida que el niño crece puede quedar retrasado, hacer novillos y llegar a tomar drogas.

Los psicólogos, los psiquiatras infantiles y los asistentes sociales pueden diagnosticar un trastorno del comportamiento; en algunos casos, se recomienda aplicar psicoterapia al niño. Puesto que el trastorno indica a menudo la existencia de un problema subyacente en la familia, es ésta y no sólo el niño individual la que recibe consejo.

OTROS COMPORTAMIENTOS PROBLEMÁTICOS

La mayoría de los niños se comportarán en algún momento de una forma que a usted le preocupa, le parece inaceptable o encuentra simplemente molesta. Las razones son bastante inocentes en la mayoría de los casos y no tardan en desaparecer.

Negativismo. La terquedad, el egoísmo y la desobediencia son todas características del negativismo. Hasta cierto punto, todos los niños en edad preescolar son negativistas. Parece encantarles hacer lo opuesto de lo que se les pide; cuando usted desea que el niño salga, él decide quedarse en casa, y cuando quiere usted que coma, él se niega a comer.

Hay muchas razones para resistirse a la autoridad de los padres, y éstos las malinterpretan con frecuencia. Un niño puede ser negativista no porque desee rebelarse contra la autoridad, sino simplemente porque desea seguir con lo que estaba haciendo. Aún no tiene concepto del tiempo, y no ve razones para dejar de jugar a algo que le divierte. Razones como que es la hora de comer o de irse a la cama son totalmente irrelevantes si no tiene hambre o está cansado.

Otra explicación del negativismo es que los niños pequeños no distinguen entre dos opuestos. El niño no tiene experiencia, su vida está cargada de alternativas y a menudo le resulta imposible diferenciar entre el sí y el no, el dar y el recibir, el empujar o el tirar. Su interés por estas alternativas está tan equilibrado que pasa rápidamente de un extremo al otro.

El negativismo flagrante puede ser el resultado de un estímulo insuficiente por parte de los padres. Aunque el niño sea lento a la hora de realizar una tarea, es importante que usted lo anime a aprender pronto.

Robar. Entre las edades de dos y cinco o seis años, el niño puede sentirse atraído hacia un objeto, un juguete, monedas dejadas sobre la mesa o un dulce, que toma cuando cree que nadie le ve. En ocasiones lo hace de tal modo que su robo se descubre. Ninguna de estas acciones es señal de un problema profundamente enraizado, sino que se trata más bien del resultado normal de un deseo abrumador aún no controlado por las inhibiciones sociales. No castigue el acto, pero no lo pase por alto tampoco. Dígale al niño, con calma y claridad, que eso es inaceptable e insista en que le devuelva el objeto. Con toda probabilidad, una o dos de esas situaciones es todo lo que se necesita para terminar con el comportamiento.

Resistencia a la escuela. Un niño que dice que no desea seguir yendo a la escuela o, lo que es más común, que se queja de dolor de estómago o de cabeza por la mañana puede terminar con una suave enfermedad; quizá se sienta infeliz con algo en la escuela, o no desee separarse de usted debido a la timidez o a que algo le preocupa en casa. Es mejor no forzar al niño a que vaya a la escuela, a menos que se trate de una pauta reconocida y repetida a menudo. Si no aparece ninguna enfermedad en un día o dos, o si el niño se anima una vez eliminada la amenaza de ir a la escuela, debe hablar con la maestra para descubrir los posibles problemas. Si todo está bien en la escuela y la posible causa es la desgana a salir de casa, pruebe con una despedida cariñosa pero firme, y con una bienvenida cálida pero contenida al regresar a casa. Si el comportamiento persiste, consulte con el médico.

MALA CONDUCTA SEXUAL

Los adultos suelen clasificar como salaces algunos aspectos del desarrollo normal, como los juegos de «exhibicionismo». Se trata de fases bastante normales del desarrollo, y es únicamente la interferencia de los adultos la que conduce a las exageraciones del juego sexual.

La verdadera mala conducta sexual puede ocurrir en aislamiento o junto con otras formas de comportamiento antisocial, como el hacer novillos. La curiosidad sexual y la masturbación son características comunes y normales de la infancia, y sólo son anormales debido a su frecuencia o a las circunstancias en las que se producen. Es importante mantener una actitud sensata ante esta característica de la infancia, a menos que considere el comportamiento sexual del niño como completamente inaceptable. De todos modos, y aunque el comportamiento le parezca cuestionable, consulte con el médico antes de clasificar como anormal la conducta de su hijo.

PREESCOLAR

EDUCACIÓN INICIAL

ELEGIR UN JARDÍN DE INFANCIA

Cuando tenga tres o cuatro años, el niño ya puede ir al jardín de infancia si así lo desea usted. El que eso le parezca lo más correcto dependerá en buena medida de la naturaleza del niño. Por ejemplo, ¿es un niño tímido que se aferra a usted, o es naturalmente extrovertido? Sólo usted puede saber si está preparado para el paso.

Antes de tomar una decisión, visite varios jardines de infancia en su zona. Prepare una lista de cuestiones importantes, para no olvidarse de ninguna de ellas. Por ejemplo, ¿son las maestras relajadas o formales? ¿Ofrecen un ambiente feliz? ¿Cuál es el nivel de las instalaciones? ¿Cuántos niños hay en la clase, y están bien supervisados? ¿Qué temas se enseñan? ¿Le parece que la escuela es segura? ¿Le parecen felices los niños?

Debería usted asistir a algunas clases y pasar una mañana o una tarde enteras allí, además de hablar con las madres de otros niños que ya vayan al mismo establecimiento. Entonces dispondrá de toda la información que necesita para decidir.

La decisión acerca de enviar o no a su hijo al jardín de infancia dependerá en buena medida de las opciones de que disponga y de si estas se adaptan o no a sus necesidades. Descubra cuáles son las opciones disponibles en su zona y visite las instalaciones y hable con las maestras y otros padres, para hacerse una idea clara de lo que se ofrece.

ELECCIÓN DE LA EDUCACIÓN PREESCOLAR

No existe un solo jardín de infancia que sea el mejor para cada niño, y cada niño debería estar en la escuela que mejor se adapte a sus necesidades particulares. Todas las evaluaciones de la educación preescolar muestran resultados ambiguos. Una valoración a largo plazo demostró que los chicos de los programas Montessori progresaban en lectura y matemáticas a lo largo de toda su asistencia a la escuela. Otras investigaciones demuestran que los progresos intelectuales se encuentran en todos los programas, excepto en los más pobres. Pero resulta difícil saber cuánto tiempo duran estos beneficios. Por ejemplo, las evaluaciones de Head Star, una organización estadounidense de educación preescolar, demuestran que las diferencias aparentes en el CI entre niños de Head Star y otros que no asistieron a la educación preescolar disminuyen con el transcurso del tiempo. Sean cuales fueren los beneficios de la educación preescolar, no hay nada capaz de sustituir un ambiente cariñoso y atento en el hogar.

Los grupos de juego aceptan a los niños ya desde los dos años. En ellos se encuentra la oportunidad para que se produzca una interacción con otros niños de la misma edad, y ayudan a desarrollar las habilidades sociales, pero en un ambiente menos formal que en el jardín de infancia.

La educación preescolar tiene algunos beneficios. El niño puede desarrollar un mayor sentido de la confianza y, por lo tanto, más autocontrol, al mismo tiempo que aprende a compartir, a preocuparse por las necesidades de los demás y a aceptar su turno. La habilidad del niño para planificar con antelación y cooperar con los demás mejorará a través de la fantasía y el juego en grupo.

Las oportunidades para el juego existentes en la educación preescolar amplían las diversas formas en que piensa el niño, es decir, imaginativa, especulativa e inventivamente. Se trata de características encontradas a menudo en niños intelectuales y creativos. Algunas organizaciones de educación preescolar están diseñadas para ayudar a niños con problemas a aumentar su seguridad. Los niños que asisten corren menos probabilidades de repetir un año, que sus compañeros que no asistieron a la educación preescolar, tienen menos necesidad de educación especial y es menos probable que adopten una actitud delincuente en la adolescencia.

Creo que hay muy pocos riesgos en el hecho de que el niño reciba una educación preescolar y, en cualquier caso, no serán más que cuando se aventura fuera de la familia; simplemente, será algo con lo que se encontrará antes. Entre los riesgos se incluyen pequeños problemas de salud o exposición a un comportamiento que a usted puede parecer indeseable, como decir palabrotas.

ADAPTACIÓN

Puede usted ayudar a su hijo a adaptarse al jardín de infancia llevándolo para que haga una o dos visitas antes de la fecha prevista para que empiece. Anímelo a jugar con los otros niños, a sentarse en uno de los pupitres o a jugar con los juguetes. Pero no intente presionarlo para que se relacione con los demás si al principio no parece tener muchas ganas. Algunos niños son naturalmente más gregarios que otros, y el suyo se adaptará a su debido tiempo. El objetivo consiste en que las visitas sean lo más agradables posible. Si resalta todas las cosas divertidas que hará, aumentarán sus deseos de asistir, cuya intensidad será más fuerte que la preocupación por separarse de usted. Si tiene problemas para adaptarse, la mayoría de jardines de infancia le permitirán quedarse con él durante el primer día y durante períodos de tiempo decrecientes en los días siguientes. Procure ir a buscarlo usted misma durante la primera semana, que es cuando se sentirá más inseguro. Una vez que tenga la seguridad de que no se le abandona, tendrá usted libertad para tomar otras medidas para recogerlo.

La personalidad del niño, su madurez, el lugar que ocupa en la familia y la predisposición a abandonar la casa influirán sobre su forma de adaptarse a la educación preescolar. En general, los niños lloran más que las niñas de la misma edad cuando sus madres los dejan por primera vez en la clase, y también suelen llorar cuando se sienten frustrados o se enojan con una maestra o auxiliar. Por otro lado, el niño disfrutará estando con otros niños más que con ninguna otra cosa. No es insólito que dos niños o niñas pequeños se echen uno en brazos del otro al encontrarse en la escuela.

El hecho de que el niño asista a un jardín de infancia, no significa que haya concluido el papel que debe jugar usted en su educación. Pregúntele qué ha hecho en el jardín de infancia y con quién ha jugado. Al hacerle hablar sobre las experiencias en la escuela estará consolidando las nuevas palabras y habilidades que está aprendiendo. Puede ayudarle a mejorar su uso del lenguaje repitiendo lo que dice de la forma correcta, aunque sin corregirlo directamente. El niño buscará constantemente nueva información y usted siempre debe intentar contestar sus preguntas con sinceridad. Si no conoce la respuesta, es mejor sugerir que ambos consulten un libro, o preguntarle a papá si lo sabe, en lugar de tratar de sacárselo de encima.

COMPORTAMIENTO DE LOS NIÑOS EN EL JARDÍN DE INFANCIA

Por regla general, los niños se orientan más hacia las tareas y las niñas hablan más sobre sus amigas y reconocen las similitudes que hay en ellas, admiran las ropas de las demás y hablan de quién es amiga de quién.

El comportamiento dominante y agresivo de los niños se pone de manifiesto en el ambiente del jardín de infancia. La inteligencia y la capacidad para relacionarse con los demás son tan importantes para la popularidad como el tamaño o el progreso físico del niño. La popularidad fluctúa de un día a otro. Golpear es una forma común de agresividad. Unas pocas niñas golpean a otras, pero sus golpes no suelen ser efectivos. Los niños tardan más tiempo en aprender a no golpear a los demás, y efectúan ataques no provocados si bien suaves contra las niñas, a las que por ejemplo empujan o contra las que hacen gestos amenazadores.

ACTITUDES ANTE LA EDAD PREESCOLAR

No existe un solo método en la educación preescolar que haya demostrado ser significativamente mejor que otro para cada niño. Muchos padres envían a sus hijos al jardín de infancia para darles una oportunidad de jugar y ser sociables; otros lo hacen, sencillamente, porque eso permite a los niños la expresión de sus capacidades físicas sin causar daño a los muebles.

Las clases estructuradas son más adecuadas para las necesidades de la mayoría de los niños pequeños. Un ambiente caótico puede hacer que algunos niños reaccionen de un modo que algunos maestros describen como hiperactivo. Las estructuras varían dentro de cada escuela. Algunos jardines de infancia siguen un horario diario para ciertas actividades, según las ideas defendidas por la doctora Montessori, y organizan la escuela según un ambiente infantil ordenado, con normas específicas de comportamiento, como guardar las cosas cuando se haya terminado de trabajar con ellas.

Un niño al que las tareas le resulten fáciles y que cuente con gran cantidad de amigos locales, puede ser adecuado para una escuela tradicional. No obstante, el niño que tiene pocos compañeros de juego y desea relacionarse con los demás, disfrutará asistiendo a un jardín de infancia menos estructurado.

IR A LA ESCUELA

Empezar a ir a la escuela será una fase fundamental para su hijo, y también para usted. Ambos tendrán que adaptarse: el niño descubrirá un mundo nuevo y apasionante, y usted tendrá que adaptarse a su recién adquirida independencia.

¿ESTÁ PREPARADO SU HIJO?

Existe una edad legal máxima a la que el niño tiene que haber empezado a asistir a la escuela, que en los países occidentales oscila entre los cinco y los seis años, aunque algunos padres prefieren adelantar el momento si encuentran plazas disponibles para que puedan comenzar bien. Es la biología, y no el calendario, lo que determina la preparación del niño para la escuela. En consecuencia, suelen tomarse ciertas habilidades físicas como señales de que se ha alcanzado el nivel de desarrollo mental necesario para tener éxito en la escuela. Entre ellas se incluyen el ser capaz de atrapar un balón grande, saltar sobre un solo pie y correr y detenerse a una señal. El niño debe ser capaz de atender a sus necesidades físicas, como ir solo al lavabo, ponerse los zapatos y vestirse. También debe saber su nombre completo y ser capaz de hacer preguntas claras y concisas. Muchos niños de cinco años se sienten orgullosos de ser capaces de aprender números y de contar. También demuestran su madurez realizando fuertes esfuerzos por controlarse. Puede empezar usted a introducir todas estas cosas en su hijo antes de que empiece a ir a la escuela.

Si no está segura de saber si el niño está preparado o no, pregúntele a la maestra. Una maestra con diez años de experiencia ha enseñado probablemente a unos quinientos niños y debería tener una buena capacidad de predicción acerca de si a su hijo le irá bien en la escuela.

NIÑAS EN LA ESCUELA

Las niñas tienen, en general, una mayor aptitud para los temas que supongan habilidades del lenguaje, como la lectura. También es más probable que prefieran juegos que supongan interacción social con otras niñas.

Esta tendencia innata puede ser reforzada por los padres y maestros, que las dirigen hacia ciertas actividades que supongan «jugar tranquilamente», alejándolas de otras más asociadas con los chicos. Sean cuales fueren las razones, lo cierto es que las niñas en la escuela suelen seguir ciertas pautas de comportamiento:

- *Prefieren jugar con otras niñas en juegos que supongan un fuerte elemento de cooperación. A menudo se apartan tímidamente de los chicos, sobre todo de aquellos que intervienen en un juego tumultuoso o agresivo.*
- *Tienden a elegir actividades que supongan el manejo de libros (de palabras o imágenes). Por otro lado, experimentarán más desconcierto que los chicos en cuanto a las matemáticas y otras actividades relacionadas con los números.*
- *Se sienten generalmente bien motivadas y están más dispuestas a adaptarse. No obstante, eso puede significar que las maestras supongan que superan bien las lecciones y es posible que reciban menos atención que los chicos.*

COMPROBACIÓN DE LA PREPARACIÓN A LA ESCUELA

Su hijo no tiene por qué dominar cada habilidad de la lista, que sólo debe utilizarse como una guía; consulte con la maestra de la escuela.

- *Unirse a las actividades compartidas de un grupo.*
- *Escuchar un cuento y volver a contarlo en secuencia.*
- *Participar y seguir las instrucciones para juegos y nuevas actividades.*
- *Expresar claramente ideas y necesidades ante los demás.*
- *Saltar sobre un pie, brincar y dar saltos.*
- *Ayudar en la casa a hacer tareas sencillas.*
- *Reconocer los colores y las figuras básicas.*
- *Reconocer similitudes y diferencias en el sonido.*
- *Cantar y conocer de memoria algunas canciones.*
- *Arreglárselas bien con botones, cordoneras y cremalleras, y cortar con tijeras.*
- *Copiar figuras sencillas, incluidos un círculo, cuadrado y triángulo.*
- *Atender a la satisfacción de las necesidades personales.*

AYUDE AL NIÑO A QUE LE GUSTE LA ESCUELA

El niño tendrá mayores posibilidades de alcanzar éxito en la escuela si acude a ella con la mentalidad correcta. Eso puede usted lograrlo preparándolo antes de que empiece, para que esté mental y físicamente preparado para las exigencias que le planteará la escuela. Anímelo a realizar tareas sencillas para que comprenda el concepto de la responsabilidad. Procure que en su juego intervenga la imaginación y la creatividad, así como las oportunidades para aprender y desarrollar su memoria. También es importante que en la escuela encuentre el ambiente correcto para su educación, con maestros motivados que mantengan una buena relación con sus alumnos.

Indudablemente, el niño se beneficiará si usted se interesa por su trabajo escolar y puede continuar su educación en casa. No obstante, existe el peligro real de que cause usted más daño que bien si su método es muy diferente al aplicado en la escuela. Los métodos de enseñanza cambian con los años, por lo que el sistema actual no tiene probablemente ninguna relación con el que se empleó cuando le enseñaron a usted. Para evitar eso, hable con la maestra de su hijo sobre los métodos particulares usados en la escuela y descubra de primera mano detalles sobre los temas que se están enseñando y los libros que se usan en el curso. Puede tomar prestados libros y equipo de un día para otro. Algunas escuelas animan a los padres a asistir a las clases como observadores, o quizá usted pueda ayudar. Pero no exagere la cantidad de tareas extraescolares. El hogar también debe ser un lugar donde encontrar comodidad y refugio, de modo que tendrá que encontrar un equilibrio entre ayudar al progreso de la educación de su hijo y sobrecargarle de trabajo.

CAMBIO EN SU RELACIÓN

Los primeros días que pase el niño en la escuela marcarán un cambio en su relación con usted. Hasta ahora ha dependido de usted para todo, pero ahora tendrá que empezar a aprender a ser independiente, responsable de sus propias decisiones y acciones. Este cambio no se produce de la noche a la mañana, pero es importante iniciar el proceso animando al niño a asumir más y más responsabilidad. Ahora ya debería lavarse y vestirse, y cabe esperar de él que cuide de su cartera, libros y otro equipo, y que prepare sus cosas por la noche para el día siguiente.

Se sentirá mayor y no querrá que se ande con él con tonterías, pero debe usted estar dispuesto siempre a darle un abrazo cada vez que manifieste que lo necesita. Al niño le resulta difícil aceptar que no es mayor, y la tensión emocional de las interacciones sociales cotidianas pueden ser ocasionalmente demasiado para él. Como sucede con la mayoría de las cosas, un abrazo de usted es el mejor remedio y lo preparará para el día siguiente.

Quizá descubra que el niño no desea que se le hagan demostraciones de afecto en público, sobre todo delante de sus nuevos amigos. No se sienta desairada. Con ello no hace sino afirmarse a sí mismo como persona independiente, lo bastante mayor como para no necesitar un beso de su mamá.

Pero lo más importante de todo es no presionar demasiado, incluso a la hora de preguntar qué ha ocurrido durante el día. Un estímulo inteligente será todo lo que necesite para enterarse de lo sucedido en la escuela, mientras que el fisgoneo sólo hará que se muestre receloso.

LOS NIÑOS EN LA ESCUELA

Los niños tienen, en general, una mayor aptitud para actividades que supongan habilidades espaciales, como juegos de construcción. Probablemente preferirán aquellos juegos en los que intervenga la competición y la actividad física.

Lo mismo que sucede con las niñas, esta tendencia innata puede verse fortalecida por los adultos. A los niños se les puede animar a emprender actividades de «chicos» que les permitan «liberar vapor» o que supongan juegos de construcción, y desanimar inconscientemente actividades más contemplativas, como la lectura. Como consecuencia de ello, tienden a comportarse según ciertas pautas en la escuela.

- *Prefieren jugar con otros chicos, sobre todo en juegos llenos de energía en los que intervenga la actividad física, como escalar o luchar en broma.*
- *Se concentra en aquellos juguetes que ayudan al desarrollo de las capacidades matemáticas y espaciales. También perseverarán con una pregunta difícil de matemáticas hasta que la resuelvan.*
- *Son más desorganizados si no reciben atención o si tienen dificultades con un tema. Eso puede significar que la maestra tendrá que dedicar una parte desproporcionada de su tiempo a los chicos, en comparación con el que dedica a las chicas.*

CAPÍTULO 4

VIDA *familiar*

Si nunca ha tenido un hijo, quizá imagine que puede incorporar a un bebé a su vida con un mínimo de perturbación. Las cosas raras veces suceden así. Un bebé nuevo es un compromiso de 24 horas diarias y descubrirá que su estilo de vida normal tendrá que modificarse mucho, al menos durante unos pocos meses. Esto será tanto más cierto si tiene gemelos o trillizos.

Su relación con su cónyuge también será diferente. Dispondrán de menos tiempo para la intimidad y la compañía, y quizá descubra que necesita detenerse y hacer balance de sus responsabilidades conjuntas. Cuidar del niño suele considerarse como tarea de la mujer, pero no hay razón biológica alguna para que eso sea así. Compartir la responsabilidad puede dar beneficios, tanto para usted y su cónyuge como para el niño.

Quizá desee hacer intervenir a otros miembros de la familia para que la ayuden a criar a su hijo, sobre todo si está usted sola, o si tanto usted como su cónyuge tienen que trabajar fuera de casa. Como alternativa, quizá decidan emplear a una niñera o cuidadora au pair, *o enviar a su hijo a un jardín de infancia. Sea cual fuere la elección, planificar por adelantado y organizar su tiempo tienen una importancia fundamental.*

¿MAMÁ LO SABE MEJOR?

Ya no es válido el argumento de que las mujeres están mejor preparadas que los hombres.

Hace sesenta años no era nada extraño que las mujeres tuvieran diez hijos o más, y las niñas pequeñas solían participar en cuidar de ellos. En la actualidad, la mayoría de las madres no han visto nunca a un recién nacido hasta que dan a luz.

Si una mujer tiene más experiencia en cuidar a un bebé que su cónyuge, es importante que ella no se burle de los esfuerzos que haga él, puesto que podría responder retirando por completo su ayuda. Si sucediera eso, el papel de cada progenitor se polariza, aumenta la presión sobre la madre y el padre queda aislado de la unidad familiar.

CONVERTIRSE EN UNA FAMILIA

El impacto de la presencia de un recién nacido en su vida pueden hacerles dudar, sin que importe la cantidad de libros que hayan leído sobre bebés ni lo bien preparados que estén. Lo mismo sucede con las exigencias físicas de cuidar de un bebé, ya que el trabajo doméstico prácticamente se cuadruplica. Si hasta ahora ponía una sola lavadora a la semana, quizá tenga que poner una cada día. Estas tareas repetitivas pueden crear una carga de trabajo pesada y agotadora.

Después de las primeras semanas, una vez que los parientes y vecinos hayan dejado de acudir a felicitarles, desaparece rápidamente la novedad de encontrarse a solas en casa con un bebé. Las madres que han dejado un trabajo o una profesión quizá descubran que echan de menos si no el trabajo, sí el ambiente laboral. Echan en falta la interacción social con amigos y colegas y, sobre todo, se resienten ante la diferencia entre trabajar y estar en casa. Con un bebé en casa no puede permitirse el lujo de dejar tareas por hacer.

Muchas personas también descubren que efectuar la transición de ser una pareja a ser una familia resulta mucho más traumática de lo que imaginaron. La dinámica de una relación necesita adaptarse a una nueva suma. Surgen problemas cuando la pareja encuentra dificultades para adaptar a otra persona en su relación.

NUEVAS RESPONSABILIDADES

La llegada de un niño significa que disminuyen las alternativas: si antes ninguno de los dos miembros de la pareja deseaba limpiar el suelo del cuarto de baño, podían dejarlo hasta más tarde. Pero a un bebé no se le puede dejar para más tarde. Sus necesidades tienen prioridad y alguien tiene que asumir la responsabilidad inmediata por satisfacerlas. El tiempo que antes se dedicaba a otras cosas tiene que emplearse ahora en atender al bebé.

Idealmente, estos cambios en el estilo de vida se comparten a partes iguales con el otro miembro de la pareja, pero en la práctica son las mujeres las que acaban por hacerse cargo de la mayor parte de la tarea. Eso puede provocar un profundo deterioro de la relación, dependiendo de las expectativas individuales, incluso hasta provocar que una pareja se separe después del nacimiento del bebé. La investigación llevada a cabo en Estados Unidos ha demostrado que uno de cada dos matrimonios empieza a declinar tras el nacimiento del primer hijo. Todas las parejas del estudio, al margen de lo bien acopladas que estuvieran, experimentaron un aumento medio del 20 % en el conflicto

Compartir el ser padres
Dedique tiempo, junto con su cónyuge, a conocer a su hijo y a aprender juntos a ser padres.

dentro del matrimonio durante el primer año en que fueron padres. Aunque el conflicto puede ser saludable a veces, otras muchas resulta no ser lo que esperan los padres.

Para reducir la tensión sobre la pareja es vital que ambos tengan al menos alguna idea acerca de lo que cabe esperar y es capaz de cumplir como compromiso. Tener un bebé significa reorganizar su vida.

COMPARTIR LA RESPONSABILIDAD DE SER PADRES

Aunque el papel de los hombres ha cambiado en las últimas décadas, todavía persiste la actitud de que el cuidado del niño es fundamentalmente responsabilidad de la madre. Idealmente, usted y su pareja deben discutir sobre sus roles respectivos antes de que nazca el bebé. Las mujeres deberían lograr que sus parejas fueran conscientes de que ser un buen padre no significa sólo ayudar, sino también ser el padre del niño.

En una investigación reciente, el 74 % de los padres dijeron que el cuidado del niño debe ser compartido. Pero cuando se les preguntó: «¿Comparte usted equitativamente el cuidado del niño con su pareja?», el 87 % contestó «no». En otras palabras, casi nueve de cada diez mujeres no reciben una ayuda equitativa de sus parejas.

Eso no sólo es nocivo para las mujeres, sino también es peligroso para los hombres en dos sentidos. En primer lugar, la relación del padre con su pareja sufre si la mujer se molesta debido a la falta de ayuda y apoyo. En segundo lugar, si un padre no juega un papel activo durante los primeros meses y años en la vida de su hijo, puede perder la oportunidad de formar un vínculo estrecho con su hijo o hija. Un padre distanciado tendrá un efecto negativo sobre su hijo. Las niñas pueden llegar a tener problemas para interactuar con los hombres, y los niños se verán privados de un modelo de rol masculino.

Vinculación de los padres
El niño nunca recibe suficiente amor y atención, de modo que tanto la madre como el padre deberían ofrecerle todo lo posible.

SER PADRE

Muchos de nosotros recordamos a nuestros padres como seres más distantes e inaccesibles que las madres, pero no hay razón para que un niño no pueda disfrutar de una relación igual de estrecha con ambos progenitores. Las relaciones del bebé no funcionan sobre la base de o una cosa u otra, y no debe preocuparle nunca que si un bebé pasa una cantidad de tiempo igual con su padre, quiera por ello menos a la madre. Los niños pequeños necesitan mucho amor, y los padres deberían hacer todo lo posible por ofrecérselo.

Para que un padre asuma un papel igual a la madre, tendrá que superar presiones culturales y quizá cambiar sus propias actitudes. También tendrá que reconocer su papel como cuidador, en lugar de únicamente como proveedor. Algunos hombres confunden la paternidad con pagar las facturas, porque eso fue lo que hicieron sus padres. Hoy en día es posible que sean los factores económicos los que determinan quién se queda a cargo del bebé. Si una mujer gana más que su pareja, o si él está en paro, muchas parejas no se pueden permitir que un orgullo masculino malentendido reduzca sus ingresos mensuales. Aunque el surgimiento del esposo hogareño ha beneficiado a muchas familias, el hombre que se queda en casa sufre los mismos problemas que la mujer: aislamiento y aburrimiento.

HISTORIA DE UN PADRE

Anna y Henry Ewington tuvieron unos meses malos tras el nacimiento de su hijo Alexander. Anna estaba agotada, deprimida y abrumada, y Henry no se sentía muy paterno.

Henry atribuye esta situación al hecho de que concebía la paternidad en términos de hacer cosas, y a que Anna se hizo rápidamente cargo de todas las responsabilidades relativas al bebé.

La frustración de Henry no hizo sino intensificar las dificultades de Anna, que experimentó períodos de depresión postnatal durante los tres primeros meses. Su vida sexual se deterioró y Henry empezó a sentirse rechazado por Anna, tanto física como emocionalmente. Al cabo de pocos meses decidieron que o lo lograban o rompían. «Decidimos que teníamos que lograrlo en lugar de romper cuando descubrimos que Anna estaba embarazada de Leora, sólo diez meses después de haber tenido a Alex. Me di cuenta de que tenía que concederle a Anna un crédito enorme por haber soportado todo. Casi había esperado que se derrumbara pero, en lugar de eso, se fortaleció, quizá porque tenía que cuidar de Alex.» Durante el tercer mes del embarazo de Anna tuvo un amago de aborto. Se le aconsejó que guardara cama, y Henry decidió abandonar el trabajo, sin remuneración alguna, para cuidar de ella.

«Por primera vez desde el nacimiento de Alex, Anna tuvo la sensación de que yo cumplía con mi parte, y yo también tuve la impresión de ser el sostén de nuestra unidad familiar. A pesar de la tensión emocional, me alegro de haber superado todo aquello. Me he convertido en un padre a igual nivel que Anna, mientras que antes me sentía como un simple observador.»

ABUELOS

Con la llegada del primer hijo, los abuelos pueden apoyar o ser fuente de tensión, especialmente en unas relaciones familiares que ya son tensas. Probablemente ahora que ha nacido su primer hijo verá con mayor frecuencia a su familia política, y sólo cabe esperar que eso contribuya a una vida familiar más feliz.

No obstante, la intimidad e interdependencia de las relaciones familiares significa que existe en ocasiones una línea muy tenue entre la ayuda y la interferencia. Idealmente, usted y su pareja deberían haber discutido sobre el papel que desean que jueguen los abuelos. Una vez que ambos hayan decidido cuánta ayuda desean, les resultará más fácil establecer su autoridad mediante el establecimiento de reglas expuestas con antelación.

Es comprensible que muchos abuelos, y sobre todo abuelas, deseen demostrarle cómo afrontaron la situación de un bebé que llora o de un niño pequeño desobediente. Ese consejo suele ser bienintencionado y hasta bien recibido. Si no lo es, dígalo así. Señale que se trata de su hijo y que, en consecuencia, la disciplina o cualquier otro asunto es de su responsabilidad exclusiva. Si a veces comete errores, serán sus propios errores.

Ciertamente, vale la pena perseverar para superar los problemas con los padres, de modo que el hijo pueda beneficiarse de una relación segura y cariñosa con sus abuelos.

UNA RELACIÓN ESPECIAL

Una buena relación entre un abuelo y un nieto es gratificante para toda la familia. Los abuelos pueden ofrecer una perspectiva mucho más relajada sobre los niños, y los padres pueden descansar con la seguridad de que los abuelos atienden bien a su bebé, mientras que éste aprende a establecer un importante vínculo emocional, más allá de la madre y el padre.

Los abuelos pueden formar relaciones especiales con sus nietos por varias razones. En primer lugar, les ven con menos frecuencia que sus padres, lo que alivia la tensión del cuidado cotidiano. En segundo término, la responsabilidad última por el niño la tienen los padres. Eso libera a los abuelos para disfrutar de las gratificaciones de ser padres sin las preocupaciones y tensiones que eso conlleva. En tercer lugar, el abuelo ya ha

Una segunda vez
Probablemente, sus padres y los de su cónyuge, tendrán una actitud relajada con respecto al cuidado del

criado por lo menos a un hijo, y los problemas siempre se resuelven con mayor facilidad cuando se presentan por segunda vez. Además, es más probable que los abuelos puedan dedicar a sus nietos más tiempo cuando lo necesitan.

A medida que los niños se convierten en jóvenes adultos con problemas propios, los abuelos pueden ofrecerles una más amplia perspectiva sobre las dificultades a las que se enfrentan. El abuelo es probablemente la persona más mayor a la que conocerá su hijo como amigo, y puede transmitirle al niño una visión acerca de cómo fueron las cosas en el pasado, además de ser mucho más interesante y cariñoso que los libros de historia.

Sin embargo, no todas las familias pueden disfrutar de los beneficios de una familia ampliada. Eso es particularmente cierto hoy día, cuando las presiones financieras obligan a las parejas a trasladarse allí donde pueden encontrar trabajo. El divorcio puede limitar el acceso de los abuelos a sus nietos. Eso puede ser terriblemente perturbador para los abuelos y los nietos por igual, y es bueno que un niño siga viendo a sus abuelos con regularidad.

AMOR Y SEGURIDAD

Las necesidades básicas de cualquier niño pequeño son el cuidado físico, el amor emocional y la seguridad. Si un niño tiene la sensación de ser bien cuidado, se convertirá en una persona más extravertida y relajada. Un niño al que se le ofrece suficiente amor y seguridad desde pequeño es más probable que sea menos exigente a medida que se hace mayor. Y, a la inversa, un niño al que se descuida emocionalmente puede llegar a ser inseguro, pegajoso y temeroso.

Es importante que los padres no teman ofrecer a su hijo amor y seguridad adecuados por temor a «malcriarlo». Aunque es cierto que un niño no debe acostumbrarse a pensar que puede tener todo lo que se le antoje, todavía es más importante que no se acostumbre a pensar que no se le quiere.

Recuerde que el niño ve las cosas de un modo muy diferente a como las ve usted. Las demostraciones de afecto pequeñas y aparentemente triviales (como un abrazo, una palmadita, un beso) harán mucho más por configurar su personalidad que cualquier otra cosa. No es bueno querer al niño y no demostrárselo, con la idea errónea de que eso lo convertirá en una persona «más fuerte». De hecho, sucede lo contrario.

El afecto produce resultados emocionales y físicos. Por ejemplo, cuando los bebés pequeños son sostenidos en brazos de sus madres, se ha comprobado que su respiración es más lenta y firme, que lloran menos y duermen más. No es nada sorprendente, puesto que el abrazo despierta en el niño la reconfortante sensación del útero, donde se sentía caliente y seguro. Abrazar es también la mejor forma de comunicarle a un niño pequeño que se le quiere y se le cuida. Si el niño ve que los padres se abrazan sabrá que, a pesar de las discusiones que puedan producirse entre ellos, siguen queriéndose.

Aunque el niño sienta que se le quiere a través del contacto físico, también es importante que se lo oiga decir. Los niños pequeños, especialmente, necesitan oírle decir que se les quiere. Han llegado a la fase en la que son capaces de decirle que le quieren, y necesitan que ese afecto sea recíproco. No sea nunca tímida en demostrar su amor, ya que es lo más importante que puede llegar a compartir.

DAR AFECTO

El contacto amoroso es crucial para su bienestar y, en el caso de los bebés, se ha demostrado que promueve el desarrollo físico.

Si no está segura acerca de cómo aumentar la cantidad de afecto físico que demuestra por su hijo, considere algunas de las sugerencias siguientes, en las que se combina la atención física con el amor y la compañía, que es exactamente lo que necesita cada niño.

- *Trate de llevar al bebé pequeño de un colgante; a casi todos los recién nacidos les encanta la sensación de encontrarse sujetos por correas cerca de usted.*
- *De vez en cuando ofrezca al bebé un frotamiento relajante con loción infantil o un masaje (véanse págs. 76-77).*
- *Compartan juntos un baño, o lleve al bebé a nadar a la piscina local. Sosténgalo muy cerca de usted en el agua, de modo que se sienta caliente y seguro.*
- *A medida que se haga mayor, hagan juntos algo de ejercicio, que no tiene por qué ser nada mucho más complicado que poner un disco en el comedor de la casa y bailar un rato.*
- *Procure realizar unos pocos juegos rudos con el niño; muchas madres dejan eso en manos del padre o de otros niños, y dejan de hacerlo particularmente con las niñas.*
- *Acurrúquese en la cama con el niño y de vez en cuando deje que se meta en su cama, de modo que el niño empiece el día sintiéndose muy querido.*

NOMBRE	*Nicole Killen*
EDAD	*34 años*
OCUPACIÓN	*Directora concesionaria de una tienda de moda*
HISTORIAL OBSTÉTRICO	*Embarazo normal. Matthew nació dos días después de haber cumplido*

Nicole estaba convencida de que un día conocería a un hombre maravilloso que la amaría por completo y que mantendrían una relación muy cariñosa en un hogar encantador. Pero las cosas no sucedieron así.

«No sé si fueron las circunstancias o la coincidencia, pero lo cierto es que cuando supe que estaba embarazada de Matthew me pareció como si se me acabara de dar la oportunidad para asumir el control activo sobre mi vida, en lugar de dedicarme a esperar la llegada de alguien más que lo hiciera por mí, y que quizá no llegaría a aparecer nunca.»

UN CASO DE ESTUDIO

EL PROGENITOR SOLO

Hace tres años, cuando Nicole quedó embarazada de Matthew, se encontró ante una situación difícil e inesperada. En aquellos momentos mantenía una relación sin compromiso con un colega de trabajo.

«Me encontré sumida en un dilema porque en toda mi vida me había imaginado a mí misma como una madre soltera. Había crecido pensando que un niño debía de ser el producto de una relación amorosa. Pero sabía que ésta no era una relación que yo deseara mantener de modo permanente.»

PRIMERAS REACCIONES

«Tardé bastante tiempo en acostumbrarme a la idea de convertirme en una madre soltera. En un principio, mi propia madre, que es muy conservadora, reaccionó mal, lo que no hizo sino empeorar las cosas. Ahora ya se ha reconciliado con la idea porque Matthew es un pequeño encantador que la adora con locura.»

Tras el nacimiento de Matthew, Nicole se tomó tres meses de baja laboral por maternidad, y luego se le ofrecieron cuatro meses más con la mitad del sueldo. Los tres primeros meses se desarrollaron suavemente; Matthew era un bebé plácido y a la octava semana ya solía dormir cinco horas seguidas cada noche. «De hecho y aunque me sentía agotada, Matthew me aportó tantas alegrías que me pareció una delicia inesperada el tenerlo para mí sola.»

PROBLEMAS INESPERADOS

Al cabo de los tres meses, Nicole tuvo que decidir entre quedarse en casa y regresar al trabajo, pero al final y a pesar de las necesidades económicas, decidió quedarse en casa. «Tenía la sensación de que Matthew era demasiado pequeño como para dejarlo con una niñera desconocida. Sólo fue hacia finales del quinto mes cuando empecé a experimentar problemas.

»Lo peor de todo era que al final del día no tenía a nadie a quien quejarme. No puede una quejarse a un niño de seis meses. Los pequeños problemas y preocupaciones molestas no tardaron en convertirse en crisis que me mantenían despierta largas horas durante la noche. Una semana antes de que acabara mi permiso de seis meses de maternidad, Matthew sufrió una suave infección en el pecho. Aunque no se trataba de nada grave, me sentí tan preocupada que se me desarrolló un grave estado de insomnio y me recetaron tranquilizantes.»

La infección del pecho de Matthew duró tres semanas y el médico le diagnosticó asma. Nicole quedó inmediatamente convencida de que Matthew era un niño «enfermo» y que estaría enfermo durante el resto de su vida. «Si hubiera contado con alguien con quien compartir la preocupación, estoy segura de que no habría reaccionado tan mal», recuerda.

Regreso al trabajo

«Tuve la sensación de que tenía que retrasar un mes más la vuelta al trabajo. Luego, cuando llegó finalmente el día, me sorprendió mi propia ansiedad, no tanto por tener que dejar a Matthew (lo dejé dormido con mi madre), sino porque a mitad de camino hacia la tienda empecé a preguntarme si seguiría pudiendo realizar mi trabajo. El trabajo que realizo es de mucha presión (parte de mi salario depende de comisiones), y las cosas tienen que estar preparadas y en funcionamiento desde las 9.00 hasta las 18.30 horas, sin interrupción. Trabajaba cuatro días a la semana, y no resultaba fácil pasarse todo el día preocupada en el trabajo y luego toda la noche preocupada en casa.»

En este punto, la madre de Nicole se fue a vivir con ella durante cinco semanas para que pudiera disponer de algún tiempo para adaptarse a ser una madre soltera. El hecho de tenerla allí hizo que Nicole se diera cuenta de que, aunque no se lo podía permitir, tenía que considerar la idea de contratar a alguien que la ayudara, al menos hasta el final del primer año. Se puso en contacto con un grupo local de padres, que le aconsejaron cómo contratar a una niñera o una persona *au pair.*

Emplear a una niñera

Cuando Matthew tenía ocho meses, Nicole contrató a su primera niñera a tiempo completo. El coste fue apabullante para alguien con un salario como el suyo. También se dio cuenta de que aunque dormía un poco más, la mayor parte del tiempo le resultaba imposible quedarse en la cama y dejar que la niñera atendiera a Matthew cuando lloraba. «Quizá el asma hizo que me sintiera excesivamente protectora, o quizá se tratara de que no me gustaba la idea de compartir mi hogar con una persona extraña; fuera cual fuese la razón, lo cierto es que al cabo de dos meses le pedí a la niñera que se marchara, y decidí ocuparme de Matthew a mi manera.»

Eso ayudó a aliviar la situación financiera que para entonces ya empezaba a ser crítica. A Nicole le resultaba difícil salir, porque no podía permitirse el pagar a una canguro y gastar en una noche de diversión. Casi un año después del nacimiento de su hijo se dio cuenta de que no había salido desde que tuvo al bebé.

Una vida propia

«Fue entonces cuando se me ocurrió ofrecer mi primera cena en casa después de haber tenido a Matthew. Llegaron unos ocho amigos, cada uno con un plato preparado en casa, y pasamos una velada fabulosa sin haber despertado a Matthew. Aquella fiesta-cena representó una enorme diferencia para mí. Era la primera vez que volvía a sentirme como un ser social, en lugar de como una madre soltera. Aproximadamente una semana más tarde me las arreglé para prescindir para siempre de los tranquilizantes.»

Dos meses después del primer cumpleaños de Matthew, Nicole acordó un cuidado diurno, de modo que una niñera se ocupara de él tres días a la semana, y que se quedara con su abuela un día a la semana. «Fue la primera vez en que las cosas parecieron calmarse lo suficiente como para que yo empezara a disfrutar de la maternidad. Me acostumbré a los ataques de asma y ya no sentí un pánico indebido. Logré controlar más mi trabajo y hasta empecé a cuidar de una vida social infrecuente. Ya no me sentía tan culpable por haber tenido a Matthew yo sola, porque sé que está bien cuidado y que recibe una gran cantidad de amor.»

Nombre	*Matthew Killen*
Edad	*18 meses*
Historial médico	*Asma, diagnosticado a los seis meses*

SEA AMABLE CONSIGO MISMA

Aprender a cuidar del recién nacido en las primeras semanas puede ser abrumador, así que procure cuidar también de sí misma.

- *Procure que su pareja le ayude con el bebé, para que usted tenga algún tiempo para sí misma.*
- *No espere ser una madre perfecta inmediatamente. Tiene mucho que aprender, y el bebé también está aprendiendo.*
- *Deje de lado el trabajo de la casa. Haga sólo las tareas esenciales y, si puede, consiga a alguien que las haga por usted.*
- *Los bajos niveles de potasio pueden contribuir a producir una sensación de agotamiento. Tome muchos alimentos ricos en potasio, como plátanos, tomates, albaricoques secos y yogur sencillo.*
- *No se sorprenda si experimenta la «melancolía del parto», como les sucede al 80 % de las madres, pero eso pasará después de unos diez días. No obstante, si la depresión persiste debe buscar ayuda rápidamente.*

ORGANIZAR SU VIDA

Como bien sabe cualquier madre, las exigencias físicas, emocionales y sociales sobre su vida parecen multiplicarse indefinidamente con la llegada del recién nacido. Noches de sueño interrumpido junto con días ajetreados, además de la presión psicológica de asumir la responsabilidad sobre una nueva persona, se combinan para acumular tensiones inesperadas sobre la nueva madre.

La organización puede ser la clave para la supervivencia. El embarazo es la época ideal para sentarse y hacer balance de la situación, antes de que se vea arrollada por las alegrías y los traumas de la maternidad. Nunca es demasiado tarde para organizar su tiempo y sacarle el máximo provecho posible, independientemente de la fase en que se encuentre.

Al planificar su vida después de tener al bebé, intente dividir las cosas en las que tiene que pensar en tres o cuatro ámbitos: relacionadas con el bebé, con el trabajo (en casa o en la oficina), con su compañero y con usted misma. Esta cuarta categoría suele ser la más devaluada, pero resulta que es una de las más importantes. Si no se siente feliz, el bebé no será feliz. Hay ciertas cosas que le resultarán útiles para pensar en ellas con antelación. Por ejemplo, si trabaja, ¿ha hablado con su director acerca de cuándo y si quiere regresar al trabajo? ¿Ha considerado la idea de regresar a trabajar a tiempo parcial? ¿Es posible para usted compartir el trabajo?

Si trabaja a tiempo parcial, ¿se verá afectado alguno de sus derechos laborales? No debieran serlo, pero debe comprobarlo ahora, en lugar de descubrirlo más tarde. No querrá descubrir que se enfrenta a un recorte salarial una vez que se haya comprometido a pagar unos cuidados para el niño que resultan muy caros.

Establecer una rutina. Buena parte del trabajo que realiza para el bebé supone ejecutar tareas repetitivas, que serán más fáciles de llevar a cabo si prepara alguna clase de horario. La rutina debería seguir las necesidades del bebé y no a la inversa, ya que entonces no podría atenerse a ella; el bebé necesitará de tres a seis semanas, o incluso más, para seguir una pauta de alimentación y sueño.

Tiempo para usted
Procure disponer cada día de un poco de tiempo para relajarse y hacer lo que le apetezca; eso beneficiará a todos.

Tenga cuidado de no confundir la organización con la imposición. No querrá que su vida sea inflexible ya que las necesidades de un niño pequeño pueden cambiar de una hora a la siguiente. Lo importante es que la rutina que cree para sí misma no la aburra ni la ignore.

TIEMPO PARA SÍ MISMA

Es usted el universo de su hijo, de modo que será mejor para él que no esté usted irritable, malhumorada y hastiada. Aunque debe hacer todos los esfuerzos posibles para satisfacer las necesidades del bebé, también debe atender a sus propias necesidades.

Planifique disponer al menos de media hora diaria para dedicarla por completo a sí misma; quizá desee tomarse un baño, leer un libro, ver la televisión, escribir una carta, meditar, hacer ejercicio, escuchar música, arreglarse las uñas o aplicarse una mascarilla. Antes de que llegue el bebé le resultará sencillo encontrar media hora para sí misma, pero una vez que haya nacido le parecerá una tarea imposible.

Si quiere encontrar tiempo para sí misma, lo primero que debe hacer es aprender a aceptar con elegancia las ofertas de ayuda. Son demasiadas las madres que tienen la sensación de fracasar si no atienden personalmente todas las necesidades de sus hijos. Eso puede ser un peligroso camino hacia el declive. Se basa en una expectativas que no son realistas y conduce finalmente al agotamiento nervioso e incluso al desmoronamiento.

ALEJARSE

Si usted y su cónyuge ya han discutido acerca de cómo compartir la nueva carga de trabajo (véase pág. 231), el siguiente paso en la discusión consiste en determinar cómo encontrar tiempo el uno para el otro una vez que llegue el bebé. Intente encontrar una canguro para que acuda al menos una vez al mes, o mejor aún una vez a la semana, de modo que el ser padres no ocupe cada uno de los segundos de sus vidas.

Vea las posibilidades de compartir una niñera (véase pág. 241) o, si no trabaja a tiempo completo, vea si puede establecer «intercambios de niños» con otra madre. Obtenga información sobre cursos o actividades que ofrezcan guardería infantil. Es una forma ideal de conocer amigas, atender a un interés o aumentar sus calificaciones mientras cuida de su hijo, que también puede relacionarse así con otros niños de su edad.

Encontrar un tiempo para sí misma no la convierte en peor madre; al contrario, le permite ser mejor. Si se pasa todo el tiempo con el niño, este desarrollará unas expectativas poco realistas en cuanto a las relaciones en general, y es muy probable que sea exigente con los amigos y maestros.

Además, aunque el niño necesita una relación estrecha y cariñosa con usted, es un error creer que necesita su compañía continuamente. Adquirirá mayor seguridad y valiosas habilidades sociales si aprende a interactuar con los adultos y con otros niños.

Entregar al bebé
El bebé no la necesita cada minuto del día, así que procure dejar que otra persona se haga cargo de él de vez cuando y aproveche esos momentos para salir.

USTED Y SU PAREJA

Cuando llega el bebé la relación con su pareja cambia de inmediato. De la noche a la mañana desaparecen todos los intereses y experiencias comunes que les habían mantenido juntos hasta ahora (su vida social, su vida sexual, las aficiones, las vacaciones, etc.). Probablemente se sentirá tan agotada que las necesidades de su pareja serán lo último en lo que pensará.

La disciplina que impone un bebé en su vida hace que mantener la excitación y la chispa de una relación sea un gran esfuerzo. Por eso muchas parejas sienten que ya nada es lo mismo, y tienen razón. En ocasiones, es incluso mejor que antes, pero los problemas surgen cuando uno de los progenitores se siente excluido, y ese es inevitablemente el padre.

CONSEJOS PARA LAS MADRES

Si dedica toda su atención al bebé, su marido se sentirá que no es deseado ni necesitado.

- *Pida siempre ayuda a su cónyuge; no puede esperar que sepa lo mucho que lo necesita si no se lo pide.*
- *Deje que intervenga desde el principio y todo lo que sea posible en el cuidado cotidiano del bebé.*
- *No rechace la ayuda cuando se la ofrezca, aunque crea que usted lo haría mejor; también es el hijo de él.*
- *Por poco sociable que se sienta, haga lo que pueda para ofrecer a su cónyuge algo de su atención y de su afecto.*
- *Si él resulta ser un padre reacio y está usted agotada, déjele un número de teléfono, entréguele el bebé y salga una noche fuera; pronto se dará cuenta del mucho trabajo que eso representa.*

LOS SENTIMIENTOS DE SU PAREJA

Aunque ha sido ampliamente reconocido que la mujer pasa por enormes alteraciones durante y después del embarazo, se han apreciado menos los efectos que tiene un nuevo bebé sobre el padre. La mayoría de padres que acompañan a sus esposas durante el parto se encuentran después bajo una especie de conmoción. A menudo se sienten traumatizados al ver a sus parejas pasando por tanto dolor y tensión. La investigación ha demostrado que casi uno de cada diez padres sufre de grave depresión postnatal. Una de las razones sugeridas es que los papeles del padre han cambiado mucho en los últimos 20 a 30 años, lo que no ha hecho sino dificultar más que nunca la adaptación de los padres a la paternidad.

A menos que haga usted un esfuerzo con su pareja, es posible que empiece a pensar que «tres son una multitud» y a tener la sensación de estar siendo apartado del cuadro. No es prudente permitir el desarrollo de esta situación, no sólo porque usted necesita la ayuda de él, sino también porque debería pasar todo el tiempo posible con el bebé desde el principio. Eso le ayudará a crear una relación estrecha y cariñosa que dure toda la infancia del niño.

Compartir sentimientos
Procure disponer siempre de tiempo para hablar con su cónyuge; de ese modo evitarán malentendidos.

EL PADRE «RECHAZADO»

Sea consciente de que las barreras entre usted y su pareja pueden surgir del hecho de que, según dijo un psicólogo, «aunque los hombres y las mujeres se convierten en padres y madres al mismo tiempo, no lo son de la misma forma». Eso es así por numerosas razones sociológicas, financieras y ambientales, pero el resultado es a menudo el resentimiento o los celos.

Un hombre puede sentirse rápidamente aislado dentro de la unidad familiar. De repente se encuentra con que el tiempo de su pareja ha sido monopolizado por el nuevo ser, y ya no está seguro de encajar en la imagen, a menos que juegue un papel activo en el cuidado del bebé. Es bastante habitual que un padre experimente celos de su propio hijo. Esa situación puede verse intensificada si ya antes hubo diferencias de opinión en cuanto a tener un hijo (los hombres se quejan a menudo de haber sido «presionados» para tener un hijo). Al hombre le resulta particularmente difícil afrontar estos sentimientos si también se siente rechazado en el nivel sexual. A menudo toma como un rechazo personal lo que no es más que la disminución del impulso sexual de la nueva madre. Si no es demasiado tarde, discuta con él los efectos que pueda tener eso sobre su relación, antes de que llegue el bebé.

SEXO POSTNATAL

Si no ha perdido usted su deseo por el sexo, eso es maravilloso y debe aprovecharlo tanto como pueda. No hay razón para esperar al primer control de las seis semanas para tener relaciones sexuales si se siente usted físicamente preparada. No obstante, el sexo no es precisamente lo que desean algunas mujeres, especialmente las que se han visto sometidas a una episiotomía.

Tras la llegada del bebé, el hombre puede compartir su falta de interés por el sexo, pero si no fuera así, una forma de hacerle comprender su falta de ganas consiste en dejarle palpar la cicatriz de la episiotomía; ante eso, la mayoría de los hombres se muestran muy comprensivos.

Es normal que se reduzca el impulso sexual en la medida en que la naturaleza hace lo que puede por dotarla del anticonceptivo más fiable de todos: la abstinencia. Al fin y al cabo, lo último que desea una nueva madre es descubrir que vuelve a estar embarazada; imagínese sentir mareos por la mañana cuando se tiene que atender a un bebé de ocho semanas. No obstante, intente dejarle muy claro a su pareja que puede haber razones emocionales, así como fisiológicas, para no desear tener relaciones sexuales, y que él también tiene que respetarlo.

COMUNICACIÓN

Durante los primeros meses, tanto el padre como la madre tienen que hacer verdaderos esfuerzos para mantener abiertas las líneas de comunicación. Por muy agotados o desorientados que se sientan, es esencial que encuentren tiempo para explicarse sus sentimientos el uno al otro.

Tener un hijo cambia las cosas para siempre. Si es usted la que va a pasar la mayor parte del tiempo con el bebé, se sentirá distraída del hecho de que ha perdido temporalmente a su amante. Pero eso mismo no puede decirse necesariamente de él si no participa en el cuidado cotidiano del bebé, de modo que es muy natural que sienta más intensamente el cambio producido en la relación.

Deje que el padre ayude todo lo posible en el cuidado del niño (véase «Consejos para las madres», en la pág. anterior). Sucede a menudo que las mujeres hacen intervenir a sus parejas encargándoles tareas que sólo están relacionadas indirectamente con el bebé. Cuando una madre dice: «Prepararé a Samantha mientras tú preparas el baño», o «Tú calienta la comida y yo se la daré», está compartiendo algo del trabajo, pero no el niño. Intente invertir algunas de esas opciones, para que el padre pase tiempo suficiente con el bebé, y procuren considerar ambos los consejos dados en las columnas de la izquierda y la derecha.

CONSEJOS PARA LOS PADRES

Al nacer el bebé debe ser usted sensible a las necesidades de su pareja y estar preparado para las dificultades físicas y emocionales que pueda experimentar después del embarazo.

- *No deje todo el cuidado del bebé en manos de la madre, aunque a ella no parezca importarle; primero, eso producirá un resentimiento oculto, y segundo perderá usted la oportunidad de ser un verdadero padre.*
- *Pase al menos algún tiempo a solas con el bebé; eso aumentará su propia seguridad en sí mismo y le dará un respiro a la madre.*
- *Si trabaja, hable con su jefe acerca del aumento en su familia. Considere tomarse por lo menos dos semanas de vacaciones cuando nazca el bebé, y vea si puede cambiar de algún modo su horario de trabajo.*

Un padre activo
Un padre que se ocupa del cuidado cotidiano de su hijo se sentirá necesitado, tanto por su compañera como por el bebé.

REGRESAR AL TRABAJO

En algunos países occidentales se tiene que regresar al trabajo como máximo a las 29 semanas después de haber nacido el niño si no se quiere perder el puesto. Cuando llegue el momento de volver a trabajar, quizá se de cuenta de que no se ha concedido a sí misma el tiempo suficiente para readaptarse después del embarazo. Siempre es una buena idea consultar con el médico, ya que hay factores de salud que considerar y sobre los que él puede aconsejarle. Algunas madres descubren que no acaban de decidirse a dejar al bebé, mientras que otras, a pesar de adorar al bebé, se suben por las paredes y tienen necesidad de «escapar».

Si ha tomado la decisión de regresar al trabajo, procure no descuidar al niño mientras se ocupa de encontrar buenos cuidados para él (véase más abajo). No hay peligro de que el pequeño se olvide de quién es usted, o de que transfiera su afecto a la persona que lo cuide durante el día. Lo verdaderamente importante es que cuando llegue a casa pase un tiempo de calidad con su hijo.

Sé por experiencia propia, como madre que trabaja, que las punzadas de culpabilidad son inevitables. Sin embargo, tuve la seguridad de que mi bebé sabría instintivamente que yo era su madre. Me tranquilicé más tarde al enterarme de que, según las investigaciones, los bebés muy pequeños son capaces de distinguir a sus padres (ya sean biológicos o adoptivos) debido a la atención cariñosa e interesada que sólo unos padres pueden ofrecer. De modo similar, se ha demostrado que los bebés prematuros son capaces de distinguir el tacto de las manos de sus padres a través de la incubadora y diferenciarlo del manejo más prosaico del personal de enfermería.

Lo importante es que la calidad del tiempo que pase con él cuenta más que la cantidad. El amor no se mide por el tiempo, sino que es el amor lo que se pone en el tiempo, por corto que éste sea.

NIÑO Y CUIDADORA

El trabajo al que se enfrenta en casa es dos veces más exigente que el que afronta en el trabajo, y las condiciones son peores. Al fin y al cabo se espera de usted que trabaje siete días a la semana durante 365 días al año. Se encontrará con malas caras si no cocina, limpia, plancha, entretiene y ofrece consejo, cuida y ofrece comprensión durante por lo menos 18 años, si no indefinidamente. Sus esfuerzos pasarán desapercibidos por la sociedad y, desde luego, nadie le pagará un céntimo por ello. De hecho, tendrá que pagar por el privilegio de ser madre o padre, a pesar de lo cual es un privilegio por el que vale la pena pagar, como le dirán la mayoría de los padres y las madres.

La primera sonrisa del bebé, sus primeros pasos, la primera palabra son logros personales sin parangón. Ayudar a moldear a un bebé diminuto para que se convierta en un individuo reflexivo y bien adaptado es una tarea que exige sacrificio, responsabilidad y, por encima de todo, amor. También ofrece enormes dividendos emocionales. En mi opinión, eso hace que ser madre o padre constituya una de las tareas más importantes y gratificantes que existen en el mundo.

Teniendo en cuenta eso, resulta perturbador ver el bajo estatus que se concede a esa tarea, y especialmente para las mujeres que soportan la ma-

ALIMENTARSE

Tiene que decidir cómo desea alimentar a su bebé mientras está en el trabajo.

Si empieza a trabajar antes de que el bebé haya cumplido los cuatro meses, es decir, antes de que pueda darle una alimentación combinada, necesitará planificar. Procure introducir una rutina para que las horas de alimentarlo sean predecibles y constantes. Si alimenta al bebé a la hora del desayuno y hacia las 18.00 horas, la persona que lo cuide durante el día sólo necesitará darle leche exprimida o biberón preparado para las otras dos comidas del día.

Si no desea que el bebé tome ningún sustituto de su leche, congele la leche materna exprimida, que se mantendrá durante seis meses en el congelador. Debería tardar unas dos semanas en acostumbrarse a esta rutina. Tendrá que reducir su producción de leche durante el día antes de regresar al trabajo si no quiere sentirse muy incómoda durante el día.

yor parte de la carga. Ser una buena madre y un buen padre supone ayudar a desarrollar la personalidad del niño en un sentido positivo, y ser un buen modelo de rol. Si desea que sus hijos sean adultos y trabajen duro, el hecho de que usted trabaje duro en su propia tarea supone para ellos un ejemplo excelente.

Tener que combinar el papel de madre con una carrera a tiempo completo no resulta fácil, pero las mujeres lo hacen con imaginación y trabajo duro. El surgimiento de la mítica «supermadre» ha significado que a menudo se espera de nosotras que lo hagamos todo sin ayuda. Las supermadres abundan: son aquellas que lo gestionan todo día tras día, en el hogar y en la oficina, sin dejar por ello de ofrecer amor y energía a sus hijos.

CUIDADO DEL NIÑO

Debería empezar a buscar a una persona fiable que se hiciera cargo del cuidado del niño unas seis semanas antes de la fecha en que tenga previsto regresar al trabajo. Actualmente, la mayoría de gobiernos no dan la prioridad que debieran a ofrecer a las mujeres planes para el cuidado de los niños, lo que no hace sino dificultar las cosas.

Desgraciadamente no abundan las plazas en los jardines de infancia, aunque las cosas cambian muy gradualmente y ya existen algunas grandes empresas que disponen de servicios de guardería.

Amigos y parientes. Permitir que un pariente ayude puede ser una solución perfecta para muchas madres, pero considere la situación cuidadosamente antes de pedírselo a alguien. Quizá empiece a sentirse incómodamente en deuda o, a la inversa, a la otra persona puede parecerle una obligación.

Puesto que en tal caso no tiene una relación «profesional», quizá sea difícil proponerles reglas y guías que es posible que no sigan con la misma seriedad que usted; los problemas de disciplina, por ejemplo, pueden llegar a ser frustrantes, sobre todo si sus puntos de vista sobre la educación del niño son muy diferentes. Por otro lado, si esos problemas se afrontan desde el principio, puede usted beneficiarse mucho de la seguridad, la flexibilidad y el bajo coste de este tipo de acuerdos. Si en lugar de a un pariente cercano le pide a una amiga que la ayude de modo regular y le paga por ello, tenga en cuenta que hay cuestiones burocráticas que considerar.

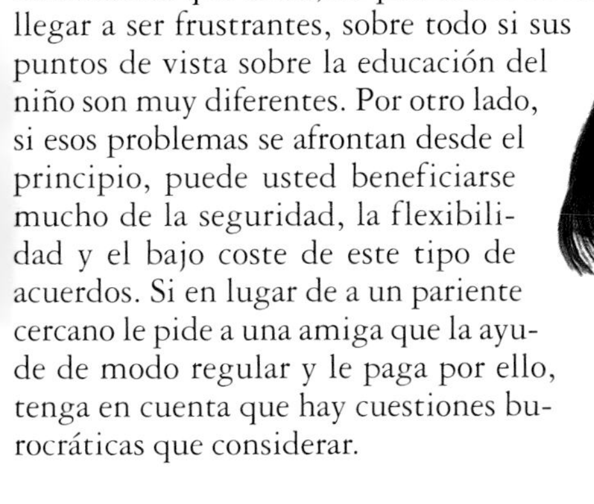

Niñeras
A partir de la reacción de su hijo se dará cuenta si se siente querido y seguro con la niñera.

ELEGIR EL CUIDADO DEL NIÑO

El bebé no sólo necesitan que «lo cambien y le den de comer; también necesita la clase de atención cariñosa que usted le daría para que aprenda a interactuar y llegar a ser un niño sociable.

Niñeras. *Ellas mismas suelen ser madres y en algunos países deben estar registradas en el departamento local de servicios sociales, donde se encontrará una lista, pero el pago y las condiciones se acuerdan con ellas.*

Jardines de infancia. *De propiedad privada o dirigidos por las autoridades locales, tienen a menudo largas listas de espera y sólo cuentan con un escaso número de plazas. Apúntese en cuanto sepa que está embarazada si quiere que su hijo vaya a un jardín de infancia.*

Ayuda a la madre. *Aunque este tipo de ayuda es caro, quizá pueda compartir una niñera con otra familia. Se consigue a través de agencias o de los anuncios en los periódicos locales. Algunos grupos de padres pueden ponerle en contacto con otras madres interesadas en compartir una niñera.*

Guarderías. *Quizá tenga usted suerte y sea de las afortunadas que trabajan en una gran empresa donde hay un servicio de guardería para los empleados, de modo que pueda llevarse al bebé al trabajo, lo que significa que podrá seguir alimentándolo y tenerlo cerca todo el día. Si dispone de esa posibilidad, procure asegurarse una plaza antes de que nazca el niño.*

SEPARACIÓN Y DIVORCIO

Es inevitable que surjan los problemas en alguna fase de la relación. En algunos casos raros, las parejas viven felizmente después, pero a la mayoría no les sucede eso. Eso no refleja necesariamente una disminución de los valores morales; es más bien una indicación de las complejidades y presiones de la vida moderna. Los sistemas de apoyo son más débiles y las expectativas más elevadas.

Las estadísticas demuestran que dos de cada tres divorcios son iniciados actualmente por las mujeres, muchas de las cuales sienten que se les pide demasiado sin un apoyo adecuado por parte de sus parejas. El matrimonio medio dura ocho años, un hecho deprimente de la vida para un número creciente de niños educados sin la presencia de uno de los dos progenitores.

PERÍODOS DE CAMBIO

El problema al que se enfrentan casi todas las parejas es que las personas cambian a largo plazo. Aunque eso sea difícil, también puede ser vigorizante y constructivo. Si ambos aprenden a desarrollarse juntos, se impide que aumenten el aburrimiento y el estancamiento en la relación.

Al final de los períodos de cambio, que a menudo vienen acompañados por la inseguridad emocional, ambos crecerán juntos o se separarán. Al margen de lo que suceda, es vital que los niños se sientan en todo momento seguros de su futuro. Para los niños pequeños es muy nocivo el cambio dentro de la unidad familiar (o el temor a ese cambio). Los niños no cuentan con los mecanismos de defensa necesarios para protegerse de la grave inseguridad emocional de una ruptura.

EXPLICACIÓN A SUS HIJOS

Un niño pequeño es como una esponja que absorbe señales emocionales, tanto si van dirigidas hacia él como si no. Si es usted feliz, lo más probable es que el niño se sienta feliz; si está triste, el niño estará triste. Aunque siempre vale la pena hacer el esfuerzo «por el bien de los niños», no caiga en la trampa de pensar que ellos no se enteran de lo que sucede. Perciben cuándo algo anda mal, aunque usted sonría.

Debido a ello, es mejor explicarles lo que sucede, al menos parcialmente. Si no lo hace, los niños inventarán sus propias explicaciones, acusándose erróneamente a sí mismos de los problemas surgidos en la familia. Ello es así porque los niños menores de cinco años sólo conciben el mundo en relación consigo mismos. Si no les ofrece una explicación plausible de por qué discuten o se separan usted y su pareja, ellos pueden encontrar explicaciones que son inconcebibles para un adulto, pero que tienen todo el sentido para un niño, como por ejemplo: «Papá se ha marchado porque no limpio bien mi habitación», o «Mamá está enfadada porque me mojo en la cama/soy desordenado/he perdido el dinero semanal». Los sentimientos de culpabilidad son muy nocivos, sobre todo para un niño que ya tiene que esforzarse para reconciliarse con el torbellino emocional y la inseguridad que pueden producir las rupturas matrimo-

EFECTO SOBRE SUS HIJOS

Un reciente estudio sugiere que los niños están mejor cuidados con una pareja desgraciada que con unos padres divorciados.

No obstante, la investigación no ofrece indicación alguna de las diferentes situaciones de divorcio que son críticas para determinar el efecto que eso puede causar sobre el niño. Es posible que un divorcio amistoso apenas produzca daños y que sus efectos sean completamente diferentes a un divorcio amargo y áspero. La razón principal es que, en esta última situación, cada uno de los progenitores hace todo lo que puede para que los niños se revuelvan contra el otro. Eso tiene un efecto muy negativo y nocivo sobre los niños, y debe ser evitado a toda costa.

niales. La duda es uno de los peores temores que pueden aparecer en la mente del niño, así que no le deje nunca la menor duda de que lo quiere y de que seguirá cuidando de él.

DIVORCIO

Si llega al punto en el que la única opción que le queda es el divorcio o la separación, no suponga automáticamente que sus hijos se sentirán abrumados. Algunos se sentirán así, pero el efecto que eso cause sobre sus hijos dependerá mucho de su edad, personalidad, las circunstancias del divorcio y las actitudes sociales prevalecientes en la escuela y en la comunidad. Conozco, por ejemplo, una clase de escuela primaria en Londres donde de un total de 35 niños, sólo cinco tenían padres que seguían juntos. Esos cinco tenían que soportar regularmente las bromas de los procedentes de los «hogares rotos», que los consideraban como materialmente en desventaja, ya que sólo recibían juguetes de los padres el día de su cumpleaños y por Navidad, mientras que los demás los recibían de sus madres y de sus padres, por separado.

Aunque tener padres divorciados no es nada de lo que se pueda presumir, muchos de esos niños presumían de ello. Eso puede parecer profundamente perturbador para muchos, pero no es más que una indicación de que nuestros hijos están creciendo en una época diferente.

MARCHARSE DE CASA

Si llega el momento en que tiene usted que marcharse de casa, es vital hacer saber al niño que no se lleva su amor consigo, y que seguirá siendo una madre o un padre activo. Hágale saber específicamente cuándo tiene la intención de verlo y, por muy difícil que le sea, procure no faltar nunca a esa clase de acuerdos.

Si es usted la madre o el padre que se queda con toda la responsabilidad sobre el cuidado del niño, intente no alterarse cuando el niño eche de menos al otro progenitor. No intente hacerle olvidar que el otro padre existe, y no hable abusivamente del otro, ya que eso no haría sino confundir más al niño.

Aunque el niño parezca no sentirse afectado por una separación matrimonial, vigílelo con atención y pregunte a los maestros si observan alguna diferencia en su comportamiento. Algunos niños plantean menos preguntas que otros y guardan para sí mismos sus propios sentimientos de inseguridad, pero seguirán necesitando de una atención y cariño adicionales. El aumento de los casos de eneuresis, chuparse el pulgar y un «aferramiento» general al progenitor que está a su lado indican que el niño necesita ser tranquilizado y un cuidado especial.

Los abuelos pueden ser de una gran ayuda en el momento del divorcio. Si es posible, anime al niño a que vea a los de ambas familias. No deje que los malos sentimientos actúen como una barrera. Piense primero en su hijo, que necesita continuidad, seguridad y una actitud tranquilizadora, algo que los abuelos pueden aportar mejor que nadie, siempre y cuando no hablen mal de ninguno de los dos progenitores. Los abuelos también pueden actuar como escala intermedia durante los períodos de visita y demostrarán al niño el amor incondicional que todo niño necesita cuando sus padres se divorcian o se separan.

Pregunte a sus hijos acerca de cuáles son sus preocupaciones y ansiedades y deles la oportunidad de expresarlos. Escúchelos y tómelos en serio. Y actúe en consecuencia.

VISITAS

Sean cuales fueren sus sentimientos con respecto a su cónyuge, es mucho mejor para el niño que se muestre con naturalidad y generosidad en cuanto al régimen de visitas.

No sea tacaña y no busque tampoco la confrontación, ya que eso no hará sino aumentar la angustia del niño. Entréguelo en algún lugar civilizado, como en una de las dos casas, y no en un parque o en unos grandes almacenes; si no lo hace así, el niño se sentirá como una mercancía.

Planifique con la mayor antelación posible, no incumpla las promesas en el último momento y si su cónyuge llegara tarde no le dé mayor importancia, ya que de otro modo el niño se sentiría preocupado por ambos. No lo convierta en una oportunidad para denigrar al padre o a la madre; sea lo más natural posible y procure calmar a su hijo: «Oh, supongo que habrá tenido problemas con el tráfico», o «¿Te parece que juguemos a algo mientras llega?».

Si el padre o la madre llegaran sistemáticamente tarde o no fueran razonables, acuerde una reunión aparte para discutir del tema sin que el niño pueda escucharles. La única situación en la que debe considerar el impedirle a su ex que visite a su hijo es en el caso de que se corra el riesgo de que el niño sea raptado o que se le cause cualquier otro daño. En tales casos es mejor buscar consejo profesional, ya sea a través de los servicios de asesoramiento o de un abogado.

PARTOS MÚLTIPLES

Tener gemelos es el más común de los partos múltiples. Los gemelos idénticos (monocigóticos o uniovulares) se forman por la división de un solo óvulo fecundado; los dos bebés se desarrollan a partir de un solo óvulo y un solo espermatozoide y comparten una misma placenta. Los que se desarrollan a partir de la fecundación de dos óvulos por dos espermatozoides y tienen una placenta cada uno se llaman mellizos, fraternales, dicigóticos o binovulares. Los partos múltiples pueden ocurrir con cualquier combinación de gemelos o mellizos.

EMBARAZO Y NACIMIENTO

Una señal común de embarazo de gemelos es un aumento rápido del peso inicial. Las pequeñas molestias del embarazo pueden ser más incómodas y hay unos pocos estados clínicos relativamente más comunes en los embarazos múltiples, como la anemia o la retención de líquido. Procure comer bien y descansar mucho.

Para la madre que espera gemelos el embarazo es naturalmente más agotador que para la madre que sólo espera uno, pero normalmente es más corto: 37 semanas en lugar de 40. El parto es tranquilizadoramente normal y, aunque se han dado casos en los que el nacimiento del segundo bebé se ha retrasado varios días, lo normal es que el lapso entre ambos bebés dure menos de media hora; es más probable que sean prematuros.

ALIMENTACIÓN

Hay algunas consideraciones especiales si intenta alimentar a gemelos y aunque siempre defendería el darles de mamar, quizá desee usted considerar las ventajas y desventajas del cuadro siguiente. Al tratar de establecer rutinas diarias hay varias formas de conseguir que sus gemelos se alimenten y duerman en momentos similares, aunque inicialmente uno podría despertarse temprano y querer alimentarse, mientras el otro quizá

PECHO

- *Dar el pecho es algo más complicado de establecer que el biberón y no es cosa fácil cuando está en público.*
- *Todas las ventajas usuales de dar el pecho, sobre todo protección contra las infecciones, es algo muy importante para los gemelos porque la prematuridad es más común en ellos que en los bebés únicos.*
- *Puede coger a los dos bebés y alimentarlos al mismo tiempo, dándoles igual atención y nutrición.*

BIBERÓN

- *Una ventaja es que el padre (o cualquier otra persona) puede alimentar a los gemelos si usted se encuentra cansada y en público.*
- *Ni usted ni sus bebés encontrarán su vuelta al trabajo como una transición difícil de hacer, ya que estarán acostumbrados al biberón.*
- *Es virtualmente imposible alimentar con biberón a los dos bebés a la vez, al menos no sosteniéndolos en brazos y manteniendo el contacto visual.*

CONSEGUIR AYUDA

A los padres nuevos les sorprende a menudo la cantidad de trabajo que supone cuidar de un recién nacido, algo mucho más cierto en el caso de aquellas que han tenido un parto múltiple.

- *Muchas madres de gemelos no se dan cuenta de la mucha ayuda que necesitarán, aunque las madres que ya han tenido un hijo suelen ser más realistas al respecto. No subestime la tarea de cuidar de gemelos, y no imagine ni por un instante que pedir ayuda refleja su inadecuación como padre o madre.*
- *Las personas que acudan a ayudar pueden crear trabajo extra, algo particularmente cierto cuando se trata de un amigo o pariente que se instala en su casa para «ayudar» y luego espera que sea usted la que le prepare la cena cada noche, así que piénselo muy cuidadosamente antes de aceptar una ayuda a largo plazo.*
- *Quizá descubra que son muchas las personas que desean ayudar con los bebés y que nadie quiere realizar el trabajo de la casa. Tenga en cuenta que los gemelos son sus hijos y que debe aprender a ser su madre por sí misma, así que no tema mostrarse firme acerca de la ayuda que necesita.*

sólo quiera seguir durmiendo. Puede alimentar al bebé que se despierta primero mientras espera al segundo, para luego invertirlos, o alimentarlos a ambos a la vez y pasar después el tiempo hablándoles o jugando con ellos.

¿DEBEN DORMIR JUNTOS?

Casi por casualidad se descubrió que los gemelos prematuros se sentían más felices y contentos y ganaban más peso si se los ponía en la misma incubadora que si se los separaba. No es difícil comprender por qué esto es así. Después de todo, los gemelos comparten un espacio muy limitado durante nueve meses y la soledad debe resultarles difícil de tolerar. Una vez que están en casa usted puede extender esta teoría a la habitación de los pequeños colocándolos en la misma cuna. Esto puede convenirle a los bebés dormilones, pero los que son inquietos tal vez se molesten. El siguiente paso podría ser probar con cunas contiguas. Otra medida adecuada sería tratarlos como a simples hermanos y ponerlos a dormir en la misma habitación pero no particularmente cerca. El llanto de un gemelo no parece alterar el sueño del otro.

CAMBIO DE PAÑALES

Vale la pena detenerse a planificar la rutina cotidiana porque usted y su pareja van a cambiar literalmente miles de pañales en los meses siguientes. En la mayoría de las familias es de gran ayuda que el padre se haga cargo de esta tarea, porque de otro modo la vida se convierte en un interminable cambio de pañales para la madre. Lavar y esterilizar montañas de pañales puede ser una labor ingrata, por lo que muchos padres optan por los pañales desechables a pesar de que incluso la talla para recién nacidos tal vez le vendrá grande a los gemelos, sobre todo si son prematuros. Pero puede ajustarles los pañales poniéndoles unas braguitas de plástico con lazos que se enganchan a la cintura del pañal. Seguramente pasarán algunas semanas antes de que sus gemelos necesiten una talla mayor. A menos que usted y su marido trabajen juntos, es aconsejable cambiar a los gemelos de uno en uno.

IMPORTANCIA DEL JUEGO

Debido a las demandas que plantean sobre su tiempo, es muy probable que los gemelos reciban bastante menos estimulación de los adultos a través del juego y del contacto físico que el bebé único, pero reciben mucho más estímulo y compañía el uno del otro. La interacción cariñosa con usted no es un lujo para ellos, sino algo esencial para su desarrollo físico, mental y social.

Puede destinar cada día un tiempo fijo para el juego, o disponer las horas de sueño de los bebés de modo que estén despiertos por las noches, cuando ambos padres puedan jugar con ellos. Cuando uno de los dos esté dormido, ofrezca al otro toda su atención.

EL ROL DEL PADRE

La mayoría de los padres desean participar en el cuidado de sus bebés y disfrutarán cuidando de uno o de los dos para darle a usted un respiro.

El padre desempeña un papel fundamental en una familia con bebés gemelos, y la pareja debería discutir en detalle las actividades en las que él colaborará o de las que será responsable cuando los bebés lleguen a casa. Algunas son obvias, pero otras no, como por ejemplo, ir al supermercado, ocuparse de las tareas domésticas, cocinar o hacer la colada. Ocuparse del cuidado de los pequeños por la noche es de vital importancia para darle un respiro a la madre que está abrumada de trabajo durante el día y agotada por la noche.

Una ayuda
Con la cantidad de trabajo que supone cuidar de gemelos, la ayuda de su cónyuge será indispensable.

VESTIR A GEMELOS

Muchos padres desean vestir igual a sus gemelos, sobre todo si son idénticos, y eso puede parecer muy atractivo.

No obstante, debe pensar usted desde el principio en los gemelos como individuos. Ser reconocido por uno mismo y ser llamado por su propio nombre es una forma muy poderosa de establecer su propio sentido de la individualidad. Si viste a los gemelos de modo diferente, les ayudará a asegurarse que son tratados como individuos. Los parientes, amigos y maestros se acostumbran a saber quién lleva qué.

A medida que los gemelos se hacen mayores, creo que es mucho mejor dejarles que decidan por sí mismos qué desean ponerse, y si los ha vestido siempre de modo diferente, es muy probable que sigan haciendo lo mismo.

SER UN GEMELO

Los gemelos tienen una comprensión íntima e intuitiva el uno del otro, y disfrutan con la compañía de un niño de la misma edad. Contar con el apoyo y la aprobación de otra persona puede ser muy tranquilizador a medida que crecen y pasan por nuevas experiencias.

DESARROLLO FÍSICO

Si los gemelos son prematuros, su crecimiento y desarrollo irá un tanto retrasado con respecto a los bebés nacidos a término. No cometa el error de esperar que hagan demasiado excesivamente pronto y, hagan lo que hagan, no los compare con otros bebés de la misma edad.

No hay forma de saber con qué lentitud se desarrollarán los bebés, pero si por ejemplo han nacido con cinco semanas de antelación, cabe esperar que enfoquen la mirada unas pocas semanas más tarde que si hubieran nacido a término. Quizá se sienten, caminen y hablen con algún retraso, hasta de tres meses, dependiendo de lo prematuros que nacieron, pero alcanzarán esos momentos fundamentales en el mismo orden que los demás bebés (véanse págs. 150-213). No se preocupe en cuanto a alcanzar a los otros niños. Un amplio estudio de gemelos realizado en Estados Unidos demostró que habían alcanzado la altura normal a los cuatro años y el peso a los ocho años. Hay otros factores que afectan al desarrollo de los niños. Si los gemelos son idénticos, probablemente crecerán del mismo modo en cuanto a peso y altura; si son mellizos, y sobre todo si son un niño y una niña, uno de ellos puede crecer y desarrollarse con mayor rapidez que el otro.

GEMELOS COMO INDIVIDUOS

Cuando los gemelos tienen hambre, a menudo resulta más fácil sentarlos uno junto al otro y alimentarlos juntos con la misma comida; pueden dormir en la misma cuna (véase pág. 245) cuando son pequeños, y quizá prefieran jugar al mismo tiempo y con los mismos juguetes. Cuando los gemelos son del mismo sexo, parecen iguales o tienen temperamentos similares, resulta más fácil tratarlos del mismo modo, pero creo que es mejor tratarlos como individuos desde el principio. No elija para ellos nombres que suenen igual, y trate de distinguir las diferentes necesidades y respuestas de los bebés. Puede ser particularmente difícil para la gente ajena a la familia el tratar a los gemelos como individuos por derecho propio, sobre todo si son idénticos, pero es muy importante que lo hagan. A los demás les resulta más fácil cuando los propios gemelos muestran sus personalidades diferentes y usted les anima a ello.

Individualidad
Anime el sentido de la identidad y la individualidad de cada gemelo vistiéndolos de modo diferente.

EL VÍNCULO ESPECIAL

Formar parte de una pareja de gemelos tiene ventajas y desventajas. Los gemelos suelen estar muy cerca el uno del otro, y son figuras centrales en la vida del otro. La relación entre ellos puede parecer mucho más fuerte e influyente que cualquier otra. Se basa en muchos sentimientos y experiencias en común, y en un conocimiento íntimo y profundo del otro. Su intimidad da a los gemelos una oportunidad insólita de ver cómo le parecen las cosas a otro, una oportunidad que los bebés solos tienen muy raramente. Estos estrechos lazos pueden dar a los gemelos una mayor seguridad y constituyen en muchos sentidos una fuente de fortaleza. Por otro lado, algunos gemelos se esfuerzan mucho por separarse y parecen rechazar activamente al otro, a pesar de tener habilidades y actitudes en común.

HABLAR CON LOS GEMELOS

Cuando los bebés solos empiezan a hablar, los adultos o los otros niños lo notan y los animan. Con los gemelos, cada niño recibe menos atención, por lo que suelen hablarse y escucharse el uno al otro, y hasta es posible que se inventen un lenguaje privado. Aunque el lenguaje de los gemelos puede empezar con retraso y desarrollarse lentamente, con el tiempo mejora su habilidad para mantener una conversación. Si desea imprimir velocidad a esa mejora, probablemente le será útil hablar por separado a los bebés. Es fácil olvidarse de hablar a los niños pequeños si se siente muy cansada, agobiada de trabajo y la paz y la tranquilidad le son preciosas. Sin embargo, es a través de la participación en el juego y de aprender a hablar con usted y su cónyuge como los niños aprenden el lenguaje y a usarlo.

SER SOCIABLE

Como los gemelos se tienen el uno al otro por compañía, parecen sentirse bastante felices sin mezclarse con otros niños. Por esa misma razón se sentirán contentos de quedarse juntos entre extraños o en un terreno de juegos. No obstante, cuanto más jueguen exclusivamente entre ellos, tanto más difícil les será hacer amigos y jugar con otros niños. Pueden ser demasiado seguros de sí mismos y rudos en un grupo nuevo, parecerán querer hacerse cargo del grupo y alterarán el equilibrio de las relaciones. Algunos quizá se mantengan apartados de grupos formados por otros niños. En ocasiones, estas dificultades surgen cuando los gemelos van a la escuela por primera vez y tienen que adaptarse a otros niños en la clase. Procure que los gemelos se sientan a gusto desde muy pronto con cualquier grupo social.

Como se tienen el uno al otro, los gemelos suelen tener menos miedo cuando se separan de usted por primera vez, lo que da a todos la impresión de que son niños seguros de sí mismos. Pero cuando un gemelo se queda sin el otro, puede parecer repentinamente nervioso y preocupado. Ello se debe a que los gemelos enmascaran a menudo la vulnerabilidad del otro. No obstante, necesitan tanto como los demás niños el apoyo y la presencia de usted en situaciones nuevas. Un grupo de juego local puede ayudarles a desarrollar identidades separadas y aprender las habilidades de hacer y mantener amigos. Lo ideal sería que los gemelos asistieran a grupos de juego diferentes o al mismo pero en días distintos. Puede pedir al personal docente que los anime a jugar por separado.

HERMANOS

Los niños mayores pueden sentirse doblemente desplazados por la llegada de gemelos. Las necesidades de los gemelos, especialmente si son exigentes, pueden agotar al resto de la familia y dejarle a usted muy poco tiempo y energía.

Si ha tenido que ingresar varias veces en el hospital durante sus cuidados antenatales, es posible que tarde bastante tiempo en volver a ver a sus hijos y en recuperar su confianza y seguridad. Quizá ellos se sientan alterados y enojados por el hecho de haberse visto abandonados por usted y porque después regresó a casa con dos bebés.

Los hermanos mayores pueden hacerse más maduros cuando llegan los gemelos. Otros pueden experimentar la necesidad de regresar a la época en que eran bebés, y quizá un niño que se mantenía seco durante toda la noche necesite pañales una vez más. Los niños se alteran. Se sienten destronados y no comprenden por qué ahora dispone usted de menos tiempo para ellos. Desde los dos años echan en falta su plena atención y se molestan ante su preocupación por los dos recién llegados.

Haga lo que tenga que hacer para asegurarse de que cada uno de los niños dispone al menos de media hora diaria de su atención exclusiva, sin ninguna distracción. Sentirá un miembro valioso de la familia. Es una buena idea que usted y su cónyuge saquen a pasear a sus hijos, de modo que puedan estar con ustedes exclusivamente y se sientan seguros de su amor a pesar de la presencia de los dos intrusos.

CAPÍTULO 5

Niños con NECESIDADES ESPECIALES

Hay muchas razones por las que un niño puede necesitar más cuidado y atención que otros. Puede sufrir una enfermedad crónica, como el asma; un trastorno del aprendizaje, como la dislexia; un trastorno del desarrollo, como el autismo, o ser simplemente muy avanzado para sus años. Sea como fuere, necesitará apoyo y consideración suplementarias para sacar el máximo provecho de su potencial: puede tener la forma de un tratamiento especial, cuidados en el hogar o educación especial. Lo mismo puede decirse de un niño muy brillante capaz de superar a hermanos y hermanas e incluso a los padres. Ello puede plantear una tensión singular en su familia, así que procure conseguir ayuda especializada para que el niño disponga de la oportunidad de realizar su potencial.

Es muy importante la identificación precoz de las necesidades especiales. Una enfermedad grave como una parálisis cerebral será aparente poco después del nacimiento, pero otras, como la dislexia, pueden pasar desapercibidas durante años. No tema nunca actuar dejándose guiar por sus sospechas; busque consejo profesional si está preocupada. A pesar de todo, el diagnóstico de una enfermedad crónica o un trastorno del aprendizaje produce una conmoción. Procure buscar toda la ayuda o el consejo de que se pueda disponer; sigue siendo usted la principal persona responsable del cuidado de su hijo, al margen de cuáles sean sus necesidades, y cuanto más informada esté, tanto más podrá hacer por él.

EL NIÑO ESPECIAL

Aunque todos los niños se desarrollan a ritmos diferentes y es muy amplia la gama de lo que médicos y psicólogos consideran como «normal», hay un pequeño número de niños que caen en cualquiera de los dos extremos del espectro del desarrollo. En un extremo están los niños insólitamente avanzados para su edad en términos de habilidades motoras e intelectuales; en el otro extremo están los niños que no han adquirido las habilidades básicas como el lenguaje y los que aprenden muy lentamente. En medio están también los niños con trastornos específicos del desarrollo o el aprendizaje, como el autismo y la dislexia.

Quizá sorprenda saber que los niños muy avanzados tienen necesidades similares a aquellos que sufren un trastorno del aprendizaje: mucha estimulación, atención y amor. Cabría decir que todos los niños necesitan esas cosas, y es cierto, pero los niños con necesidades especiales sufrirían más sin ellas. Si esos niños no reciben la estimulación correcta, es posible que no sean «como la media» y podrían desarrollar graves problemas de comportamiento.

RECONOCER LOS SIGNOS

Si el niño tiene necesidades especiales, es muy importante el diagnóstico precoz para que se le pueda ayudar. Algunos trastornos del aprendizaje son difíciles de detectar, especialmente si se caracterizan por un comportamiento que pueda considerarse como positivo, como la tranquilidad, poco llanto o sueño excesivo. Los padres de los niños autistas, por ejemplo, los describen a menudo como niños de buen comportamiento, antes de que aparezcan otras señales de su enfermedad. Un niño dotado, por su parte, puede ser perturbador y no ir bien en la escuela, lo que dificulta a los maestros el reconocer su potencial.

Las listas que se dan a continuación muestran algunas de las señales que pueden indicar que el niño tiene necesidades especiales. Tenga en cuenta, sin embargo, que los niños varían mucho en cuanto a su ritmo de desarrollo y en la personalidad, de modo que lo que considera como lenguaje retrasado en su hijo, por ejemplo, bien podría ser una variación normal del desarrollo. Si está preocupada, debe consultar con el médico.

El niño de desarrollo retrasado

- No habla a la edad de dos años y medio.
- No logra interactuar con otras personas, para participar apropiadamente en la conversación, por ejemplo.
- Sigue rutinas o hábitos repetitivos más allá de la edad normal, como hacer la misma pregunta una y otra vez sin captar la respuesta.
- Tiene problemas para leer y escribir, es incapaz de distinguir la izquierda de la derecha y muestra una coordinación deficiente.
- Excesiva actividad y corta capacidad de concentración.

Niño dotado

- Habilidades de lenguaje muy precoces y fluidas.
- Comportamiento muy independiente, o preferencia por la compañía de los adultos.
- Tendencia a aburrirse con las tareas repetitivas.
- Desarrollo precoz acompañado por mal comportamiento como rabietas.
- Capacidad de concentración insólita.

Si su hijo tiene necesidades especiales, no crea que es incapaz de aprender o, si es dotado, que puede esperar hasta que los otros niños se pongan «a su altura». Requiere métodos de enseñanza adaptados a sus necesidades, tanto si es dotado como si es lento en aprender.

Cuadro de coeficiente intelectual
Los pocos niños muy dotados aparecen en el extremo derecho de la curva. En el izquierdo se encuentra en pequeño número de niños con discapacidades mentales. La mayoría de niños se encuentran entre ambos extremos.

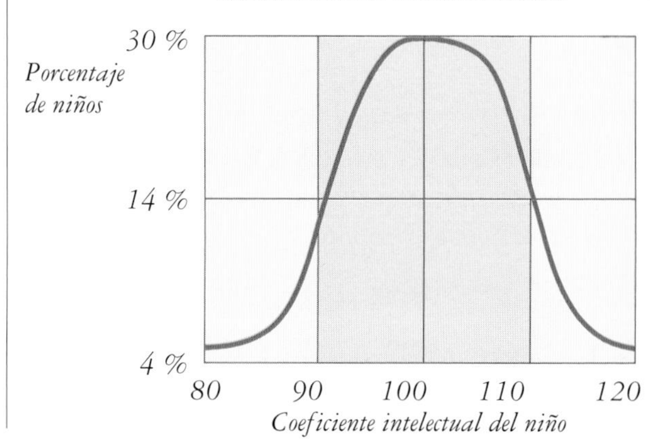

Niño dotado

Un niño dotado es aquel con habilidades motoras y cognitivas avanzadas (comprensión) para su edad. Es capaz de andar, hablar y razonar antes que la media. Alcanzará resultados superiores en la mayoría de las cosas y puede tener un CI superior a 150.

Tener un niño dotado es raro. Aunque muchos pueden ser avanzados para su edad en una habilidad particular, sólo el 2 % de la población está realmente dotado. No obstante, si ese fuera el caso de su hijo, es muy probable que usted sea el primero en darse cuenta.

Diagnóstico

Diagnosticar un niño dotado es cada vez más fácil a medida que se hace mayor, pero uno de los primeros signos es la adquisición precoz del lenguaje, sobre todo cuando habla con fluidez antes de los dos años. La lectura precoz puede ser otro signo, y son muchos los niños capaces de aprender a leer a los tres o cuatro años, y el 6 % aprenden a leer antes de los dos años. Otras posibles cualidades del niño dotado son:

- Buena capacidad de razonamiento.
- Buena memoria para lugares y nombres.
- Fuerte impulso creativo e imaginativo.
- Agudos poderes de observación.
- Ser curioso y hacer siempre preguntas.
- Estar en casa más con los adultos que con los niños.
- Capacidad para captar ideas abstractas.
- Independencia.
- Capacidad para solucionar problemas o rompecabezas.
- Tener un vocabulario amplio.
- Asimilar hechos muy rápidamente.
- Largo período de concentración.
- Capacidad para describir acontecimientos, personas y situaciones con exactitud y viveza.
- Avidez por pasar el tiempo estudiando o aprendiendo.
- Un talento específico, como la capacidad artística.
- Un CI elevado.

Necesidades especiales

Aunque se puede percibir el ser dotado como un valor, antes que como un problema, es posible que el niño dotado no siempre sea atendido adecuadamente en la escuela, y tendrá necesidades emocionales específicas diferentes a las del niño medio.

Al niño dotado le será difícil relacionarse con sus compañeros. Puede mostrarse impaciente con otros niños que son lentos, lo que llega a hacerle impopular. Aunque puede mostrarse condescendiente hacia otros niños, es posible que quiera formar parte del grupo y eso le conduzca a la frustración y el aislamiento. Por otra parte, el niño puede intentar ocultar su talento para no parecer diferente y ser aceptado así por los demás niños.

Interactuar con los adultos también constituye un problema. Los maestros pueden tratar a los niños dotados como arrogantes, precoces o quisquillosos. Es muy posible que conozcan siempre las respuestas a las preguntas y que sean capaces de indicar las inconsistencias y cuestionar las razones para hacer algo. No tiene la intención de llamar la atención o de causar problemas y las respuestas negativas que recibe de los adultos pueden hacerle reservado y antisocial.

El niño dotado al que se le niega la oportunidad de explotar su potencial puede mostrar una confusa mezcla de progreso intelectual e inmadurez, mostrarse malhumorado y tener rabietas, sentirse aburrido con los temas escolares básicos y, si es inquieto y no presta atención, los maestros, en lugar de reconocer su talento, pueden creer que tiene un bajo nivel de capacidad. Entonces, quizá tenga que intervenir usted y discutir con el maestro la clase de enseñanza especializada o acelerada que necesita el niño y asegurarse de que la recibe.

¿Se puede cultivar el ser dotado?

La inteligencia es algo innato y supera todas las culturas e historiales; el ingenio es en parte innato y en parte ambiental.

Aunque puede ofrecer usted un ambiente que promueva el desarrollo intelectual, no es probable que pueda «crear» a un niño dotado. Las pruebas sugieren que algunos niños dotados proceden de familias acomodadas, con padres educados que dedican tiempo a estimular y animar a sus hijos; ese estímulo extra puede convertir a un niño muy brillante en uno dotado. Presionar abiertamente, sin embargo, no contribuirá a cultivar el talento de su hijo. Puede ayudarlo a realizar su potencial, pero no cambiar ese potencial.

CÓMO AYUDAR

Es importante saber que el niño es dotado, puesto que eso ayuda a explicar su comportamiento, sobre todo el que aparece como desviado: introversión social, agresividad, rabietas, cambios de humor, etc. También es importante en la medida en que eso le permite empezar a atender a las necesidades específicas del niño. Si tiene un hijo dotado, no adopte la actitud de que puede esperar hasta que los otros alcancen su nivel. Los niños dotados necesitan mucha estimulación intelectual y se verán privados si no la reciben.

Si el niño tiene edad escolar, debería actuar usted para ayudar a su maestra. Si una maestra no comprende que el niño es dotado, es posible que lo perciba como una amenaza o un problema. Una maestra sensible, sin embargo, ayudará a su hijo a integrarse con los otros e impedirá que se sienta aislado. Algunas escuelas toman medidas para ayudar a los niños dotados y en algunos ámbitos existen programas de enriquecimiento que complementan el aprendizaje del niño. Para más información puede ponerse en contacto con alguna asociación –existe en muchos países– especializada.

Como padre, es importante que trate a su hijo con comprensión. Aunque quizá esté muy avanzado en algunos aspectos, seguirá siendo emocionalmente inmaduro, así que evite tratarlo como a un «adulto pequeño». Puede ofrecerle mucho estímulo intelectual de la siguiente forma:

- Ofrecerle juguetes que promuevan el aprendizaje interactivo. Limitar el uso de la televisión, ya que es una forma pasiva de aprender.
- Dar al niño libertad para jugar e intentar no intervenir demasiado, a menos que él pida ayuda.
- Estimular cualquier talento específico, como la pintura.
- Si tiene usted algún talento específico propio, compartirlo con su hijo y tratar de comunicarle su entusiasmo por él.
- Enviar al niño a escuelas de verano y presentarle a otros niños dotados.
- Animarlo a plantear preguntas y, si no sabe usted la respuesta a una pregunta, ayudarle a encontrar la información en un libro.
- Leerle cuentos que enriquezcan su imaginación.
- Hacerlo participar en las tareas cotidianas que usted realice.

DEFICIENCIA EN EL LOGRO

Mientras que los niños dotados adquieren habilidades muy pronto, los niños con deficiencias o retrasados en su desarrollo adquieren las habilidades a un ritmo insólitamente lento. Algunas de las primeras indicaciones de que el bebé está «retrasado» son docilidad, tranquilidad y dormir durante largos períodos. El bebé no hará mucho ruido, no interactuará con su ambiente de la misma forma que el niño medio, y se retrasará en sonreír, responder a los sonidos y aprender a masticar.

Al tratar de hacerle participar en actividades, tendrá un período de atención breve y pasará períodos de tiempo muy cortos haciendo muchas cosas diferentes, en lugar de dedicar toda su energía a una sola tarea o juego. Al hacerse mayor, puede mostrar una tendencia a ser demasiado activo y es posible que tenga un coeficiente intelectual inferior a la media.

DIAGNÓSTICO

Un niño cuyo desarrollo se ha retrasado alcanzará más tarde los aspectos fundamentales de su desarrollo (véase abajo). Sin embargo, es importante eliminar la posibilidad de que el niño tenga un problema fisiológico como una sordera o ceguera parcial. También debe usted descubrir si el niño padece un grave trastorno del desarrollo, como el autismo (véase pág. 258), o si sencillamente se desarrolla a un ritmo más lento que la media. Pídale al médico que lo envíe a un psicólogo para efectuar una valoración. Es posible que el niño necesite ayuda terapéutica.

INDICADORES

Hay diferentes claves o señales de que el bebé o el niño pueden ser retrasados en cuanto al desarrollo o los logros medios. Aunque los niños se desarrollan a ritmos diferentes, existen indicadores del comportamiento; si el niño no ha alcanzado las siguientes fases es posible que padezca un trastorno de aprendizaje o del desarrollo.

Mirarse la mano. El bebé cobra conciencia de sus manos hacia las ocho semanas, poco después de empezar a jugar con sus pies. Entre las 12 y de 16 semanas se mirará fijamente las manos y moverá los dedos; descubre así que puede controlar los movimientos de las manos. En los niños con retraso del desarrollo, en cambio, el mirarse la mano puede prolongarse hasta 20 semanas.

Reflejo de prehensión. Si pone el dedo (o cualquier objeto) en la palma del bebé, éste cerrará los dedos alrededor para sujetarlo con firmeza. Ese reflejo suele durar unas seis semanas después del nacimiento, pero persistirá más tiempo si el niño sufre un retraso en el desarrollo.

Llevarse cosas a la boca. Hacia los seis meses, el bebé se llevará todo lo que pueda a la boca. Ese comportamiento durará un año en un niño normal y más en uno con desarrollo retrasado.

Arrojar objetos. Los niños de hasta 16 meses arrojarán objetos fuera de la cuna, mientras que los niños con un desarrollo retrasado seguirán haciéndolo durante más tiempo.

Babear. El babeo debe desaparecer hacia el año de edad. En los niños con desarrollo retrasado, en cambio, puede durar hasta los 18 meses.

Cómo ayudar

El desarrollo intelectual viene determinado tanto por la naturaleza (cualidades heredadas) como por la nutrición (cosas como el ambiente físico y social y la dieta). El CI de su hijo está decidido antes de nacer, pero puede florecer mediante los estímulos a los que se vea expuesto el niño después de nacer. Si no se anima al niño a interactuar con otras personas desde muy pequeño y a percibir el mundo que le rodea con sus sentidos, es probable que no logre realizar todo su potencial, aun cuando ese potencial sea limitado.

Si sospecha que el niño se está quedando retrasado, pase mucho tiempo leyéndole en alta voz y hablándole, juegue con él, sáquelo a pasear, muéstrele cosas y personas nuevas y anímelo a desarrollar un juego imaginativo con sus juguetes. Dele juguetes educativos y muchos libros de colores y con imágenes para mirar.

Las técnicas de modificación del comportamiento pueden ser útiles. Eso significa, en términos sencillos, recompensar las respuestas del niño con elogios y afecto, y ser paciente con sus esfuerzos, por lentos que sean. Si lo castiga por ser lento, puede desanimarse y perder el incentivo para aprender.

Dislexia

Es un trastorno del aprendizaje que afecta a la lectura, la pronunciación y la escritura. Estas dificultades pueden verse acompañadaspor problemas con los números, la memoria a corto plazo y la torpeza. Aunque la dislexia afecta particularmente al dominio de los símbolos escritos por parte del niño, letras, números y notación musical, también puede suponer dificultades con el lenguaje hablado. La dislexia es un trastorno neurológico específico y no el resultado de una audición o visión deficientes, o de una baja inteligencia. Uno de cada 20 niños es disléxico (tres veces más niños que niñas), y si usted o su cónyuge lo es, el niño cuenta con 17 probabilidades más de sufrir el trastorno.

Diagnóstico

Muchos niños brillantes son disléxicos y el estado es diagnosticado a menudo porque los padres se dan cuenta de la diferencia existente entre la evidente inteligencia de su hijo y su nivel de logro en ámbitos específicos. Los principales síntomas de la dislexia son dificultad para leer y escribir. El niño puede tener problemas para percibir las letras en el orden correcto, o quizá confunda letras de formas similares, como la b y la d, la p y la q. Lo siguiente puede ayudarle a reconocer la dislexia en su hijo:

- Pronunciación deficiente.
- Coordinación deficiente.
- Dificultad para recordar listas de palabras, números o letras, como el alfabeto o las tablas de multiplicar.
- Dificultad para recordar el orden de las cosas cotidianas, como los días de la semana.
- Problemas para diferenciar la izquierda de la derecha.
- Saltos de letras, como «trepóleo» por «petróleo».
- Dificultad para aprender rimas infantiles.

Aunque todavía no se ha difundido mucho, existe una nueva prueba para niños en edad preescolar. Supone la repetición de palabras sin sentido, conjuntar una serie de imágenes, identificar palabras que rimen y comprobar el equilibrio y la reacción. Considerar a un niño como disléxico si no lo es resulta tan nocivo como no darse cuenta. Sólo un experto puede establecer un diagnóstico correcto.

Efectos de la dislexia

Los problemas indicados anteriormente pueden darse en niños que no tienen dislexia. La diferencia es que los niños disléxicos sufrirán síntomas más graves y no los superarán.

Investigaciones recientes sugieren que además de tener problemas con el lenguaje, los niños disléxicos también tienen problemas para distinguir sonidos diferentes, así como con la memoria y el equilibrio. Les será, por ejemplo, mucho más difícil equilibrarse sobre una sola pierna que a los niños no disléxicos.

Los puntos fuertes del niño disléxico serán probablemente la sensibilidad, la intuición y la impulsividad. Las habilidades asociadas con la parte izquierda del cerebro, como relacionarse con los símbolos escritos, responder a las instrucciones y poner las cosas en orden, son las debilidades del niño disléxico, alguno de los cuales puede ser muy creativo y tener aptitud para dibujar y pintar.

Necesidades especiales

Uno de los principales problemas a los que se enfrenta el niño disléxico es el diagnóstico incorrecto. Entre los niños que intentan aprender a leer y escribir, es común que algunos no lo consigan con la misma rapidez que otros y se les considere como «lentos» e incluso discapacitados. Eso desmoraliza al niño y afecta al conjunto de su rendimiento escolar. Los padres y maestros confunden a menudo la dislexia con un bajo CI, aunque la mayoría de los niños disléxicos tienen un CI medio o superior a la media.

Si la dislexia se detecta pronto, la educación de recuperación es muy efectiva. Un niño diagnosticado a los cuatro o cinco años, cuando va a la escuela, sólo necesitará probablemente media hora de clase extra al día durante un período de seis meses para alcanzar un nivel normal de lectura y escritura. Si la dislexia no se diagnostica hasta los siete u ocho años, tendrá mucho que recuperar.

Cómo ayudar

Puede usted hacer tres cosas para ayudar al niño disléxico en casa. Primero, algo que suele pasarse por alto: reconozca que el niño tiene realmente un problema. Si le dicen que el niño se pondrá a la altura y terminará por leer, no haga caso; la dislexia es un trastorno específico del aprendizaje y sólo responderá con el tratamiento terapéutico apropiado. Segundo, sea positiva y apoye al niño, sobre todo si tiene problemas en la escuela. Tercero, juegue con él a numerosos juegos de aprendizaje.

Apoyo emocional. Si el niño va a la escuela y se retrasa con respecto a otros niños, su seguridad en sí mismo puede ser baja, y es muy importante que le haga sentir que alcanza éxito en casa. No demuestre ninguna impaciencia. Anímelo a hacer las cosas en las que es bueno y ayúdelo a hacer las cosas por sí mismo.

Ofrézcale medios de autoayuda, como ruedas de apoyo en la bicicleta, y si una tarea le resulta particularmente difícil, explíquesela con lentitud. Las asociaciones especializadas, que existen en muchos países, ofrecen consejos sobre estrategias para afrontarlo y educación de recuperación para niños con dislexia.

Juegos de aprendizaje en el hogar. Puede ser muy útil jugar con letras, palabras y sonidos. Las siguientes son formas de divertirse y aumentar el aprendizaje de su hijo:

- Repetir juntos y en voz alta versos infantiles, o preparar poemas que rimen. Eso familiarizará al niño con el concepto de las palabras que riman.
- Enseñe al niño versos o canciones que supongan secuencias de cosas, como los días de la semana.
- Desarrolle juegos que ayuden al niño a seguir instrucciones.
- Juegue a la «Caza del dedal», que animará al niño a hacer preguntas que supongan relaciones como debajo, sobre o dentro.
- Introduzca el concepto de izquierda y derecha.
- Pídale al niño que ponga la mesa en las comidas.
- Desarrolle juegos de palmas. De una palmada para cada sílaba de una palabra y haga que el niño la repita. Cree un ritmo de palmas para su nombre.
- Muéstrele grupos de palabras y pídale que indique la que no se corresponda con el grupo.
- Pídale al niño que diga tantas palabras como se le ocurran que empiecen por una letra en concreto.
- Juegue al «Espía». Si el niño tiene dificultades para los nombres de las letras, pronuncie en su lugar el sonido de la letra.
- Anime al niño a trazar palabras y letras o a hacer letras con plastilina.

(ADD)

TRASTORNO DE ATENCIÓN DEFICITARIA

Es uno de los trastornos infantiles más comunes tratados por los psicólogos. Los niños con ADD pueden ser hiperactivos. Aunque no se advierte que sean particularmente «hiperactivos» desde el nacimiento, suelen haber sido bebés con propensión a sufrir de cólicos y muy absorbentes. Se comportan impulsivamente, se distraen con facilidad y no prestan atención. Se sienten frustrados con facilidad y son susceptibles de sufrir cambios de humor. Los niños lo padecen cuatro veces más que las niñas; está causado tanto por factores genéticos como ambientales.

¿QUÉ CAUSA EL ADD?

La teoría actual sobre el ADD es que se trata de un trastorno de la percepción y la comprensión. En el pasado se creyó que problemas como el ADD y la hiperactividad tenían un origen dietético. Se creía que las dietas con muchos aditivos químicos y en las que faltaran vitaminas y minerales esenciales causaban comportamiento aberrante en algunos niños, aunque se ha demostrado que eso no es así. Algunos programas de tratamiento para el ADD y la hiperactividad aspiran a eliminar los aditivos químicos de la dieta del niño, sin lograr nada, y ya no se defiende la aplicación de este método.

Algunos niños hiperactivos se han beneficiado de la osteopatía craneal, una técnica muy suave pero efectiva. En el momento del nacimiento pueden producirse restricciones craneales como consecuencia de un parto difícil, la aplicación de fórceps o la intervención de ventosas. Si un niño hiperactivo tuvo un parto difícil es posible que liberar cualquier restricción craneal ayude a calmarlo.

EFECTOS DEL ADD

El niño con ADD puede ser impredecible y perturbador. Incluso antes de ir a la escuela puede tener relaciones problemáticas con los adultos y haber adquirido fama de rebelde. Eso tiene un efecto negativo sobre su autoestima, de modo que cuando va a la escuela empieza sobre una base de desigualdad con respecto a los otros niños. Su rendimiento puede ser variable: un día se muestra sumiso y al día siguiente es incapaz de permanecer sentado durante más de cinco minutos y se agita nerviosamente sin cesar. Es posible que le cueste conseguir cosas en la escuela, tenga fama de una concentración deficiente y se le considere con un CI bajo, aunque no lo tenga. Hay ciertos síntomas físicos iniciales asociados con el ADD y la hiperactividad. En los bebés se incluyen cólico (es posible que sea difícil alimentar al niño, ya sea a pecho o a biberón), babeo excesivo y sed. En los niños aparecen falta de apetito y problemas de sueño.

Los niños con ADD parecen sufrir más que las niñas con el mismo problema, ya que estas parecen adaptarse mejor socialmente y están más orientadas hacia el rendimiento. Los niños pueden ser criticados por su hiperactividad, lo que no hará sino empeorar el problema.

NECESIDADES ESPECIALES

Si el niño tiene problemas en la escuela, si es irresponsable, descuidado, desorganizado y le faltan concentración y motivación, necesita eliminar usted las posibles causas. Considere la posibilidad de que sea disléxico (véase pág. 253) o dotado (véase pág. 251). Si su comportamiento se ha iniciado recientemente, vea si ha experimentado algún acontecimiento traumático. ¿Tiene otros problemas de conducta, como mentir (véase pág. 218) o resistencia a ir a la escuela (véase pág. 227)?

Quizá tenga que enviarlo a un psicólogo educativo que podrá diagnosticar el ADD y decidir la acción apropiada a tomar para satisfacer las necesidades individuales del niño. Hable de los problemas de su hijo con la maestra.

CÓMO AYUDAR

Para un niño con ADD es importante tener una vida hogareña ordenada y estructurada, y una rutina bien disciplinada. Si el niño sabe que tiene que hacer ciertas cosas en determinados momentos del día, es menos probable que se sienta inquieto. También debe recordar que si el niño tiene problemas de autocontrol, probablemente tiene un bajo nivel de autoestima porque se encuentra continuamente con la desaprobación de los adultos. Elógielo siempre por su buen comportamiento y aprenderá que ciertos tipos de conducta le ganan su aprobación y otros no.

Educar a un niño con ADD puede ser desmoralizante, puesto que el niño quizá tenga fama de problemático. Muchos padres se sienten aislados porque el niño es rechazado por los grupos de juego y los jardines de infancia, e incluso desterrados de las casas de amigos y parientes. No se acuse a sí mismo por la actitud de su hijo. Encontrará ayuda y consejo en organizaciones especializadas, que existen en muchos lugares.

TARTAMUDEO

Cuando el niño aprende a hablar, es normal que tartamudee, repita palabras y vacile. Sólo se dice que existe tartamudeo cuando las vacilaciones dominan el lenguaje del niño y le causan una angustia considerable. Mientras que la vacilación normal es la repetición relajada de una palabra al principio o al final de una frase, el niño con tartamudeo se queda encallado en la pronunciación de una palabra y repite una y otra vez una de sus sílabas.

¿ES GRAVE?

Cuando los niños aprenden el lenguaje no siempre son capaces de expresar sus pensamientos en palabras con toda la rapidez que desearían. El niño vive mucho en el presente y querrá transmitir inmediatamente la intensidad de sus sentimientos; cuando su vocabulario todavía no es lo bastante amplio o su habilidad lingüística no está lo bastante avanzada, puede tropezar en su precipitación por pronunciar las palabras.

La mayoría de los niños tartamudean en algún momento. Es posible que tartamudee unos días y otros no, o que lo haga cuando está cansado, nervioso o en una situación o ambiente concretos. Eso, sin embargo, no importa, a menos que tartamudee en muchas situaciones y se altere mucho por ello.

El tartamudeo ocasional es una parte natural de la adquisición del lenguaje, que desaparecerá y no debe convertirse nunca ni ser tratado como un problema, ya que el niño podría sentirse angustiado por ello y convertirse en un verdadero tartaja.

CÓMO AYUDAR

Puede usted influir sobre el lenguaje del niño por la forma de hablarle. Si le habla con rapidez y parece estar distraído, el niño puede tener la sensación de que debe darse prisa y de que usted no está interesado por lo que dice. Intente hablar siempre con lentitud y parecer atento e interesado. Mire a su hijo, y si es posible háblele al mismo nivel físico. Use palabras sencillas y hable de cosas muy inmediatas que puedan verse. Evite hacerle demasiadas preguntas; en lugar de eso, describa sus propios sentimientos o experiencias, lo que animará al niño a contribuir. Pero, sobre todo, no reaccione nunca negativamente ante el tartamudeo del niño, ya que él se dará cuenta y empeorará. Cuando el niño se esfuerce por pronunciar una frases intente no completarla en su lugar ni aportarle una palabra.

Si al niño le angustia mucho el tartamudeo, hable con él al respecto. Si él sabe que usted lo comprende, eso le aliviará bastante la sensación de sufrir a solas. Si no habla de su tartamudeo, el niño puede tener la sensación de que es algo de lo que debe avergonzarse.

Si el niño es muy pequeño y tiene problemas con el lenguaje, regrese a juegos o actividades que supongan mirar o escuchar, en lugar de hablar. Si acude a la escuela, procure hablar con la maestra sobre las siguientes estrategias:

- El niño puede necesitar de ayuda extra con la lectura. Si le preocupan las palabras particulares, eso puede hacerle tartamudear. Leer en voz alta al unísono con otro niño puede reducir el tartamudeo.
- Los niños suelen ser más fluidos cuando hablan sobre algo personal o de un tema sobre el que saben mucho. Eso debe estimularlo siempre que le sea posible.
- Si una maestra observa lo que estimula la fluidez y lo que aumenta el tartamudeo, puede conseguir que el niño se sienta azorado. Cuando necesite recibir información del niño puede ayudar el plantear preguntas que necesiten un «sí» o un «no», sobre todo si el niño se siente angustiado.
- Algunos métodos de lenguaje promueven la fluidez y deben ser estimulados. Entre ellos se incluyen el decir palabras que tengan una rima o un ritmo, decir palabras que puedan acompañarse con la acción que describen, recitar listas, o contar, actuar o cantar.
- Quizá sea una buena idea que la maestra aborde el tema del tartamudeo con el niño, de una manera natural, puesto que el niño tendrá la sensación de que ha sido observado por un adulto comprensivo y no tiene nada que ocultar.

¿Qué causa el tartamudeo?

Para que el niño hable con fluidez, necesita ser apoyado y estimulado para aumentar su seguridad en sí mismo. Una combinación de los tres estados siguientes puede hacer que se desarrolle un tartamudeo:

- Exigencias de los padres que sobrestiman la capacidad del niño, como hacerles muchas preguntas, insistir en que hablen con claridad, esperar respuestas rápidas y un comportamiento de niño mayor.
- Que el niño desee causar buena impresión antes de que su vocabulario sea lo bastante amplio.
- Situaciones de tensión en las que el niño esté cansado, ansioso o asustado, o en las que la gente hable con rapidez o se produzcan muchas interrupciones.

El tartamudeo no es heredado. Un niño que tartamudea cree que hablar de modo vacilante es de alguna forma erróneo o malo. Se siente entonces muy cohibido, se concentra en la forma de hablar y eso empeora el tartamudeo. Puede llegar a evitar situaciones que supongan tener que hablar, sobre todo con gente nueva, y si el niño tiene edad escolar quizá finja no saber las respuestas a las preguntas para evitar tener que hablar delante de sus compañeros.

Necesidades especiales

Si el niño tiene un tartamudeo grave, quizá necesite la ayuda de una logopeda, que puede visitarle en la escuela o llegar a un acuerdo con padres y maestros. En muchos lugares existen asociaciones de tartamudos; tener contacto con ellas puede resultar muy beneficioso.

Retraso en el habla

A la edad de once meses el niño ya podrá decir las primeras palabras sencillas, como «mamá», «papá», «caca» y «pato», y a los dos años ya podrá formar oraciones simples, como «papá en jardín». El habla se hará progresivamente más compleja durante el tercer y cuarto años. Como sucede con todos los aspectos del desarrollo, la edad a la que se consigue eso varía mucho, pero si el niño está muy retrasado con respecto a otros de su misma edad, es posible que algo ande mal.

Son muchas las causas que pueden producir un retraso en el habla, la más importante de las cuales es la sordera; haga comprobar inmediatamente la capacidad auditiva del niño si sospecha que es sordo. El oído pegado crónico (véase pág. 285) puede producir problemas de audición. Quizá el niño se retrase en hablar porque no ha recibido la estimulación correcta, lo que puede suceder con niños que han estado en instituciones o con aquellos cuyos padres no les hablan lo suficiente. Los niños tienen más inclinación al retraso en el habla que las niñas, y los gemelos pueden hablar más tarde que la media (véase pág. 247).

Muy ocasionalmente, el retraso en el habla se debe a un defecto fisiológico o un trastorno de los músculos del habla, la laringe o la boca. También hay trastornos que afectan a la parte del cerebro que controla el habla.

Los niños varían en cuanto a la edad a la que empiezan a hablar, pero si no habla a los dos años y medio, debería consultar con el médico. Si el niño es sordo quizá necesite un audífono, y si padece de un grave defecto del habla quizá necesite la ayuda de una logopeda.

Las panderetas o las maracas se pueden utilizar para marcar un ritmo

Mejorar la fluidez
Cantar, o cualquier clase de habla rítmica, puede reducir el tartamudeo, de modo que dar ritmo a los versos y canciones ayuda al niño a sentirse más seguro de sí mismo.

AUTISMO

Se trata de un estado en el que el niño tiene dificultades para relacionarse con las personas y situaciones, y en el que puede demostrar una resistencia obsesiva a cualquier cambio en la rutina cotidiana. Se trata de un trastorno complejo, de gravedad variable, que suele aparecer durante los tres primeros años de vida y que en ocasiones viene asociado a otros trastornos, como pueden ser trastornos del aprendizaje como la dislexia o trastornos físicos como la epilepsia. Sólo recientemente se ha empezado a saber algo sobre el autismo, aunque existía la tendencia a echarle la culpa a la privación emocional o a algún otro aspecto negativo del historial o la crianza del niño. Ahora sabemos que el autismo tiene un origen fisiológico, en la medida en que es el resultado de una anormalidad en el cerebro, que puede tener una causa genética. El autismo es cuatro veces más común en los niños que en las niñas.

DIAGNÓSTICO

Como el autismo es un trastorno del desarrollo, quizá tarde un tiempo en darse cuenta de que su hijo es diferente a los demás. Quizá observe que el bebé es poco comunicativo durante el primer año de su vida, pero no le dé ninguna importancia hasta más tarde, cuando se pongan de manifiesto otras señales. La mayoría de los padres saben que su hijo es autista o que «algo anda mal» cuando el niño ronda los tres años.

EFECTOS DEL AUTISMO

Las habilidades de los niños autistas varían mucho, pero todos ellos comparten tres rasgos principales: problemas con la interacción social y la comunicación, e imaginación deteriorada. Muchos niños autistas muestran un comportamiento repetitivo y algunos tienen una memoria muy sofisticada.

Interacción social. Si el autismo es grave, el niño será diferente a las demás personas. Eso ya se manifiesta en los bebés mediante un llanto que no se aplaca sosteniéndolo en brazos o acunándolo, una gran quietud, contacto visual deficiente, y no lograr devolver o responder a gestos como la sonrisa, el hacer señales con la mano o las expresiones faciales.

Los niños autistas muestran falta de interés por interactuar con otras personas, sobre todo niños. No hacen amigos y al acercarse socialmente a los demás se comportan de modo inapropiado: repiten fragmentos de conversación que se acaban de expresar, pueden mostrarse agresivos, o usan un lenguaje confuso. En las formas menos graves del autismo, el niño quizá acepte el contacto social, pero no será muy sensible al mismo o responderá de una forma artificial y repetitiva.

Comunicación. La mayoría de los niños muestran desde que nacen un deseo de comunicarse con otras personas. Incluso antes de que sean capaces de formar palabras, se comunican de modo no verbal mediante el uso de expresiones faciales y lenguaje corporal. A los niños autistas, en cambio, parece faltarles ese deseo. Aunque el niño hable, tenderá a hablar a la gente, antes que con ella, o el lenguaje que emplee se verá restringido a la comunicación de sus necesidades inmediatas. Es posible que muestre ecolalia (repetición de palabras que acaba de escuchar) y que use palabras o frases específicas de un modo repetitivo o inapropiado. Es corriente que los niños autistas se confundan en cuanto al uso de los pronombres «yo», «tú» o «él».

Imaginación. Un niño autista no emplea su imaginación cuando juega con juguetes y, en lugar de percibir las cosas en su totalidad, puede mostrarse excesivamente interesado por un pequeño detalle del juguete, persona u objeto. Al jugar con un tren de juguete, por ejemplo, quizá se concentre en una pequeña parte, como una rueda o el tope de la máquina, en lugar de usarlo como un supuesto tren.

Algunos niños autistas realizan actividades que suponen el uso de la imaginación, como la lectura, pero éstas tienden a ser repetitivas y estereotipadas. Por ejemplo, el niño puede leer un libro una y otra vez.

Comportamiento repetitivo. La repetición de actos como el tabaleo, balanceo, el movimiento violento de la cabeza, el rechinar de dientes, gruñir, gritar, chasquear los dedos, hacer girar objetos y levantarse y saltar desde el pie de atrás hacia el pie de delante, son algunos de los comportamientos que pueden manifestarse en el autista. El tipo de actividad repetitiva realizada por el niño depende de su nivel de capacidad. Los tipos de comportamiento más sofisticados incluyen disponer objetos según pautas complejas y repetidas, y coleccionar grandes cantidades de un objeto concreto. El niño puede mostrarse interesado por un tema concreto, hacer las mismas preguntas sobre él y solicitar las mismas respuestas una y otra vez. Quizá se de cuenta también de que al niño le gusta observar sin fallar las rutinas repetitivas, incluso las inapropiadas, como cuando desea que se lleve a cabo exactamente la misma secuencia de actividades cada noche, antes de acostarse.

Memoria. Algunos niños autistas son capaces de guardar algo en su memoria y retirarlo exactamente tal como lo percibieron al principio; los resultados de esa capacidad pueden ser muy impresionantes. Un niño autista, por ejemplo, puede dibujar perfectamente de memoria un edificio que ha visto, repetir conversaciones enteras o listas de cualquier clase de información.

NECESIDADES ESPECIALES

La gravedad del estado del niño depende de varios factores: si sufre otros trastornos del aprendizaje (como la dislexia, véase pág. 253), si sufre algún otro trastorno físico secundario (como la epilepsia, véase pág. 270), el tipo de educación al que tenga acceso, y su personalidad o disposición, que afectarán a su forma de reaccionar ante sus discapacidades. Es importante diagnosticar lo más pronto posible el autismo y los trastornos asociados para poder satisfacer las necesidades del niño.

Dependiendo de la gravedad del autismo del niño, o bien podrá asistir a una escuela ordinaria donde reciba ayuda extra (aproximadamente uno de cada seis niños autistas acuden a una escuela ordinaria), o bien necesitará acudir a una escuela especial para niños con trastornos del aprendizaje o del desarrollo. El consejo de un especialista será determinante para tomar una decisión. Un apoyo excelente puede obtenerse de alguna asociación de padres de niños autistas.

Uso del lenguaje de los signos
Si hablar es un problema para el niño, puede usar un lenguaje de signos o de dibujos para comunicarse, lo que puede ayudar a clarificar el lenguaje usado con el niño.

Los signos se usan para complementar el lenguaje, no para sustituirlo

CÓMO AYUDAR

Probablemente, descubrirá que el comportamiento de su hijo es más problemático entre los dos y los cinco años, y que se produce una mejoría entre los seis y los doce años. A medida que crece, el niño será probablemente más sensible y sociable. Aunque no existe cura para el autismo, hay muchas terapias diferentes diseñadas para mejorar el comportamiento y la adaptación de su hijo:

Modificación del comportamiento. Esta terapia se concentra en sustituir el comportamiento disfuncional (rabietas, golpeteo de la cabeza, agresividad, etc.) por el comportamiento deseado, mediante el uso de un sistema de recompensas.

Relajación y masaje. Al niño se le enseña a relajarse mediante el uso del masaje, la música, el tacto e indicaciones verbales, que más tarde puede usar él mismo cuando nota señales de tensión; como quiera que las asocia con el sentirse relajado, deberían disipar la tensión. El masaje ayuda a los niños autistas a vincularse con la gente a través del tacto.

Terapia del abrazo. Implica dar al niño autista muchos abrazos, al margen de la indiferencia que él demuestre. Teóricamente, si se insiste en abrazar al niño, se sentirá consolado y tranquilizado, sin el problema de tener que iniciar él mismo la interacción.

Terapia del lenguaje. Algunos casos de autismo son diagnosticados por logopedas debido a que el desarrollo deficiente del lenguaje es a menudo el primer signo que se observa. La terapia del lenguaje también puede mejorar las habilidades de comunicación del niño. Si éste no habla o lo hace de modo limitado, le será útil aprender un lenguaje de signos como el Makaton, que complementa el lenguaje, sin por ello sustituirlo.

Psicoterapia. Supone el trabajar con toda la familia, de modo que los padres comprendan el comportamiento del niño autista y sus consecuencias. En algunos casos, el propio niño recibirá psicoterapia individual.

VIVIR CON ENFERMEDADES CRÓNICAS

La palabra «crónica» se emplea para describir una enfermedad, como la parálisis cerebral o el asma, que es duradera, en la que los síntomas están presentes de modo cotidiano, o en la que se intensifican ocasionalmente. La enfermedad aguda, como una amigdalitis, surge de repente y la duración de los síntomas es bastante breve. Las enfermedades crónicas pueden durar toda la vida y usted, su familia y su hijo tendrán que efectuar algunos cambios en su estilo de vida para afrontar la enfermedad.

AFRONTAR LA ENFERMEDAD

La reacción emocional más común ante la noticia de que el niño sufre de una enfermedad crónica es la ansiedad, combinada con temores, amargura y, posiblemente, culpabilidad ante la posibilidad de haber hecho algo que causara la enfermedad. Una vez pasada la conmoción inicial, muchos padres participan mucho en el aprendizaje sobre la enfermedad de su hijo y cómo afrontarla. Lo primero que necesita saber es qué supone el programa de tratamiento; quizá haya que poner inyecciones diarias, efectuar transfusiones ocasionales de sangre o, simplemente, asegurarse de que el niño lleve siempre consigo un inhalador. También tendrá que familiarizarse usted con los síntomas de un ataque, o con los posibles peligros para el niño, y aprender lo que tiene que hacer en caso de emergencia.

Cuando el niño muestra los primeros signos de una enfermedad crónica, aparte de las incomodidades físicas de estar enfermo, lo más probable es que le resulte muy agobiante la experiencia de visitar a médicos y hospitales. Mantenga usted la calma delante del niño y no haga aspavientos ni se deje llevar por el pánico, ya que él percibiría su ansiedad y la interpretaría a su modo, y hasta es posible que le aterrorice la idea de que va a morir. Hable racionalmente con el niño sobre su estado, y explíquele lo que le está sucediendo. Si no comprende lo que le ocurre tendrá más miedo de lo que pueda causarle la enfermedad.

Como está usted preocupada por la salud de su hijo, es natural que le preste una atención especial. No obstante, debe ser cuidadosa para no excluir a otros miembros de su familia, especialmente si tiene también otros hijos.

Se están llevando a cabo investigaciones sobre las enfermedades crónicas y los programas de control se hacen cada vez más avanzados; muchos niños llevan una vida casi normal. Es interesante buscar el contacto con padres en una situación similar.

ASMA

El asma es una enfermedad crónica común que afecta a uno de cada diez niños en un momento u otro de la infancia. Los ingresos hospitalarios por asma han aumentado constantemente en niños pequeños y las cifras se han duplicado desde mediados de la década de 1970.

Los síntomas del asma —tos, respiración sibilante y superficial— son causados por el estrechamiento de las vías respiratorias. Hay distintos desencadenantes de estos episodios, que varían mucho en gravedad. Puede haber antecedentes familiares de asma o alergias como el eczema o la fiebre del heno. Este trastorno es más común entre los niños que entre las niñas y puede mejorar a medida que el niño crece. Más del 50 % de los niños afectados por el asma superan la enfermedad una vez alcanzada la edad adulta.

Factores de riesgo. No se conocen del todo las razones del aumento de los índices de asma, aunque algunos de los factores pueden ser que los padres fumen, la contaminación, los virus, el bajo peso al nacer y la alimentación artificial. El humo del tabaco es el único factor demostrado, sobre todo si fuma durante el embarazo, y usted o su cónyuge fuman durante los primeros años de vida del niño. Los niños cuentan con más posibilidades de tener asma que las niñas.

Numerosas investigaciones indican que los niños que no se han visto expuestos a una amplia variedad de virus y bacterias en la primera infancia y cuyo sistema inmunitario por lo tanto no ha sido probado son más vulnerables al asma. Los niños que han crecido en una granja tienen menos propensión a padecer de asma que los niños de ciudad.

DIAGNÓSTICO

Muchos niños pequeños sufren en algún momento episodios de respiración sibilante, pero eso no les convierte en asmáticos. Es la pauta de los síntomas que se desarrolla con el tiempo lo que muestra si un niño tiene asma o no. Puede ser bastante difícil detectar el asma en los niños pequeños, por tres razones. Primera, un tercio de todos los niños sufrirá al menos un ataque de respiración sibilante durante sus cinco primeros años de vida; la mayoría no volverá a experimentar problemas respiratorios, de modo que, probablemente, los médicos no emplearán el término asma. Segundo, los médicos usan palabras para describir el asma, como respiración sibilante, jadeo, bronquitis sibilante, la llamada «tos de perro» o, simplemente, resfriado. Tercero, el aparato que normalmente se usa para medir el buen funcionamiento de los pulmones sólo puede emplearse en niños mayores de cinco años.

Antes de establecer un diagnóstico, el médico debe esperar y ver cómo se desarrolla la pauta de los síntomas del niño. Dicha pauta, y no los síntomas individuales, es la que dicta el diagnóstico del asma. Las pautas típicas de los síntomas son las siguientes:

- Ataques repetidos de respiración y tos sibilante, acompañados habitualmente de resfriados.
- Una tos persistente puede ser el único síntoma que manifieste un niño pequeño.
- Muchas noches de inquietud, causadas por ataques de respiración o tos sibilante.
- Respiración o tos sibilante entre resfriados, especialmente después del ejercicio o la excitación, o cuando el niño se ve expuesto al humo del tabaco y a alérgenos como el polen o los excrementos de los ácaros del polvo de la casa.

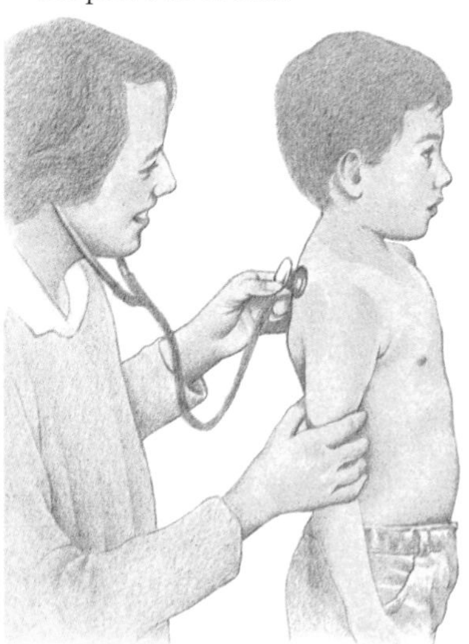

Diagnosticar el asma
El médico tendrá que controlar la pauta de los síntomas del niño a lo largo del tiempo antes de poder diagnosticar un caso de asma.

Muchas personas están convencidas de que la respiración sibilante es el único síntoma del asma, pero en los niños pequeños es posible que el único síntoma sea una tos seca e irritante. Los niños sanos no tosen de modo persistente.

Los niños menores de un año son los que más probablemente sufrirán de respiración sibilante, iniciada por infecciones víricas, como un resfriado o una nariz acuosa. De hecho, los virus son desencadenantes universales para los niños pequeños. La alimentación natural ayudará al niño a mejorar su resistencia contra los virus.

DESENCADENANTES

Si el niño sufre de asma, descubrirá usted que ciertas sustancias o actividades pueden desencadenar un ataque. Una vez que haya identificado los desencadenantes, debe tomar medidas para proteger al niño y evitar que entre en contacto con ellos.

Humo del tabaco. Ayude al niño a evitar el humo del tabaco que es especialmente nocivo para sus pulmones en desarrollo y que puede desencadenar un ataque de asma. No fume nunca cerca del niño y pida a quienes visiten su casa que no fumen.

Aire frío. Quizá observe que el niño tose o tiene respiración sibilante al salir a la calle. Pero mantener al niño encerrado en casa no es la respuesta. Quizá sólo se necesite una dosis de medicina de alivio (véase pág. 262) antes de salir.

Actividad. Si observa que la risa, el nerviosismo o el ejercicio desencadenan un ataque de asma en su hijo, eso puede indicar que el asma no ha sido debidamente controlado. Debe consultar con el médico, puesto que es muy importante que los niños participen en la diversión y disfruten. Los síntomas del asma inducido por la actividad se pueden prevenir si el niño toma una dosis de medicina de alivio antes de emprender la actividad. El niño debe calentarse antes de jugar; las carreras rápidas de 30 segundos durante 5 a 10 minutos le permitirán después ejercitarse durante una hora. La natación es un excelente ejercicio para niños que sufren de asma, y raras veces provoca un ataque a menos que el agua esté muy fría o haya sido muy clorada.

Alergias. Minimice la exposición de su hijo a potenciales alérgenos, como los ácaros, el polen y las pieles. Es imposible evitar que haya polvo en la casa, pero las siguientes medidas pueden ayudar: evite las almohadas y edredones de plumas y la moqueta, recubra el colchón del niño con una sábana plástica, limpie la habitación del niño con frecuencia y pase el aspirador.

TRATAMIENTO

El médico puede recetarle medicamentos que controlarán los síntomas del niño, aunque no pueden curar el asma. La mayoría de medicamentos se presentan en forma de inhalador, de los que hay dos tipos: preventivos y aliviadores. Los niños deben usarlos siempre con un instrumento llamado dispensador que hace llegar el medicamento directamente a las vías respiratorias.

Aliviadores. Cuando se produce un ataque de asma, el aliviador, que es un broncodilatador, facilita la respiración al relajar los diminutos músculos de las vías respiratorias estrechadas, lo que les permite abrirse. También pueden tomarse varias veces al día para evitar el desarrollo de los síntomas. Un niño que sufre de ataques ocasionales de asma debe disponer en todo momento de un medicamento aliviador.

Preventivos. Probablemente, el niño tendrá que tomar un preventivo si necesita utilizar un aliviador más de una vez al día. Eso impide que empiece el asma al aumentar la resistencia del recubrimiento de las vías respiratorias, haciéndolas menos sensibles a los agentes irritantes. Los preventivos deben tomarse con regularidad, aunque el niño esté bien. Tardan de 7 a 14 días desde el momento en que se toman en ser efectivos. Una vez controlados los síntomas, el médico puede reducir el tratamiento. Si el niño usa un preventivo, así como un aliviador, etiquete los inhaladores con claridad para no confundirlos.

Dispensadores de tratamiento. La medicación puede administrarse de diferentes maneras, dependiendo de la edad y de su habilidad para coordinar su respiración con el uso del inhalador. Cada niño varía en cuanto a lo que pueden dominar, aquí tienen una guía general:

hasta los 2 años	Nebulizador o espaciador con mascarilla.
de 2 a 4 años	Inhalador aerosol con espaciador
de 5 a 8 años	Inhaladores de polvo seco
de 8 en adelante	Inhaladores de polvo seco o inhaladores aerosol

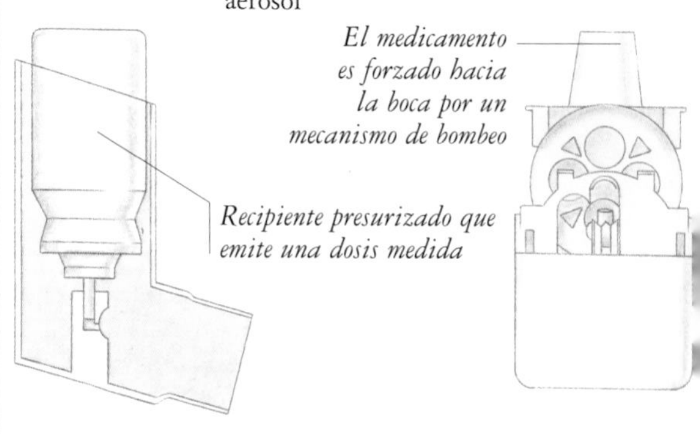

Inhalador aerosol
Se inhala una dosis medida directamente en los pulmones. Esto requiere coordinación, buena instrucción y una cuidadosa evaluación de la técnica para cada caso.

Inhaladores de polvo seco
Son buenos para administrar medicamentos preventivos, pero no pueden inhalarse bien cuando el niño tiene respiración sibilante o el pecho muy cargado, porque se necesita una inhalación vigorosa para activar el aparato. Es posible que se necesite el aerosol para aliviar esos síntomas.

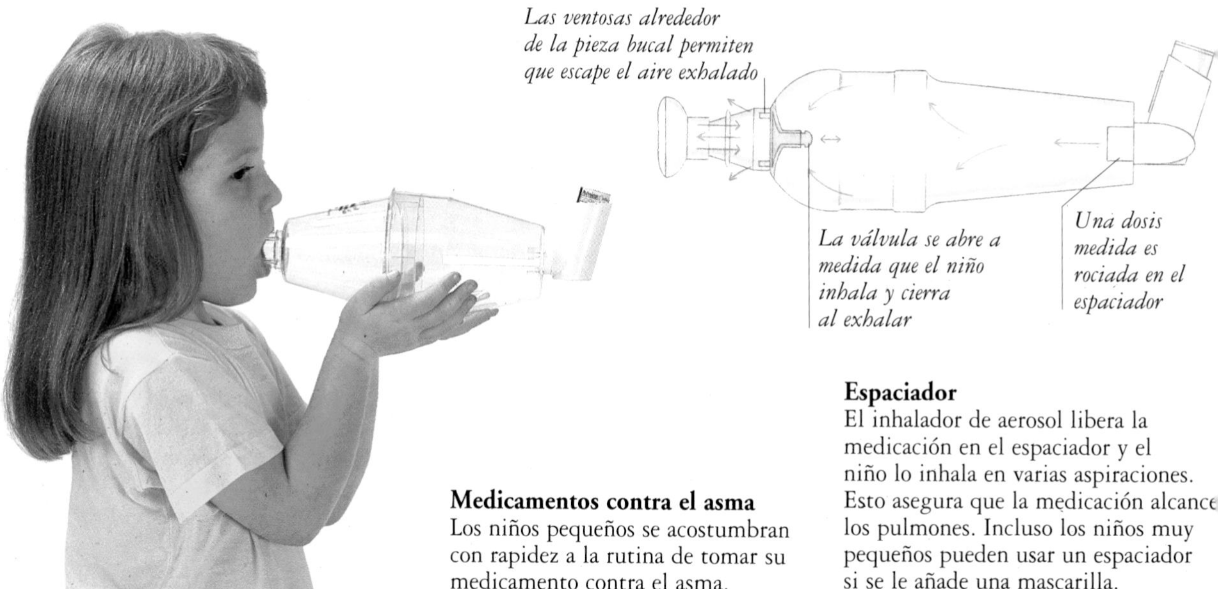

Espaciador
El inhalador de aerosol libera la medicación en el espaciador y el niño lo inhala en varias aspiraciones. Esto asegura que la medicación alcance los pulmones. Incluso los niños muy pequeños pueden usar un espaciador si se le añade una mascarilla.

Medicamentos contra el asma
Los niños pequeños se acostumbran con rapidez a la rutina de tomar su medicamento contra el asma.

Algunos niños muy pequeños necesitan un nebulizador, que produce una neblina muy fina de medicamento. Pero los espaciadores suelen ser la mejor solución para la mayoría de los niños. Lo mejor para los niños mayores es convertir el espaciador en un juguete colocándole pegatinas o jugando a contar hasta cinco mientras el niño inspira cinco veces seguidas del espaciador. En los ataques graves puede ser necesario el nebulizador; y a menudo se recomiendan pastillas de esteroides para el tratamiento de casos graves.

CÓMO AYUDAR

Aunque no existe cura conocida para el asma, el control moderno del mismo logra reducir con efectividad los síntomas del niño y le permiten llevar una vida plena y activa. Es importante mantener un contacto regular con el médico y un control atento del niño.

El médico le preparará un plan de control del asma y le explicará cuándo usar el preventivo y el aliviador, y qué hacer si empeoran los síntomas. Todo eso debería quedar por escrito para que usted lo tuviera en casa. El aspecto esencial de cualquier plan es visitar al médico o la enfermera cada pocos meses. Debería usted controlar atentamente los síntomas del niño y consultar con el médico si observa algo de lo siguiente:

- Respiración y tos sibilante a primera hora de la mañana.
- Aumento de los síntomas después del ejercicio o de un esfuerzo.
- Despertarse por la noche con respiración o tos sibilante.
- Aumento en el uso de la terapia del aliviador.

Plan de emergencia. Cualquier ataque de asma puede ser amenazante para la vida, de modo que es mejor disponer de un plan de emergencia, acordado con el médico, para los ataques muy graves.

- Al principio del ataque, dé al niño el aliviador habitual. Espere unos diez minutos y si no observa mejoría llame a una ambulancia.
- Repita el tratamiento hasta que mejoren los síntomas respiratorios o hasta que llegue ayuda.
- Dé al niño pastillas de esteroides si le han sido recetadas por el médico.
- Mantenga al niño en una posición incorporada.
- Llame al médico o a una ambulancia para llevar al niño al hospital más cercano.

FIBROSIS QUÍSTICA

La fibrosis quística (FC) es una enfermedad heredada que afecta principalmente a los pulmones y al páncreas; se la conoce también como mucoviscidosis porque produce un moco espeso y pegajoso en los pulmones y en el páncreas. Es la enfermedad hereditaria más común de su clase en algunos países occidentales y afecta aproximadamente a uno de cada 2.500 niños, aunque en grados diferentes. Recientemente se ha descubierto el gen responsable de la FC y existe ahora la posibilidad de encontrar una curación para cuando su hijo sea una persona adulta.

¿QUÉ CAUSA LA FC?

La enfermedad se produce cuando ambos progenitores son portadores del gen causante del trastorno. Una persona de cada 25 es portadora de la FC, pero el gen afectado estará enmascarado por un gen normal del otro progenitor, e incluso cuando dos portadores de la FC tienen un bebé, sólo existe una entre cuatro probabilidades de que el bebé tenga la FC; esas probabilidades se aplican de nuevo a cada embarazo, es decir, que no cambian al margen de los embarazos que tenga. La FC afecta a las niñas y a los niños en cifras iguales.

DIAGNÓSTICO

En el Reino Unido, a todos los bebés que nacen se les toma una muestra de sangre cuando tienen una o dos semanas, habitualmente de un pinchazo en el talón. Esas muestras de sangre se analizan para detectar diversas enfermedades, una de las cuales puede ser la FC.

Otra prueba mide la cantidad de sal existente en el sudor; los niños con FC tienen más sal en el sudor que los niños normales. (Algunos padres comentan que los besos de los niños saben a salado, aunque los que tienen FC no sudan más que los otros.) Esta prueba del sudor sólo se lleva a cabo en cualquier bebé en el que se hayan observado accesos recurrentes de neumonía o que no parezca desarrollarse bien, así como en los hermanos y hermanas de un niño que tenga FC.

Sus sentimientos. Una vez establecido el diagnóstico, quizá tenga problemas para aceptarlo, sobre todo si el niño parece estar bien. Quizá se sienta enojada, o culpable, pero pronto se dará cuenta de que nadie tiene la culpa. Las recriminaciones no sólo son inútiles, sino que causan gran daño a las relaciones familiares y al niño con FC.

Quizá desee buscar una segunda opinión o considerar otras terapias alternativas. Debería analizarlo con su médico. Anote las preguntas que desea plantearle en cuanto se le ocurran para que no se le olviden. A los médicos les encantará contar con una segunda opinión profesional, sobre todo si no ha tenido la oportunidad de visitar una clínica especial para la FC.

Algunas personas recurren a terapias alternativas, pero éstas deben ser administradas además de la terapia convencional y deben discutirse con el pediatra. Es esencial para la salud futura del niño que se le administren los medicamentos convencionales de la forma prescrita.

Es importante procurar no sobreproteger al niño. Recuerde que es un niño normal que resulta que tiene una FC. Será travieso y tendrá las mismas emociones que los demás niños, y no hay razón alguna para tratarlo de un modo diferente en lo que se refiere a la disciplina, la educación o las actividades físicas. Si lo hace, no sólo estará haciéndole un mal servicio, sino que a largo plazo también se creará problemas para sí misma. Un niño con una enfermedad crónica causa muchas tensiones en una relación, de modo que hable siempre abiertamente con su cónyuge.

Aprender sobre la FC. Buena parte del tratamiento para la FC se aplica en el hogar, y para ser lo más efectiva debería tratar de comprender todo lo que pueda sobre este trastorno. La FC es una enfermedad complicada y cada niño se verá afectado de modo diferente, por lo que las experiencias de otras personas quizá sean diferentes. Tenga en cuenta que no puede esperar saberlo todo inmediatamente, y que nadie esperará eso de usted. Además, se le transmitirá una enorme cantidad de información y consejos procedentes de diversas fuentes, y una parte de esa información será conflictiva.

Problemas digestivos

El páncreas, una glándula situada en el abdomen, produce insulina, que pasa directamente a la sangre, y jugos digestivos que contienen enzimas, que pasan a los intestinos, donde ayudan a digerir los alimentos. En la FC, los pequeños canales por los que fluyen estos jugos para llegar al intestino quedan bloqueados por un moco pegajoso y las enzimas no llegan al intestino para digerir los alimentos. El niño tiene mucho apetito pero lo que come no se traduce en crecimiento y excreta unas heces pálidas y grasas debido a que los alimentos no pueden ser absorbidos adecuadamente.

Tratamiento. La mayoría de las enzimas digestivas ausentes se pueden sustituir con pancreatina, que se administra en polvo o en forma de cápsula. En el caso de un bebé pequeño, el polvo se puede mezclar con un poco de agua hervida y enfriada o con la leche, y darle antes de cada toma de alimento con una cuchara o en el biberón. No debe mezclarse, sin embargo, con un biberón completo de leche, porque cortará la leche. Una vez que el bebé empiece a comer alimentos sólidos, debe comer lo mismo que el resto de la familia. Las vitaminas no son bien absorbidas por quienes padecen FC, por lo que el niño necesitará una dosis diaria de vitaminas.

Problemas respiratorios

En el interior de los pulmones hay multitud de tubos diminutos, los bronquiolos, por los que pasa el aire para llegar a unas bolsas de aire especializadas, los alvéolos; allí, el oxígeno entra en la corriente sanguínea y el bióxido de carbono abandona la sangre para ser exhalado. Los niños con FC tienen pulmones normales al nacer, pero el moco producido en ellos es anormalmente espeso, de modo que bloquea algunas de las vías respiratorias más pequeñas y conduce a una infección que más tarde causa daños pulmonares.

Tratamiento. El objetivo del tratamiento es mantener los pulmones lo más normales posible de dos maneras:

- Despejar el moco pegajoso mediante fisioterapia, ejercicios respiratorios y ejercicio físico.
- Prevenir y acelerar el tratamiento de las infecciones pulmonares, habitualmente con antibióticos.

Cómo ayudar

Incluso con los suplementos pancreáticos, el niño con FC quizá no pueda absorber todos los nutrientes que necesita para crecer con normalidad. En consecuencia, el niño necesitará más calorías, por lo que será útil tomar entre las comidas bocados intermedios con mucha energía, como batidos de leche. Es importante asegurarse de que el niño crece bien, ya que eso demuestra que absorbe los nutrientes, puede ver págs. 318-325.

Sólo a través de un buen fisioterapeuta, y con mucha práctica, puede aprender a despejar el espeso moco del pecho de su hijo, así que no tema pedir ayuda. Debe iniciar la fisioterapia desde el momento mismo en que se establezca el diagnóstico, y es importante acostumbrarse desde el principio a seguir una rutina. Necesitará hacerlo dos veces al día cuando el niño esté bien y con más frecuencia cuando contraiga una infección.

Debe actuar muy estrechamente en colaboración con el médico en cuanto a la prevención y tratamiento de las infecciones de pecho. En el caso de que se produjera una, el niño necesitará fisioterapia extra y antibióticos.

CUÁNDO VER AL MÉDICO

El niño con FC es muy vulnerable a las infecciones de pecho, de modo que, si cree que algo anda mal, es importante buscar ayuda médica con rapidez, ya sea por parte del médico o de la clínica u hospital más cercanos. Los siguientes síntomas pueden indicar que se necesita visitar al médico:

- Disminución o pérdida del apetito.
- Pérdida de peso.
- Dolores en el vientre.
- Deposiciones frecuentes o sueltas.
- Aumento de la tos o tos frecuente.
- Vómito.
- Aumento de los esputos.
- Cambio en el color de los esputos.
- Disnea.
- Falta de voluntad para el ejercicio.
- Fiebre.
- Síntomas de resfriado.

LAS VACUNAS Y LA FC

Los bebés con FC corren un mayor riesgo ante las enfermedades infecciosas comunes de la infancia, especialmente ante aquellas que afectan a los pulmones.

Un niño con FC debe seguir estrictamente el programa normal de vacunación (véase la pág. 283), y las inyecciones sólo deben retrasarse en circunstancias muy excepcionales y después de haber consultado con el médico. Tener un resfriado o una tos no es una razón suficiente para retrasar la vacunación. Los niños con FC mayores de cuatro años deberían ser vacunados también cada invierno contra la gripe.

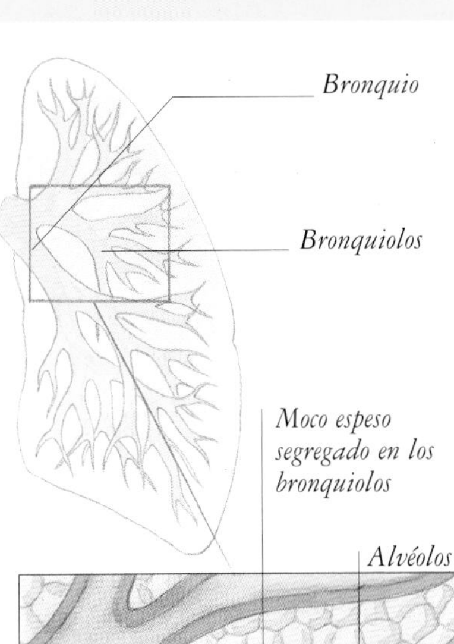

Vías respiratorias bloqueadas
El moco espeso bloquea las vías respiratorias privándolas de oxígeno y haciendo que se colapsen partes del pulmón.

Fisioterapia
Para despejar el moco espeso del pecho de su hijo, utilice la fisioterapia dos veces al día y con más frecuencia en el caso de una infección de pecho.

Dar palmadas en la espalda con las manos ahuecadas suelta el moco espeso de los pulmones

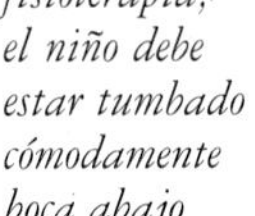

Durante la fisioterapia, el niño debe estar tumbado cómodamente boca abajo

DIABETES MELLITUS

En los niños, la diabetes mellitus, una enfermedad crónica, se debe a la falta de insulina procedente del páncreas. La insuficiencia de insulina tiene como resultado un aumento de la concentración de glucosa en la sangre (hiperglucemia), lo que causa una orina excesiva y una sed y apetito constantes. La acumulaciones en el cuerpo de unas sustancias químicas llamadas quetonas se produce cuando existe una ausencia grave de insulina. El nivel alto de azúcar no es peligroso en sí mismo, pero sí lo son los niveles altos de quetonas.

El ataque de diabetes puede aparecer súbitamente y pasará algún tiempo hasta que se estabilice. Algunos niños diabéticos necesitan inyecciones de insulina y una dieta estrictamente controlada.

¿HAY CURA?

La diabetes se produce porque las células del sistema inmunológico atacan al tejido islote productor de insulina en el páncreas del niño. De ese modo, cualquier cura debe sustituir de alguna forma el tejido dañado. Por ello, el trasplante es el único método terapéutico viable, aunque el rechazo del tejido trasplantado plantea un problema grave.

Se están realizando investigaciones prometedoras que sugieren que quizá podamos injertar en el cuerpo un tejido que no sea reconocido como extraño. Ese método ya ha funcionado experimentalmente y ha sido empleado para invertir la diabetes en una serie de modelos animales, sin necesidad de terapia antirrechazo. Es bastante posible que la diabetes llegue a ser curada mediante trasplantes en vida de su hijo. También se ha progresado en la investigación genética y el reciente descubrimiento de dos nuevos genes ha abierto la posibilidad de que se pueda prevenir la enfermedad.

ADAPTARSE A LA DIABETES

Puede ser bastante aterrador enterarse de que su hijo tiene una diabetes dependiente de la insulina (diabetes de tipo I), pero la enfermedad no impedirá que el niño lleve una vida plena y activa.

La forma en que usted y su familia afronten la diabetes de su hijo ayudará también a determinar el modo en que este acepte o niegue la enfermedad y se convierta en una persona equilibrada y madura. Pronto sabrá muchas cosas sobre la diabetes, la necesidad de tomar insulina, la técnica para poner inyecciones, y la importancia de una ingestión apropiada de alimentos y del ejercicio. También necesitará reconocer los signos de una bajada/subida del nivel de azúcar en sangre.

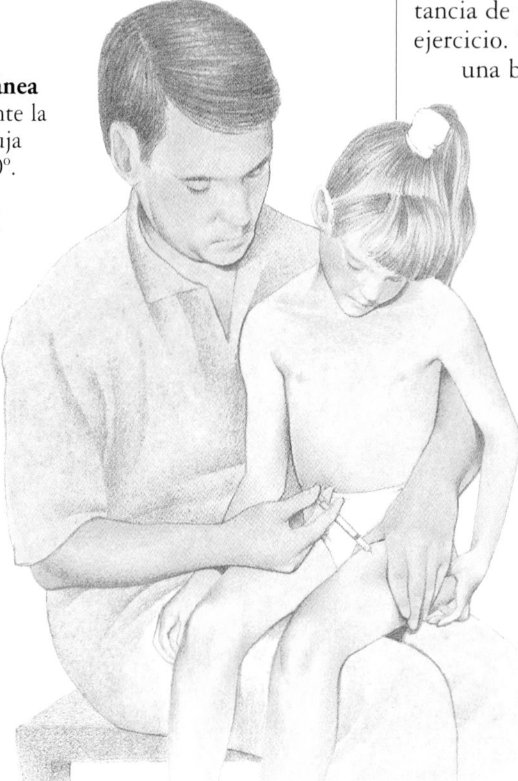

Inyección subcutánea
Pellizque suavemente la piel e inserte la aguja en un ángulo de 90°. Una aguja de un centímetro dirigirá la insulina hacia la capa de grasa situado justo por debajo de la piel.

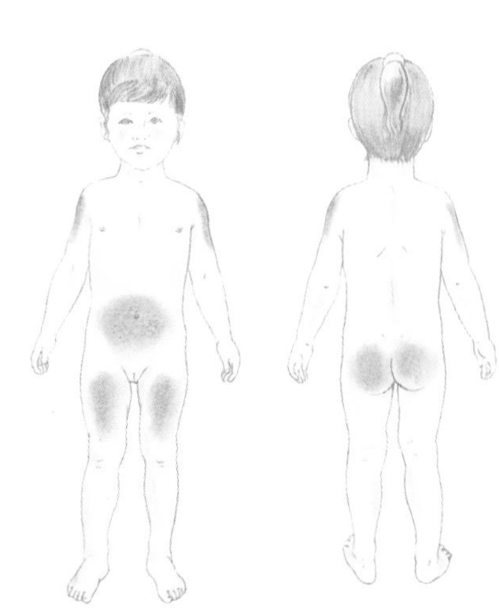

Lugares para poner la inyección
Para evitar cicatrizaciones, varíe los lugares donde pone la inyección. Los más adecuados son: la parte superior de los brazos, los muslos, las nalgas y el estómago.

CONTROL DE LA DIABETES

El objetivo del tratamiento de la diabetes es mantener los niveles de azúcar en sangre lo más similares posible a lo normal. Un nivel demasiado elevado (hiperglucemia) puede conducir a fatiga, orina excesiva, sed constante, pérdida de peso y aumento del nivel de quetonas en el cuerpo. Demasiado poco azúcar en la sangre (hipoglucemia) produce debilidad, mareo, confusión e incluso ataques. Los niveles adecuados se consiguen mediante una combinación de control dietético y comidas regulares, en el que debe prestarse una atención particular a la ingestión de azúcar e hidratos de carbono, inyecciones de insulina y ejercicio físico regular. Hable con el médico sobre autocontrol del nivel de glucosa en sangre, ya que usted y su hijo podrán hacerlo en casa.

Alcanzar un control perfecto sería esperar demasiado. Aunque el niño sea completamente fiable en cuanto a la insulina y los alimentos, ocasionalmente experimentará un aumento del nivel de azúcar en la sangre. Si come ocasionalmente algún dulce, ese acto de transgredir las reglas no es amenazante para la vida, así que no le de mucha importancia. Un bocado de chocolate no enfermará al niño, aunque tenga diabetes. Si el niño sigue sus consejos, tendrá usted que aceptar que el nivel de azúcar en sangre puede ser a veces un poco alto o bajo. Así pues, sea realista.

CÓMO AYUDAR

Necesitará habilidad para ayudar al niño a aceptar su estado con un mínimo de agitación. Debe usted supervisar en la sombra, trasladar al niño la responsabilidad de cuidar de sí mismo y autocontrolarse.

Los niños con diabetes suelen preocuparse más que los que no tienen esta enfermedad, y no cabría esperar otra cosa; tienen que asumir responsabilidades importantes y saben, o terminan por saber, que la diabetes puede causarles cosas muy desagradables. La diabetes hace que los niños se sientan cansados y confusos y hasta llega a hacerles perder la conciencia. Un niño diabético tiene que planificar con antelación al salir de casa y acordarse siempre de llevar algunos dulces o azúcar, así como insulina y jeringuillas. El niño se verá amenazado por la diabetes, tanto física como psicológicamente, así que tendrá usted que ser comprensiva, sin llegar a la sobreprotección. No obstante, a medida que se va haciendo mayor, el niño dominará la situación, aprenderá a cuidar de sí mismo y comprenderá lo que hay que hacer.

AUTOCONTROL DE LA GLUCOSA EN SANGRE

Se dispone de un sistema que le permite medir el nivel de azúcar en sangre de su hijo y hacerlo con exactitud. El control exacto y la prueba de azúcar en sangre pueden reducir e incluso invertir algunas de las complicaciones de la diabetes.

Se empieza por obtener una gota de sangre con un diminuto pinchazo en la yema del dedo. La sangre se deja caer sobre una tira químicamente sensible. La tira se inserta en una máquina que mide la glucosa en sangre y lo muestra en un medidor digital. Otro método se basa en comparar visualmente la tira con un gráfico de código de colores. Cada método da resultados exactos.

El autocontrol de la glucosa en sangre le permite medir con frecuencia y exactitud los niveles de azúcar en sangre sin tener que acudir al médico y esperar los resultados de laboratorio; con eso puede reaccionar con rapidez ante un contaje bajo de azúcar en sangre, dando al niño alimentos con alto contenido en hidratos de carbono, o ante un contaje alto de azúcar en sangre, poniéndole una inyección de insulina. El médico le recomendará las dosis adecuadas de insulina o cualquier otro medicamento, según los niveles de glucosa en sangre.

Aunque supone un pequeño elemento de dolor, el análisis de sangre es más exacto que el de orina, puesto que se produce un retraso entre el aumento del azúcar en sangre y el momento en que se refleja en la orina. Otro problema es que los de orina sólo muestran lecturas de glucosa alta cuando los niveles están muy por encima de los límites aceptables.

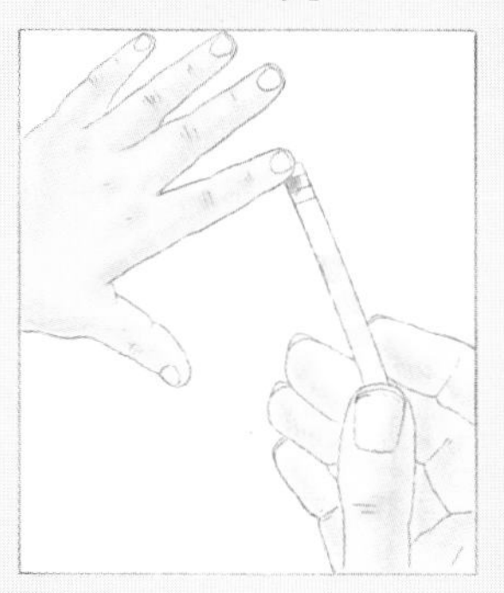

Muestras de sangre
Use lancetas y un dispositivo para pinchar el dedo del niño y obtener una gota de sangre. Quizá prefiera usar los lados, en lugar de la yema del dedo, ya que son menos sensibles. Coloque la gota de sangre sobre la almohadilla de la tira.

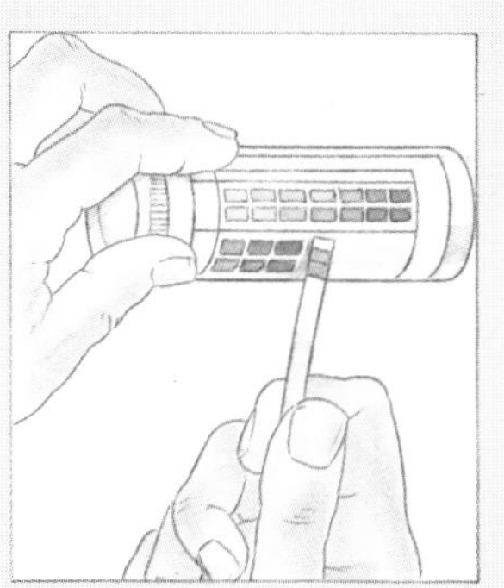

Tiras de análisis
La tira cambiará de color para indicar el nivel de glucosa del niño. Lea el nivel de glucosa en sangre comparando la tira con el gráfico de color que aparece en el lado del recipiente que contiene la tira.

PARÁLISIS CEREBRAL

En el Reino Unido, uno de cada 500 bebés nace o desarrolla una parálisis cerebral. Es un trastorno que afecta tanto a los niños como a las niñas de todas las razas y ambientes sociales.

¿QUÉ CAUSA LA PARÁLISIS CEREBRAL?

La parálisis cerebral viene causada por una herida en el cerebro, habitualmente producida antes, alrededor o poco después del momento de nacer. Entre las causas de esa herida se incluyen un parto difícil o prematuro, debido quizá a que el bebé no respira adecuadamente; hemorragia cerebral, que puede ocurrir en bebés prematuros; o hemorragia en las cavidades del cerebro (hemorragia intraventricular), que también puede ocurrir en los bebés prematuros, o bien a causa de una infección en la madre ocurrida en las primeras semanas del embarazo, como por ejemplo la rubéola o el citomegalovirus. Ocasionalmente, el cerebro está malformado por ninguna razón aparente, o bien el trastorno es heredado aunque ambos progenitores estén sanos.

TIPOS DE PARÁLISIS CEREBRAL

Si un niño tiene parálisis cerebral, parte de su cerebro no funciona adecuadamente. La zona afectada suele ser una de las partes del cerebro que controla ciertos músculos y movimientos del cuerpo; la enfermedad interfiere con los mensajes que pasan normalmente del cerebro al cuerpo. En algunos niños apenas se observa la parálisis cerebral; otros, en cambio, se ven más gravemente afectados. No hay dos niños que se vean afectados de la misma forma. Hay tres tipos principales de parálisis cerebral:

Parálisis cerebral espástica. Se ve afectado el córtex, la capa exterior del cerebro, que controla el pensamiento, el movimiento y la sensación. De ello se derivan movimientos musculares tiesos y espasmódicos.

Parálisis cerebral atetoide. Afecta a los ganglios basales, grupos de células situadas en lo más profundo del cerebro, que promueven el movimiento organizado, elegante y económico, de modo que una anormalidad puede causar movimientos torcidos y como en forma de onda.

CÓMO AYUDAR

Resulta difícil predecir los efectos de la parálisis cerebral, sobre todo en un niño pequeño. No se agrava a medida que el niño crece, aunque es posible que algunas dificultades se pongan más de manifiesto y que cambien sus prioridades: cuando el bebé es pequeño, por ejemplo, quizá se concentre usted en ayudarle a sentarse, pero más tarde se preocupará más por las habilidades de comunicación y el habla.

No hay cura para la parálisis cerebral, pero si los niños son levantados, sostenidos y colocados en una buena posición desde pequeños, y se les estimula a jugar de una forma que ayude a mejorar su postura y control muscular, pueden aprender mucho y llevar una vida satisfactoria. No cabe la menor duda de que tendrá que trabajar usted muy duro con su hijo y habrá momentos difíciles en los que tendrá la sensación de soportar mucho. Esas sensaciones son naturales y la mayoría de los padres sienten que gradualmente son menos intensas. De hecho, a muchos padres les parece una tarea desafiante y gratificante el educar a un niño con parálisis cerebral.

Los niños con parálisis cerebral suelen tumbarse o sentarse de ciertas formas porque sus músculos sufren a veces espasmos y pueden tener problemas de sus articulaciones. Someter al niño a fisioterapia en cuanto se sospecha la existencia de la parálisis cerebral puede ayudar a reducir los riesgos de que se desarrollen esas complicaciones.

- El niño puede ponerse más rígido y tener más espasmos musculares cuando se tumba de espaldas, de modo que acuéstelo de lado o boca abajo, y sosténgalo con una almohada si fuera necesario. También es una buena idea cambiar su posición aproximadamente cada 20 minutos.
- Ayude al niño a aprender a usar las manos desde el principio, dejando que palpe cosas con texturas diferentes, y animándolo a sostener juguetes y otros objetos. Pueden ser útiles los juguetes atados a su silla.
- Permita al niño aprender diferentes formas mostrándole objetos de formas sencillas, y animándolo a sostenerlos y jugar con ellos.
- Un niño de tres o cuatro años con parálisis cerebral quizá desee ayudar en las tareas cotidianas de la casa, como cualquier niño de su edad. Explíquele lo que está haciendo, deje que la observe y, si es posible, que se una a usted.

Parálisis cerebral atáxica. Indica que está afectado el cerebelo, situado en la base del cerebro. Como el cerebelo es responsable de coordinar los movimientos precisos, la postura y el equilibrio, una anormalidad puede tener como consecuencia un desequilibrio o dificultad en el andar.

Efectos de la parálisis cerebral

Algunos niños con parálisis cerebral tendrán dificultad para hablar, andar o usar las manos, y la mayoría necesitarán ayuda en las tareas cotidianas. Muy a menudo, otros sentidos del niño –la vista o el oído– pueden verse afectados. El niño con parálisis cerebral puede sufrir ligera o gravemente de movimientos lentos, torpes o espasmódicos, de rigidez, debilidad, flojedad o espasmos musculares. Algunos niños tienen tendencia a los movimientos involuntarios. Hay una serie de trastornos asociados con la parálisis cerebral, debidos a un control muscular deficiente o a otras anormalidades en el cerebro.

Visión. El problema ocular más común es el estrabismo, que puede necesitar corrección con gafas o, en casos graves, una operación.

Oído. Los niños con parálisis cerebral tienen más probabilidades que los demás de sufrir graves dificultades de oído. Es importante diagnosticar pronto las dificultades de oído (véase pág. 178). Un niño afectado puede llevar quizá una prótesis auditiva.

Habla. Para hablar es necesario tener la capacidad para controlar los diminutos músculos de la boca, la lengua, el paladar y la laringe. La dificultad para hablar y los problemas para masticar y tragar se producen a menudo juntos en niños con parálisis cerebral. Los logopedas pueden ayudar en ambos tipos de dificultad, y mejorar los problemas de comunicación.

Percepción espacial. Algunos niños con parálisis cerebral no pueden percibir el espacio y relacionarlo con sus propios cuerpos; no son capaces, por ejemplo, de juzgar las distancias o pensar en tres dimensiones. Ello se debe a una anormalidad en una parte del cerebro que no está relacionada con la inteligencia.

Epilepsia. Aproximadamente una tercera parte de los niños con parálisis cerebral se ven afectados por la epilepsia (véase pág. 270), pero es imposible predecir cuándo o si el niño sufrirá ataques. Estos afectan a algunos niños ya en la infancia, mientras que en otros casos no se manifiestan hasta la edad adulta. Si el niño desarrolla epilepsia, esta se puede controlar mediante la medicación.

Dificultades de aprendizaje. De la gente incapaz de controlar muy bien sus movimientos, o de hablar se supone que tiene una discapacidad mental. Algunas personas con parálisis cerebral tienen dificultades de aprendizaje, pero eso no siempre es así; muchas personas con parálisis cerebral tienen una inteligencia superior a la media.

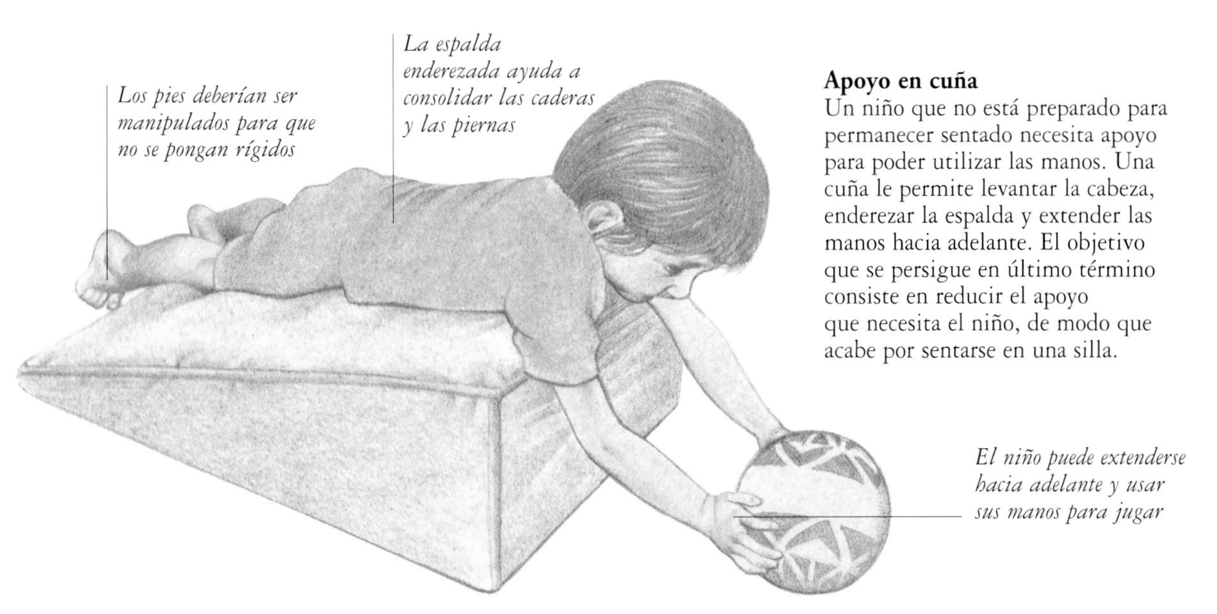

Apoyo en cuña
Un niño que no está preparado para permanecer sentado necesita apoyo para poder utilizar las manos. Una cuña le permite levantar la cabeza, enderezar la espalda y extender las manos hacia adelante. El objetivo que se persigue en último término consiste en reducir el apoyo que necesita el niño, de modo que acabe por sentarse en una silla.

ELEGIR Y USAR JUGUETES

A pesar de sus dificultades con el movimiento, los niños con parálisis cerebral necesitan del juego estimulante tanto como cualquier otro niño, pero elegir los juguetes puede ser problemático. La mayoría de empresas jugueteras fabrican artículos adecuados para niños con parálisis cerebral. Si tiene usted la intención de comprar un juguete caro, pídale consejo al fisioterapeuta o terapeuta ocupacional o, mejor aún, únase a una ludoteca y experimente para descubrir qué juguetes serán más gratificantes para su hijo. Las cuñas (véase pág. 269) y las estructuras erguidas pueden ayudar a los niños con parálisis cerebral a disfrutar de sus juguetes. Una vez más, el terapeuta ocupacional le podrá ayudar.

- Cuando el niño juega déjelo elegir entre dos o tres juguetes, y luego retire aquellos que no desea. Si se ve rodeado por muchos juguetes, se sentirá distraído con facilidad.
- Muestre siempre a su hijo cómo funciona un juguete nuevo, no una sino muchas veces.
- Ayúdele a usar su imaginación contándole historias sobre su juguete de peluche mientras juega con él, o anímelo, por ejemplo, a celebrar una fiesta con ellos.
- Si el niño no parece tener ganas de jugar, empiece por mostrarle lo divertido que es jugando usted con sus juguetes, y pídale que se una al juego.

EDUCACIÓN CONDUCTIVA

Este sistema intensivo de aprendizaje está diseñado para ayudar a los adultos y a los niños con ciertas clases de discapacidades motoras, incluidos los niños con parálisis cerebral, para llegar a ser así individuos mucho más independientes.

La educación conductiva se desarrolló en el Instituto Pëto de Hungría y en algunos casos ha ayudado a los niños a adquirir habilidades que a sus padres les habrían parecido imposibles.

El objetivo de la educación conductiva es ayudar a las personas a funcionar con la máxima normalidad posible, física, intelectual y socialmente. Se basa en una consideración del niño como una persona completa, el trabajo intensivo de grupo que se efectúa con padres e hijos y el estímulo de cada pequeño movimiento para alcanzar la independencia.

EPILEPSIA

En algunos países occidentales, la enfermedad más común del cerebro es la epilepsia, que llega a afectar 5 de cada 1.000 niños en edad escolar y que tiende a ser hereditaria. Los impulsos eléctricos normales del cerebro se ven perturbados, lo que causa ataques periódicos que pueden ser menores o graves.

ATAQUES EPILÉPTICOS

Hay varias formas de ataque epiléptico. Lo que en otro tiempo se llamó el *grand mal* supone ataques recurrentes de convulsiones y dificultades respiratorias con pérdida de conciencia, seguidos por rigidez del cuerpo que puede durar un minuto o menos, y luego una serie de espasmos rítmicos de las extremidades, apretar los dientes (momento en el que el niño puede morderse la lengua), y echar espuma por la boca. Una vez pasada la convulsión, se queda dormido y después no recuerda nada.

En otra de sus formas, llamada *petit mal*, no se producen movimientos anormales, sino sólo uno o dos segundos de inconsciencia, como en un momento de ensoñación. Los ojos del niño se ponen vidriados, y no parece ver ni escuchar nada. Esta clase de epilepsia no es reconocida fácilmente, y puede no ser diagnosticada. Aunque no es tan espectacular como el *grand mal*, los ataques del *petit mal* pueden interferir en la vida normal del niño, sobre todo en cuanto a su atención y rendimiento en la escuela, así como con ciertas actividades físicas donde la pérdida de control podría suponer un peligro, como el patinaje o el ciclismo.

No debe confundirse la epilepsia con las convulsiones febriles (véase pág. 281), mucho menos nocivas y que vienen causadas por una temperatura muy alta.

¿HASTA QUÉ PUNTO ES GRAVE?

La epilepsia no es en modo alguno amenazadora. La mayoría de niños superan la forma del *petit mal* hacia el final de la adolescencia, pero los que sufren del *grand mal* también pueden mejorar con la edad, e incluso superar la enfermedad. Sin embargo, algunos niños con la forma grave de epilepsia necesitan atención especial toda la vida, a pesar de que el trastorno generalmente puede controlarse con medicación. Quizá se requiera tiempo para establecer el nivel de medicación que se necesita, y un niño pequeño puede pasar por momentos en que la epilepsia no quede absolutamente controlada por los medicamentos. Consulte con su médico, que puede aumentar la dosis para ejercer mejor control. Si el niño experimenta alguna convulsión, consulte en seguida con el médico.

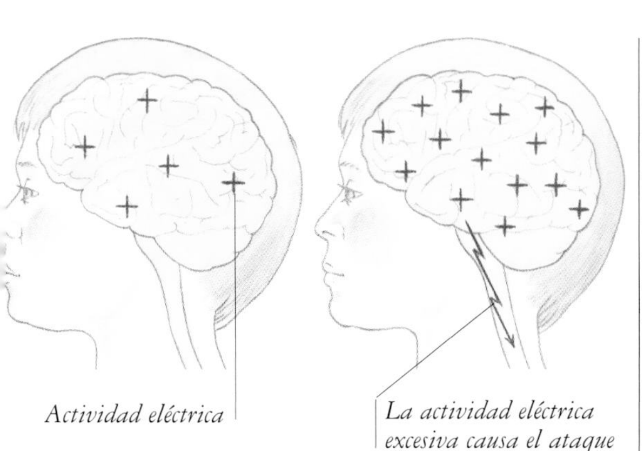

Actividad cerebral normal
El nivel de actividad eléctrica en el cerebro es relativamente bajo.

Actividad cerebral en un ataque
Cuando se acumula un nivel de energía eléctrica excesivo, se envían señales al cuerpo que causan un ataque.

QUÉ HACER DURANTE UN ATAQUE

- No trate de inmovilizar las extremidades.
- Aflojarle la ropa alrededor del cuello o el pecho.
- No tratar de separar los dientes del niño si los tiene apretados, ni ponerle nada en la boca.
- En cuanto el niño deje de moverse con violencia, colocarlo en la posición de recuperación (véase pág. 329).
- Durante un ataque de *petit mal*, conducir al niño a un lugar seguro y quedarse con él hasta que se le haya pasado.
- Tomar nota de lo que sucede durante el ataque para decírselo al médico.

TRATAMIENTO

Si el niño sufre un ataque, el médico le preguntará al respecto y lo examinará para decidir qué forma de ataque ha tenido. Si el médico sospecha que el ataque puede deberse a la epilepsia, el niño será enviado a un hospital para un examen que puede incluir un EEG (electroencefalograma), análisis de sangre y un escáner cerebral.

La epilepsia se puede controlar, pero no curar. Los medicamentos anticonvulsivos, tomados a diario, reducirán la frecuencia de los ataques de *grand mal* y los erradicarán en la mayoría de niños. Actualmente se dispone de medicamentos selectivos que actúan sobre una zona concreta del cerebro y que no causan los efectos secundarios asociados con los medicamentos antiguos.

El estado del niño será revisado periódicamente por el médico, y si no se producen ataques durante uno o dos años, quizá decida dejar de recetar los medicamentos. Si los medicamentos no son efectivos y si se cree que la causa de los ataques se encuentra en el daño sufrido por una zona concreta, puede aplicarse la cirugía. El médico le aconsejará si eso es lo apropiado.

CÓMO AYUDAR

Puede ser conmocionante saber que el niño tiene epilepsia, pero debe usted tratar de mantener la calma. Tanto usted como el niño necesitarán recuperar la confianza. Usted puede lograrlo con ayuda del médico, que le aconsejará acerca de cómo afrontar los ataques.

Es importante observar el estado del niño para que pueda informar del mismo al médico. Tome note de la frecuencia de los ataques. Si el niño toma medicación, obsérvelo cuidadosamente e informe de cualquier diferencia mental o de personalidad que pueda ser causada por los medicamentos. No debe interrumpir nunca la medicación sin consultar antes con el médico. Si lo hiciera podría causar una convulsión grave y prolongada al cabo de unos pocos días.

Trate permanentemente al niño con toda la normalidad que le sea posible. Hable de su estado con sus amigos y maestros, para que no se asusten ni conmocionen si el niño experimenta una convulsión en su presencia. El niño debe llevar siempre un brazalete o medallón en el que aparezca grabada información sobre su epilepsia.

Cuando el niño tenga edad suficiente, enséñele a reconocer las señales de que se avecina un ataque. Justo antes de una convulsión, muchos epilépticos experimentan sensaciones como un olor desagradable, una visión distorsionada, o una extraña sensación en el estómago. Si el niño es capaz de identificar esas sensaciones como señales de advertencia, quizá pueda evitar el tener un accidente.

LA PERSPECTIVA PARA SU HIJO

El objetivo de cuidar a un niño epiléptico es controlar los ataques con un mínimo de efectos secundarios, y aumentar su calidad de vida a medida que crece. El control del ataque no debería lograrse nunca a costa de efectos secundarios de los medicamentos, ya que eso podría provocar la restricción de funciones importantes del cerebro que permiten el desarrollo normal de su hijo.

Es muy importante controlar el estado del niño. Para ello, no dependa sólo del médico; establezca un plan de acción que suponga hacerle visitas regulares y si tiene más de uno o dos ataques, acuda a verlo en seguida para volver a valorar la situación; quizá haya que ajustar la medicación.

DREPANOCITEMIA

Esta enfermedad heredada es más común en personas de ascendencia africana o de las Indias occidentales, pero también puede aparecer en personas del subcontinente indio, Oriente Próximo y el Mediterráneo oriental. Un niño con drepanocitemia (SCD) tenderá a sufrir accesos de dolor y puede correr un mayor riesgo a causa de otros trastornos, pero la mayor parte del tiempo estará bien.

TIPOS DE SCD

La drepanocitemia viene causada por una anormalidad de la hemoglobina, la sustancia portadora de oxígeno de los glóbulos rojos de la sangre. Hay tres tipos principales: la anemia drepanocítica, que es la forma más común y grave, la drepanocitemia hemoglobínica y la beta-talasemia.

Anemia drepanocítica. Cuando los niveles de oxígeno son bajos, se cristaliza la hemoglobina anormal (conocida como tipo S), lo que hace que el hematíe sea frágil y se estríe. Estas células falciformes, llamadas así por su característica forma de hoz o media luna, pueden quedar atrapadas en los vasos sanguíneos y causar un bloqueo que impide el flujo de la sangre. Eso explica el fuerte dolor característico de un ataque de SCD. Las células falciformes sólo duran unos 20 días en el cuerpo, en comparación con los 120 días que duran los hematíes normales, y la muerte prematura de los hematíes conduce a la anemia. En ocasiones se producen crisis aplásticas por las que se ve temporalmente reducida la actividad configuradora de la sangre que se desarrolla en la médula ósea, lo que disminuye el nivel de producción de hematíes, y el acortamiento de la vida media de éstos. Como consecuencia, la médula ósea puede llegar a quedar inactiva, lo que supone una amenaza para la vida.

Drepanocitemia hemoglobínica. En esta forma de SCD hay dos hemoglobinas anormales, la del tipo S y la del tipo C. La enfermedad aparece más tarde y en una forma más suave de forma manifiesta que la anemia drepanocítica.

Beta-talasemia. Es similar a la anemia drepanocítica en la medida en que hay una anormalidad en la hemoglobina que tiene como resultado la formación de células anormalmente configuradas. Los enfermos heredan un gen drepanocítico de uno de los progenitores y un gen de la talasemia de otro.

RASGOS HEREDITARIOS DE LA DREPANOCITEMIA

La drepanocitemia se encuentra en zonas donde la malaria fue o es endémica y ofrece alguna protección contra la malaria. No es sorprendente, por tanto, que aproximadamente el 10 % de los afrocaribeños, el 25 % de los nigerianos y una cifra más reducida pero importante de habitantes de Oriente Próximo y del Mediterráneo tengan este rasgo hereditario.

Un niño sólo puede heredar la drepanocitemia si los dos progenitores le transmiten el rasgo anormal, e incluso entonces sólo se producirá un caso de cada cuatro. Si sólo un progenitor le transmite el rasgo, el gen de la drepanocitemia quedará enmascarado por un gen sano del otro progenitor. El portador no se verá afectado, pero el rasgo aparece en los análisis de sangre.

EFECTOS DEL SCD

Aparte de causar anemia y ataques agudos de dolor llamados «crisis», la SCD puede causar otros trastornos, incluyendo infecciones e ictericia. También existe un pequeño riesgo de sufrir una apoplejía durante una crisis.

Infecciones. Los niños con SCD son particularmente vulnerables a las infecciones, por ejemplo pulmonares o de los huesos. Una fuerte infección puede provocar una pérdida espectacular de hematíes en el hígado o en el bazo, con un descenso masivo de los niveles de hemoglobina, que es fatal si no se aplica un tratamiento inmediato.

Crisis de dolor. Cuando las células falciformes bloquean un vaso sanguíneo, puede producirse una falta de oxígeno en el tejido regado por ese vaso sanguíneo, algo que puede suceder casi en cualquier parte del cuerpo, aunque los pies y las manos son particularmente vulnerables. Las crisis constituyen uno de los aspectos más angustiosos de la SCD; el dolor es violento e impredecible, y como madre le será muy difícil ver a su hijo con dolor y no poder hacer nada por ayudarle. La crisis, sin embargo, puede tratarse con analgésicos. En ocasiones esas crisis son causadas por infecciones, ejercicios fuertes, bajas temperaturas o deshidratación causada por vómitos o diarrea.

Ictericia. La rápida descomposición de los hematíes puede tener como resultado un aumento en los niveles de un pigmento llamado bilirrubina (véase «Ictericia», pág. 25). Eso causa un aspecto amarillento en el blanco de los ojos que a menudo aumenta con la gravedad de las crisis. La piel puede adquirir también un tono amarillento.

Desarrollo. Los niños con SCD pueden experimentar un crecimiento más lento (tanto en altura como en peso), y también un posible retraso de la pubertad. Pueden sufrir un estado permanente de anemia crónica que produzca un rápido declive en su estado cuando estén enfermos.

DETECCIÓN

El asesoramiento genético y de apoyo es esencial para las parejas de riesgo o con SCD en sus familias. En algunas zonas se controla a todos los bebés para detectar anormalidades en la hemoglobina, al margen de cuál sea su origen étnico. La detección precoz significa que la enfermedad podrá ser controlada correctamente desde el principio y sobre todo que podrá aplicarse muy pronto el tratamiento a largo plazo con penicilina para reducir el riesgo de infecciones pulmonares.

Es posible la detección prenatal para descubrir si la hemoglobina del bebé es normal, que puede llevarse a cabo al practicar la amniocentesis (habitualmente hacia las 16 semanas de embarazo). Es aconsejable examinar a las mujeres embarazadas de las que se sabe que ya tienen el rasgo drepanocítico. Las parejas de riesgo recibirán asesoramiento para ver si pueden ser padres.

TRATAMIENTO

Si el niño tiene SCD necesitará dosis frecuentes de penicilina para atajar las infecciones bacterianas en sus inicios. Debe administrarse desde el momento del diagnóstico y durante toda la vida. Todos los niños afectados necesitarán suplementos de ácido fólico. Deben beber mucho líquido para evitar la deshidratación y mantenerse siempre calientes para estimular una circulación normal. Aunque el esfuerzo excesivo puede causar problemas, el niño debe practicar ejercicio con regularidad y descubrir su propio nivel de tolerancia de energía, ya que el ejercicio mejorará la salud de su corazón y su circulación. El dolor y los síntomas de la infección deberían tratarse con rapidez.

Cuando se han destruido millones de hematíes, será necesario efectuar una transfusión en un hospital; en ocasiones se tendrán que efectuar muchas transfusiones. Aunque se trata de un procedimiento prolongado, permitirá a su hijo llevar una vida normal. Se pueden administrar calmantes, líquidos y posiblemente oxígeno y antibióticos. Con la experiencia los padres pueden aprender a enfrentarse a las crisis leves en casa.

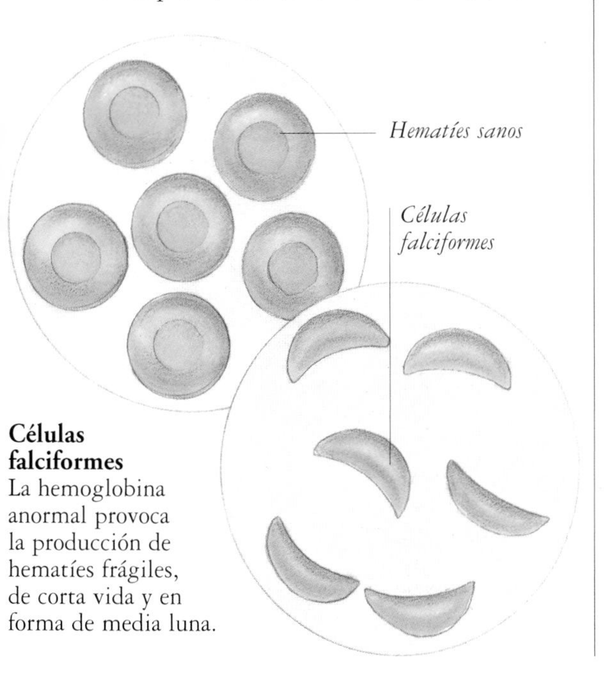

Células falciformes
La hemoglobina anormal provoca la producción de hematíes frágiles, de corta vida y en forma de media luna.

CÓMO AYUDAR

Aunque los conocimientos sobre la enfermedad son incompletos, es importante que esté usted lo mejor informada posible para poder ayudar al niño a evitar las crisis de dolor. El asesoramiento le permitirá encontrar una forma segura y confidencial de explorar sus propios sentimientos, y será una fuente de ánimo y apoyo.

Cuando el niño empiece a ir a la escuela, debería informar de su estado a la dirección y a la maestra, informándoles sobre los problemas que eso podría plantear para su educación. Quizá el niño no pueda acudir a algunas clases, por ejemplo, debido a las crisis o a sus ingresos en el hospital. Tranquilice al niño y anímelo a expresar sus sentimientos y ansiedades.

Debe prestar mucha atención a los sentimientos del niño. Muchos niños con SCD experimentan dificultades con sus compañeros de clase. Los maestros deben educar a los otros niños acerca del SCD, de modo que el enfermo no sufra de sentimientos de alienación o aislamiento como podría suceder si, por ejemplo, sus compañeros creyeran que la enfermedad fuese contagiosa.

Una vez que saben hablar, muchos niños con SCD expresan temor a morir o a ser deformes. Otros se sienten diferentes y alienados, convencidos de que son los únicos que sufren este estado, y que nadie les comprende. Otros temen expresar cuándo sufren dolor, convencidos de que nadie les va a creer. Puede usted ayudarle mucho procurando que se sienta seguro de su comprensión, simpatía y cuidados cada vez que los necesite.

CAPÍTULO 6

MEDICINA Y CUIDADOS *de la salud*

La mayoría de las enfermedades infantiles son menores y se las previene y trata con facilidad; las vacunas son efectivas contra la mayoría de enfermedades infecciosas. En un bebé, sin embargo, hasta las enfermedades aparentemente menores pueden causar complicaciones, como por ejemplo un resfriado que se desarrolla hasta convertirse en una infección de garganta, causando dificultades respiratorias.

Es comprensible que se sienta usted angustiada si el niño se pone enfermo por algo, tiene náuseas o sufre un accidente. En ocasiones también resulta igualmente angustioso decidir si se ha de buscar ayuda médica o no. Aunque los síntomas del niño parezcan comunes, quizá a usted le preocupe que sean indicativos de algo mucho más grave. Nunca debe preocuparla el ser demasiado prudente; si en alguna ocasión se pregunta si vale la pena consultar con el médico, probablemente debería hacerlo.

La causa principal de muerte en los niños pequeños son los accidentes, pero afortunadamente se pueden prevenir muchos de ellos. Reducirá la probabilidad de que se produzcan accidentes si logra que su hogar sea lo más seguro posible y toma precauciones cuando el niño está fuera de casa. También debería aprender a aplicar los primeros auxilios, de modo que sepa cómo ayudar al niño en caso de emergencia. No se limite a leer este libro; asista a un curso oficial de primeros auxilios (véase pág. 327) y aprenda a fondo los procedimientos de emergencia indicados en las págs. 326-333.

AFRONTAR LA ENFERMEDAD

Resulta bastante fácil darse cuenta de cuándo el niño está enfermo: estará pálido, no prestará atención y no querrá comer. Debería poder tratarlo con éxito en el hogar para la mayoría de cosas. Sin embargo, si se siente preocupada o indecisa, no dude en consultar con el médico. Algunos síntomas siempre exigen atención médica inmediata; se indican en la pág. 277.

Incluso estando segura de que el niño se encuentra enfermo, quizá no sepa qué le pasa y necesite la ayuda del médico para saber qué le sucede. Para ayudarle, debería observar todo lo que pueda sobre los síntomas del niño; cuanto más exacta sea la información de la que disponga el médico, tanto mayores serán sus probabilidades de hacer un diagnóstico exacto.

SÍNTOMAS DE ADVERTENCIA

Si cree que su hijo está enfermando, es conveniente que controle su temperatura, apetito y ritmo respiratorio.

Temperatura. La temperatura normal del cuerpo de un niño es de 37 °C. Si un bebé tiene temperatura alta, debe usted consultar al médico. En niños algo mayores hay que evaluar su estado general y no sólo la temperatura para decidir si está realmente enfermo. Fíjese en si se mantiene alerta y comunicativo, si come y bebe o si hay algún otro síntoma, como dolor de oídos; la temperatura del niño varía según lo activo que haya estado y el momento del día. Es más baja por la mañana que durante el resto del día y más alta por la noche. También será más alta si ha estado corriendo.

Diarrea. Los movimientos intestinales sueltos y acuosos significan que los intestinos están inflamados e irritables, y que no hay tiempo suficiente para que el agua de la deposición se reabsorba. La gastroenteritis es la causa más común, pero ocasionalmente también viene causado por un resfriado gástrico o cualquier otra infección. La diarrea siempre es grave en los bebés y niños pequeños porque puede conducir a la deshidratación. Si su bebé tiene menos de un año y ha tenido diarrea durante seis horas, consulte a su médico inmediatamente.

Vómitos. Debe consultar con el médico si el niño ha vomitado intermitentemente durante un período de seis horas o más, sobre todo si los vómitos van acompañados de diarrea o fiebre. El vómito suele ser causado por alimentos que no sientan bien o por gastroenteritis, pero puede haber una causa más grave; el médico hará un diagnóstico.

TOMAR EL PULSO AL NIÑO

Un pulso rápido o indetectable indica que el niño no se siente bien. El ritmo del pulso varía según la salud, la edad y el ejercicio físico.

La frecuencia media del pulso de un bebé pequeño es de 100 a 160 pulsaciones por minuto, que se reducen de 100 a 120 para un bebé de un año, y de 80 a 90 para un niño de siete años.

Al tomarle el pulso use los dedos índice y medio, no el pulgar, que tiene un pulso propio. Cuente el número de latidos durante un período de 15 segundos y multiplique la cifra por cuatro para saber la frecuencia por minuto.

Controlar los latidos cardiacos
La mejor forma de tomar el pulso a un menor de un año es colocarle la palma de la mano sobre el pecho, al nivel del ombligo, y contar el número de latidos cardiacos (también le encontrará un pulso en el brazo, véase pág. 328).

Pulso radial
En el niño mayor de un año le será relativamente fácil encontrarle el pulso en la muñeca. Coloque los dedos índice y medio sobre la muñeca, inmediatamente por debajo del pulgar, y cuente las pulsaciones.

Use los dedos índice y medio, no el pulgar

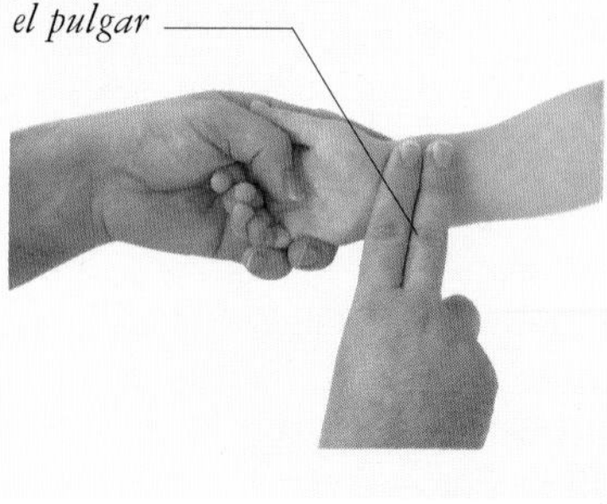

Dolor. Debe acudir al médico si el niño se queja de dolores de cabeza, sobre todo después de haberse dado un golpe, o pocas horas después de haberse hecho una herida en la cabeza, o si tiene visión borrosa, náuseas, mareo, o dolor de estómago, particularmente del lado inferior derecho del abdomen.

Respiración. La dificultad para respirar es una emergencia médica y exige ayuda inmediata. Quizá observe que las costillas del niño se hacen notar nítidamente cada vez que respira. Si los labios del niño se ponen azulados, debe considerarlo como siempre una emergencia y llamar una ambulancia.

Apetito. Los cambios repentinos de apetito pueden indicar una enfermedad subyacente, sobre todo si el niño tiene fiebre, por suave que sea. Debe avisar al médico si el niño rechaza el alimento durante un día y parece aletargado o, si tiene menos de seis meses, tiene poco apetito y no parece desarrollarse bien.

Llamar al médico

Es muy natural que una madre se sienta angustiada y quizá le preocupe porque no está segura de saber si el niño se siente verdaderamente mal. Después de haber trabajado con muchos médicos aprendí rápidamente que la única opinión que no debe despreciarse es la de la madre. Así pues, y en caso de duda, lo mejor que puede hacer es llamar al médico. No tema hacerle al médico toda clase de preguntas que le preocupen, por muy triviales que le parezcan.

Qué decirle al médico. Para hacer un diagnóstico, el médico necesitará conocer la siguiente información: una descripción de los síntomas del niño, cuándo empezaron, en qué orden se produjeron, su gravedad y si hubo algo que los precipitó (como por ejemplo haber comido algo en malas condiciones). Además de eso, el médico necesitará saber la edad y el historial médico del niño.

Prepárese para dar detalles de cualquier herida o accidente que haya sufrido. ¿Perdió el niño la conciencia? ¿Había comido o bebido algo (para el caso de que necesitara un anestésico)? ¿Ha sido mordido por un insecto o animal? ¿Qué fue y cuáles fueron los síntomas? Si se ha tragado una sustancia o planta tóxica, guárdela para mostrársela al médico.

La preguntas específicas que puede hacerle un médico acerca de una enfermedad son: ¿Ha vomitado el niño o sufrido diarrea? ¿Tiene algún dolor? ¿Dónde está localizado? ¿Cuánto tiempo ha durado? ¿Le ha dado usted algo para aliviarlo? ¿Ha aumentado su temperatura? ¿Con qué rapidez apareció la fiebre y cuál fue la temperatura más alta? ¿Ha perdido la conciencia en algún momento? ¿Ha observado glándulas hinchadas o erupción? ¿Ha tenido mareos o visión borrosa? El médico también le hará preguntas generales sobre el apetito y las pautas de sueño del niño.

Qué preguntarle al médico. Si al niño se le recetan medicamentos, asegúrese de saber cuándo debe administrárselos (algunos hay que dárselos después de las comidas), durante cuánto tiempo y si producen efectos secundarios. Pregunte cómo debe atender al niño y cuándo cabe esperar que remitan los síntomas. Pregunte al médico cuáles pueden ser las medidas preventivas para un niño que experimenta estados recurrentes, como resfriados.

En el caso de una enfermedad infecciosa necesitará saber usted si es seguro permitirle visitas, cuánto tiempo tardará el niño en regresar a la escuela y si la enfermedad tiene algún efecto a largo plazo.

Emergencias

Algunas situaciones exigen atención médica inmediata. Debe llamar a una ambulancia o llevar al niño en coche al hospital o clínica más cercanos en el caso de que se produzca cualquiera de las siguientes situaciones graves:

- Fractura ósea o sospecha de fractura (véase pág. 339).
- Reacción grave a un aguijón o mordedura de un insecto o animal (véase pág. 341).
- Coloración azul pálido o gris alrededor de los labios.
- Una quemadura o escaldadura (véase pág. 336) más grande que la extensión de la mano de su hijo.
- Envenenamiento, o sospecha de envenenamiento (véase pág. 334).
- Pérdida de la conciencia (véanse págs. 327-329).
- Hemorragia grave de una herida (véase pág. 335).
- Contacto con un producto químico corrosivo, especialmente si se han visto afectados los ojos (véanse págs. 334 y 338).
- Respiración dificultosa o sofocamiento (véase página 333).
- Cualquier herida en las orejas o los ojos (véanse págs. 284, 287 y 338).
- Una descarga eléctrica (véase pág. 334).
- Inhalación de humos tóxicos o de gas.

TEMPERATURA

Cada vez que sospeche que el niño está enfermo, debe tomarle la temperatura. Una temperatura elevada indica que el cuerpo está luchando contra una infección. Si la temperatura aumenta por encima de los 38 °C, el niño tiene fiebre (véase pág. 281), que debe usted tratar de reducir.

PRECAUCIÓN

No le ponga al niño un termómetro de mercurio en la boca hasta que tenga por lo menos siete años; podría morderlo y tragarse el mercurio, que es tóxico. Los termómetros digitales son más difíciles de romper y pueden usarse con niños de todas las edades. Funcionan con pilas, así que tenga siempre a mano pilas de repuesto.

TERMÓMETROS

El modo más preciso de tomarle la temperatura a su hijo es con un termómetro digital, que puede usarse sin peligro en la boca.

Los termómetros de mercurio son de cristal y registran la temperatura cuando el mercurio sube por el tubo hasta un punto de la escala. Deben utilizarse en la axila.

Los termómetros digitales de oreja son sencillos y rápidos de usar, y muy precisos. Los termómetros de tira son menos precisos, pero son sencillos de usar e inocuos.

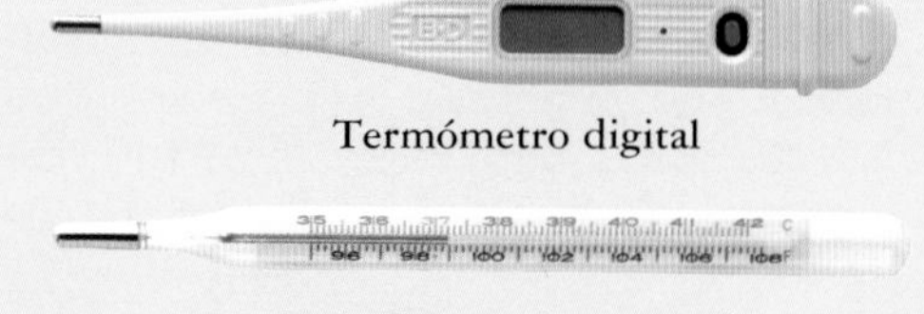

Termómetro digital

Termómetro digital (la ventanilla muestra la lectura de la temperatura)

Termómetro de mercurio

Termómetro de mercurio (para usar en la axila)

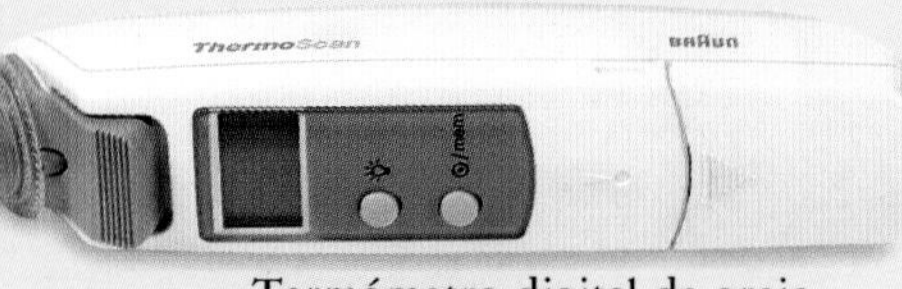

Termómetro digital de oreja

Termómetro de oreja (la ventanilla muestra la lectura de la temperatura)

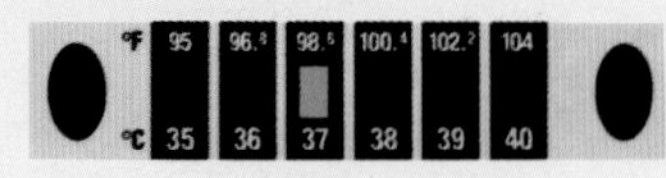

Termómetro de tira

Termómetro de tira (un panel brillante indica la temperatura del niño)

TOMAR LA TEMPERATURA DEL NIÑO

Utilizando un termómetro digital
Pídale a su hijo que abra la boca y levante la lengua. Coloque el termómetro bajo la lengua y dígale al niño que presione la punta de la lengua contra la cara interna de los dientes frontales inferiores; esto impedirá que el termómetro se mueva. Luego pídale que cierre los labios, pero no los dientes, sobre éste. Déjelo dos minutos, sáquelo y lea el número de la ventanilla.

Utilizando un termómetro de mercurio
Coloque la ampolleta del termómetro bajo la axila del pequeño y dóblele el brazo sobre el pecho. Mantenga el termómetro así durante unos tres minutos. La temperatura en la axila es 0,6 °C más baja que la del cuerpo.

Utilizando un termómetro de oreja
Los termómetros digitales de oreja son un método rápido y seguro de tomar la temperatura de un niño. Inserte suavemente el extremo en el oído del niño y lea la temperatura en la ventanilla. La punta es desechable.

Utilizando un termómetro de tira
Este termómetro es fácil de usar. Coloque sobre la frente del niño la cara sensible al calor y manténgalo así durante un minuto. La temperatura se iluminará en la cara externa de la banda.

Medicinas

La mayoría de medicinas para niños se preparan en forma de jarabe, para administrarla con una cucharilla, cuentagotas o jeringuilla. El niño quizá colabore al tomar la medicina, pero también puede resistirse. Si se niega a tomar la medicina, procure que le ayude su cónyuge, o envuélvalo en una manta de modo que pueda sostenerlo con firmeza. Los cuentagotas y las jeringuillas son la mejor forma de administrarle una medicina si el niño no puede tragarla de una cuchara. A los niños mayores se les convence para tomar la medicina con la promesa de un alimento o bebida preferidos para quitar el gusto.

Dar una medicina

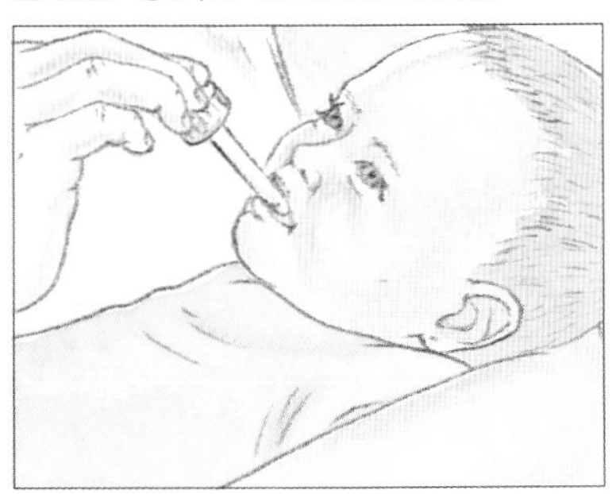

Cuentagotas
Sostenga al bebé en el brazo doblado, introduzca el cuentagotas en el frasco de medicina y absorba la cantidad correcta apretando de la goma del extremo. Luego, coloque el cuentagotas en la boca del bebé y suelte con suavidad el medicamento apretando la goma.

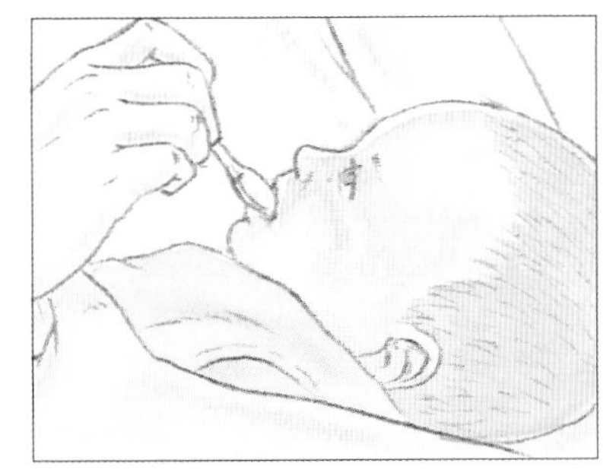

Cucharilla
La cucharilla debe ser esterilizada con agua hirviendo o solución esterilizadora. Sostenga al bebé en una posición semirreclinada, bájele la barbilla con un dedo y coloque la cucharilla sobre su labio inferior. Levante luego el ángulo de la cucharilla para que la medicina se deslice en su boca.

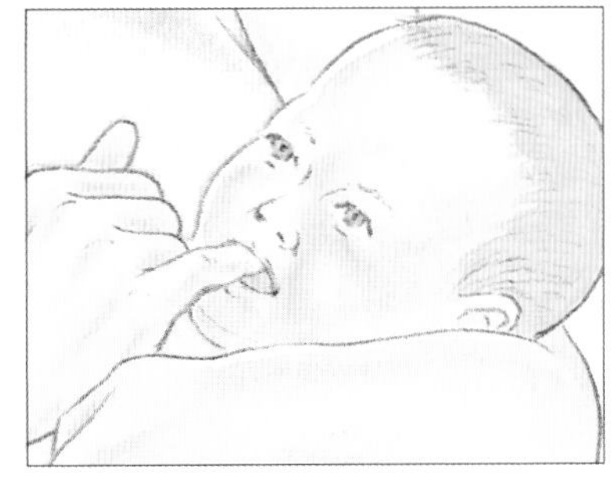

Dedo
Mida la cantidad correcta de medicina en un pequeño recipiente. Moje el dedo en ella y deje que el bebé le chupe el dedo. Continúe de ese modo hasta que se haya tomado toda la dosis.

Aplicación de gotas

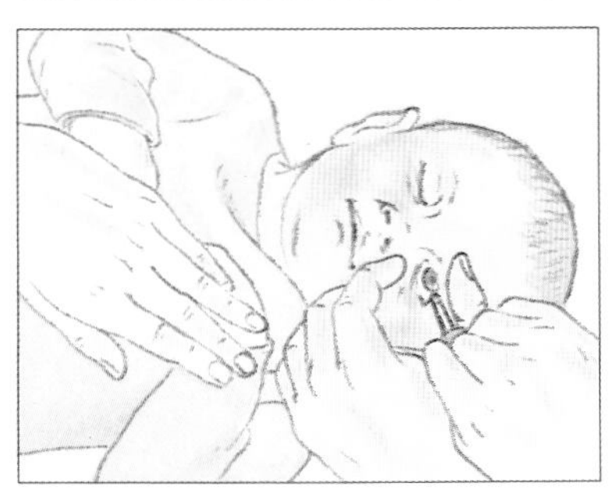

Gotas para los ojos
Coloque al bebé de espaldas y ladee su cabeza en dirección del ojo afectado. Separe con suavidad los párpados y deje caer las gotas en la comisura del ojo. Pida la ayuda de otra persona si la necesita.

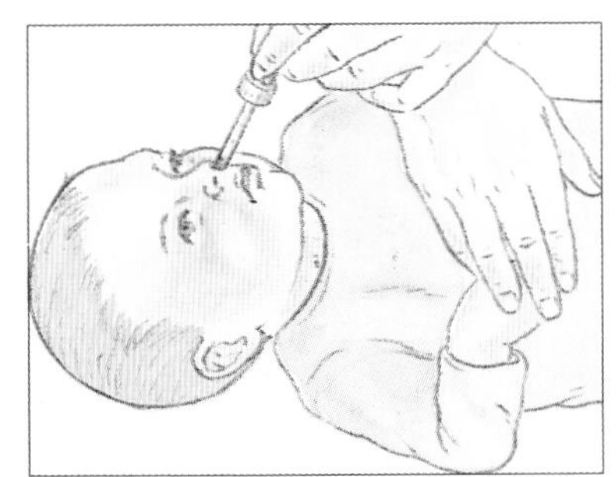

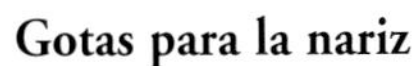

Gotas para la nariz
Coloque al bebé de espaldas, con la cabeza echada hacia atrás. Deje que dos o tres gotas de la solución caigan en las aletas de su nariz.

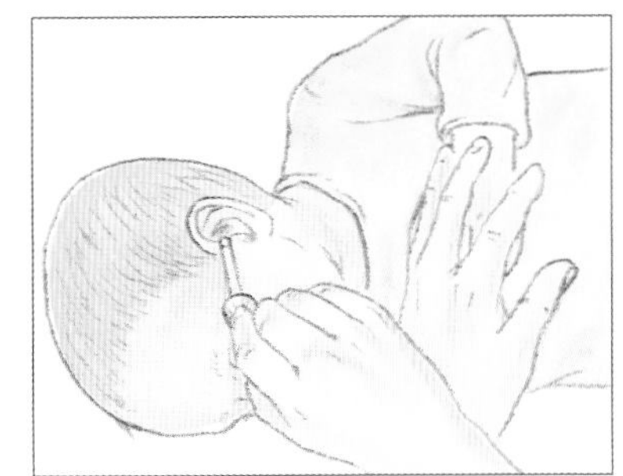

Gotas para los oídos
Coloque al bebé de lado. Tome un cuentagotas y vierta las gotas para los oídos en el centro de su oreja.

CÓMO CUIDAR AL NIÑO

No se necesitan habilidades especiales o conocimientos médicos para cuidar de un niño enfermo. Ayuda el que relaje usted las reglas y trate de ocultarle su propia angustia. No insista en que coma mientras está enfermo, pero anímelo a beber mucho líquido.

CUIDADOS GENERALES

Además del tratamiento que pueda recomendar el médico, las siguientes rutinas ayudarán a su hijo a sentirse más cómodo mientras esté enfermo:

- Ventile la habitación y la cama del niño al menos una vez al día.
- Deje un cuenco junto a la cama del niño por si vomita o tiene una tos expectorante.
- Deje una caja de pañuelos de papel junto a la cama del niño.
- Procure darle pequeñas comidas con frecuencia; las raciones grandes le incitan a rechazarlas.
- Si tiene fiebre, pásele una esponja empapada en agua tibia.
- Dele jarabe de paracetamol para aliviar el dolor.

¿DEBE PERMANECER EN CAMA?

Al principio de una enfermedad, cuando el niño se siente mal, probablemente querrá quedarse en cama y dormirá bastante. Cuando empiece a sentirse mejor seguirá necesitando descansar en la cama, pero querrá estar cerca de usted y es posible que quiera jugar a intervalos. La mejor forma de hacerlo consiste en preparar una cama en el sofá de una habitación cercana al lugar donde esté usted trabajando, de modo que el niño pueda tumbarse cuando quiera. No insista en que se vaya a la cama sólo porque está enfermo; los niños con fiebre, por ejemplo, no se recuperan más rápidamente sólo por estar acostados. Sin embargo, cuando el niño se sienta cansado, habrá llegado el momento de acostarlo. Pero no lo deje a solas. Procure visitarlo a intervalos regulares (cada media hora, por ejemplo), y encuentre tiempo para quedarse y jugar un rato con él, leerlo un libro o hacer un rompecabezas.

Cuando ya se esté recuperando, procure que sucedan suficientes cosas durante el día como para establecer una clara distinción entre noche y día. Si no ha visto la televisión, deje que la vea un rato antes de acostarse.

DAR BEBIDAS

Es esencial que el niño beba mucho cuando está enfermo, sobre todo cuando tiene fiebre, diarrea o vomita, porque necesitará reponer el líquido perdido para evitar deshidratarse. La toma diaria recomendada de fluido para un niño con fiebre es de 100 a 150 mililitros por kilo del peso del cuerpo, lo que equivale a un litro para un niño que pese alrededor de nueve kilos.

Anime al niño a beber dejándole su bebida preferida junto a la cama (preferiblemente no azucarada, y tampoco bebidas gaseosas, como la cola), poniéndole las bebidas en vasos especialmente atractivos o dándole pajitas dobladas para que las tome de una forma que le resulte atractiva.

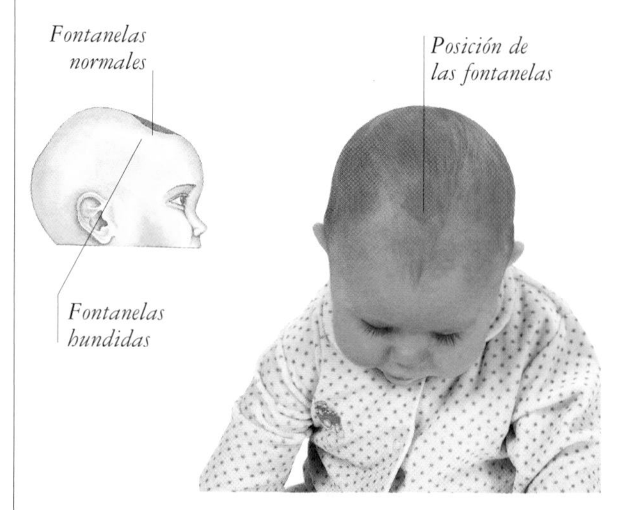

Deshidratación
Si el bebé tiene menos de 18 meses y ha vomitado o tenido diarrea, puede estar deshidratado. Una señal de deshidratación son las fontanelas hundidas, que indican que el bebé necesita atención médica inmediata.

OCUPAR AL NIÑO

La enfermedad es una ocasión en la que puede ser completamente indulgente con el niño. Si no está descansando, dedique tiempo a jugar y hablar con él. Relaje todas las reglas y deje que juegue a aquello que quiera, aunque previamente no le hubiera permitido jugar en la cama. Si el niño quiere hacer algo con lo que pueda manchar, como pintar, extienda una sábana vieja o una sábana de polietileno sobre la cama. Si puede, traslade temporalmente una televisión a su habitación, lo que, además de entretenerlo, también hará que se sienta como alguien especial.

Deje que pinte, léale algo, sáquele algunos de sus juguetes viejos más queridos y juegue con él, cómprele pequeños regalos y deje que los destape él mismo, cántele canciones o inventen juntos una historia, pídale que haga un dibujo de lo que va a hacer cuando se sienta mejor y deje que algunos de sus amigos lo visiten durante el día, a menos que sufra una enfermedad infecciosa. A medida que el niño mejora, déjelo jugar en el exterior, pero si tiene fiebre no permita que corra demasiado.

VOMITAR

Probablemente, vomitar será una experiencia angustiosa para el niño, y debe usted intentar que esté lo más cómodo posible. Procure que se siente en la cama y que haya un orinal o un cubo cerca, para que no tenga que acudir corriendo hacia el lavabo. Si lleva el pelo largo, áteselo en una cola de caballo, y si tiene náuseas sosténgale la cabeza y consuélelo. Después de vomitar, ayúdelo a limpiarse los dientes, o déle un caramelo de menta para quitarle el mal gusto.

Si el niño no ha vomitado desde hace varias horas y tiene hambre, ofrézcale alimentos blandos, como patata chafada, pero no le anime a comer si no tiene ganas. Más importante que comer es mantener un nivel constante de ingestión de líquidos. Dele agua en abundancia y añada una cucharadita de sal y hasta cuatro de glucosa por cada medio litro para sustituir las sales y minerales perdidos. Evite darle bebidas como leche, y procure darle mucho zumo de fruta diluido con agua.

CÓMO TRATAR LA FIEBRE ALTA

La primera señal de que aumenta la fiebre suele ser una frente caliente, pero para comprobarlo tómele la temperatura (véase pág. 278). Llame al médico si la fiebre dura más de 24 horas o si hay algún otro síntoma adicional. Las temperaturas superiores a 38 °C deben tomarse muy en serio en los niños menores de seis meses.

Si el niño tiene más de 40 °C, puede utilizar una esponja o paño empapados en agua tibia para bajarle la fiebre. Empezando por la cabeza, humedézcale todo el cuerpo con suaves pasadas de esponja. Cambie el paño o la esponja cuando lo note caliente. Compruebe la temperatura cada cinco minutos y detenga el baño con esponja cuando baje a 38 °C. No use nunca agua fría para empapar la esponja, ya que eso contrae los vasos sanguíneos, impidiendo la pérdida de calor y haciendo aumentar la temperatura.

Si después de pasarle la esponja con agua tibia no desciende la temperatura, intente darle jarabe de paracetamol (la aspirina no es adecuada para los niños menores de 12 años). Sigue siendo muy importante que beba líquido en cantidad, ya que sudará abundantemente.

CONVULSIONES FEBRILES

La causa más común de convulsiones en los bebés es el aumento de la temperatura que acompaña a una infección viral y en los niños entre seis meses y tres años es el aumento de temperatura que acompaña a una infección viral. Se conoce como convulsión febril.

Durante una convulsión, los músculos del cuerpo se contraen involuntariamente debido a una anormalidad temporal en la función cerebral. El pequeño pierde la conciencia. Otros síntomas incluyen rigidez corporal, espasmos rítmicos de las extremidades y rechinar de dientes, con somnolencia y confusión al volver en sí. El niño también puede perder el control de los esfínteres. Debe despejar un espacio a su alrededor para que no se haga daño a sí mismo. Espere a que su cuerpo haya dejado de convulsionarse y colóquelo después en la posición de recuperación (véase pág. 329).

Para reducirle la temperatura pásele una esponja empapada en agua tibia (nunca fría). No lo deje solo, no intente contenerlo, y no le ponga nada en la boca. Llame a un médico en cuanto el niño se haya recuperado. Si la convulsión durara más de 15 minutos, llame a una ambulancia.

Tratar las convulsiones
Su prioridad debe ser bajar la temperatura del niño pasándole una esponja empapada en agua tibia (véase arriba).

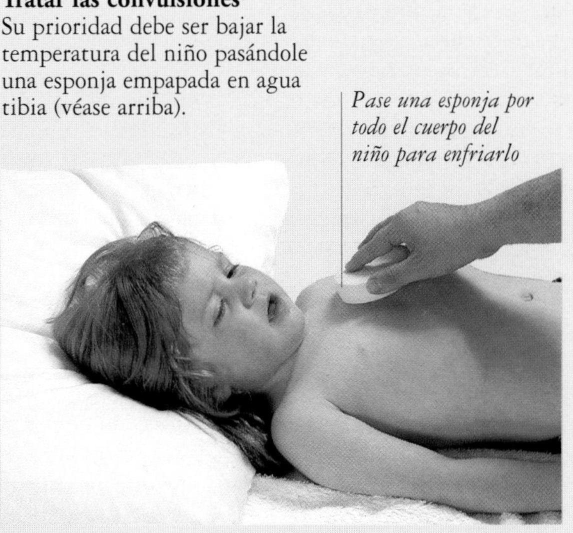

Pase una esponja por todo el cuerpo del niño para enfriarlo

HOSPITALIZACIÓN

En algún momento de la vida del niño, es posible que tenga que ingresar en un hospital. Podría ser porque ha sufrido un accidente, ha contraído una enfermedad infantil, tiene una enfermedad crónica como la talasemia (véase pág. 272) que necesita de transfusiones regulares de sangre, o bien porque necesita ser sometido a una operación. Con un poco de previsión por su parte, una estancia en el hospital no tiene por qué ser aterradora para su hijo.

ENSEÑAR AL NIÑO

Si no le gustan los hospitales y le transmite esa actitud al niño, quizá consiga inadvertidamente que su estancia en el hospital sea más difícil de lo que debiera. Intente enseñarle que un hospital es un lugar amistoso al que acude la gente para mejorar su salud. Siempre que surja la oportunidad (como por ejemplo si tiene a un amigo o pariente en un hospital) lleve al niño de visite y actúe con naturalidad, no sombríamente, con respecto a la enfermedad. Si el niño experimenta por primera vez lo que es un hospital cuando se pone muy enfermo, le parecerá más extraño que de otro modo.

Si sabe con antelación que tiene que acudir a un hospital, léale una historia de un niño que va a un hospital, y representa el papel de médicos y enfermeras con estetoscopios de juguete. Sea lo más honesta que pueda acerca de por qué acude al hospital, y resalte que es para que se ponga mejor. Tranquilícelo diciéndole que estará a su lado todo el tiempo que pueda, y si tiene edad suficiente para comprender, dígale cuándo se pondrá bien para regresar a casa.

Si el niño necesita ser sometido a una operación, probablemente sentirá curiosidad acerca de qué le va a ocurrir. Conteste sus preguntas con toda la honestidad que pueda; si le pregunta si la operación le va a doler, no finja, pero añada que los médicos cuentan con medicinas que hacen desaparecer el dolor rápidamente.

QUÉ LLEVAR

Puede ayudar al niño a prepararse para una estancia en el hospital interviniendo con él en la preparación de una bolsa con sus cosas. Una de las cosas más perturbadoras serán el ambiente desconocido y el cambio de rutina, así que deje que se lleve consigo algunas de sus cosas: un estéreo personal y cintas o una radio, juegos de viaje, juguetes de peluche y una fotografía que colocar en la mesita de noche. A nivel práctico y

para una estancia corta, ponga en la bolsa los objetos siguientes:

- Un neceser de aseo personal con cepillo del pelo, peine, jabón, franela, cepillo y pasta de dientes.
- Tres pares de pijamas o tres camisones.
- Un batín y un par de zapatillas.
- Tres pares de calcetines.
- Tres pares de calzoncillos o bragas.

EN EL HOSPITAL

La mayoría de hospitales esperan que los padres se queden con sus hijos durante todo el día. Tanto si lo hace como si no, procure pasar todo el tiempo que pueda con su hijo, sobre todo al principio, cuando el ambiente le es menos familiar. Hágale saber cuándo va a regresar, y cumpla siempre sus promesas sobre las visitas. Pregunte a las enfermeras de la sala si puede bañar, cambiar y alimentar a su hijo. Si está lo bastante bien, puede leerle algo y jugar con él. Si no puede quedarse en el hospital todo el tiempo, anime a su cónyuge, amigos y pariente a visitar al niño en momentos diferentes, en lugar de hacerlo todos juntos, para que pueda estar todo el tiempo posible con alguien conocido.

REGRESO A CASA

Dependiendo del tiempo que haya pasado en el hospital, quizá observe algunos cambios en sus hábitos. Probablemente, se despertará y se dormirá mucho antes en el hospital de lo que lo hacía en casa y esas pautas de vigilia y sueño quizá duren una temporada. Es posible que se resienta de la disciplina en casa después de haber sido mimado y consentido un poco, y que se muestre reacio a regresar a la escuela. La mejor actitud es la de ser tolerantes, ya que el niño no tardará en adaptarse de nuevo a la vida del hogar.

VACUNACIÓN

Desde la introducción de los programas de vacunación que ofrecen inmunidad, ha disminuido espectacularmente la incidencia de enfermedades infantiles potencialmente fatales, como la difteria. Algunas vacunas son duraderas (rubéola), otras necesitan un «refuerzo» a intervalos regulares (tétanos).

Hay dos tipos de vacunación: pasiva y activa. La primera funciona introduciendo en el cuerpo anticuerpos ya formados. La segunda supone inyectar una forma debilitada de infección que estimula al sistema inmunológico a producir sus propios anticuerpos, razón por la que, en ocasiones, la vacuna produce suaves síntomas de la enfermedad contra la que intenta proteger.

En los cinco primeros años de la vida del niño, necesitará que se le pongan varias vacunas: tres inyecciones de DTP, una inyección de SPR, tres inyecciones Hib, y tres vacunas contra la polio (tomadas oralmente). Las vacunas no aportan una protección instantánea contra la enfermedad; en algunos casos tardan hasta cuatro semanas en ser efectivas. Dele jarabe de paracetamol para aliviar cualquier malestar.

IMPORTANCIA DE LA VACUNACIÓN

Como los programas de vacunación han tenido tanto éxito, es fácil olvidar lo difundidas que estuvieron enfermedades como la tos ferina o la polio. Muchas madres actuales no han visto nunca a un niño con aparatos ortopédicos en las piernas, algo que fue muy común en la generación de sus padres, cuando la posibilidad de una parálisis o incluso de morir a causa de la polio fue muy real.

La vacunación protege de las enfermedades infecciosas tanto a los individuos como a comunidades enteras. En consecuencia, cada niño debería ser vacunado adecuadamente. Algunas madres se alarman al oír contar historias sobre los efectos secundarios de las vacunas, pero estos son realmente muy raros. No obstante, el niño no debe ser vacunado si tiene fiebre o infección, o si ha sufrido una reacción grave a una dosis previa de la vacuna. El médico le aconsejará lo que debe hacer.

INYECCIONES DE TÉTANOS

En cada herida profunda y penetrante existe el peligro del tétanos. La bacteria del tétanos sólo se desarrolla allí donde apenas existe oxígeno, por lo que las heridas superficiales corren poco riesgo. Las bacterias y las esporas del tétanos viven en el suelo y el estiércol, de modo que las peligrosas son las heridas sucias. Las bacterias producen un veneno que ataca a los nervios y al cerebro, causando espasmos musculares, sobre todo de la cara, de donde viene el espasmo masticatorio. Los pacientes necesitan siempre tratamiento hospitalario. El tétanos se puede prevenir mediante vacunación. La primera inyección de tétanos debería ponerse antes de los 12 meses para luego poner refuerzos a intervalos de diez años hasta un total de cinco dosis. Si al niño le ha mordido un perro o se ha hecho un corte profundo y sucio y no ha sido vacunado, deben ponerle inmediatamente una inyección del tétanos en un hospital.

QUÉ SE ADMINISTRA	CÓMO SE ADMINISTRA	CUÁNDO
Polio	*Gotas por vía oral.*	*A los dos, tres y cuatro meses. Se administra una dosis de recordatorio entre los tres y los cinco años.*
Hib (Haemophilus influenzae *tipo B*) *difteria, tétanos, tos ferina*	*Una inyección.*	*A los dos, tres y cuatro meses. Se administra una dosis de recordatorio para la difteria y el tétanos entre los tres y los cinco años.*
Meningitis	*Una inyección.*	*A los dos, tres, cuatro meses, y entre los trece y los quince meses.*
Sarampión, paperas y rubéola	*Una inyección.*	*Entre los doce y los quince meses, y entre los tres y los cinco años.*

ACHAQUES COMUNES

En un niño, cualquier enfermedad es diferente y más grave que esa misma enfermedad en un adulto, ya que el sistema inmunológico no está plenamente desarrollado y porque siempre pueden presentarse complicaciones. Una infección de garganta en un niño, por ejemplo, se puede extender con facilidad al pecho, porque las vías respiratorias son muy cortas.

En esta sección he descrito los achaques infantiles más comunes, con consejos acerca de cuándo se necesita al médico y qué puede hacerse en casa. Intente familiarizarse con todo el material de estas páginas, ya que seguro que le ayudará a actuar de modo apropiado y rápido en cuanto su hijo se queje de sentirse enfermo.

OÍDOS

Las infecciones de oído son corrientes en los niños debido a que sus trompas de Eustaquio aún son muy cortas y horizontales, de modo que drenan mal y se obstruyen con facilidad, lo que provoca infecciones del oído medio.

CERA EN EL OÍDO

La cera del oído es producida por glándulas situadas en el canal del oído externo, al que protege del polvo, los cuerpos extraños y la infección. Los niños suelen producir más cuando están resfriados o tienen la garganta inflamada, y si la cera se seca y endurece puede producir una pérdida de oído. Aunque no suele ser nada grave, debe consultar con el médico.

Síntomas. La cera en el oído puede endurecerse, hacerse compacta y dificultar la audición, producir un sonido de tintineo en la cabeza o la sensación de tener lleno el oído externo. Es posible ver la formación de la cera.

Tratamiento. Las gotas para los oídos pueden ser efectivas, y suelen utilizarse si la cera ha formado un tapón duro, ya que lo ablandan y de ese modo puede secarse al día siguiente con un algodón blando colocado en la abertura del canal. No intente jamás introducir nada en la oreja del niño para sacar la cera, ni siquiera la uña o una torunda de algodón. Con eso sólo lograría empujar la cera más adentro o dañar el tejido de la oreja.

INFECCIÓN DEL OÍDO EXTERNO

El pasaje que conduce desde el lóbulo de la oreja hasta el tímpano puede infectarse a veces como resultado de una excesiva limpieza o de rascarse, o ante la presencia de un cuerpo extraño en el oído. Eso puede ser doloroso, pero no suele ser grave.

Síntomas. El niño se quejará de dolor de oído y quizá tenga enrojecido y sensible el lóbulo y el pasaje del oído externo. Puede observarse a veces una descarga de pus por el oído y un aspecto seco y escamoso. Si al niño le duele mucho, puede que se haya desarrollado un absceso dentro del canal auditivo.

Tratamiento. El tratamiento en el hogar incluye mantener limpio el lóbulo de la oreja y darle jarabe de paracetamol para aliviar el dolor y bajar la temperatura. El médico quizá recete antibióticos o gotas para los oídos. Cualquier cuerpo extraño o absceso que pueda existir en el oído debe ser tratado en el hospital.

INFECCIÓN DEL OÍDO MEDIO

La otitis media o infección del oído medio es bastante común en los niños. Las infecciones son causadas por bacterias que entran en el oído medio procedentes de la nariz y la garganta, por la vía de la trompa de Eustaquio. Dejadas sin tratar, las infecciones del oído medio pueden tener como resultado una pérdida permanente del oído. Las recurrentes van asociadas a menudo con el oído pegado (véase pág. 285).

Síntomas. Los síntomas más destacados son dolor de oído y pérdida del apetito. Es posible que el niño tenga fiebre o una descarga del oído, y que se produzca alguna pérdida de oído. El bebé con una infección del oído medio se mostrará inquieto y se tirará y frotará la oreja, que estará muy enrojecida; también puede mostrar síntomas generales, como pérdida de apetito, vómitos y diarrea.

Tratamiento. El tratamiento habitual es a base de antibióticos y analgésicos. Debe usted mantener al niño cómodo y fresco en casa y darle muchos líquidos además de las medicinas. El niño debe evitar que le entre agua en los oídos hasta que la infección haya desaparecido.

OÍDO PEGADO

Si el niño sufre repetidas infecciones del oído medio, éste puede llenarse gradualmente de un fluido similar a gelatina. Como el fluido no puede drenarse por la trompa de Eustaquio, termina por parecerse a un material viscoso que dificulta la audición porque los sonidos no son transmitidos a través del oído medio hacia el interno, donde son realmente escuchados. Es importante tratarlo pronto, ya que de otro modo el niño sería lento para hablar y aprender.

Síntomas. El oído pegado no suele causar dolor, pero sí producir una pérdida parcial de audición y una sensación de tener lleno el fondo del oído. El niño puede dormir con la boca abierta, roncar y hablar con un tono nasal. Si no se trata puede causar sordera permanente, con resultado de problemas del habla y del aprendizaje.

Tratamiento. En ocasiones el fluido se drena por sí mismo al cabo de unas semanas. Su médico tal vez prescriba algún medicamento para bajar la congestión y facilitar el drenaje. Si el líquido no desapareciera puede ser recomendable practicar un pequeño agujero en el tímpano para extraer el líquido, tras lo cual se insertará un *grommet*, pequeño tubo de plástico que permite la circulación del aire en el oído medio. Cualquier fluido que se forme drenará a través del *grommet* y por la trompa de Eustaquio.

El *grommet* normalmente se desprende solo a los pocos meses y el tímpano cicatriza. Si vuelve a acumularse líquido tal vez sea necesario recurrir de nuevo al *grommet*. Los médicos aconsejan que se evite que le entre agua en los oídos al niño tras una operación de este tipo al menos durante las siguientes seis semanas, pero después se puede hacer vida normal.

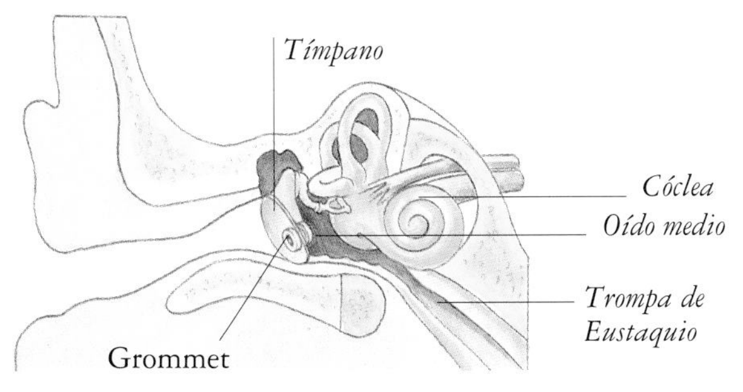

***Grommets* del oído**
Se trata de un pequeño tubo de plástico que permite la circulación del aire en el oído medio. Cualquier fluido que se forme drenará a través del *grommet*.

NARIZ

Una nariz bloqueada, debido a un resfriado, a la gripe o, más raramente, a una alergia, es bastante común en la infancia, así como las hemorragias menores, pero ninguna suele ser grave.

NARIZ TAPADA O ACUOSA

El exceso de moco en la nariz que tiene como resultado el sorberse la nariz o la nariz acuosa, suele ser causado por un virus de la gripe (véase pág. 294). Las membranas mucosas que recubren las vías nasales se inflaman, hinchan y congestionan hasta que terminan por tapar la nariz. Otras causas son la rinitis alérgica (véase pág. 293) o la presencia de un cuerpo extraño, como una canica pequeña (véase pág. 343).

Síntomas. Habitualmente, las secreciones producidas por un virus de la gripe empiezan por ser claras y acuosas, pero luego se espesan y amarillean cuando las defensas del cuerpo atacan la infección.

Tratamiento. Anime al niño a sonarse la nariz con frecuencia. Muéstrele cómo debe hacerlo, despejándose primero una ventana y luego la otra. Puede ayudar el inhalar mentol en forma de frotación sobre el pecho o de gotas en la almohada o la ropa del niño. Si el moqueo persiste durante más de tres días, consulte al médico.

HEMORRAGIA NASAL

La mayoría de las hemorragias nasales pueden detenerse con bastante facilidad. Si es grave, dura más de 30 minutos o se produce después de haber sufrido un golpe en la cabeza, debe llevar al niño al médico. Las hemorragias nasales en los niños a menudo están causadas por la costumbre de hurgarse la nariz.

Síntomas. La hemorragia procede de vasos sanguíneos diminutos del lado interno de la ventana. Puede formarse un coágulo en la nariz, que no debe quitarse.

Tratamiento. Siente al niño con la cabeza hacia adelante, sobre un cuenco o fregadero donde pueda apretarle el puente de la nariz con suavidad. Siga manteniendo la presión durante unos diez minutos o hasta que se haya detenido la hemorragia. El niño no debe hurgarse la nariz hasta por lo menos tres horas después de parada la hemorragia. No le eche nunca la cabeza hacia atrás, ya que puede tragarse la sangre y tener náuseas. Si la hemorragia fuera grave, consulte con el médico, y la detendrá con un tapón de gasa en la nariz.

GARGANTA

En los bebés menores de un año son raras las infecciones de garganta como la amigdalitis. Son más comunes en niños que acaban de empezar a ir a la escuela y que se encuentran expuestos a una nueva gama de bacterias.

ANGINAS

Habitualmente, sentir una incomodidad o dolor en la garganta se debe a una infección causada por una bacteria como el estreptococo, o por un virus como los del resfriado o la gripe.

Síntomas. El niño le dirá que tiene hinchada la garganta o quizá observe que le resulta difícil tragar. Hunda la lengua con el mango de una cuchara y pídale que diga «aaaahhh», para que pueda usted mirar hasta el fondo de la garganta en busca de señales de inflamación o de amígdalas enrojecidas y grandes.

Tratamiento. Dele muchas bebidas y procure licuar los alimentos si al niño le resulta difícil tragar. El médico puede recetarle antibióticos si hay infección bacteriana o amigdalitis.

AMIGDALITIS Y ADENOIDES

Las amígdalas, situadas a ambos lados del fondo de la garganta, impiden que las bacterias que invaden la garganta entren en el cuerpo, atrapándolas o matándolas. Eso puede tener a veces como consecuencia el que sean las propias amígdalas las que se hinchen e infecten. Los adenoides o vegetaciones, situadas al fondo de la nariz, casi siempre se ven afectadas al mismo tiempo.

Síntomas. El niño se quejará de tener la garganta inflamada y de dificultades para tragar. Al examinarlo verá las amígdalas enrojecidas y agrandadas, quizás con manchas blancas. Puede que le suba la temperatura, que se le hinchen las glándulas del cuello y que su aliento tenga olor. Si se le hinchan los adenoides es posible que hable con un tono nasal.

Tratamiento. Consulte con el médico, que posiblemente tome un frotis de la garganta y examine los oídos y las glándulas del niño. El tratamiento contra la amigdalitis bacteriana consiste en administrar los antibióticos apropiados. La extirpación de las amígdalas se considera después de ataques recurrentes y graves o si también se han visto afectados los oídos.

LARINGITIS

Cualquier resfriado o inflamación de garganta puede ir acompañada por una infección de la laringe. Mientras no se desarrolle y se forme una difteria (véase pág. 296), la laringitis no suele ser grave.

Síntomas. Los síntomas más comunes son ronquera o pérdida de voz. Al niño le será incómodo o doloroso tragar, y quizá tenga una tos seca y una fiebre suave. A veces, la laringitis se desarrolla y se forma una difteria (véase pág. 296).

Tratamiento. La mayoría de casos de laringitis son de corta duración. El niño debe descansar, preferiblemente en un ambiente húmedo en el que pueda circular el aire. Dele mucho líquido y anímelo a que descanse la voz. Si la temperatura se mantiene alta, quizá necesite antibióticos. Procure que no esté demasiado tapado (véase pág. 281), y si se desarrollara una difteria (véase pág. 296), busque ayuda médica lo antes posible.

Puntitos blanquecinos en las amígdalas

Amigdalitis
Las amígdalas hinchadas e infectadas causan una garganta dolorosa y dificultades al tragar. En las amígdalas también pueden aparecer manchas amarillas o blancas.

NÓDULOS LINFÁTICOS

Con una infección local en los nódulos linfáticos más próximosal lugar de la infección se producen leucocitos extra para matar y acabar con las bacterias. La producción de leucocitos hace que las glándulas linfáticas se inflamen y duelan.

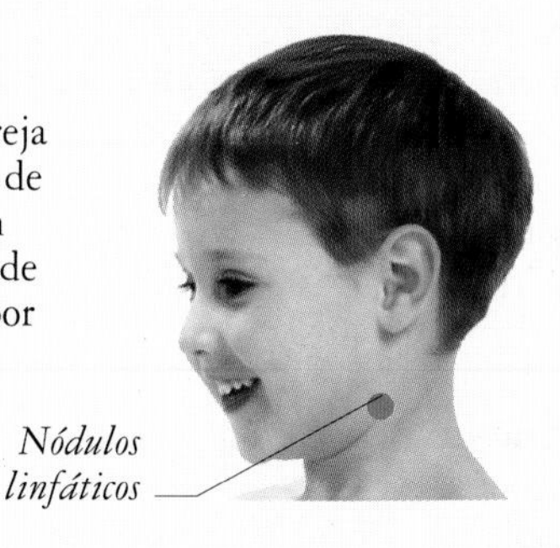

Glándulas hinchadas
Los nódulos linfáticos situados delante de la oreja y por debajo del ángulo de la mandíbula se hinchan debido a las infecciones de garganta. Pase el dedo por un punto situado bajo la oreja y notará unas protuberancias.

OJOS

Los problemas oculares más comunes en la infancia son infecciones o inflamaciones que se pueden curar con buena higiene y, a veces, colirios antibióticos.

BLEFARITIS

Es una inflamación de los bordes de los párpados, que se encuentra en conjunción con eczema y costra láctea y que suele ser recurrente. No es grave y puede aliviarse con medidas sencillas de autoayuda. Consulte con el médico si los ojos del niño aparecen pegajosos o si el estado no desaparece en una semana.

Síntomas. Los bordes de los párpados aparecen rojos, escamosos e inflamados, y quizá observe diminutas costras de pus seco en las pestañas del niño.

Tratamiento. Use una torunda de algodón empapada en una solución de agua hervida y tibia con media cucharadita de sal; dígale al niño que cierre los ojos y limpie cada ojo desde la nariz hacia al exterior. Use una torunda de algodón nueva cada vez que limpie el ojo y hágalo así cada mañana y cada noche hasta que haya curado completamente la piel. El médico puede recetarle una crema antiinflamatoria o un colirio si hubiera infección.

CONJUNTIVITIS

En este estado común del ojo, se inflama y enrojece la membrana que cubre el globo ocular y la cara interna de los párpados (la conjuntiva). Hay tres causas principales que lo producen: infección causada por un virus o bacteria, daño debido a la presencia de un cuerpo extraño, y una reacción alérgica. La conjuntivitis infecciosa es muy contagiosa y si se ve infectado un ojo, es muy probable que también se infecte el otro si no se toman precauciones.

Síntomas. La inflamación causa dolor al parpadear y al niño le puede resultar incómodo mirar luces brillantes, un síntoma llamado fotofobia. Cuando la conjuntivitis está causada por una infección, el ojo estará pegajoso y puede haber una acumulación de pus en el párpado inferior. La conjuntivitis alérgica produce lágrimas claras y acuosas y párpados hinchados.

Tratamiento. La conjuntivitis puede tratarse limpiando el ojo con solución salina o agua. Aunque la infección sólo afecte a un ojo, deben tratarse los dos porque la infección se contagia fácilmente de uno a otro ojo. Cuando existe un cuerpo extraño visible, extráigalo con la punta de un pañuelo de papel limpio. Busque siempre consejo médico para un niño que tiene un «ojo rojo». Si es una infección, el médico le recetará un ungüento antibiótico o un colirio. Para tratar la conjuntivitis alérgica se usan colirios antiinflamatorios y antihistamínicos.

ORZUELO

Cuando se infecta el folículo de una pestaña, se desarrolla un orzuelo o pequeño absceso en el borde de la misma. Frotarse los ojos puede estimular la formación de orzuelos, que exigen tratamiento médico, ya que es muy doloroso.

Síntomas. Al principio, el párpado aparece enrojecido y un poco hinchado; la hinchazón se llena luego de pus y el orzuelo puede sobresalir notablemente del párpado.

Tratamiento. Aunque los orzuelos no son tan contagiosos como otras infecciones oculares, el niño debe tener siempre su propia toalla y franela para su aseo personal. El médico puede prescribir una pomada antibiótica. Las compresas tibias pueden aliviar el dolor intenso.

ESTRABISMO

Los ojos del bebé puede parecer que miran en direcciones diferentes, a veces convergentes (el uno hacia el otro), y a veces divergentes (separándose ambos). Eso es perfectamente normal hasta las ocho semanas de vida, pero si los ojos del bebé no se han alineado a los dos meses, debe consultar con el médico. Las causas habituales del estrabismo son un desequilibrio en los músculos de los ojos, o que el uno tenga hipermetropía y el otro miopía.

Síntomas. Si sospecha que el bebé tiene estrabismo, confírmelo observando cómo se refleja la luz en sus ojos. Debe hacerlo exactamente desde el mismo lugar en cada ojo; si no fuera así, casi seguro que tiene estrabismo. Consulte entonces con el médico.

Tratamiento. El tratamiento habitual consiste en cubrir el ojo fuerte con un parche, lo que obliga al ojo débil a hacerse más fuerte. Los ojos deben quedar alineados en unos cinco meses, aunque es posible que se tarde más tiempo. Si el estrabismo está relacionado con la hipermetropía o la miopía, se le deben conseguir gafas.

BOCA

Los problemas bucales de la infancia suelen ser menores; el muguet es el único estado que necesita de una atención médica inmediata, puesto que no responde a las medidas habituales de autoayuda. El niño quizá se niegue a comer si le duele la boca. Dele entonces alimentos licuados y blandos que pueda chupar a través de una pajita.

DOLOR DE LA DENTICIÓN

Habitualmente, los dientes empiezan a salir hacia los seis meses, y la dentición ha quedado completa al cumplir los tres años (véase pág. 175). Durante ese período, las encías están enrojecidas e hinchadas.

Síntomas. Si toca las encías rojas e hinchadas podrá sentir por debajo un bulto duro. El bebé producirá saliva y babeará más de lo habitual y morderá toda clase de objetos. Quizá tenga problemas para dormir y se mostrará más irritable y dependiente de usted. Comer puede resultarle doloroso.

Tratamiento. No suele necesitarse tratamiento médico. No crea que otros síntomas son causados por la dentición, como pérdida del apetito o vómitos. Nunca lo son. Consulte con el médico.

El anillo se puede enfriar en la nevera

Para aliviar el dolor
Se alivia el dolor al masticar un anillo de dentición frío, nunca helado, o al tomar alimentos de textura firme, como palillos de zanahoria o trozos de manzana.

ÚLCERAS BUCALES

Las úlceras abiertas en la boca aparecen en el interior del labio inferior, aunque también son comunes en la lengua, las encías y en el interior de las mejillas. Las úlceras aftosas son las más comunes y aparecen como manchas amarillas redondeadas u ovaladas, con un reborde inflamado. Deben desaparecer por sí mismas en 10-14 días, pero si son recurrentes o impiden comer, consulte con el médico.

Síntomas. Todas las úlceras bucales son dolorosas. El niño tiene dificultades para comer, sobre todo alimentos ácidos o salados, y muchos rechazan la comida.

Tratamiento. Si el niño tiene una úlcera aftosa, intente aplicar sobre la zona afectada una pomada antiséptica (pida algo con base de oro, que no se disuelve con la saliva) y dar jarabe de paracetamol. El médico puede recetarle una crema antiinflamatoria si la úlcera fuera grave. Evite todo aquello que contenga un anestésico local, ya que podrían producirse alergias.

Intente eliminar la causa subyacente: pídale al dentista que empaste cualquier diente malformado, indíquele al niño que no se muerda el interior de las mejillas y si lo alimenta con biberón, pruebe a usar una tetina más suave.

Sea cual fuere el tipo de úlcera, debe licuar los alimentos y darle al niño una pajita para que los chupe, así como evitar los alimentos salados o ácidos.

MUGUET

Las membranas mucosas quedan infectadas a veces con un hongo llamado *Candida albicans*. El crecimiento de la candida suele quedar controlado por la presencia de otras bacterias, pero cuando esas bacterias son erradicadas al tomar antibióticos, la candida empieza a multiplicarse sin restricciones. Alternativamente, el muguet puede ser transmitido por la madre en el momento del parto, cuando el bebé pasa por la vagina. Aunque no es grave, causa incomodidad al bebé pequeño cuando chupa o se alimenta.

Es posible que el muguet en los niños se vea sólo en la boca, pero que infecte todo el tracto gastrointestinal y la zona anal, donde a veces se confunde con el exantema del pañal (véase pág. 104).

Síntomas. El muguet produce manchas blanquecinas, como de cuajada, en las encías, las mejillas, la lengua y el velo del paladar. Si intenta limpiarlas se ponen en carne viva y pueden sangrar. Alrededor del ano, el muguet aparece como manchas rojas o una erupción. Si el niño tiene además un exantema del pañal puede haber manchas blanquecinas y escamosas.

Tratamiento. El muguet se puede tratar con rapidez y sencillez mediante medicación antimicótica, en forma líquida para el muguet oral y de crema para el anal, que se obtiene sólo mediante receta médica.

Es mejor darle al niño alimentos licuados, blandos, fríos o tibios si tiene muguet oral, y sobre todo yogur natural (no para los bebés muy pequeños).

Los hongos se desarrollan con rapidez en condiciones calientes y húmedas, por lo que si el bebé tiene muguet anal debe mantenerlo lo más seco posible. Déjele el trasero al aire tanto como pueda y evite usar braguitas de plástico. Sea meticulosa con la higiene y mantenga siempre limpias las manos del niño.

PIEL

Los achaques infantiles de la piel pueden ser causados por una infección, una alergia o una respuesta a temperaturas muy altas o bajas. La mayoría de ellos son menores y se pueden tratar con facilidad. Las erupciones cutáneas ocurren en una variedad de estados, algunos de los cuales son graves; si se siente preocupada por una erupción, consulte con el médico.

PIEL AGRIETADA

Las grietas de la piel pueden llegar a ser profundas y en carne viva. La exposición al frío hace que la piel se seque y tienda a agrietarse, sobre todo en las extremidades, donde la circulación es deficiente: manos, dedos y orejas. La piel húmeda alrededor de los labios también se agrieta. El no secarse meticulosamente después de lavarse, o el lavarse con tanta frecuencia, contribuyen al agrietamiento de ésta.

Síntomas. La piel agrietada tiene un aspecto seco y hendido. Si las grietas son profundas puede producirse hemorragia y dolor intenso, y si se infectan observará pus e inflamación.

Tratamiento. Mientras la piel agrietada no se infecte o si cura con lentitud, probablemente podrá solucionar el problema con medidas de autoayuda. Aplique cremas con un emoliente rico sobre la piel del niño, utilice ungüento para los labios, evite el uso del jabón (use loción infantil) y vista al niño con ropas cálidas entiempo frío. Evite los vientos helados y los cambios repentinos de temperatura. La piel agrietada e infectada debe ser tratada por el médico.

SABAÑONES

Los niños sensibles al frío pueden sufrir sabañones. La constricción de los vasos sanguíneos de la piel es una reacción normal ante el frío, pero en un niño sensible al frío se puede constreñir en exceso la red de diminutos vasos sanguíneos existente por debajo de la piel, y luego dilatarse demasiado cuando el niño regresa a un ambiente cálido. Al producirse la excesiva dilatación, se formará un bulto en la piel.

Síntomas. El sabañón es un bulto enrojecido o púrpura que puede tener cualquier tamaño. El síntoma principal es una picazón intensa cuando el cuerpo empieza a calentarse después de haber estado expuesto al frío. Suelen aparecer en los pies, las pantorrillas, las manos, la punta de la nariz y los bordes de las orejas.

Tratamiento. Aunque irritantes, los sabañones no son graves y habitualmente curan por sí solos si se mantiene el calor. Una sencilla aplicación de polvos de talco o de loción de calamina puede aliviar la picazón e impedir que el niño se rasque.

Si sabe que su hijo es susceptible a los sabañones, procure vestirlo cálidamente cuando salga al exterior y el tiempo sea frío, y preste una atención particular a las zonas vulnerables de su cuerpo. Como las condiciones húmedas aumentan la probabilidad de sufrir sabañones, procure que lleve ropas impermeables con tiempo húmedo.

ÚLCERAS CATARRALES

El virus responsable de las úlceras catarrales se llama herpes simplex y es un pariente del causante de la varicela y del herpes zóster. Todos los que sufren de úlceras catarrales llevan el virus en la piel, donde permanece dormido en las terminaciones nerviosas. El virus se transmite de padres a hijos mediante el beso. Un aumento de la temperatura de la piel debida a una intensa luz solar, gripe, resfriado, tensión o esfuerzo excesivo puede reactivar al virus y producir una úlcera catarral que no suele ser nociva excepto cuando aparece cerca del ojo donde raras veces puede producir una ulceración de la conjuntiva (la membrana que cubre la porción anterior del globo ocular).

Síntomas. Suele haber una advertencia de que se va a producir un ataque, en forma de una sensación caliente y picante durante 24 horas antes de que aparezca la úlcera catarral. La piel se enrojece y aparecen vesículas diminutas, habitualmente alrededor de los labios o las aletas de la nariz. Las vesículas aumentan de tamaño, se unen y estallan, revelando la clásica úlcera catarral. El fluido de las vesículas forma entonces una costra que se hunde gradualmente y se cae cuando la piel se cura, lo que tarda en producirse de 10 a 14 días. Durante la formación de la vesícula y la supuración, la úlcera será dolorosa y el niño se quejará de dolor en todo el lado de la cara, dolor de oído y al masticar porque los nervios faciales están inflamados por el virus.

Las úlceras catarrales son muy contagiosas y el niño puede diseminarlas a otras partes de su cara al tocárselas con los dedos.

Tratamiento. Su farmacéutico puede recomendarle o su médico recetarle una crema antivírica para aplicarla cada dos o tres horas, en cuanto la piel empiece a cosquillear. Eso impedirá que se desarrollen otras úlceras catarrales. Quizá le recete una crema antibiótica si la úlcera se infecta.

Indique al niño que, mientras dure el ataque, no se toque la cara, ni bese a otros niños ni comparta con nadie su toalla o franela para limpiarse la cara. Aplicar vaselina impedirá que la úlcera se agriete y sangre. El alcohol quirúrgico puede ayudar a secar la úlcera, pero pica mucho y no apruebo su uso en los niños.

Es útil identificar el desencadenante que produce en el niño los ataques de úlceras catarrales. Si es una luz solar fuerte, por ejemplo, el niño debe ponerse un fuerte protector solar alrededor de los labios en el verano.

FURÚNCULOS

Cuando se infecta un folículo piloso se produce una hinchazón enrojecida llena de pus. Los furúnculos no son graves si se tratan apropiadamente, pero pueden causar dolor, sobre todo si aparecen en lugares incómodos, como el sobaco o las nalgas. Raras veces curan por sí solos y, si no se tratan, pueden formar un ántrax (un grupo de varios furúnculos).

Síntomas. Inicialmente, la piel aparece enrojecida e hinchada. A medida que el pus amarillo se acumula bajo la piel, aumenta la hinchazón. Habitualmente, los furúnculos aparecen individualmente, pero como los folículos pilosos están tan cerca unos de otros, es posible que la infección se extienda y aparezcan varios juntos.

Tratamiento. Consulte con el médico si el niño tiene varios furúnculos, si observa que la infección se extiende, si el furúnculo causa fuerte dolor o si no ha reventado al cabo de un par de días. El médico quizá decida sajar el furúnculo para drenar el pus, lo que produce un alivio inmediato del dolor. La acumulación de furúnculos exige tomar antibióticos e investigar la causa.

No intente hacer estallar o apretar un furúnculo en casa, ya que será muy doloroso y extenderá la infección. En lugar de eso, humedezca la zona afectada con alcohol o antiséptico y cúbrala con una gasa.

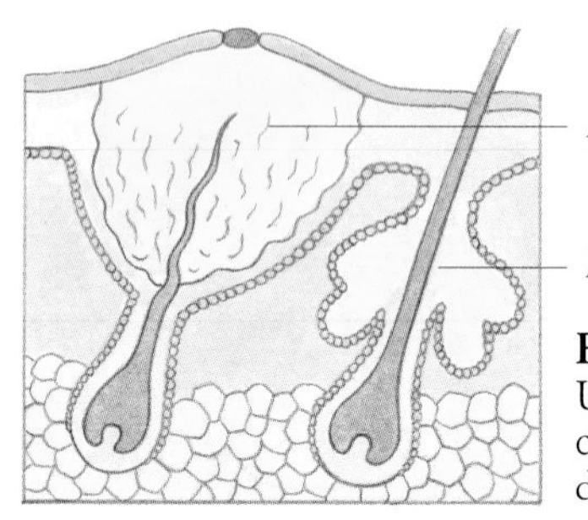

Furúnculo
Una infección bacteriana causa un bulto rojo, doloroso y lleno de pus.

IMPÉTIGO

La bacteria estafilococo, presente en la nariz y en la piel, puede causar a veces una infección cutánea alrededor de la nariz, la boca, las orejas y otras partes. El impétigo se caracteriza por una brillante erupción amarilla, con costra, o pequeñas vesículas llenas de pus; es muy contagioso, y debe alejar al niño de la escuela hasta que haya desaparecido.

Síntomas. La primera señal de impétigo es una piel enrojecida, a la que sigue la aparición de vesículas llenas de pus, que estallan, dejando trozos de piel supurante. El fluido se seca hasta formar una costra amarilla. Si no se trata, el impétigo se extiende con rapidez.

Tratamiento. Lleve al niño al médico, que recetará una crema antibiótica y apósitos para mantener la piel cubierta, y posiblemente pastillas de antibióticos. Sea meticuloso con la higiene, retire las zonas de costras con agua caliente y séquelas con una toalla de papel. Utilice toallas desechables para proteger de la infección al resto de la familia.

ECZEMA INFANTIL

Esta inflamación cutánea viene causada por una tendencia heredada, además de un factor desencadenante, como una alergia o una infección. Ocasionalmente, no es más que una respuesta a la tensión. El tipo de eczema que suele afectar a los niños es uno atípico, que aparece entre los dos y los dieciocho meses de edad.

El eczema seborreico también puede afectar a los niños. Se produce en el cuero cabelludo, los párpados, alrededor de la nariz, las orejas, la entrepierna y el canal auditivo, donde hay numerosas glándulas sebáceas (que segregan sebo).

Síntomas. La piel afectada por el eczema atópico aparece roja, seca, escamosa y picante, y pueden surgir pequeñas vesículas blancas, como granos de arroz, que estallan y supuran al rascarlas. El eczema seborreico tiene un aspecto similar al atópico, pero es menos picante y ocurre en lugares muy diferentes (véase a la derecha). La picazón es el síntoma más irritante del eczema, lo que provoca rascarse mucho e insomnio.

Tratamiento. Si sospecha que el niño tiene un eczema, acuda al médico, que le recetará una crema antiinflamatoria y antihistamínicos para aliviar la picazón y combatir cualquier alergia. Si la piel está infectada quizá sea necesario tomar antibióticos. El médico también intentará identificar la causa del eczema, que puede ser un animal doméstico, unos polvos para lavar o un alimento.

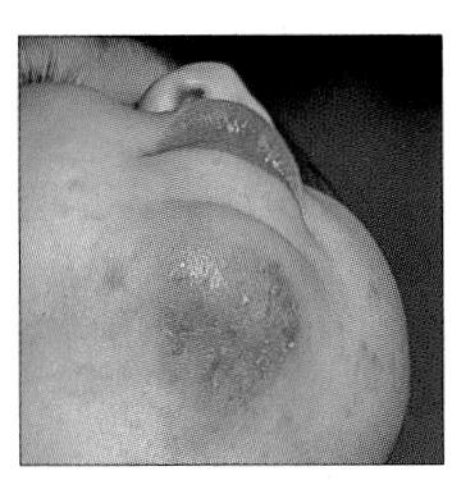

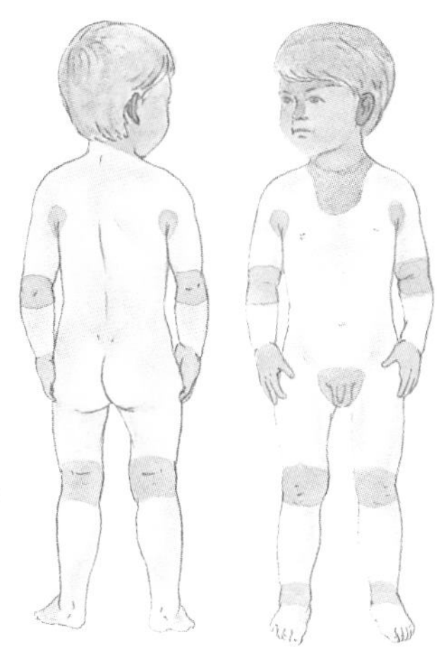

Zona afectada
Típicamente, el eczema atópico (arriba) aparece en las arrugas de cara, manos, cuello, tobillos, rodillas y codos. Las zonas grises indican los lugares donde suele aparecer el eczema seborreico.

Disminuya el contacto con el agua, y si tiene que bañar al niño ponga en el agua ungüentos emulsificantes. Deje de usar el jabón, y procure que la ropa esté bien enjuagada y no contenga restos de polvos de lavar o de suavizantes de tejidos. Reduzca el contacto del niño con alérgenos potenciales, use crema emoliente y procure que lleve bien cortas las uñas de los dedos para que no se haga daño al rascarse. Use telas de algodón, nunca lana.

DERMATITIS

Es una inflamación de la piel que se produce en respuesta al estrés, a una alergia como sensibilidad al níquel (dermatitis de contacto), y ocasionalmente a la luz (fotodermatitis). La dermatitis seborreica (o eczema seborreico, véase pág. 290) afecta a la cara, especialmente las aletas de la nariz, las cejas, los párpados y el cuero cabelludo.

Síntomas. Sea del tipo que fuere, la dermatitis es una erupción roja, picante y escamosa, acompañada a veces de vesículas. En la dermatitis de contacto la erupción suele aparecer allí donde la piel ha estado en contacto con el alérgeno. En la fotodermatitis aparece en forma de racimos de puntos o vesículas sobre la piel que ha estado expuesta al sol.

Tratamiento. Si la dermatitis es muy grave el médico puede recetarle una suave crema esteroide. Procure que el niño tenga limpia la zona afectada, que no se la rasque y no la exponga a agentes desengrasantes, como jabones y detergentes.

ERITEMA CALÓRICO

Un ambiente caliente y mal ventilado en el que la piel no puede refrescarse estimula el eritema calórico; el cuerpo responde sudando en exceso y las glándulas sudoríparas aumentan de tamaño y enrojecen. El eritema calórico es común en los bebés, ya que sus glándulas sudoríparas son primitivas y no pueden desconectar su función como la de usted.

Síntomas. Un débil eritema calórico aparece en partes del cuerpo que se calientan con facilidad y donde las glándulas sudoríparas son más numerosas. Entre las zonas típicas se incluyen: cuello, cara, pliegues de la piel de la entrepierna, los codos y las corvas de la rodilla.

Tratamiento
No abrigue o envuelva en exceso al bebé. Báñelo en agua tibia y séquelo por encima, dejándole la piel algo húmeda. Procure que la temperatura de su habitación no sea demasiado alta y mantenga la circulación del aire abriendo ligeramente una ventana. Consulte con el médico sólo si el eritema no ha desaparecido después de 12 horas para excluir otras posibles causas.

ERITEMA SOLAR

Pasar mucho tiempo bajo el sol o exponerse demasiado a la luz solar intensa puede producir un eritema solar. Todos los niños deben ser protegidos con una crema protectora de factor elevado, un sombrero y ropa. Si el niño es de piel rubia o no está acostumbrado a permanecer bajo el sol, debería tener un cuidado especial al dejarlo jugar al aire libre. Los niños deben aclimatarse gradualmente al sol, sobre todo en el extranjero (véase pág. 147). El eritema solar puede ser doloroso y en casos de calor extremo se asocia a la insolación (véase pág. 340). A largo plazo, el eritema solar puede producir cáncer de piel, sobre todo en personas de piel rubia.

EXANTEMAS

Las enfermedades infecciosas, como la varicela, la rubéola o el sarampión, así como las alergias y los trastornos de la sangre, pueden producir exantemas o erupciones.

Un exantema puede ser discreto o pustuloso, plano o abultado, desaparecer o no bajo la presión y contener vesículas. Si el niño tiene un exantema, compruebe su temperatura (si tiene fiebre es indicativo de una enfermedad infecciosa), y considere si se ha visto expuesto a algún alérgeno potencial (véase pág. 292). Un exantema picante entre los dedos quizá indique la existencia de costras.

Un exantema que no desaparece bajo la presión, como el púrpura, es casi siempre grave y puede ser el resultado de un defecto del mecanismo de coagulación de la sangre o de toxinas bacterianas, como en la meningitis. Para detectarlo, presione un vaso de cristal sobre la piel del niño para ver si el exantema se mantiene visible a través del cristal. Si fuera así, acuda en seguida al médico.

Síntomas. La piel afectada está caliente, inflamada, roja y tierna. A veces, tiene aspecto «burbujeante» y vesiculoso. Al cabo de pocos días se escama y desprende la piel muerta, momento en el que el niño se quejará de prurito. Si el eritema solar es intenso, sobre todo en la espalda, busque los síntomas de la insolación: fiebre, vómitos y mareo, y si los detecta acuda en seguida al médico.

Tratamiento. Se encuentra un alivio inmediato mediante la aplicación de loción de calamina y sábanas o toallas frías a las zonas afectadas. El jarabe de paracetamol también ayuda al niño a mantener una temperatura normal. Trate la piel quemada por el sol con mucha suavidad, deje que el niño vaya desnudo dentro de casa, y si tiene que salir cúbrale la piel con ropas sueltas, y la piel desnuda con protector solar. Un sombrero debe cubrirle el cuello. El médico quizá le recete una crema antiinflamatoria para la quemadura solar.

VERRUGAS Y *VERRUCAE*

Las verrugas pueden aparecer solas o en gran número. La mayoría desaparecen sin tratamiento al cabo de dos años. Hay más de 30 tipos diferentes de virus productores de verrugas. Habitualmente, los niños tienen verrugas en las manos o en las zonas sujetas a heridas, como las rodillas, así como las *verrucae* de las plantas de los pies. Aunque contagiosas, las verrugas no son graves.

Síntomas. Las verrugas comunes, como las que se encuentran en las manos, aparecen como crecimientos firmes, del color de la carne o morenos. Se componen de células cutáneas muertas. Aunque su aspecto puede ser desagradable, las verrugas comunes no deben ser dolorosas, a menos que se agrieten y sangren. Las *verrucae* son papilomas planos que aparecen en las plantas de los pies, y que sí pueden ser dolorosas porque están comprimidas en la planta del pie.

Tratamiento. A menos que sean dolorosas, de feo aspecto o que se corra el riesgo de contagiarlas a otros niños, no se preocupe por las verrugas, ya que suelen desaparecer espontáneamente. Si decide tratar una verruga en casa, hay varios productos para ello que encontrará en la farmacia. No los use nunca en la cara o en los genitales, ya que son muy duros y pueden producir cicatrices en la piel delicada. Si consulta con el médico éste quizá le envíe a una clínica para extirpar las verrugas o las *verrucae*. Si sospecha que el niño tiene verrugas genitales, consulte en seguida con el médico. Las *verrucae* deben mantenerse cubiertas continuamente para impedir que se contagien a otros.

ALERGIAS

Una alergia es una respuesta anormal del sistema inmunológico ante una sustancia o agente químico específico. La más común es la fiebre del heno, una alergia al polen, pero los niños pueden ser alérgicos a una gran variedad de cosas, desde alimentos y plantas hasta la luz y los medicamentos.

URTICARIA

La urticaria es un eritema cutáneo alérgico que adopta la forma de manchas en relieve y picantes con centros blancos, habitualmente causadas por el contacto con una ortiga, pero que también puede ser el resultado de una alergia. En respuesta al contacto con una ortiga o un alérgeno se libera histamina (una sustancia química que se encuentra en las células de todo el cuerpo), lo que hace que el fluido se filtre hacia la piel desde todos los vasos sanguíneos, produciéndose así el típico verdugón. A veces, los recién nacidos sufren una urticaria (véase pág. 14).

Síntomas. Se experimenta un prurito intenso en la piel y aparecen verdugones blancos rodeados por la inflamación. Los verdugones son pequeños y circulares, o bien forman manchas irregulares. El eritema suele aparecer en las extremidades y el tronco, aunque también en cualquier otra parte del cuerpo. La urticaria dura unos pocos minutos, desaparece y reaparece en un lugar diferente. Puede ir acompañada por hinchazón facial (angioedema), razón por la que debe consultar con el médico sin dilación. Ocasionalmente, la urticaria afecta a la boca, lengua y garganta, y causa dificultades para respirar (anafilaxis). Eso debe tratarse siempre como un caso de emergencia.

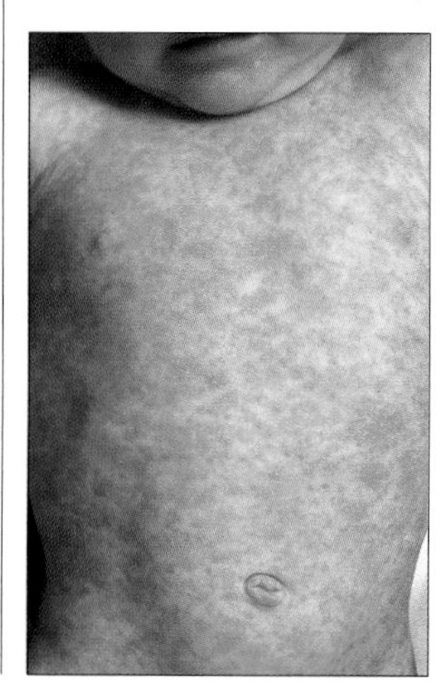

Eritema de la urticaria
Se forman verdugones blancos en relieve, rodeados por inflamación. A veces se juntan para formar grandes manchas sobre la piel.

Tratamiento. Aplique loción de calamina a la piel del niño o dele un baño refrescante. El médico puede recetarle pastillas antihistamínicas. Si su hijo ha tenido alguna reacción alérgica grave anteriormente, plantéese llevar siempre preparada una inyección de adrenalina.

FIEBRE DEL HENO (RINITIS ALÉRGICA AGUDA)

Cuando las membranas mucosas se ven expuestas a un alérgeno (habitualmente el polen), se inflaman y el niño sufre los síntomas de una rinitis alérgica (véase más abajo). El achaque suele aparecer en los meses de primavera y verano cuando el índice de polen es alto. La fiebre del heno es relativamente insólita en niños menores de cinco años, tiende a aparecer en familias y puede desaparecer espontáneamente.

Síntomas. Los síntomas de la fiebre del heno incluyen: estornudar, nariz mocosa y ojos enrojecidos, acuosos y picantes. Se distingue del resfriado común porque es de temporada y no aparece fiebre.

Tratamiento. Aunque es imposible impedir que el niño se vea expuesto al polen, se puede comprobar a diario el nivel de polen del aire y no dejar que salga a jugar al exterior si éste fuera alto.

Los antihistamínicos suelen aliviar los síntomas. Si éstos fueran graves, el médico quizá haga pruebas cutáneas para identificar el tipo de polen que desencadena los síntomas y recetar una serie de inyecciones desensibilizadoras, o bien un antihistamínico y un rociador nasal esteroide.

RINITIS ALÉRGICA CRÓNICA

La rinitis alérgica crónica o perenne es como la fiebre del heno, pero puede aparecer durante todo el año. Empieza de la misma forma que la fiebre del heno (véase arriba), pero los culpables suelen ser los ácaros del polvo del hogar, y no el polen. Otras causas son las plumas y los pelos de gatos y perros.

Síntomas. Los síntomas de la rinitis alérgica crónica o perenne son los mismos que los de la fiebre del heno: nariz mocosa, ojos acuosos, picor en la nariz y ojos.

Tratamiento. El tratamiento más efectivo consiste en evitar el alérgeno o alérgenos que aparecen en las pruebas cutáneas. Quizá tenga que librarse de un animal de compañía preferido, cambiar de cama o pasar la aspiradora con frecuencia. Los antihistamínicos y otros medicamentos ayudan a prevenir la aparición de los síntomas. Los esteroides intranasales administrados en dosis pequeñas y seguras aportan a menudo un alivio rápido.

FOTOSENSIBILIDAD

Se trata de una alergia a la luz, o más bien a ciertas ondas de luz. Existe una forma muy rara que es heredada, pero la fotosensibilidad más común es la causada al tragar una sustancia fotosensibilizadora, o al aplicársela sobre la piel. Ejemplos de tales sustancias son algunos medicamentos, tintes, sustancias químicas y plantas.

Síntomas. La fotosensibilidad suele provocar un eritema, que se distingue con facilidad porque la piel cubierta por la ropa aparece libre de inflamación y hay una línea muy clara que delimita la piel que ha estado expuesta a la luz del sol.

Tratamiento. Debe evitarse el fotosensibilizador y/o la luz solar hasta que haya desaparecido el eritema. Un niño susceptible debe cubrirse y ponerse protector solar.

PULICOSIS

A menudo, los niños mordidos por una pulga desarrollan una alergia a la misma y luego aparece una multitud de puntos que parecen la mordedura de una pulga. Esos puntos son engañosos, ya que se trata en realidad de un eritema alérgico muy picante, pero que desaparecerá en 10-14 días.

Tratamiento. El gato o perro familiar tendrá que ser tratado contra las pulgas. Tendrá que tratar igualmente cualquier alfombra o mueble mullido donde puedan haberse depositado los huevos de las pulgas. El médico puede recetar un antihistamínico para contener la picazón e impedir que el niño se rasque.

MEDICAMENTOS

La alergia más común a los medicamentos es a la penicilina o a cualquiera de sus derivados. Una vez diagnosticado, el niño debe llevar un brazalete o chapa en el que se diga que es alérgico a la penicilina, para que no se le vuelva a dar. No obstante, cualquier medicamento puede causar una alergia en cualquier momento, sobre todo si ya existe un historial familiar de alergias, eczema y asma. La peor forma de alergia medicamentosa es la anafilaxis en la que disminuye la presión sanguínea y la lengua y la garganta se hinchan, y que exige un tratamiento de emergencia.

Síntomas. Aparece un eritema hasta diez días después de la exposición al medicamento, acompañado posiblemente de hinchazón de la cara y la lengua. Los problemas respiratorios, vómitos y diarrea necesitan atención médica urgente.

RESFRIADOS Y GRIPE

Las infecciones con virus del resfriado o la gripe son comunes en la infancia porque los niños no han desarrollado todavía una inmunidad a virus específicos. Hay aproximadamente 200 virus del resfriado que producen síntomas similares, y es posible que el niño no llegue a contraer dos veces el mismo.

Despejar los senos Haga que el niño inhale cristales de mentol disueltos en agua tibia. Cúbrale la cabeza con una toalla para facilitar la absorción del vapor.

RESFRIADO COMÚN

Los resfriados no son graves, a menos que el bebé sea muy pequeño, o que se produzcan complicaciones como bronquitis (véase pág. siguiente). Son más frecuentes cuando el niño empieza a ir al jardín de infancia, porque se encuentra repentinamente expuesto a gran cantidad de nuevos virus.

Síntomas. La mayoría de los resfriados empiezan con síntomas «catarrales» (nariz tapada o mocosa, tos, garganta inflamada), fiebre actitud apática. La descarga nasal es primero clara y luego espesa y amarilla, a medida que empiezan a actuar las defensas del cuerpo. El aumento de la temperatura que acompaña al resfriado puede causar úlceras catarrales (véase pág. 289), de ahí su nombre.

Tratamiento. Sólo pueden tratarse los síntomas, no el virus mismo, ya que no hay cura para el resfriado común. Si se produjera una infección secundaria, como sinusitis o bronquitis, el médico recetará antibióticos; por lo demás, será suficiente con los remedios caseros. Dé al niño muchos fluidos, anímelo a sonarse la nariz con frecuencia, mostrándole cómo despejar primero una aleta y después la otra, y aplique vaselina a las aletas de la nariz si se inflaman o agrietan. Cuando la congestión es grave, procure que duerma con la cabeza incorporada sobre almohadas, y aplíquele una friega de mentol sobre el pecho. El médico le recetará gotas para la nariz si está tan tapada que interfiere en el sueño o la alimentación. El jarabe de paracetamol reduce la temperatura y alivia el malestar y el dolor.

SINUSITIS

Los senos son cavidades existentes en los huesos alrededor de la nariz, las mejillas y por encima de los ojos, recubiertos con membranas mucosas. Habitualmente, el moco se drena desde ellos hasta la nariz. La sinusitis se produce cuando el drenaje se ve obstaculizado debido a un resfriado o una gripe, o cuando la infección se extiende hasta los senos a partir de la garganta.

Síntomas. Las secreciones nasales son claras y acuosas al principio del resfriado. Es bastante normal pasar a una descarga espesa y amarilla, pero si fuera persistente podría indicar que se ha desarrollado una sinusitis. Otros síntomas incluyen sensación de incomodidad y de llenado en lo alto de la nariz, dolor de cabeza, disminución del olfato, nariz tapada y, a veces, fiebre.

Tratamiento. La sinusitis se trata con antibióticos, descongestionantes y gotas para la nariz. Procure que el ambiente de la casa sea húmedo, prepare inhalaciones de mentol para el niño y dele jarabe de paracetamol si se queja de dolor en la cara y la frente.

GRIPE

Es una infección vírica similar al resfriado común, pero que produce síntomas más graves. La gripe es a veces potencialmente grave porque debilita el cuerpo y deja los oídos, senos y pecho vulnerables a las infecciones secundarias a cargo de bacterias.

Síntomas. Los síntomas de la gripe se parecen a los del resfriado, pero además del habitual dolor en la garganta, nariz mocosa y tos, el niño puede tener temperatura alta, dolor de cabeza y de espalda y quejarse de una sensación de escalofrío y tener temblores. Estará letárgico y débil y puede sentir náuseas.

Tratamiento. Los únicos remedios disponibles para la gripe son los sintomáticos. Deje que el niño descanse en una habitación cálida y ventilada, y dele jarabe de paracetamol y muchos fluidos. Tómele la temperatura con regularidad y si no baja o aparecen otros síntomas como descarga nasal persistente, dolor de oídos o tos de pecho, consulte a su médico.

INFECCIONES EN EL PECHO

En los niños muy pequeños, las vías respiratorias, senos, oídos, nariz y garganta forman en realidad un único sistema porque los tubos son muy cortos. En consecuencia, una infección en el pecho puede desarrollarse a partir de una infección en cualquier otra parte de las vías respiratorias superiores, y eso siempre es grave. Las vías respiratorias pueden llegar a estrecharse tanto que se dificulte la respiración y se desarrolle una neumonía. Si la respiración del niño es trabajosa, debe buscar ayuda médica de inmediato.

TOSES

La tos es una acción refleja que despeja de la garganta cualquier irritante, como moco, alimento, polvo o humo. Puede deberse a la irritación de un resfriado, una inflamación de garganta, amigdalitis o a una infección de pecho. Debe tratarse siempre la causa, no sólo la tos, que no es más que un síntoma de un estado subyacente.

Síntomas. Hay dos tipos de toses: una tos productiva, en la que se producen flemas, y otra no productiva en la que no hay flema. La primera tiene un sonido «húmedo», mientras que la segunda es seca y corta. Ambas impiden el sueño. En un bebé pequeño, el moco que desciende por el fondo de la garganta puede provocar un vómito. La tos también puede ser un síntoma nervioso. Si es seca y como de graznido, el niño puede tener difteria (véase pág. 296). La tos violenta puede provocar vómitos.

Tratamiento. Si sospecha que el niño tiene difteria (véase pág. 296) o asma (véase pág. 260), debe consultar en seguida con el médico. Una infección aguda subyacente, como la amigdalitis, debe tratarse por separado. Mientras no impidan que el niño duerma o coma, la mayor parte de las toses se pueden tratar en casa. Procure que el niño no corra de un lado a otro, ya que el jadeo puede provocar un ataque de tos, y que por la noche se acueste boca abajo o de lado, lo que impide que el moco descienda por la garganta. Dele muchas bebidas calientes y si tose con mucha flema dele un jarabe expectorante, colóquelo sobre el regazo y dele palmaditas en la espalda. Procure suprimir una tos seca, pero no una que sea productiva.

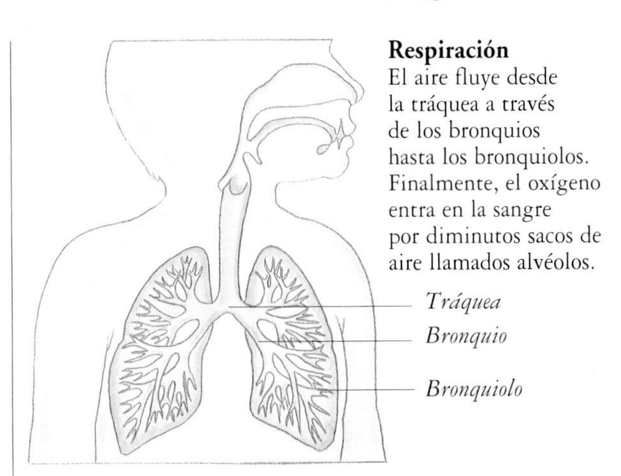

Respiración
El aire fluye desde la tráquea a través de los bronquios hasta los bronquiolos. Finalmente, el oxígeno entra en la sangre por diminutos sacos de aire llamados alvéolos.

BRONQUITIS Y BRONQUIOLITIS

Las vías respiratorias más grandes de los pulmones se llaman bronquios y las más pequeñas bronquiolos. La bronquitis o la bronquiolitis se produce cuando una infección viral hincha los recubrimientos de esas vías respiratorias y se forma moco. La bronquiolitis suele ser más grave porque puede provocar graves problemas respiratorios. La bronquiolitis es más común en los bebés y en los niños muy pequeños. La bronquitis no suele ser grave en los niños de más de un año.

Síntomas. Los síntomas de la bronquiolitis son la tos y la respiración jadeante, lo que puede provocar problemas para alimentar al niño. El pequeño puede tener fiebre, y está pálido y parece muy enfermo. El pecho se hunde (por el esfuerzo por llevar aire a los pulmones), y los labios y la lengua pueden aparecer azulados. Los síntomas de la bronquitis son una tos seca que se desarrolla hasta formar una flema verde o amarilla, aumento de la temperatura y posiblemente pérdida del apetito. Si la flema se traga, el niño puede llegar a vomitarla. Si el malestar del pequeño aumenta y empieza a respirar con dificultad, esto puede indicar la existencia de una grave infección o incluso de neumonía.

Tratamiento. Debe consultar con el médico si sospecha que el niño tiene una infección pulmonar. Se le recetarán antibióticos si fuera necesario. La respiración trabajosa y la tez grisácea o azulada deben tratarse siempre en el hospital, donde colocarán al niño en una tienda de oxígeno para ayudarle a respirar.

Procure que el niño esté caliente y que descanse, déle muchos fluidos y anímelo a expectorar la flema. Si tiene fiebre pásele una esponja con agua tibia (véase pág. 281) y dele jarabe de paracetamol para mantener baja la temperatura. No le dé un supresor de la tos, ya que es importante expulsar la flema.

NEUMONÍA

Se trata de una grave inflamación de los pulmones, causada por un virus o una bacteria. El niño estará enfermo por dos razones: primero debido a las toxinas bacterianas o víricas, y segundo porque el pulmón afectado deja de funcionar. La causa inicial de la neumonía es a menudo un resfriado o una gripe. Enfermedades como el asma, la fibrosis cística, la tos ferina y el sarampión no hacen sino aumentar el riesgo de neumonía, que siempre es una enfermedad seria; los niños pequeños son tratados a menudo en el hospital porque se necesita oxígeno.

Síntomas. Normalmente empieza con fiebre y tos, y respiración fatigosa. El niño está pálido y desmejorado y parece aletargado, y su respiración es rápida y superficial.

Tratamiento. La respiración trabajosa o disnea siempre es un motivo para consultar en seguida con el médico, algo que debe hacer con urgencia si sospecha que el niño ha contraído una neumonía. El médico recetará antibióticos y quizá decida que es necesaria su hospitalización inmediata si se necesita terapia de oxígeno.

CRUP

Cuando las vías respiratorias del niño pequeño se inflaman y congestionan como resultado de una infección, la respiración puede hacerse difícil y desarrollarse un crup. El sonido del crup lo produce el aire al pasar por la laringe hinchada e inflamada, normalmente como consecuencia de una infección viral. Habitualmente, el crup se da en niños de uno a cuatro años de edad. Puede aparecer de repente; el niño, que estaba aparentemente bien, se despertará en plena noche con un crup.

Síntomas. El síntoma predominante es una tos «de perro», acompañada por respiración sibilante y ronquera. En los casos graves el niño puede sufrir de disnea y el rostro se le vuelve gris o azul. Los ataques ocurren por la noche y a menudo son cortos.

Tratamiento. Conserve la calma. Si el niño se altera, su respiración será todavía más trabajosa. Asegúrese de que el aire que lo rodea es húmedo; haga que se incline fuera de una ventana o llévelo al cuarto de baño y abra los grifos del agua caliente.

Si la cara del niño se vuelve azulada, tiene que buscar ayuda médica de inmediato. Aunque el crup sea suave, debe informar al médico que quizá recete antibióticos para combatir la infección subyacente.

PARÁSITOS

Los parásitos son muy contagiosos, de modo que si el niño tiene piojos o gusanos debe tratarse a toda la familia. Informe al jardín de infancia, grupo de juego o escuela del niño sobre la plaga. Las plagas pueden ser muy incómodas, pero no son graves y se pueden erradicar.

PIOJOS

Los piojos de cabeza son comunes en los niños en edad escolar. El piojo es un insecto pequeño que vive de la sangre del cuero cabelludo, pone huevos y los adhiere a la base de los cabellos; los huevos, llamados liendres, se hacen visibles a medida que crece el cabello. En contra de la creencia popular, según la cual los piojos son una señal de falta de limpieza, lo cierto es que prefieren el cabello limpio.

Síntomas. El niño se quejará de picor en el cuero cabelludo, que será peor con tiempo caluroso. Quizá observe diminutos huevos blancos adheridos al pelo, cerca del cuero cabelludo.

Tratamiento. Informe a la escuela del niño de que éste tiene piojos. Para tratar el problema, lave el pelo y rocíelo a conciencia con el producto de tratamiento cuando aún esté mojado. Peine bien los cabellos durante 20 minutos con un peine fino de metal y limpie el peine después de cada pasada. Aclare y seque el pelo. Repita el tratamiento cada dos o tres días hasta que ya no queden liendres, aproximadamente unas dos semanas. Alterne el champú normal con el insecticida. Deben ser tratados todos los miembros de la familia.

Piojo y liendre
El piojo adulto pone los huevos (liendres) en la raíz del cabello (derecha). Los huevos se adhieren firmemente y se abren a las dos semanas a menos que se retiren con un peine o se traten los cabellos con un champú antipiojos.

Piojo adulto

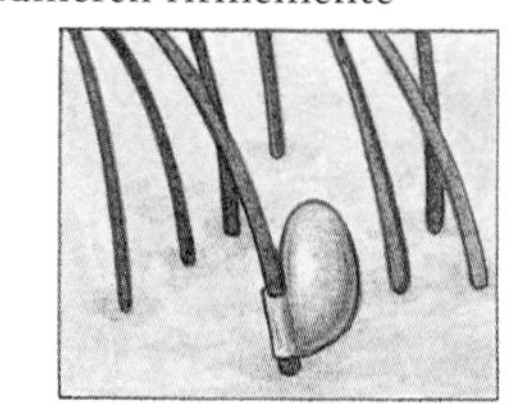

SARNA

Se trata de una plaga producida por un ácaro microscópico que horada la piel y pone huevos. Aunque no es grave, puede producir mucho picor, sobre todo por la noche, y es muy contagiosa. El niño puede contraer la sarna por contacto físico con alguien que la sufra o por la ropa de cama infestada.

Síntomas. El dorso de las manos, los pliegues de los dedos de manos y pies, los pies y los tobillos sufren un picor intenso. Las hendiduras producidas suelen observarse como huellas grises y escamosas sobre la piel, en cuyo extremo se detecta un punto negro como cabeza de alfiler (el ácaro).

Tratamiento. Probablemente, el médico recetará una loción para tratar la sarna. Debe aplicarse durante 24 horas y repetirse el tratamiento al cabo de un día. Debe tratarse toda la familia. Los ácaros pueden vivir independientemente, fuera de la piel humana, durante seis días, de modo que debería lavar toda la ropa, tanto personal como de cama, para impedir una reinfección.

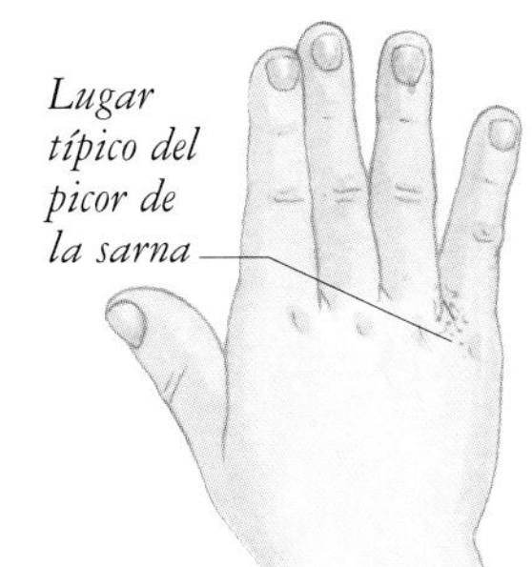

Ácaros de la sarna
El ácaro se hunde en la piel y la apertura de la hendidura es visible en forma de una hinchazón gris y escamosa. El picor suele aparecer entre los dedos, y el ácaro es visible en forma de un punto oscuro situado en la cabeza de la hendidura.

OXIUROS

Los oxiuros son extremadamente comunes en los niños, pero no son graves y se erradican con facilidad. Si el niño toma alimentos que contengan huevos de oxiuros, incubarán en los intestinos. A medida que maduran las larvas, las hembras descienden por el intestino y ponen sus huevos alrededor del ano. Eso causa picazón y el niño puede recoger fácilmente los huevos con los dedos y transferirlos a la boca, iniciando así todo el ciclo desde el principio.

Síntomas. El síntoma más molesto es el picor intenso alrededor de la zona anal, que se siente peor por la noche, cuando el niño está caliente, y que le impide dormir. También pueden apreciarse diminutos gusanos blancos en las deposiciones.

Tratamiento. Si observa gusanos en las deposiciones del niño o si ve que éste sufre de prurito anal, consulte con el médico, que le recetará un medicamento para toda la familia. Preste una atención especial a la higiene; procure que el niño se lave las manos después de ir al lavabo, que lleve cortas las uñas, y póngale pantalones en la cama para que no se rasque.

NEMATODOS

Este tipo de gusanos son muy raros en occidente y habitualmente sólo los portan personas que viven en climas tropicales, especialmente en zonas donde la higiene es deficiente. El parásito es un gusano cilíndrico de unos 15-40 centímetros de longitud que entra en el cuerpo en forma de huevo por medio del alimento contaminado. Una vez en el cuerpo, los huevos incuban y los gusanos maduran y ponen nuevos huevos que pueden transmitirse en las deposiciones.

Síntomas. Los nematodos habitan en el intestino y no producen síntomas o muy pocos. A veces, los gusanos son visibles en las deposiciones del niño. Cuando su presencia es endémica produce un crecimiento deficiente y una dificultad para el desarrollo.

Tratamiento. Los nematodos se tratan con pastillas que matan al gusano. Se pueden administrar laxantes, para que los gusanos pasen con rapidez y facilidad en las deposiciones. Es absolutamente esencial mantener una higiene escrupulosa para que el tratamiento tenga éxito.

Ciclo de contagio
Los oxiuros entran en el cuerpo por la boca y ponen los huevos alrededor del ano. Un niño puede volver a infestarse al rascarse el ano y luego transferir los huevos a la boca.

Los huevos se tragan y se incuban como larvas en el intestino

Las hembras ponen los huevos alrededor del ano, por la noche, provocando picazón

Los huevos pasan desde el ano a la boca a través de los dedos

TRAS VIAJAR AL EXTRANJERO

Si ha viajado recientemente a los trópicos y el niño sufre de una diarrea persistente, puede haber contraído una disentería amébica.

Eso es causado por una ameba (un diminuto organismo unicelular que vive en el intestino grueso) que sólo se coge en los países tropicales. Causa una grave enfermedad, con síntomas como fiebre, diarrea y dolor estomacal. Si sospecha la existencia de una disentería amébica, lleve lo antes posible al niño y una muestra de sus deposiciones al médico, que recetará medicamentos para exterminar los parásitos y que probablemente aplicará una terapia de rehidratación si la diarrea ha sido fuerte.

ESTÓMAGO Y ABDOMEN

Los bebés se ven afectados por pocos de los estados que causan dolor abdominal en los adultos, como cálculos biliares y úlceras pépticas. No obstante, hay varias causas de dolor abdominal en los niños que son potencialmente muy graves y debe usted llamar inmediatamente al médico si el dolor abdominal viene acompañado por temperatura alta, diarrea o vómitos.

Cualquier tensión en el hogar, ya sea entre los padres, entre hermanos o en la escuela puede hacer que el niño sienta náuseas, vomite y sufra de dolor abdominal. Una vez eliminadas todas las demás causas, debe considerarse la del estrés. Consulte con el médico.

CÓLICO

Este tipo de dolor suele producirse en los cuatro primeros meses de vida para luego desaparecer espontáneamente, sin tratamiento. Se cree que se debe a un espasmo de los intestinos, aunque no hay pruebas de ello y la causa sigue siendo desconocida. El estado es inofensivo, aunque angustioso para los padres.

Síntomas. El bebé, que por lo demás se encuentra bien, tendrá accesos de llanto cuando grita y encoge las piernas hacia el abdomen.

Tratamiento. No se necesitan medicamentos. Al bebé lo puede tranquilizar con cualquier actividad rítmica, como acunarlo, balancearlo, sacarlo a dar una vuelta en el coche o tumbarlo sobre el estómago, encima de su regazo, mientras le da suaves golpes rítmicos en la espalda. A menudo no hay nada que calme a un bebé con cólico. Lo importante es procurar tranquilizarse. Puesto que el cólico se produce a menudo a la misma hora del día, normalmente a últimas horas de la tarde, debería tratar de planificar el día teniéndolo en cuenta para reducir el estrés sobre usted.

GASTROENTERITIS

La inflamación del estómago y del intestino, debida habitualmente a bacterias o virus existentes en la comida contaminada, causa diarrea y vómitos; el dolor es un síntoma menor. Hay varias formas no infecciosas de gastroenteritis causadas por intolerancia a ciertos alimentos, a los picantes y a los antibióticos. La queja es extremadamente común y bastante suave. Raras veces dura más de tres días y el niño suele recuperarse sin necesidad de ningún tratamiento específico, a excepción de la sustitución de líquidos y minerales. El bebé pequeño, sin embargo, no puede tolerar la deshidratación y si vomita o tiene diarrea durante más de tres horas debe llamar al médico sin dilación.

Síntomas. El primer síntoma es prescindir de las tomas de alimento, seguido por vómitos y posiblemente diarrea. El bebé puede deshidratarse, en cuyo caso se le hundirán las fontanelas del cráneo (véase pág. 280) y se le secará la boca.

Tratamiento. Los casos suaves pueden ser tratados en casa por el médico, pero si los vómitos o la diarrea son continuos, el bebé tendrá que ser tratado en un hospital, donde le administrarán líquidos por vía intravenosa.

INVAGINACIÓN

Es un trastorno raro y no explicado del bebé en el que el intestino se mete dentro de sí mismo, formando un tubo dentro de un tubo, lo que suele causar una oclusión intestinal que es muy grave. Es más común en la intersección de los intestinos delgado y grueso.

Síntomas. El bebé puede llorar intermitentemente y retraer las piernas. Puede haber vómitos y diarrea, y es posible que aparezca sangre y moco en sus deposiciones. El vientre del pequeño está hinchado y existe el riesgo de que se deshidrate. Si no se trata, el estado puede verse complicado por una ruptura intestinal y peritonitis (inflamación del recubrimiento del abdomen).

Tratamiento. Aplicar aire a presión en el intestino puede hacer que se desdoble la invaginación. Si no fuera así, en casi todos los casos se alcanza éxito con la cirugía. En los casos graves puede ser necesario cortar un segmento del intestino.

Intestino retorcido
Una sección del intestino delgado se introduce sobre sí misma, como un dedo en un guante puesto del revés. La invaginación es rara y muy grave.

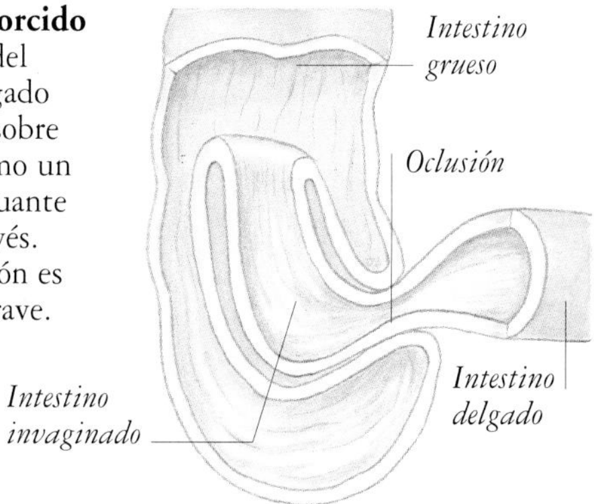

APENDICITIS

Una causa común de dolor abdominal es la inflamación del apéndice, un pequeño saco, parecido a un dedo, situado en la intersección del ciego y el íleo. La causa no es conocida, pero puede deberse a la obstrucción producida por un pequeño fragmento de heces o, muy ocasionalmente, por oxiuros. El apéndice se inflama, se hincha y se infecta. La apendicitis no es un estado grave, siempre que se diagnostique pronto. No obstante, si los síntomas se confunden con otra cosa, como el estreñimiento, y se produce un retraso en aplicar el tratamiento, el apéndice puede reventar y producirse un absceso o incluso también una peritonitis (inflamación del recubrimiento abdominal).

Síntomas. El primer síntoma es dolor alrededor del ombligo que, al cabo de unas pocas horas, se desplaza a la parte inferior derecha del abdomen, donde se hace intenso. El niño puede tener algo de fiebre y negarse a comer. Puede aparecerle saburra en la lengua y producirse vómitos, diarrea o estreñimiento.

Tratamiento. Consulte inmediatamente con su médico. Hay que extirpar el apéndice antes de que se perfore y cause un absceso interno que, en tal caso, tendría que ser drenado, y extirpado el apéndice después de tratamiento con grandes dosis de antibióticos.

Lugar del dolor
El primer síntoma de la apendicitis es un ligero dolor en la zona del ombligo, que se desarrolla hasta producir un dolor más intenso y localizado en la parte inferior derecha del abdomen.

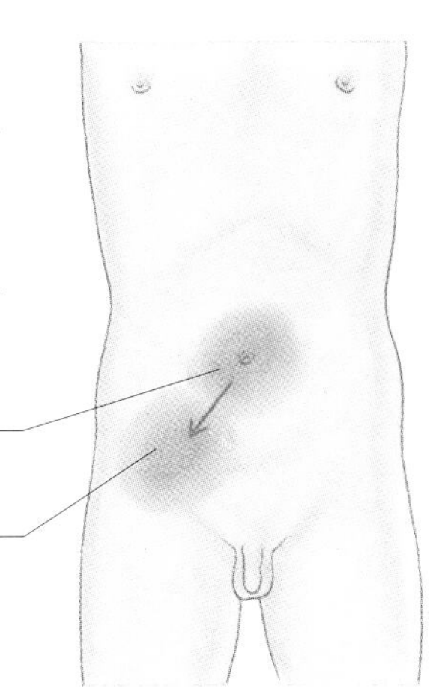

TIPO DE DOLOR	OTROS SÍNTOMAS	CAUSA
Dolor repentino que hace gritar al niño y levantar las piernas.	*Común en bebés menores de cuatro meses.*	*Cólico (véase pág. anterior).*
Dolor abdominal paralizante que hace llorar al niño.	*Presencia de sangre y moco en las deposiciones, y vómitos.*	*Invaginación (véase pág. anterior).*
Suave dolor abdominal general.	*Vómitos y diarrea.*	*Gastroenteritis (véase pág. anterior).*
Dolor grave cerca del ombligo que luego se desplaza hacia el lado inferior derecho del abdomen.	*Ligera fiebre, negativa a comer, presencia de saburra en la lengua, vómitos.*	*Apendicitis (véase arriba).*
Dolor generalizado del vientre.	*Ansiedad, dependencia, llanto, agresión y náusea.*	*Estrés (véase introducción de la pág. anterior).*
Dolor paralizante y repentino en la parte inferior del abdomen.	*Hinchazón y dolor en el escroto.*	*Torsión de los testículos (véase pág. 301).*
Dolor generalizado del vientre.	*Inflamación de la garganta, congestión nasal y una fiebre ligera.*	*Infección de la garganta (véase pág. 287), resfriado común (véase pág. 294), o infección del oído medio (véase pág. 284).*
Dolor abdominal difuso que se extiende hacia la espalda y desciende hacia la entrepierna.	*Dolor al orinar, enuresis cuando no se había producido antes y, en casos muy raros, sangre en la orina.*	*Infección del tracto urinario (véase pág. 300).*

TRASTORNOS UROGENITALES

Los síntomas como micción dolorosa o sangre en la orina pueden ser el resultado de una infección de la vejiga, un trastorno renal o, en casos más raros, una herida. El diagnóstico correcto es importante para que estos trastornos no se hagan crónicos. La emergencia genital más común es la torsión de los testículos (véase pág. siguiente).

INFECCIÓN DEL TRACTO URINARIO

El tracto urinario se compone de los riñones, donde se produce la orina a partir del agua y los productos de desecho; los uréteres, que llevan la orina desde los riñones a la vejiga; la vejiga, que almacena la orina, y la uretra, por donde se expulsa la orina de la vejiga. La uretra femenina es mucho más corta que la masculina, de modo que las bacterias que penetran por la uretra femenina tienen que recorrer una distancia mucho más corta para llegar a la vejiga, lo que aumenta la probabilidad de una infección.

La causa más común de infección del tracto urinario es una higiene deficiente; la principal es la cistitis, aunque sólo en las niñas. La tendencia hacia la repetición de las infecciones puede deberse a una anormalidad anatómica del tracto urinario, aunque eso es bastante raro.

Prevenir la infección
Las infecciones del tracto urinario suelen difundirse desde el recto, vía la uretra, hasta la vejiga o los riñones. Después de hacer una deposición, las niñas deben limpiarse siempre desde delante hacia atrás.

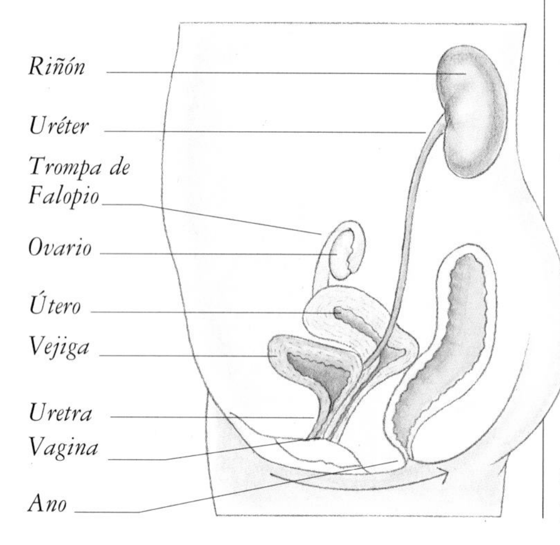

Síntomas. Una micción urgente y frecuente es el síntoma más destacado de una infección del tracto urinario. El niño puede quejarse de una sensación ardiente o picante al principio o al final del flujo de la orina. Eso se debe a que el músculo de la vejiga se contrae sobre el recubrimiento inflamado. Es posible que el niño también orine involuntariamente, y empiece a mojar de nuevo la cama por la noche. Es común el dolor en la parte inferior del abdomen y de la espalda. El fuerte dolor de espalda, la fiebre y los escalofríos, la negativa a comer y el dolor de cabeza significan que el niño tiene una infección renal y que estará muy enfermo. La presencia de sangre en la orina indica una infección grave o daño en los riñones.

Tratamiento. Todas las infecciones del tracto urinario exigen tratamiento médico. El médico tomará una muestra de orina para confirmar la presencia de una infección bacteriana y encontrará el antibiótico más adecuado para tratarla. La infección de la vejiga pueden extenderse hacia arriba, en dirección a los riñones, pero eso no sucederá si se aplica pronto el tratamiento.

Cualquier niño con una infección del tracto urinario debe ser llevado al pediatra para su valoración. El pediatra comprobará que no exista ninguna anormalidad anatómica ni daños renales.

Dele al niño muchos líquidos, lo que contribuirá a limpiar la vejiga. Anime a su hijo a orinar todo lo posible. El jarabe de paracetamol y una bolsa de agua caliente en la parte inferior del abdomen pueden ayudar a aliviar el dolor.

Enseñe a su hija a limpiarse desde delante hacia atrás después de la defecación. Si tiene bidet, úselo cada vez después de defecar. El lavado debe ser muy suave mientras dure el ataque, ya que la uretra estará sensible.

BALANITIS

Se trata de una inflamación del prepucio y del glande, como consecuencia de una infección bacteriana. El prepucio estará casi siempre muy tirante. Productos como los polvos de lavar pueden causar irritación e hinchazón.

Síntomas. El glande (la punta del pene) y el prepucio aparecen enrojecidos, hinchados y sensibles al tacto, y puede observarse pus procedente del interior de la abertura. El niño no le dejará que le retire el prepucio y sentirá dolor al orinar.

Tratamiento. El tratamiento médico siempre es necesario, ya que el niño podría desarrollar una estenosis del prepucio que lo hiciera demasiado tenso como para retirarlo. El médico le recetará una crema antibiótica y quizá sugiera la práctica de la circuncisión si el prepucio estuviera muy tirante, que puede practicarse ahora o, si no se ha distendido, cuando el niño tenga seis años. Lo que puede hacer usted es cambiarlo de pañales con frecuencia, mantener el pene limpio, aplicar crema antiséptica ante cualquier inflamación y una crema protectora a toda la zona genital. Procure que la ropa del niño esté bien enjuagada para eliminar todo resto de detergente.

CRIPTORQUIDIA

Antes de que nazca el niño, los testículos se desarrollan dentro de su abdomen y poco antes del nacimiento descienden hasta el escroto (la bolsa que cuelga por debajo del pene). Ocasionalmente, uno de los testículos no desciende, lo que se conoce como criptorquidia. Los testículos necesitan colgar fuera del cuerpo, donde la temperatura es más baja, para que la producción de esperma sea eficiente; un testículo a temperatura corporal no puede producir esperma. Se recomienda el tratamiento aunque sólo uno de los testículos no haya descendido para asegurar la máxima fertilidad en el futuro, porque existe el riesgo de que se desarrolle un tumor maligno en el testículo no descendido y por razones estéticas.

Los testículos retráctiles se retiran hacia el abdomen en respuesta al frío o al tacto. Eso es normal en los niños pequeños y puede persistir hasta la edad adulta. No afecta a la fertilidad.

Síntomas. Uno o ambos testículos están ausentes en el escroto. Este estado no produce ningún otro síntoma y no causará ninguna incomodidad al niño.

Desarrollo de los testículos
En un feto, los testículos crecen en el interior del abdomen, cerca de los riñones. Poco antes de nacer el niño descienden hacia su posición normal en la bolsa de piel llamada escroto.

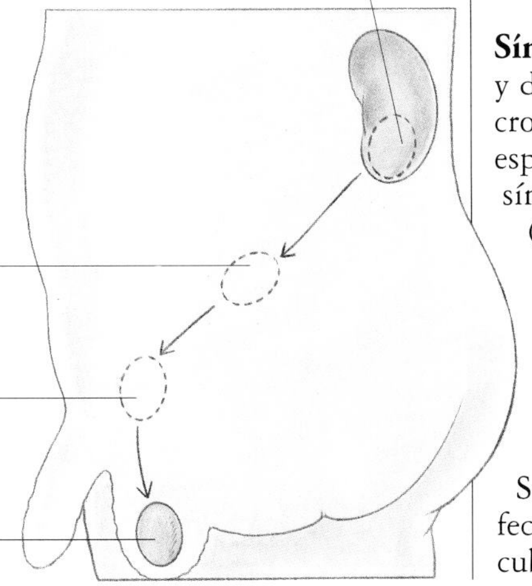

Tratamiento. A menudo, los testículos descienden durante el primer año. Si no lo hacen debe aplicarse una cirugía correctora entre el primer y segundo año de vida.

TORSIÓN DE LOS TESTÍCULOS

Si uno de los testículos se retuerce sobre su tallo, se verá interrumpido el suministro de sangre y se pondrá rojo, se hinchará y será muy doloroso. Si no se trata, el testículo puede sufrir daños irreversibles y debe buscar tratamiento médico de inmediato.

Síntomas. El primer síntoma es un dolor fuerte. Más tarde, el testículo se hincha y se hace muy sensible al tacto. El niño sentirá náuseas y puede vomitar. El escroto se enrojece, se pone púrpura y luego azulado.

Tratamiento. El testículo tiene que ser quirúrgicamente desenroscado lo antes posible para restaurar el flujo sanguíneo. A veces, el testículo se desenroscará espontáneamente, pero no espere a que esto suceda.

SANGRE EN LA ORINA

El nombre médico para designar la presencia de sangre en la orina es hematuria. Es posible que sólo sea una mancha o que haya suficiente como para colorear la orina de un rojo profundo. La causa puede hallarse en cualquier parte del tracto urinario, desde los riñones hasta la uretra. Dos causas comunes son la cistitis (inflamación de la vejiga) y la uretritis (inflamación de la uretra). La nefritis (inflamación de los riñones) es menos común pero más grave. Un niño con hemofilia puede pasar sangre a la orina a causa de una hemorragia interna. Si observa sangre en la orina de su hijo, debe consultar con el médico. Aunque las infecciones como la cistitis no son graves, causan una gran incomodidad y es importante impedir que las bacterias sigan difundiéndose desde la vejiga hasta los riñones.

Síntomas. Una hemorragia ligera puede ser invisible y descubrirse sólo cuando se examina la orina al microscopio, o cuando se introduce en la orina una tira especial de diagnóstico. El niño puede presentar los síntomas propios de una infección del tracto urinario (véase pág. anterior), o sufrir una infección renal o glomerulonefritis.

Tratamiento. Puesto que la presencia de sangre en la orina es el único síntoma de cualquier trastorno subyacente, el médico llevará a cabo pruebas especiales para determinar la causa y tratarla. Se tiene que cultivar la orina para encontrar una infección, y hacer rayos X del tracto urinario para descubrir cualquier anormalidad anatómica.

ENFERMEDADES INFECCIOSAS

Una enfermedad infecciosa es aquella causada por un microorganismo, es decir, por una bacteria o un virus. La infección se difunde más comúnmente por el aire o por el contacto directo, aunque también puede hacerlo a través de la comida, el agua o los insectos, particularmente en condiciones de higiene deficiente. Las enfermedades infecciosas constituyen una amenaza mucho menos grave en aquellos países donde los niveles sanitarios son altos, se dispone con facilidad de los medicamentos apropiados y la salud y la nutrición

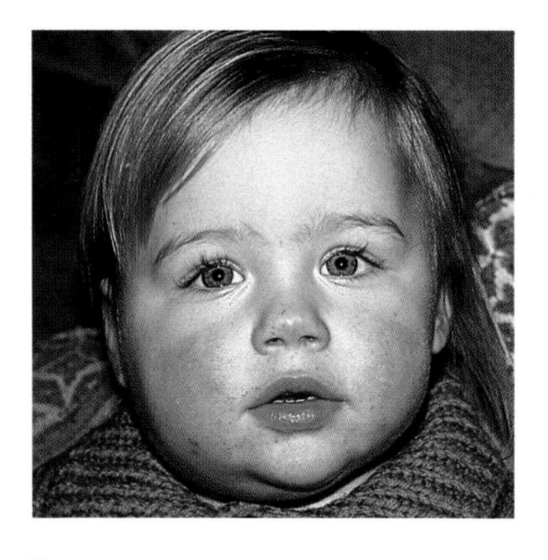

Paperas
Las glándulas salivales se hincharán, lo que cambiará la forma de la cara del niño; la hinchazón puede aparecer en cualquiera de los lados de la cara o en ambos, justo por debajo de las orejas o de la barbilla.

ENFERMEDAD	POSIBLES SÍNTOMAS
Varicela. *Enfermedad viral común y normalmente benigna.* ***Incubación.*** *17-21 días.*	*Manchas rojas y picantes, que se convierten en vesículas llenas de fluido y luego en costras. Dolor de cabeza y fiebre ligera.*
Rubéola. *Infección viral, que suele ser benigna en los niños.* ***Incubación.*** *14-21 días.*	*Pequeñas manchas rojas, primero por la cara y luego por todo el cuerpo, febrícula y aumento del tamaño de los nódulos linfáticos de la nuca y de detrás de las orejas.*
Paperas. *Enfermedad viral que raras veces es grave en los niños.* ***Incubación.*** *14-21 días.*	*Glándulas hinchadas, sensibles al tacto, por debajo de las orejas y bajo la barbilla. Fiebre, dolor de cabeza y dificultad para masticar y tragar. Muchos niños se quejan también de dolor de oídos. Otros síntomas menos comunes son los testículos doloridos en los chicos, muy raro en la prepubertad.*
Sarampión. *Enfermedad viral, muy contagiosa y potencialmente grave.* ***Incubación.*** *8-14 días.*	*Aparecen manchas de color rosado-amarronado por detrás de las orejas que luego se extienden por todo el cuerpo. La aparición de manchas blancas en la boca (manchas de Koplik) es la señal del diagnóstico. El niño tiene fiebre, con nariz mocosa, tos y dolor de cabeza. Puede tener los ojos inflamados y dificultades para tolerar luces brillantes.*
Tos ferina. *Infección bacteriana que causa la inflamación de las vías aéreas.*	*Tos convulsiva con un característico sonido de «alarido» cuando el niño intenta respirar, síntomas de resfriado común (véase pág. 294) y vómitos. La tos puede impedir dormir al niño.*

son generalmente buenas, que en aquellos otros donde no lo son. Además, muchas enfermedades infecciosas graves han sido virtualmente eliminadas en occidente gracias a la vacunación (véase pág. 283). Las características de numerosas enfermedades infecciosas infantiles son similares: aparición de una erupción en el cuerpo, fiebre, malestar general y síntomas de resfriado. Si observa una erupción acompañada de fiebre alta, consulte en seguida con el médico. Los peligros que plantean la mayoría de enfermedades es que el niño pueda deshidratarse a causa de los vómitos o de negarse a tomar alimento y bebida, tenga dificultad para respirar debido a vías respiratorias constrictivas o sufran de convulsiones febriles (véase pág. 281), y algunas enfermedades pueden conducir a complicaciones si no son tratadas.

TRATAMIENTO	COMPLICACIONES
Aplique calamina sobre la erupción, deje al niño en casa y procure que no se rasque. El médico le recetará una crema antiinfecciosa.	*En casos raros la varicela puede conducir a encefalitis (inflamación del cerebro) y, si por error se toma aspirina, al síndrome de Reye, una enfermedad grave cuyos síntomas son vómitos y fiebre.*
No hay tratamiento médico específico. Puede darle al niño jarabe de paracetamol si tiene fiebre y debe tratar de mantenerlo aislado.	*El mayor riesgo lo corren las mujeres embarazadas no vacunadas que entran en contacto con un niño que tiene la rubéola, ya que causa deficiencias natales. Existe un ligero riesgo de encefalitis.*
No hay tratamiento médico específico. No debe dejar que el niño vaya a la escuela; debe darle jarabe de paracetamol y muchos líquidos, así como alimentos blandos y licuados.	*Ocasionalmente, meningitis, encefalitis y pancreatitis. A veces se ve afectado uno de los testículos que disminuye de tamaño. Si se vieran afectados ambos testículos, puede producir esterilidad, pero eso ocurre muy raramente.*
Mantenga al niño en la cama mientras dure la fiebre, y no lo lleve al colegio al menos durante una semana tras la aparición de la erupción. Dele un jarabe de paracetamol y muchos líquidos. El médico puede recetar un colirio para los ojos inflamados y antibióticos para infecciones secundarias.	*Pueden aparecer infecciones de oído y pecho que necesitarán tratamiento con antibióticos. También hay un ligero riesgo de neumonía, encefalitis y ataques.*
El médico quizá recete antibióticos y, en los casos graves, puede ser necesario que el niño ingrese en un hospital para recibir terapia de oxígeno y tratamiento para la deshidratación. Anime al niño a expectorar flemas colocándolo boca abajo sobre el regazo y dándole palmaditas en la espalda cuando tosa, sin dejar que haga esfuerzos excesivos, y manténgalo alejado del humo del tabaco.	*El principal peligro es la deshidratación debida a vómitos persistentes. A veces, un ataque grave de tos ferina puede dañar los pulmones y hacer que el niño tenga tendencia a las infecciones de pecho. Los bebés pequeños corren más riesgo. Pueden dejar de respirar durante breves períodos y sufrir convulsiones, neumonía, daño cerebral y, muy raramente, la muerte.*

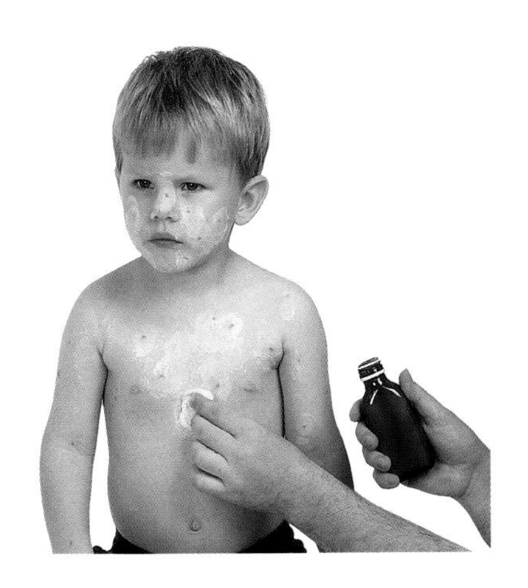

Aplicación de loción
La erupción que acompaña a la varicela produce mucho picor. Frote una loción de calamina para aliviar el picor; las manchas pueden dejar cicatrices si se rascan con fuerza.

ENFERMEDAD	POSIBLES SÍNTOMAS
Hepatitis. *Inflamación del hígado causada por una infección viral. Hay muchas causas virales, pero el tipo A es el más común entre los niños.*	*Pérdida de apetito, náusea e ictericia. En los casos graves, el niño puede producir una orina marrón oscura y deposiciones de color pálido.*
Meningitis. *Inflamación de las membranas que cubren el cerebro y la médula espinal, resultado de una infección viral o bacteriana. La vacuna contra la meningitis (véase pág. 283) protege contra la meningitis del grupo C. La vacuna Hib inmuniza contra otra causa, la* Haemophilus influenzae *B.*	*Los síntomas de la meningitis son fiebre, rigidez del cuello, letargia, dolor de cabeza, somnolencia e intolerancia a la luz intensa; puede aparecer también una erupción púrpuro-rojiza (púrpura, véase «Exantemas», pág. 291) que cubre la mayor parte del cuerpo. En los bebés menores de 18 meses un síntoma notable es que las fontanelas se abomban ligeramente.*
Escarlatina. *Infección bacteriana que causa amigdalitis, acompañada por una erupción. No es muy común y raras veces es grave.*	*Fiebre, amígdalas hinchadas y dolor de garganta. Una erupción de pequeños puntos que empieza en el pecho y luego se extiende, pero que no afecta al área en torno a la boca, y la lengua sarrosa y cubierta de puntitos rojos.*
Rubéola. *Infección viral relativamente rara cuyos síntomas se parecen a los de la escarlatina.*	*Fiebre alta durante aproximadamente tres días. Después aparecen manchas rojas o rosadas en el tronco, extremidades y nuca. La erupción desaparece al cabo de unas 48 horas aproximadamente.*
Difteria. *Infección bacteriana grave y muy contagiosa. Actualmente es muy rara gracias a las campañas de vacunación.*	*Aumento del tamaño de las amígdalas, que pueden aparecer cubiertas de una membrana gris. El niño puede tener una fiebre suave, tos y garganta dolorida. Pueden aparecer dificultades respiratorias.*
Tuberculosis. *Infección bacteriana muy contagiosa que afecta más comúnmente a los pulmones, pero también puede afectar a otras partes del cuerpo, como los riñones, las meninges y los huesos.*	*Tos persistente (posiblemente con sangre y pus en el esputo si se ven afectados los pulmones), dolor en el pecho, falta de aliento, fiebre (especialmente por la noche), pérdida de apetito, peso y cansancio.*

Comprobar la garganta
Utilice una cuchara o espátula para sostener la lengua del niño hacia abajo mientras comprueba el estado de su garganta. El aumento del tamaño de las amígdalas y una garganta dolorosa pueden ser síntomas de escarlatina.

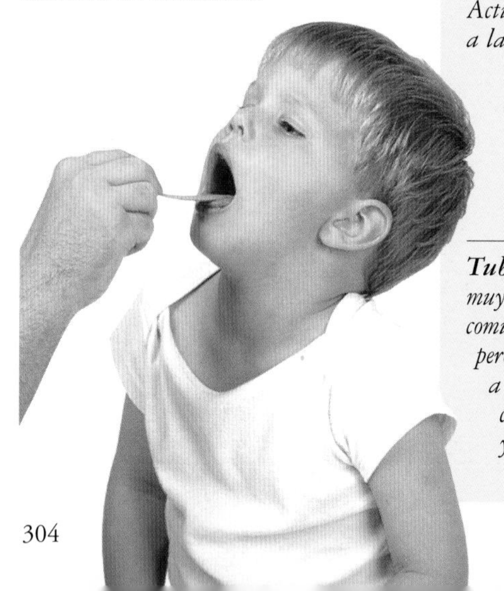

TRATAMIENTO	COMPLICACIONES
El niño debe ser aislado y descansar en la cama al menos durante dos semanas. Sea meticulosa con la higiene (la hepatitis es muy contagiosa) y dele muchos fluidos. Si no quiere comer añada una cucharada de glucosa a sus bebidas.	*Algunos niños sufren de síntomas post-hepatitis hasta seis meses después. Entre esos síntomas se incluyen cambios bruscos de humor y apatía.*
Se usan antibióticos ultravenosos para tratar la meningitis bacteriana y analgésicos para aliviar los síntomas de la meningitis viral. Si aparece una erupción de púrpura en la piel, el niño debe ser llevado directamente al hospital.	*La meningitis viral no suele ser grave y desaparece en cuestión de una semana. La meningitis bacteriana es potencialmente fatal debido al riesgo de septicemia meningocócica, por lo que debe ser tratada siempre como una emergencia médica.*
El médico puede recetar antibióticos. El tratamiento en el hogar incluye dar al niño muchos líquidos y licuarle la comida para que le sea más fácil tragarla. Dele jarabe de paracetamol para bajar la temperatura.	*Si el niño es sensible a la bacteria del estreptococo, puede causar complicaciones, incluida la nefritis (inflamación de los riñones) y fiebre reumática (inflamación de las articulaciones y corazón), aunque son muy raras.*
Procure que el niño descanse y pásele una esponja con agua tibia para reducir la fiebre. Dele jarabe de paracetamol con el mismo propósito.	*Si la temperatura del niño es muy alta, puede llegar a tener convulsiones febriles (véase pág. 281).*
La difteria es muy grave debido a la posibilidad de que se presenten dificultades respiratorias; el niño debería ser hospitalizado de inmediato. Se le darán fuertes antibióticos y puede llegar a necesitar una traqueotomía para ayudarle a respirar; es decir, se le insertará un pequeño tubo en la tráquea para soslayar el bloqueo de la garganta.	*Sin tratamiento, la difteria puede causar otras complicaciones graves y potencialmente fatales. La bacteria puede liberar una toxina que daña el corazón y el sistema nervioso. Esto puede provocar un fallo cardíaco y la parálisis de los músculos necesarios para la respiración.*
La tuberculosis es una enfermedad grave si no se trata. La enfermedad puede tratarse en casa. El médico recetará antibióticos.	*Las posibles complicaciones de la tuberculosis pulmonar incluyen la efusión pleural (acumulación de fluido entre el pulmón y la pared torácica) y el colapso de áreas de tejido pulmonar (aire entre el pulmón y la pared torácica).*

MENINGITIS

Poniéndome en el lugar de un padre, me gustaría saber cómo estar alerta ante la posibilidad de meningitis.

Las señales de alarma que hay que buscar son:

- *Dolor de cabeza y sensibilidad a las luces intensas.*
- *Cuello rígido: su hijo se mostrará reacio a levantar la cabeza si está tendido de espaldas.*
- *Un sarpullido que no desaparece al presionarlo con un cristal.*

Si advierte alguno de estos signos, llame al médico inmediatamente.

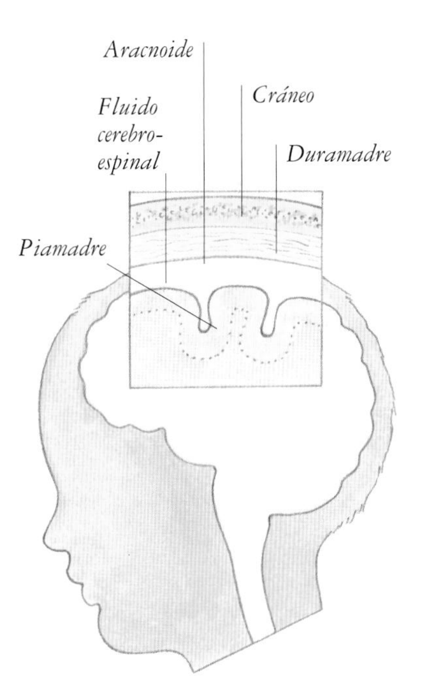

Meningitis
Las tres membranas que cubren el cerebro y la médula espinal (duramadre, aracnoide y piamadre) se llaman meninges. La inflamación de las meninges provoca la meningitis.

SEGURIDAD

Muchos objetos del hogar aparentemente inocuos son peligrosos para los niños. Cada año ingresan en los hospitales gran número de niños debido a caídas desde las ventanas, quemaduras, escaldaduras, atragantamientos con objetos pequeños o por haber tragado sustancias químicas del hogar. El niño es aventurero e inquisitivo por naturaleza y a usted le resulta demasiado fácil subestimar los peligros que se le presentan al explorar su ambiente, sobre todo a la luz de su movilidad en desarrollo y de sus habilidades manipuladoras.

CAÍDAS

Las causas que provocan las caídas varían según la edad del niño. Los bebés menores de un año pueden caerse de la cuna, de la sillita de ruedas o de una superficie elevada, como encima de una mesa, mientras que los niños de uno a cuatro años es más probable que se caigan por una escalera, por las ventanas o que tropiecen con el equipo de juego.

Se puede reducir el riesgo de caída del niño mediante una cuidadosa supervisión (procure no dejar nunca al niño solo sobre una superficie elevada), y efectuando unos pocos cambios en el hogar, como instalar cerraduras en las ventanas y puertas de seguridad en la escalera. Procure que los barrotes de balcones y pasamanos no estén a más de 10 centímetros de distancia, ya que el niño podría pasar por entre ellos o quedar con la cabeza enganchada entre los barrotes. Si no tiene un arnés para la silla alta del bebé, la cuna o la sillita de ruedas, debería comprar uno. Es posible que el arnés incorporado no sea el adecuado. Encontrará arneses en los grandes almacenes y tiendas infantiles; busque uno que sea fácil de atar y ajustar. Procure comprar uno y úselo.

VENTANAS Y PUERTAS

Los tipos de accidentes asociados con ventanas y puertas incluyen caídas por ventanas abiertas, cortarse con cristal roto y quedar con las extremidades y los dedos atrapados en puertas que se cierran. Se dispone de diversos protectores de cierre de puertas que impiden que los dedos queden atrapados al cerrarlas. El cristal habitualmente usado para puertas y ventanas resulta particularmente peligroso, ya que se rompe en astillas largas y afiladas. El cristal de seguridad, por su parte, corre menos riesgo de romperse y cuando ocurre no forma piezas afiladas. El cristal laminado se mantiene en una pieza cuando se rompe y el cristal endurecido se

EQUIPO DE SEGURIDAD

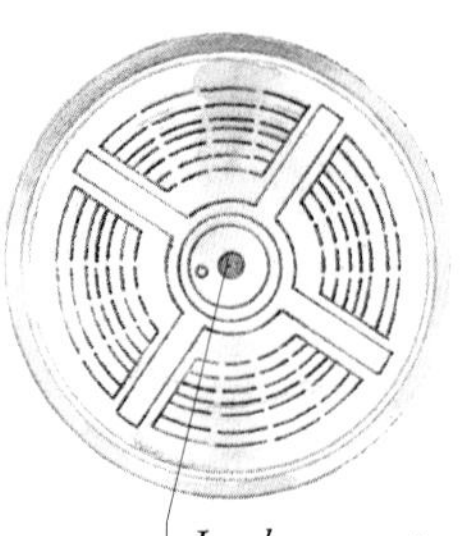

La luz muestra si la batería funciona

Alarmas para el humo
Su hogar debe estar protegido en cada nivel con alarmas para el humo, que son muy baratas y fáciles de instalar. Para que sean totalmente efectivas, deben fijarse en el techo, no en una pared.

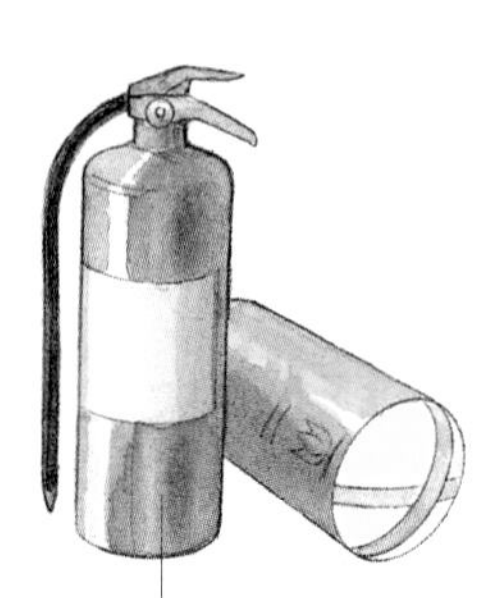

Un extintor de polvo seco es lo más adecuado para las cocinas

Extintor
La cocina es el lugar donde más probablemente puede iniciarse un incendio, así que debe tener aquí el equipo contraincendios. Hay que comprobar con regularidad la presión de los extintores, que quizá haya que sustituir anualmente.

Un cerrojo embutido sólo puede abrirse con una llave

Cerraduras de seguridad
Procure que las ventanas permanezcan firmemente cerradas o que sólo se puedan abrir un poco, especialmente en los pisos superiores.

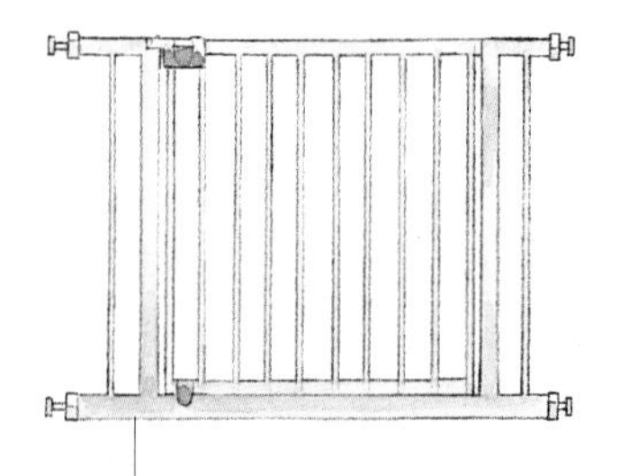

Una puerta ajustable encajará en la mayoría de anchos de escalera

Puertas de escalera
Pueden instalarse en lo alto y en la parte baja de la escalera. Los barrotes deben ser verticales para que el niño no pueda auparse sobre ellos, y la puerta debe tener una cerradura de seguridad.

rompe en pequeñas piezas redondeadas. Una opción más barata consiste en usar película de seguridad, pero sólo puede hacerse con cristal sin dibujos completamente plano y, una vez aplicada, no se puede quitar.

Para impedir que el niño se caiga por una ventana puede instalar cerraduras de ventana que sólo permitan abrirla unos 10 centímetros. Si lo hace así, tendrá que pensar previamente cómo escapar por la ventana en caso de emergencia (considere la idea de fijar la llave con una cinta a parte del marco de la ventanas.

SEGURIDAD CONTRAINCENDIOS

Los incendios en el hogar pueden ser fatales si usted o el niño inhalan los humos tóxicos. Afortunadamente, hay muchas formas de reducir la probabilidad de un incendio y disminuir el daño que puede hacer.

- No fume dentro de casa.
- No deje sin vigilar sartenes que contengan grasa caliente.
- Mantenga los líquidos inflamables en un lugar cerrado con llave.
- Use guardafuegos en cualquier fuego abierto o de gas.
- Deje las cerillas fuera del alcance del niño.
- Compre muebles resistentes al fuego.
- Reponga cada año los extintores de incendios.
- Tenga en la cocina un extintor de polvo seco y una manta contraincendio.
- Coloque alarmas para el humo y compruebe con regularidad que las baterías funcionan.
- Sofoque una sartén incendiada con una manta contraincendio, un paño húmedo o una tapa de sartén.

QUEMADURAS Y ESCALDADURAS

Las escaldaduras se producen cuando el niño queda expuesto a líquidos calientes y suelen afectar a la cara, el cuello, el pecho y los brazos. A medida que el niño se hace mayor y mejora su coordinación mano-ojo, podrá retirar salseras, tazas y ollas que contengan líquidos calientes. Otra causa de escaldadura es meter al bebé en un baño con agua demasiado caliente, o dejarlo sin vigilancia en un cuarto de baño donde pueda manipular los grifos del agua caliente. Un niño puede escaldarse con menos agua y a una temperatura más baja que un adulto.

Una buena forma de evitar las escaldaduras consiste en bajar el termostato del agua a 54 °C, con lo que la escaldadura sólo empezará a ocurrir después de 30 segundos de exposición. Al preparar un baño para el niño, ponga primero el agua fría y luego añádale el agua caliente, y no deje al niño a solas en el cuarto de baño.

En la cocina puede impedir que el niño tire de las superficies de los recipientes eléctricos procurando que no cuelgue de ellos ningún cordón. Intente comprar cordones en espiral para artículos como la plancha, o acórtelos para que no se enrosquen. Una vez que haya terminado de usar uno de los recipientes lleno de fluido caliente, vacíelo en seguida. Instale un protector sobre los fuegos de la cocina, y cuando tenga que utilizarlos hágalo preferentemente con los fuegos del fondo y no con los delanteros, y coloque siempre los mangos de los recipientes situados hacia el fondo.

SEGURIDAD ELÉCTRICA

Procure que el niño sea consciente de los peligros que supone la electricidad y cubra los enchufes no utilizados con algún mueble pesado o con clavijas de seguridad; se trata de enchufes de plástico sin cordón que se introducen en el enchufe y que impiden que el niño introduzca los dedos o cualquier objeto, pero evite los de colores brillantes, que no hacen sino atraer la atención del niño hacia ellos.

SUSTANCIAS VENENOSAS

Los niños de uno a tres años de edad son los más inclinados a sufrir envenenamientos accidentales ya que aprenden a escalar y abrir armarios. Antes de los 18 meses de edad los niños no saben por el gusto si algo es probablemente malo para ellos. Entre los venenos comunes del hogar se incluyen: lejía, parafina, desinfectante, detergentes, medicamentos como antidepresivos y tranquilizantes, y analgésicos como aspirina y paracetamol. Afortunadamente, sólo uno de cada 500 casos de envenenamiento accidental tiene consecuencias muy graves.

El envenenamiento se puede prevenir. Debe guardar todos los medicamentos y productos químicos de la casa en algún lugar alto, fuera del alcance del niño, y preferiblemente en un armario cerrado con llave. Al usarlos, vigile continuamente al niño, ya que es entonces cuando se producen la mayoría de los accidentes. Los medicamentos, sean de la clase que sean, deben guardarse en frascos con tapas de seguridad para que los niños no puedan acceder (evite sacar las medicinas de sus frascos originales), y los caducados o no usados deberían tirarse.

Los productos químicos del hogar, como la lejía, deberían guardarse en algún lugar inaccesible, y nunca debe poner sustancias químicas en botellas que sean familiares o atractivas para los niños, como por ejemplo las de limonada. Ponga al abrigo de los niños los cuencos en que se alimentan los animales de compañía, ya que pueden contener bacterias, y no tenga en la casa plantas o flores tóxicas, como lirios y narcisos.

SEGURIDAD EN CASA

A continuación se dan algunas reglas generales que se aplican a todas las habitaciones de la casa, entre las que se incluyen evitar colgantes, alfombras sueltas y muebles inflamables, así como el elegir muebles pensando en los niños (evitar, por ejemplo, las mesas con cantos agudos). Tenga cubiertos todos los enchufes y haga poner cerraduras en las ventanas. Enseñe al niño desde muy pequeño que las cosas calientes como los fuegos y los hornos son peligrosos y que nunca debe intentar acercarse a ellos, y mantenga las precauciones de seguridad hasta que el niño tenga por lo menos tres años.

Cuando el niño visite los hogares de otras personas, revise la habitación para detectar peligros potenciales. Si se encuentra en una casa donde no haya niños, efectúe una rápida comprobación de aquellas cosas que puedan romperse, como adornos pesados que puedan caerse de las superficies, ventanas abiertas y bajas, y objetos agudos.

COCINA

- Coloque un protector en los fuegos de la cocina y sitúe siempre los mangos de los recipientes de cocina hacia el interior.
- Deje las cerillas fuera del alcance de los niños y coloque una alarma para humos.
- Ajuste el termostato del agua a una temperatura máxima de 54 °C, ya que así tardará medio minuto en producirse una escaldadura.
- Deje las bolsas de plástico fuera del alcance del niño.
- Guarde los cuchillos afilados y la cubertería en un cajón con un cierre de seguridad.
- No use manteles que el niño pueda tirar, precipitando sobre su cabeza todo lo que haya sobre la mesa.
- No deje sartenes calientes o tazas que contengan bebidas calientes.
- Si derrama grasa o líquido sobre el suelo, límpielo en seguida.
- Desconecte la lavadora y el friegaplatos de la corriente principal. Quite las partes peligrosas.
- Si no utiliza la plancha, guárdela, así como la tabla de planchar. Si tiene la plancha encendida, no deje nunca solo al niño.
- Deje fuera del alcance del niño los cuencos del alimento de los animales de compañía para evitar una infección bacteriana.
- No deje nunca solo al niño mientras come, ya que podría atragantarse y sofocarse.

SALÓN Y ESCALERA

- Instale una puerta de seguridad en lo alto y en la parte baja de la escalera
- No deje objetos tirados en la escalera.
- La escalera debe estar protegida por ambos lados por paredes o barandillas.
- Los huecos entre los barrotes de las barandillas no deben ser mayores de 10 centímetros, para que el niño no se pueda enganchar en ellos un brazo o una pierna.
- La alfombra de la escalera debería ajustar a ésta con exactitud, para que el niño no pueda tropezar con ella.
- Arregle sin dilación cualquier alfombra suelta o deshilachada sobre la escalera.
- Asegúrese de que el niño no puede abrir la puerta de la calle y salir corriendo.

PELIGROS EN EL HOGAR

El niño puede tirar de un mantel sobre sí mismo

Quite todas las plantas nocivas

No deje objetos en la escalera

CUARTO DE BAÑO

- Guarde los medicamentos en un armario cerrado con llave o en una estantería alta y tire los viejos y los que no use.
- Guarde el desinfectante y la lejía en sus recipientes originales, preferiblemente con cierres a prueba de niños, y en un lugar cerrado con llave, y procure que estén siempre fuera del alcance del niño cuando usted los use.
- No deje nunca a un niño a solas en una bañera llena de agua.
- Al preparar el baño del niño añada siempre el agua caliente a la fría, y no al revés.
- Use esterillas antideslizantes en la bañera.
- Tenga cerrada la tapa del lavabo.
- Coloque los calentadores de toallas fuera del alcance del niño.

DORMITORIO

- Los juguetes de la cuna no deben tener cuerdas de más de 30 centímetros de longitud.
- No deje nunca al bebé con el parapeto de la cuna bajado.
- No deje nunca al bebé a solas sobre la superficie alta donde lo cambie, ni siquiera por un segundo.
- Coloque cierres de seguridad en las ventanas.
- Evite las luces que se enciendan con un cordón alargado.
- Los barrotes de la cuna no deben estar muy espaciados (no más de 6 centímetros), ya que el niño podría engancharse entre ellos con parte de su cuerpo.
- No use almohada en la cuna del bebé hasta que no tenga un año de edad.
- Elija muebles con bordes redondeados.
- No deje encendidos calentadores de gas o eléctricos cuando el niño esté a solas.

SALA DE ESTAR

- Si sustituye el cristal de las puertas del patio, elija cristal laminado o endurecido.
- Utilice un guardafuegos en el suelo o montado en la pared delante de la chimenea, pero asegúrese de que esté siempre fijado a la pared. No deje tazas o ceniceros sobre el guardafuegos.
- Cubra los enchufes para evitar que el niño introduzca objetos en las clavijas.
- Evite cordones que cuelguen de luces, televisión, estéreo y equipo de vídeo.
- Evite plantas venenosas en casa (véase pág. 311).
- No deje en cualquier parte alcohol, cigarrillos, cerillas o encendedores.
- Guarde fuera del alcance los objetos que se puedan romper.
- No deje objetos calientes o pesados en las mesas bajas.
- Todas las estanterías deben estar firmemente sujetas a la pared.

ZONAS DE JUEGO

- Guarde los juguetes de los niños mayores fuera del alcance de los niños pequeños. Los juguetes con partes componentes pequeñas, conjuntos de modelado y de química también pueden ser peligrosos para bebés y niños pequeños.
- Guarde los juguetes en una caja y no los deje esparcidos por el suelo.
- Tire los juguetes rotos.
- Un corral de juego es una buena forma de mantener al niño alejado de peligros potenciales. Procure que tenga por lo menos 60 centímetros de profundidad.
- Los juguetes y los juegos deben estar al alcance del niño para que no tenga que estirarse o escalar para cogerlos.

MEDIDAS DE SEGURIDAD

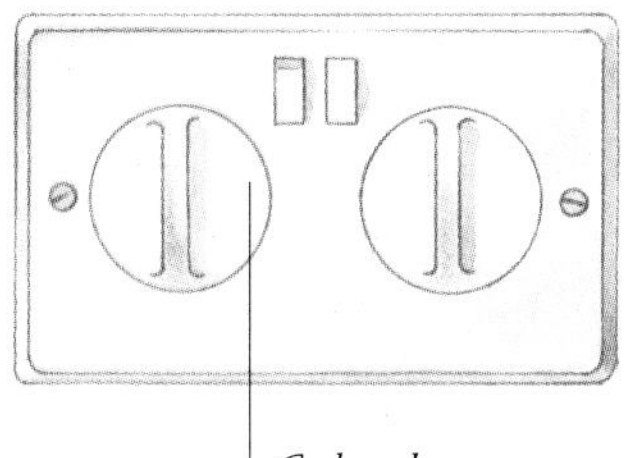

Cubra los enchufes eléctricos

Coloque cordones en espiral en los aparatos eléctricos como la plancha

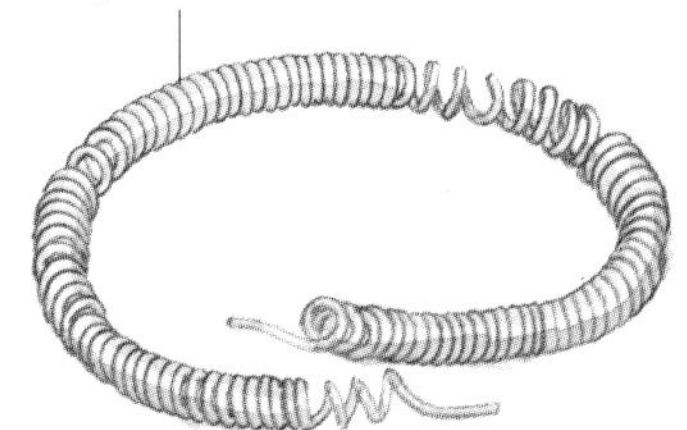

Procure que las cuerdas de los juguetes de la cuna tengan menos de 30 centímetros

SEGURIDAD EN EL JUEGO

Los accidentes más comunes durante el juego son cortes y moratones causados por caídas sobre los juguetes o al tropezar con éstos, o daños causados al tragarse parte de un juguete o insertárselo en la aleta de la nariz. En ocasiones, el accidente se produce porque el niño no es supervisado adecuadamente, otras veces porque el juguete está roto o es de pobre calidad, y a veces porque, simplemente, es demasiado sofisticado para el niño.

Muchos juguetes pueden causar daño al niño de muchas formas, pero las cajas de construcción, los coches y trenes de juguete, y los juguetes que se balancean y con ruedas son los causantes de la mayoría de los daños. Incluso los juguetes blandos pueden causar ahogo y sofocación.

SEGURIDAD EN LOS JUGUETES

- Compruebe el empaquetado y las etiquetas para estar segura de que el juguete es apropiado para la edad de su hijo. En general, los juguetes con componentes pequeños no son adecuados para niños menores de 36 meses.
- Compruebe las etiquetas de advertencia sobre componentes inflamables o cualquier ingrediente tóxico.
- No pegue imágenes en el interior de la cuna del bebé, ya que éste podría llevárselas a la boca.
- Los juguetes de la cuna no deberían estar suspendidos de cuerdas de más de 30 centímetros de longitud.
- Si el bebé puede levantarse en su cuna, quite los juguetes del lado que pueda usarlos como escalones para bajarse de la cuna.
- Para un niño menor de tres años, evite los juguetes con componentes pequeños y desmontables, que el niño podría tragarse.
- Si tiene hijos de edades muy diferentes, guarde por separado los juguetes de cada uno.
- En los juguetes con baterías, compruebe su estado con regularidad, y sustitúyalas si observa alguna filtración.
- Procure que los juguetes no tengan bordes afilados o abrasivos.
- Tire los juguetes rotos, en lugar de darlos a una institución de caridad o venderlos.
- Guarde los juguetes con seguridad, en una caja con tapa que no pueda cerrarse de golpe.
- Si un juguete se vende envuelto en una bolsa de plástico, desenvuélvala para el niño y tire la bolsa de plástico.

PELIGRO DE SOFOCARSE

Una vez que el bebé efectúe el movimiento de pinza con los dedos, puede coger y tragarse objetos.

Un comprobador del peligro de sofocamiento permite saber si un objeto es lo bastante pequeño como para alojarse en la tráquea del niño. Si el objeto se desliza en el comprobador, es muy peligroso.

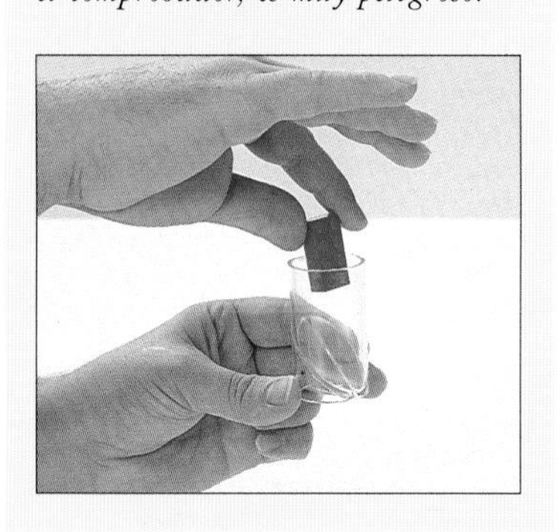

Juguetes
Es tentador comprar juguetes dejándose llevar por el impulso, pero compruebe antes los peligros potenciales.

SEGURIDAD EN EL EXTERIOR

El niño disfrutará jugando al aire libre, donde podrá correr libremente, ensuciarse y explorar un ambiente diferente. El peligro principal asociado con el juego en el exterior es que puede salir del jardín o terreno de juegos hacia la calle. También es posible que se ahogue si hubiera agua o una piscina en el jardín. Eso es algo que puede evitar procurando que el niño juegue siempre en un ambiente cerrado y que las puertas del jardín estén cerradas con llave. Drene o valle los estanques, y vacíe las piscinas infantiles después de su uso. Los otros peligros principales incluyen ingerir plantas venenosas, heces de animales y sustancias químicas usadas en jardinería.

SEGURIDAD EN EL JARDÍN

- Procure quitar todas las plantas venenosas (véase a continuación) y eliminar todo tipo de hongos en cuanto aparezcan.
- Guarde las herramientas y las sustancias químicas de jardinería, como herbicidas, en un cobertizo cerrado con llave.
- Procure que las sillas del jardín estén siempre bien afianzadas, ya que se pueden producir caídas de sillas o tumbonas inestables.
- Compruebe con regularidad la seguridad del equipo de juego.
- Coloque los juguetes de escalada sobre hierba, no sobre zonas duras.
- Asegúrese de que el niño no puede salir a la calzada desde el jardín; coloque cerraduras resistentes a los niños.
- Si tiene un estanque o piscina y el niño es menor de dos años, debe vaciarlo, cubrirlo o vallarlo.
- Arregle inmediatamente los cristales que se rompan en los invernaderos.
- No use sierras mecánicas ni corte el césped si su hijo está cerca. Guarde siempre las herramientas después de usarlas.
- Cubra los cuadrados cubiertos de arena para evitar que los animales hagan sus necesidades en ellos.
- No permita que los animales defequen en el jardín.
- Cubra las alcantarillas y toneles de agua.

PLANTAS VENENOSAS

Aunque raras veces es fatal comer plantas de jardín, pueden causar síntomas desagradables, que van desde irritación de la piel, la boca, la garganta y el estómago, hasta náuseas y vómitos. Dígale al niño que no coma nunca plantas o bayas del jardín y elimine aquellas que sepa que son venenosas. Los narcisos, jacintos, lirios, ranúnculos, campanillas blancas, alverjillas y alheñas pueden causar irritación del tracto gastrointestinal, y el ruibarbo, numerosos hongos, hojas del tomate, sauce, laurel, rododendro, muérdago y lirios de los valles causan envenenamiento general.

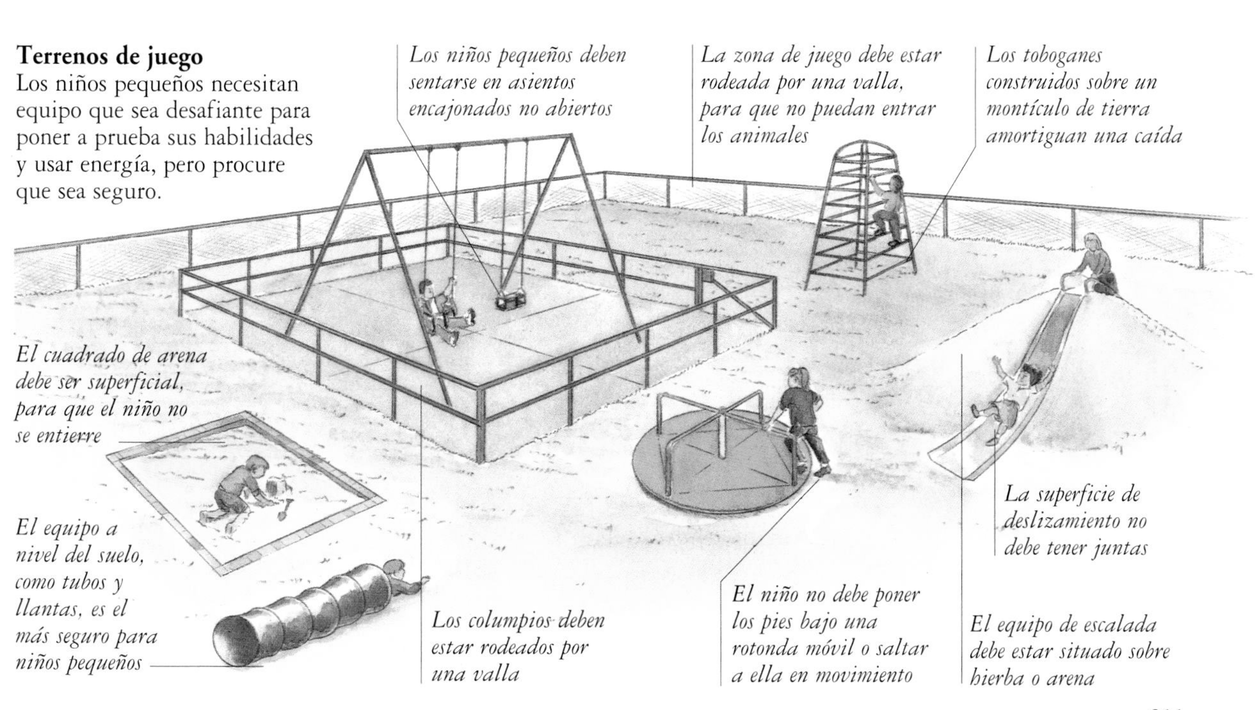

Terrenos de juego
Los niños pequeños necesitan equipo que sea desafiante para poner a prueba sus habilidades y usar energía, pero procure que sea seguro.

SEGURIDAD EN EL COCHE Y LA CARRETERA

La regla más básica de la seguridad en el coche es procurar que el niño esté siempre sujeto por cinturones. Las sillas fijas que miran hacia atrás son las mejores para los niños y pueden usarse en los asientos delanteros o traseros del coche. Si atrás no hay cinturones de seguridad, el niño debe sentarse delante, pero si el asiento de atrás tiene un airbag, el niño debe ir ahí.

Hasta que el niño tenga seis años, use cierres de las puertas traseras del coche y no deje que el niño se asome por la ventanilla ni que saque las manos y los brazos. Mientras conduce, no aparte nunca la vista de la carretera para volverse y hablar con el niño. Si el niño llora o necesita atención, detenga primero el coche.

Los accidentes pueden suceder cuando un coche está estacionado. El niño puede atraparse los dedos en las puertas o ventanas del coche en el momento de cerrarlas o bajarse de un coche por el lado en que pasa el tráfico.

ASIENTOS DE BEBÉ

La forma más segura de viajar el bebé en coche es en un asiento de bebé. El cinturón de seguridad, por sí solo, no es suficiente para un niño menor de diez años, debido a que los huesos de la pelvis no son lo bastante fuertes como para proteger los órganos pélvicos de la presión del cinturón en caso de accidente. Los asientos de bebé están diseñados para bebés desde el nacimiento hasta los nueve meses, y pueden usarse en los asientos delanteros o traseros, aunque son algo más seguros en los traseros. El mejor diseño es aquel que mira hacia atrás y que está sujeto por un cinturón de seguridad.

Seguridad del bebé
Los mejores asientos para bebés, desde que nacen hasta los nueve meses son los que miran hacia atrás.

PRECAUCIÓN

No deben usarse asientos de bebé en la parte delantera de un coche dotado con airbag de seguridad en el asiento del pasajero ya que, en caso de un choque, el airbag se infla con tal fuerza que el impacto puede dañar gravemente la cabeza del bebé y hasta llegar a causarle daños cerebrales.

En caso de accidente, el choque se produciría sobre la espalda del bebé y no sobre los delicados órganos de la pelvis. Algunos modelos pueden convertirse en un asiento infantil que mire hacia delante.

CAPAZOS MOISÉS

Aunque es mejor un verdadero asiento de bebé, el pequeño también puede viajar en un capazo tipo moisés en el asiento trasero, siempre y cuando esté sujeto. Los cinturones de sujeción deben fijarse al asiento de atrás y atornillarse a la estructura del coche. Mantenga en su lugar el cubrecabezas del capazo para que el bebé no puede ser arrojado fuera de éste.

ASIENTOS INFANTILES

A la edad de un año, el bebé necesitará un asiento infantil. Algunos se instalan con cuatro puntos de anclaje, aunque no son prácticos para todo tipo de coches. Otros tipos quedan seguros con el cinturón de seguridad del adulto, y algunos tienen arneses integrales. Procure instalar el asiento del niño de acuerdo con las instrucciones del fabricante, puesto que un asiento mal instalado no ofrecerá protección en caso de accidente.

Cuando el niño haya crecido –y algunos tipos de asiento durarán hasta que tenga seis años– puede usar un almohadón junto con el cinturón de seguridad del adulto.

Seguridad del niño
Los niños mayores de nueve meses necesitan un asiento infantil, que se instala mirando hacia adelante y que puede utilizarse en el asiento delantero o en el trasero.

SEGURIDAD EN LA CARRETERA

Los accidentes de carretera suelen ser más graves y exigen una hospitalización más prolongada que cualquier otro accidente infantil, de modo que es en este ámbito donde la seguridad adquiere más importancia. La responsabilidad de la seguridad del niño en medio del tráfico es de usted, y no sólo cuando es un recién nacido, sino también cuando tiene edad escolar. Los niños no desarrollan la capacidad para juzgar la velocidad del tráfico hasta que tienen de 10 a 11 años de edad, y no son buenos peatones hasta la edad de 12 años. No obstante, puede insistir en las medidas básicas de seguridad desde que son muy pequeños, enseñándoles y dándoles muy buen ejemplo.

ENSEÑAR AL NIÑO

Lo primero que debe aprender el niño es que las carreteras son lugares peligrosos. No importa cuáles sean las circunstancias, como que haya perdido su pelota, animal de compañía o que quiera saludar a alguien: nunca tiene que cruzar una calle corriendo. No deje que el niño juegue en la calle, a menos que no tenga tráfico, y anímelo a jugar en parques, terrenos de juegos o la parte posterior del jardín, y asegúrese de que esas zonas están cercadas con una valla o con una puerta que se pueda cerrar con llave. Dígale al niño que no debe jugar nunca con un patinete o bicicleta cerca de la calzada, que no debe quedarse parado entre coches aparcados y que si se le escapa una pelota debe pedirle a un adulto que se la recoja.

DAR EJEMPLO

La mejor forma de enseñar al niño seguridad en el tráfico es demostrándole cómo se comporta usted como peatón. La mayoría de nosotros desarrollamos malos hábitos de adultos, como sortear el tráfico, o cruzar una calle sin disponer de tiempo suficiente. Cuando esté con su hijo debería practicar el código de la Cruz Verde, aunque tarde más tiempo en llegar a su destino. De ese modo, el niño aprenderá con el ejemplo.

Al cruzar la calzada con el niño, llévelo de la mano y explíquele qué hace y por qué. Llegue hasta el bordillo y dígale al niño que esa es la línea de seguridad que no debe cruzar si no va acompañado por un adulto. Mire a derecha e izquierda y espere a que haya un claro en el tráfico antes de cruzar. Si empuja una sillita de ruedas, deténgase en la acera antes de que esté preparada para cruzar. Demuestre al niño cómo tiene que esperar en los cruces con semáforo a que se ponga la luz verde, y en los de cambio manual cómo apretar el botón para que se encienda la luz verde; en los pasos de cebra enséñele cómo tiene que detenerse hasta que haya parado el tráfico antes de cruzar. Nunca cruce la calle corriendo delante del tráfico cuando esté con su hijo.

La conciencia de la seguridad vial del niño viene determinada en parte por el lugar en que crece. Un niño criado en el campo, que sólo tiene que cruzar tranquilos caminos puede necesitar de una supervisión extra cuando se encuentre en la ciudad, ya que no ha efectuado una fuerte asociación entre calle, tráfico y peligro. Si fuera así, le puede enseñar a su hijo las medidas de seguridad en carretera cuando vaya con el coche. Al detenerse ante un cruce, muéstrele para qué son y cómo los usan los peatones. Enseñe al niño lugares sensatos por donde cruzar, como tramos de calle rectos, e indíquele los peligros de cruzar en lugares como curvas o entre coches aparcados, donde no puede ver el tráfico que se acerca. Señale a los peatones que cruzan bien o mal, y explique por qué.

AMBIENTE

Haga una cuidadosa valoración del tráfico y de las condiciones de seguridad en su calle. Aunque la velocidad del tráfico es un factor importante, la investigación reciente ha demostrado que las calles principales suponen un riesgo seis veces mayor para los peatones que las calles residenciales o locales. En otras palabras, si vive usted en una calle principal, nunca debe permitir que el niño salga solo de casa.

Si vive en una zona residencial puede intentar aumentar la seguridad pidiendo al ayuntamiento que instale badenes de velocidad o que estreche la calle en puntos específicos. Si fuera posible, únase a otros padres de su zona y discutan una campaña para tener más seguridad. Las autoridades locales pueden jugar un papel muy importante en ayudarle a conseguirlo.

EL CÓDIGO DE LA CRUZ VERDE

Esta sencilla rutina de seguridad en la carretera está destinada a niños mayores de ocho años, pero debe empezar a enseñársela en cuanto el niño tenga edad suficiente para seguir su ejemplo.

Repítale al niño estos pasos cada vez que cruce la calle con él:

- *Encuentra un lugar seguro por donde cruzar, como un paso de cebra o un semáforo.*
- *Párate, mira y escucha el tráfico.*
- *Si hay algún tráfico, déjalo pasar.*
- *Mira en ambas direcciones, y cuando la calle esté despejada, cruza. Mientras cruzas, no dejes de mirar y escuchar.*

NOTAS

FICHAS PERSONALES

Los primeros logros importantes del bebé, como su primera sonrisa o la primera palabra pronunciada, le parecerán inolvidables, pero lo cierto es que eso suele olvidarse con el tiempo, algo que sucede no sólo con los pequeños detalles como la primera vez que mantuvo en alto la cabeza, sino también con otros tan cruciales como las vacunas.

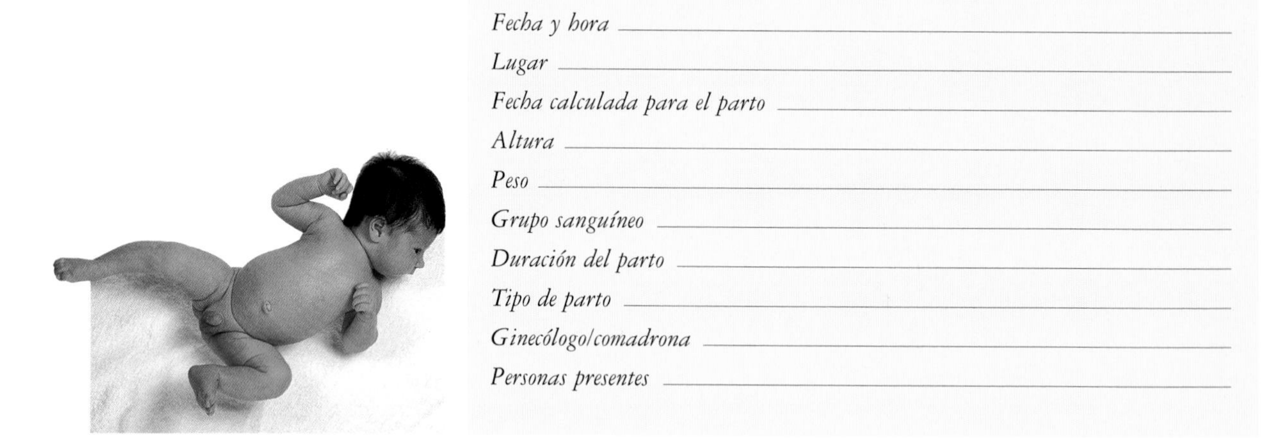

FICHA DE NACIMIENTO: PRIMER BEBÉ

Nombre ______________________

Fecha y hora ______________________

Lugar ______________________

Fecha calculada para el parto ______________________

Altura ______________________

Peso ______________________

Grupo sanguíneo ______________________

Duración del parto ______________________

Tipo de parto ______________________

Ginecólogo/comadrona ______________________

Personas presentes ______________________

FICHA DE DESARROLLO: PRIMER BEBÉ

Primera sonrisa ______________

Control de la cabeza ______________

Primer diente ______________

Come sólidos ______________

Se sienta sin apoyo ______________

Se alimenta solo ______________

Responde a su nombre ______________

Usa agarre de pinza ______________

Aprende a soltar ______________

Primera palabra ______________

Comprende el «No» ______________

Gatea ______________

Destetado ______________

Jerga ______________

Se pone en pie ______________

Control intestino ______________

Control vejiga ______________

Camina ______________

Hace afirmaciones sencillas ______________

Se viste solo ______________

Obedece peticiones sencillas ______________

Sube escalera sin apoyo ______________

Corre ______________

Salta ______________

Cuenta hasta diez ______________

Traza un círculo ______________

Empieza el jardín de infancia ______________

Empieza en la escuela ______________

Las páginas siguientes le ayudarán a registrar los acontecimientos importantes. Las fichas médicas de las páginas 316-317 son particularmente importantes. Úselas para refrescar su memoria cada vez que lleve al niño al médico; quizá le recuerden algún detalle olvidado que parezca importante. Lleve su propio historial médico y el de su cónyuge; de ese modo podrá aportar informaciones importantes sobre el estado de salud del niño.

NOTAS

FICHA DE NACIMIENTO: SEGUNDO BEBÉ

Nombre ______

Fecha y hora ______

Lugar ______

Fecha calculada para el parto ______

Altura ______

Peso ______

Grupo sanguíneo ______

Duración del parto ______

Tipo de parto ______

Ginecólogo/comadrona ______

Personas presentes ______

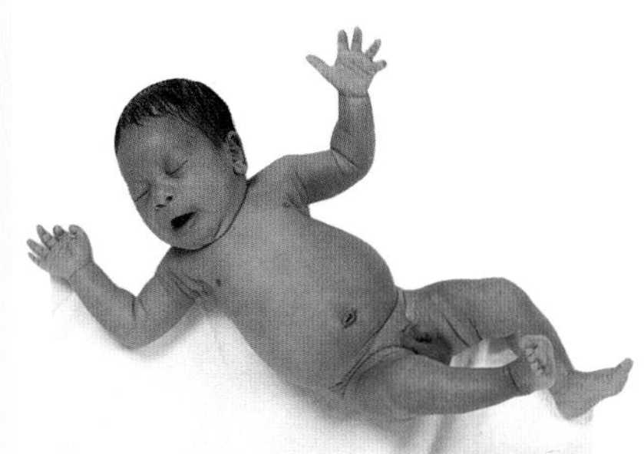

FICHA DE DESARROLLO: SEGUNDO BEBÉ

Primera sonrisa ______

Control de la cabeza ______

Primer diente ______

Come sólidos ______

Se sienta sin apoyo ______

Se alimenta solo ______

Responde a su nombre ______

Usa agarre de pinza ______

Aprende a soltar ______

Primera palabra ______

Comprende el «No» ______

Gatea ______

Destetado ______

Jerga ______

Se pone en pie ______

Control intestino ______

Control vejiga ______

Camina ______

Hace afirmaciones sencillas ______

Se viste solo ______

Obedece peticiones sencillas ______

Sube escalera sin apoyo ______

Corre ______

Salta ______

Cuenta hasta diez ______

Traza un círculo ______

Empieza el jardín de infancia ______

Empieza en la escuela ______

HISTORIAL MÉDICO DE LA MADRE

Enfermedad

Alergias

Estados crónicos

FICHA MÉDICA: PRIMER BEBÉ

Nombre

Enfermedad	*Fecha*	*Comentarios*

Heridas

Alergias

VACUNACIONES: PRIMER BEBÉ

Tipo	*Fecha*	*Reacción*
Hib, difteria, tétanos, tos ferina. Tres vacunas y una de recordatorio (véase pág. 283)		
Polio Tres vacunas y una de recordatorio (véase pág. 283)		
SPR Dos vacunas (véase pág. 283)		
Meningitis C Cuatro vacunas (véase pág. 283)		

FICHA MÉDICA: SEGUNDO BEBÉ

Nombre ______________________________

Enfermedad	*Fecha*	*Comentarios*

Heridas

Alergias

VACUNACIONES: SEGUNDO BEBÉ

Tipo	*Fecha*	*Reacción*
Hib, difteria, tétanos, tos ferina. Tres vacunas y una de recordatorio *(véase pág. 283)*		
Polio Tres vacunas y una de recordatorio *(véase pág. 283)*		
SPR Dos vacunas *(véase pág. 283)*		
Meningitis C Cuatro vacunas *(véase pág. 283)*		

HISTORIAL MÉDICO DEL PADRE

Enfermedad

____
____
____
____
____
____
____
____
____
____

Alergias

____
____
____
____

Estados crónicos

____
____

ALTURA Y PESO

Los criterios más importantes para valorar el progreso del bebé son su felicidad y bienestar general. Si estos fueran evidentes, no hay necesidad de preocuparse por estas mediciones, ya hará eso el médico por usted.

Quizá le resulte interesante calcular el aumento de la altura y el peso del bebé en los siguientes gráficos, pero sólo debería preocuparse en el caso de que la curva de crecimiento se alejara de la línea centil (véase abajo). No compare a su hijo con otros de su edad.

Es muy amplia la gama de alturas o pesos «normales» que se dan a una edad determinada. El niño recién nacido puede pesar entre 2,5 y 4,5 kg sin que eso sea causa de preocupación; un niño de cinco años puede pesar de 13,5 a 26,5 kg.

Cada gráfico muestra la gama de alturas o pesos en la que encajan la gran mayoría de los niños. La línea del centro representa el 50 %, es decir, que el 50 % de los niños estarán por debajo de esa línea y el otro 50 % por encima. Las líneas exteriores representan los extremos, más allá de los cuales se encuentran muy pocos niños (menos del 0,5 %). Si ése fuera el caso de su hijo, debe consultar con el médico.

Las mediciones del niño, calculadas con regularidad, deberían formar una línea que fuera aproximadamente paralela a la línea central. Si no fuera así, es posible que las mediciones no se hayan tomado correctamente o que no se haya usado el gráfico correcto. Si tiene dudas, consulte con el médico.

ALTURA DE LA NIÑA: 0-6 MESES *(en cm)*

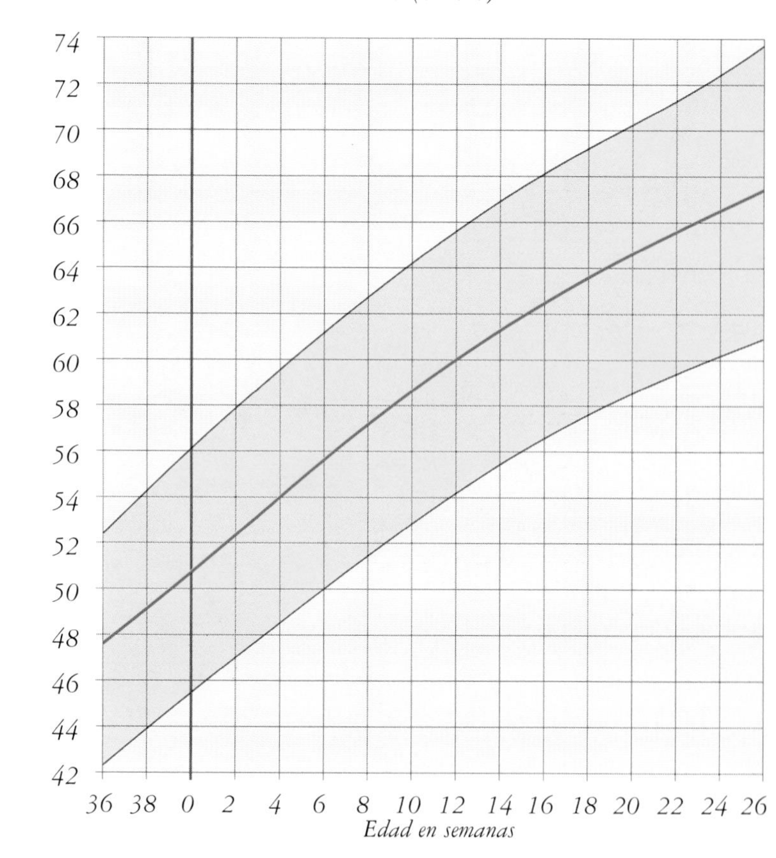

PESO DE LA NIÑA: 0-6 MESES *(en kg)*

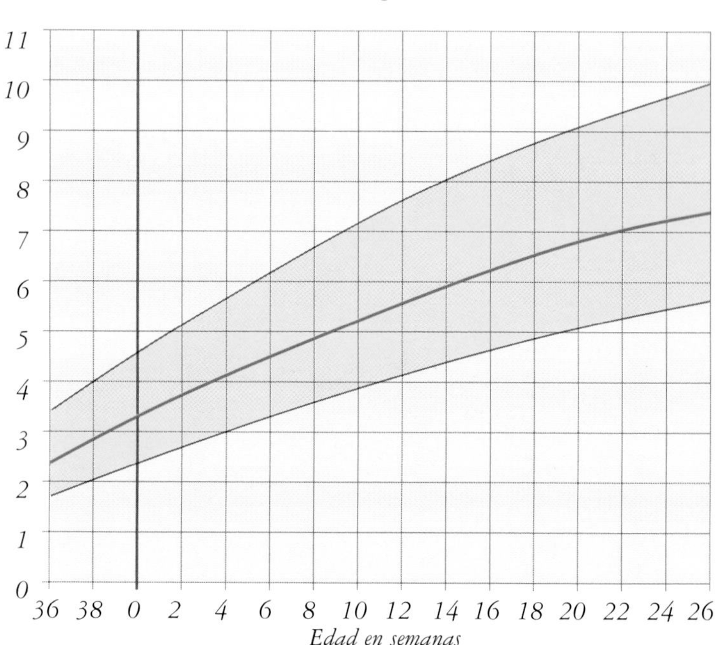

ALTURA DEL NIÑO: 0-6 MESES *(en cm)*

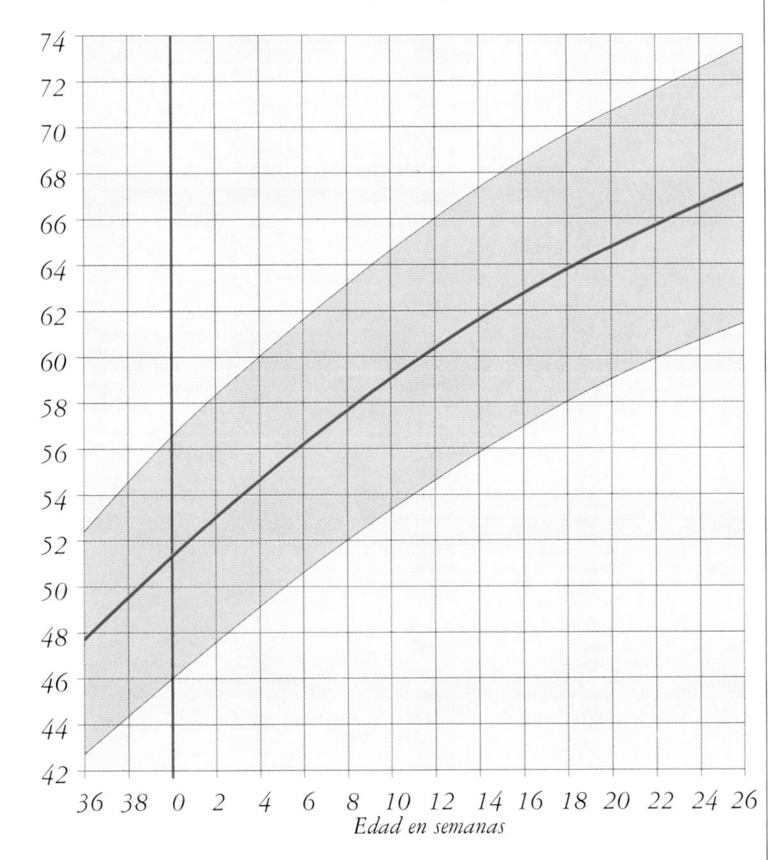

PESO DEL NIÑO: 0-6 MESES *(en kg)*

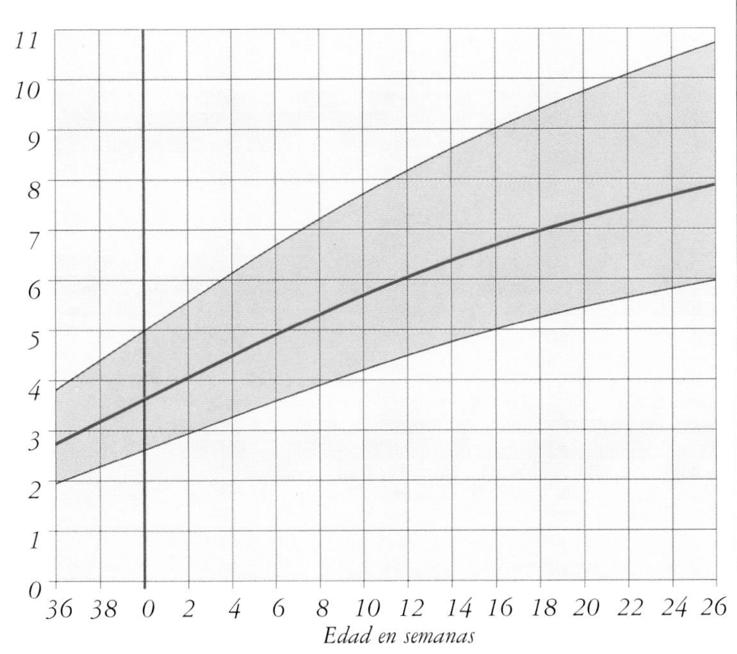

USO DE LOS GRÁFICOS

Estoy convencida de que ningún niño necesite que lo pesen y lo midan si se desarrolla bien, pero se han incluido estos gráficos para aquellos padres ansiosos por seguir el progreso de su hijo.

- *Probablemente tendrá que preguntarle al ginecólogo o a la comadrona cuál ha sido el peso y la longitud del bebé al nacer.*
- *Para un bebé, puede rellenar los gráficos usando las mediciones tomadas por el médico, o las lecturas hechas durante las visitas a la consulta del médico.*
- *Para un bebé prematuro, tendrá que ajustar su edad en consecuencia, al menos hasta que tenga un año de edad. Si, por ejemplo, el bebé nació a las 36 semanas, empiece por registrar sus mediciones en el punto apropiado situado a la izquierda del 0 del gráfico y continúe restando cuatro semanas de la edad cada vez que rellene el gráfico.*
- *Para medir la altura del niño una vez que tenga tres o cuatro años, haga que se ponga de pie contra una pared, con los pies juntos y los talones y omóplatos tocando la pared. Asegúrese de que sostiene la cabeza en alto, elevando ligeramente la barbilla. Si lo desea, mídalo de nuevo a intervalos de seis meses para que él mismo pueda ver cómo crece.*
- *Para introducir las mediciones del niño en el gráfico, encuentre su edad en el eje inferior y trace una línea recta hacia arriba a partir de ahí. Encuentre luego la altura o el peso en el eje vertical y trace una línea a través. Marque un punto donde se encuentren las dos líneas. La línea de puntos es la que indica la curva de crecimiento del niño.*

NOTAS

ALTURA DE LA NIÑA: 6-18 MESES *(en cm)*

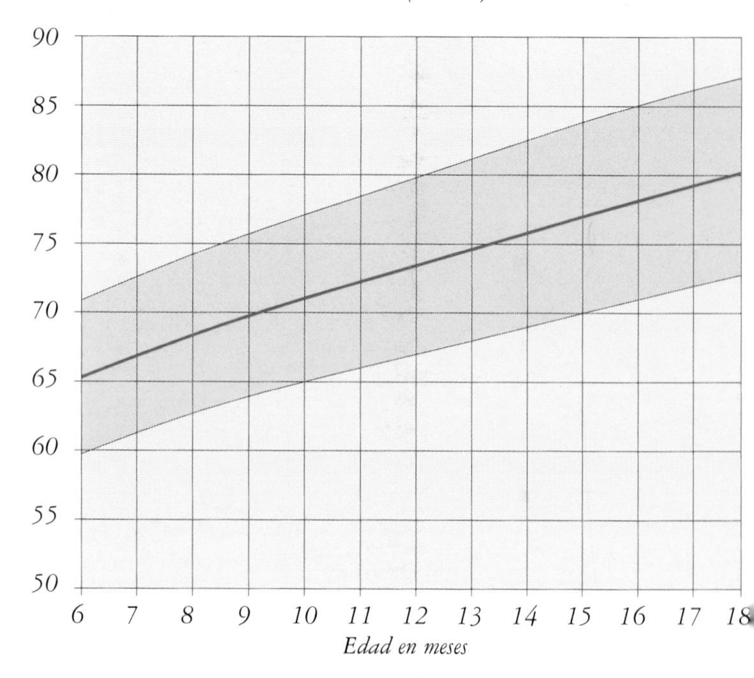

PESO DE LA NIÑA: 6-18 MESES *(en kg)*

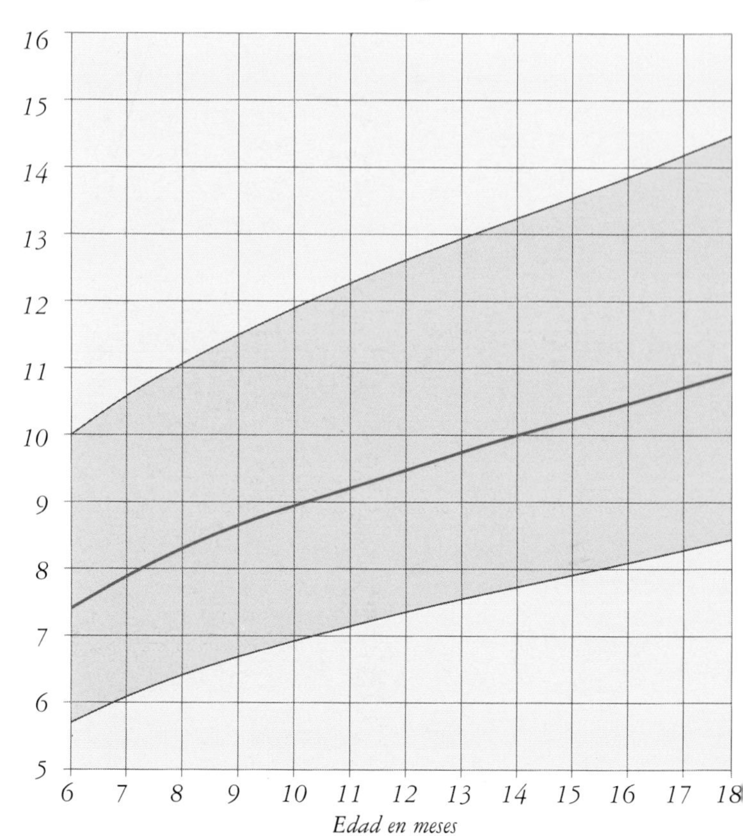

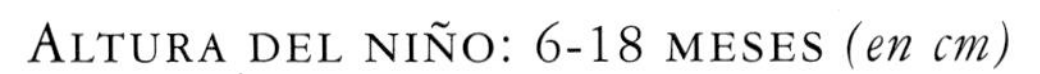

ALTURA DEL NIÑO: 6-18 MESES *(en cm)*

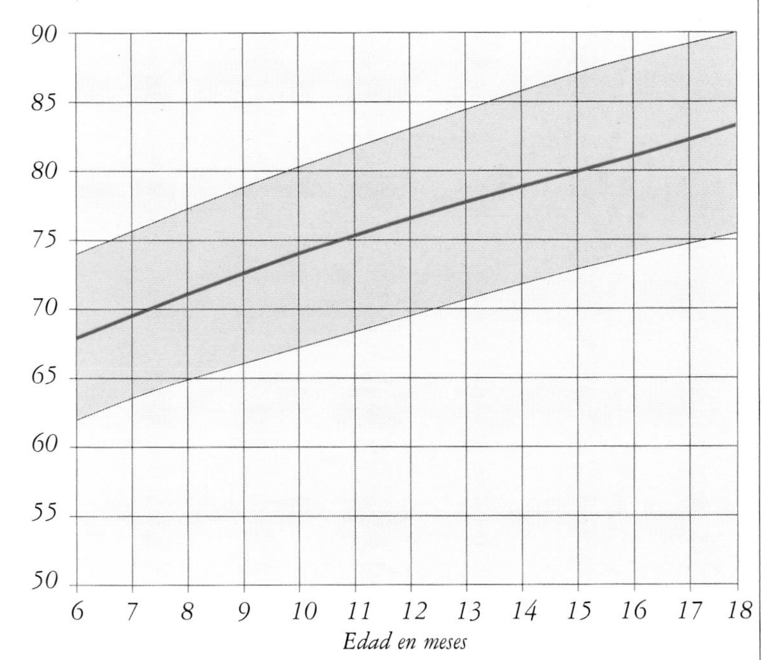

PESO DEL NIÑO: 6-18 MESES *(en kg)*

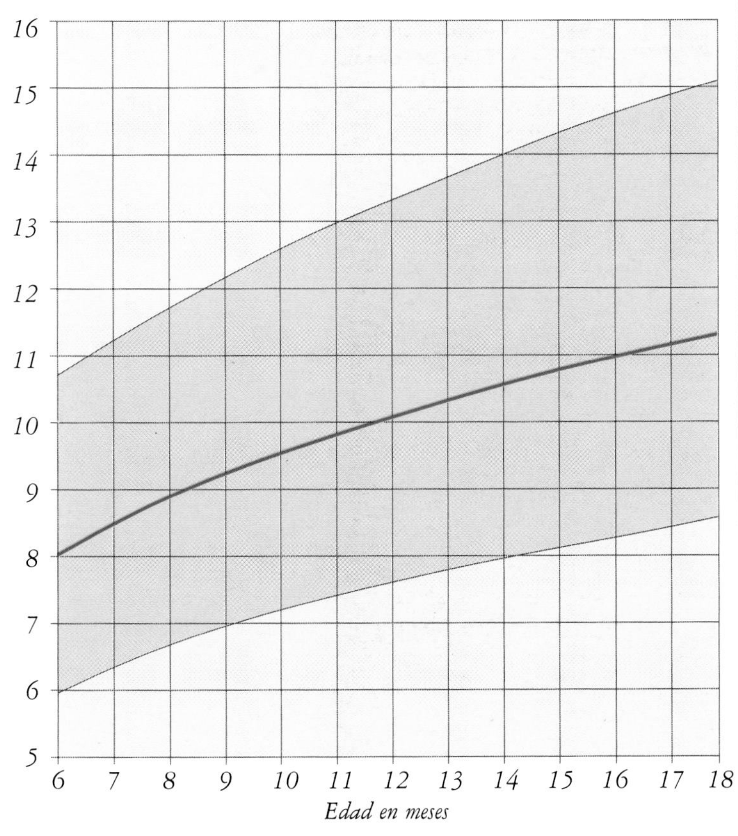

NOTAS

NOTAS

ALTURA DE LA NIÑA: 18-36 MESES *(en cm)*

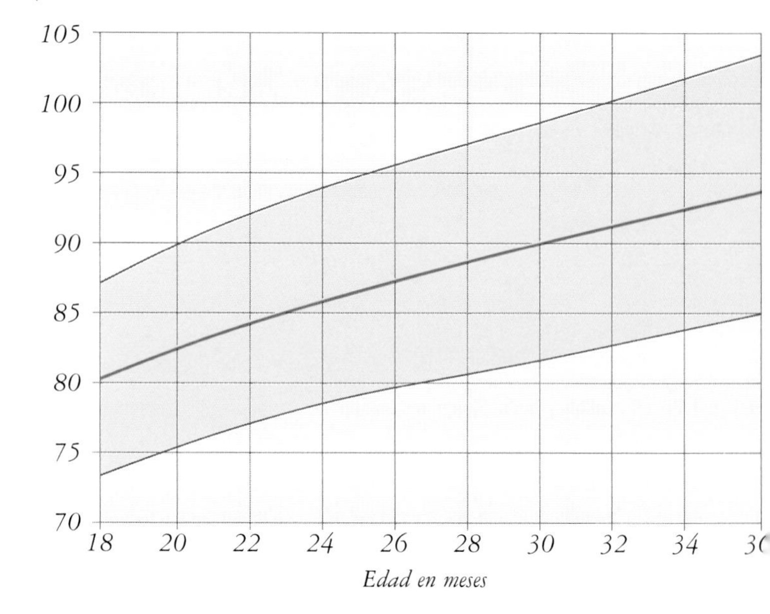

PESO DE LA NIÑA: 18-36 MESES *(en kg)*

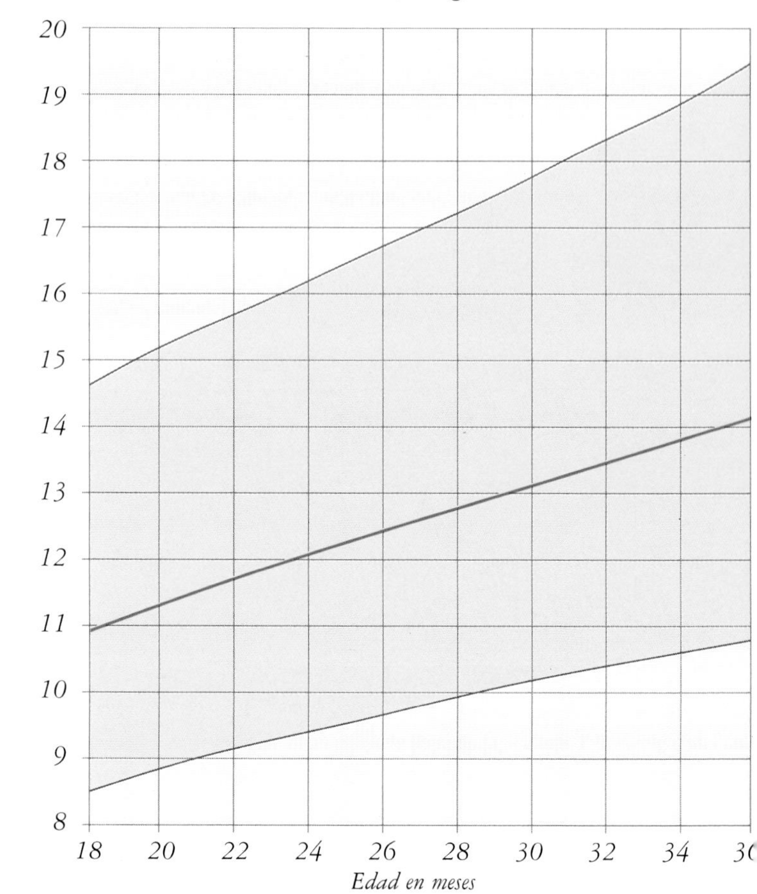

ALTURA DEL NIÑO: 18-36 MESES *(en cm)*

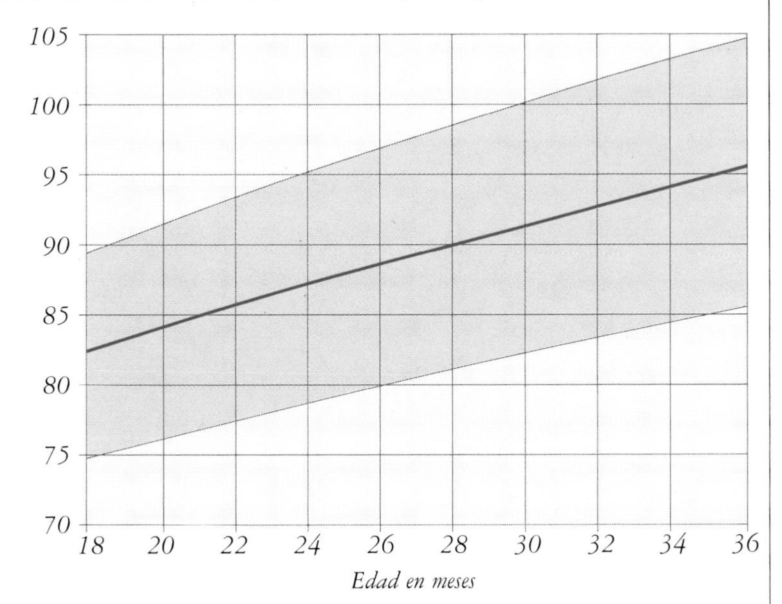

PESO DEL NIÑO: 18-36 MESES *(en kg)*

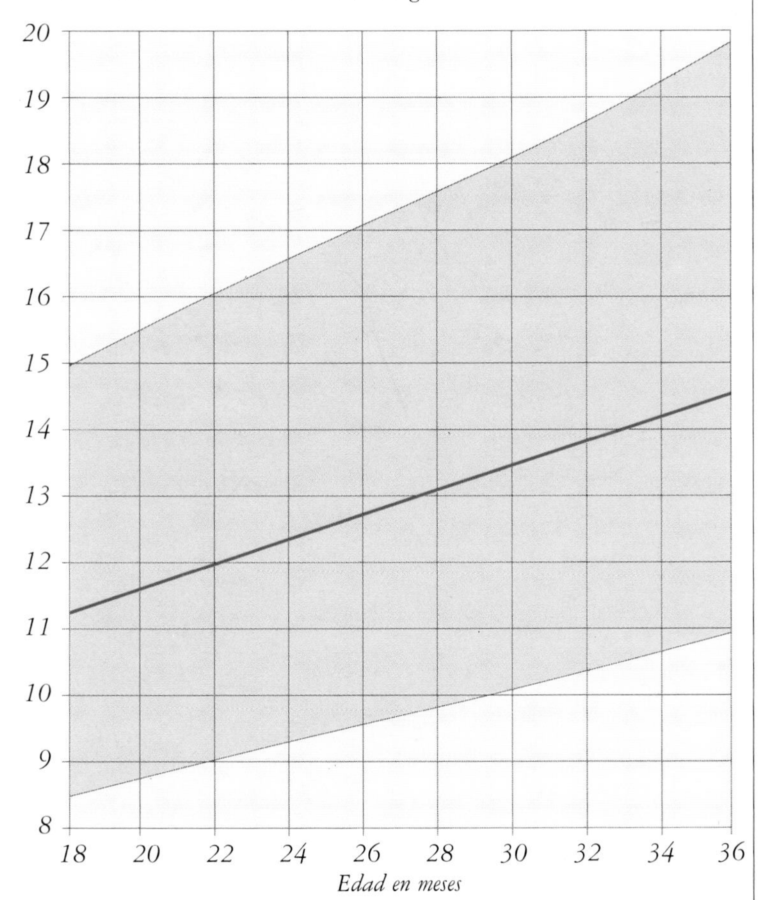

NOTAS

NOTAS

ALTURA DE LA NIÑA: 3-5 AÑOS *(en cm)*

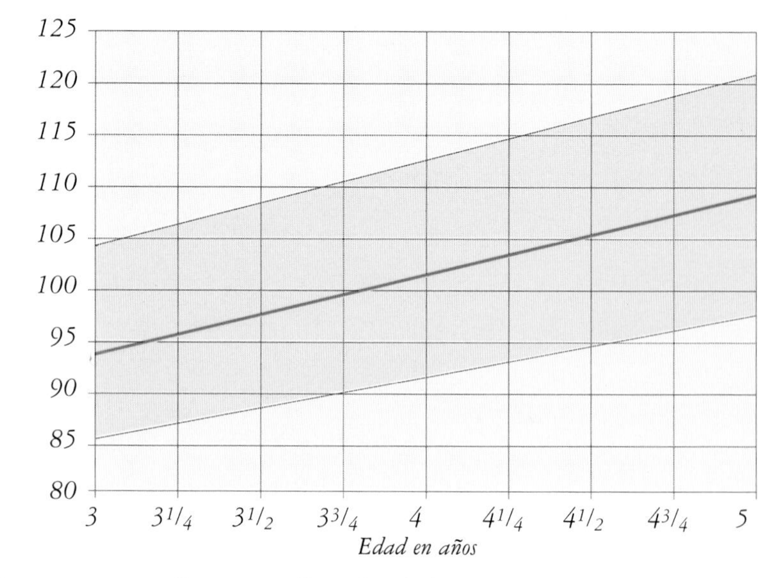

PESO DE LA NIÑA: 3-5 AÑOS *(en kg)*

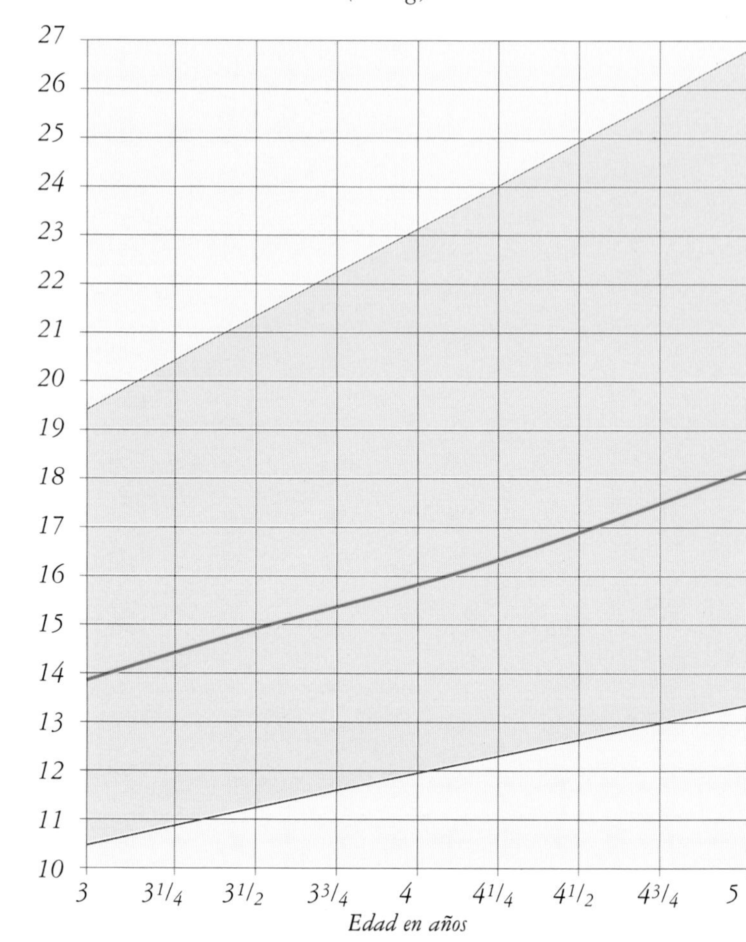

ALTURA DEL NIÑO: 3-5 AÑOS *(en cm)*

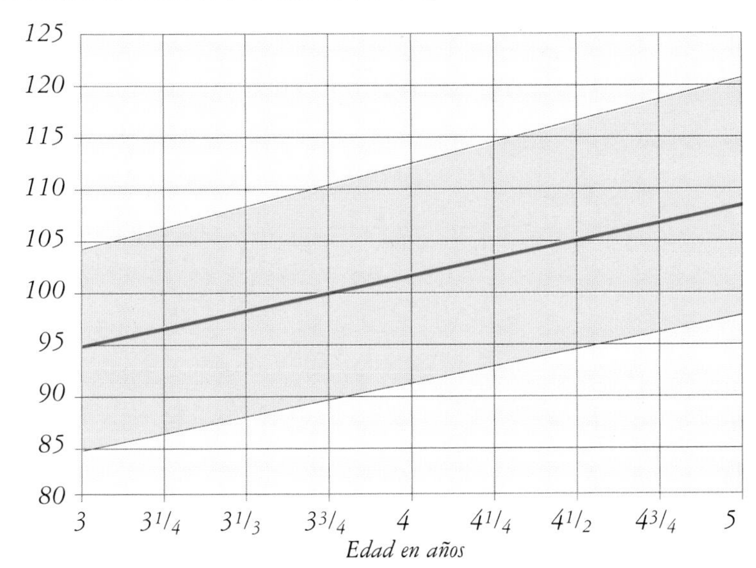

PESO DEL NIÑO: 3-5 AÑOS *(en kg)*

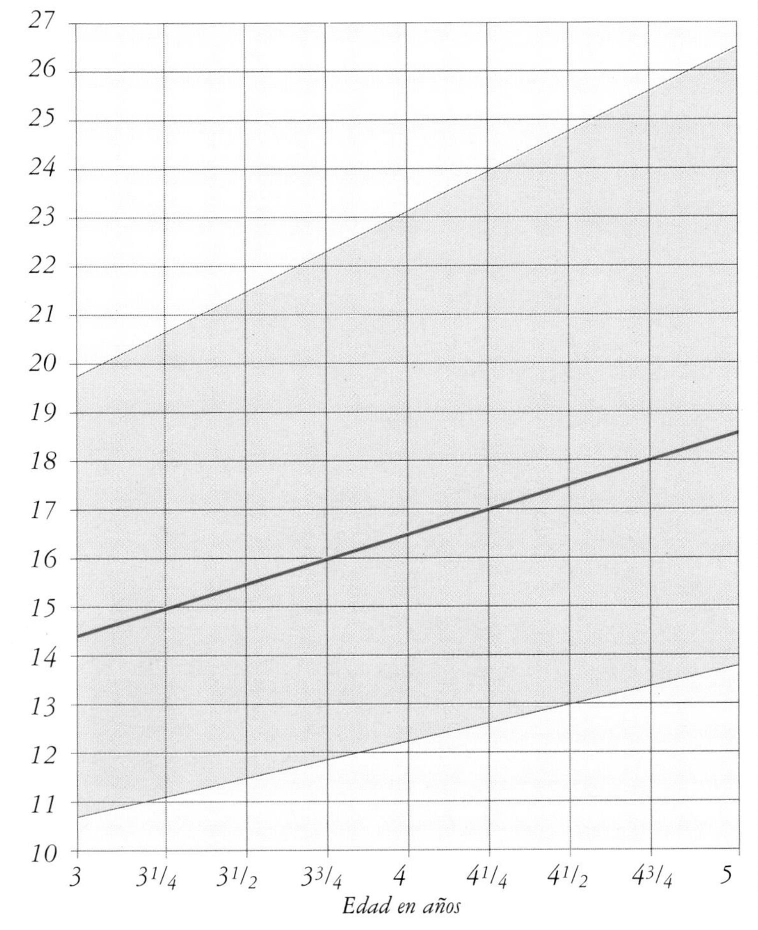

NOTAS

PRIMEROS AUXILIOS

Como madre o padre, tendrá que afrontar inevitablemente pequeños accidentes a medida que el niño crece. La mayoría de las veces serán cortes y morados sin importancia, pero deben estar preparados para afrontar grandes accidentes o casos de urgencia por si ocurrieran. Todos los padres deberían conocer las técnicas básicas de primeros auxilios para saber actuar en caso de accidente con rapidez, efectividad y calma. Para ofrecer unos primeros auxilios efectivos necesita comprender y practicar las técnicas que se detallan en las páginas que siguen, y también debe tener en casa un botiquín de primeros auxilios, que debe ser accesible en una urgencia, pero guardado fuera del alcance del niño.

PRIMEROS AUXILIOS DE EMERGENCIA

Un accidente grave, con pérdida de mucha sangre u otros fluidos del cuerpo, puede precipitar una conmoción (véase pág. 332), que siempre es grave. Otras emergencias incluyen atragantarse (véase pág. 333), una infección muy grave de las vías respiratorias que las bloquee, ahogarse y pérdida de conciencia. La acción rápida por su parte puede salvar la vida.

PRIORIDADES

Cuando el niño sufre un accidente debe usted decidir bien cuáles son sus prioridades. Pídale a cualquier adulto presente que llame una ambulancia, mientras usted revisa la lista de la derecha. En las págs. 328-333 se dan instrucciones detalladas sobre los procedimientos. Si no hay nadie que pueda ayudarle, debe revisar la lista antes de llamar una ambulancia.

¿Está el niño en peligro? Si es apropiado, aparte al niño del peligro, o el peligro del niño. No corra riesgos, y no mueva al niño si sospecha una fractura.

¿Está consciente? Sacuda al niño con suavidad por los hombros y pronuncie su nombre.

¿Está bloqueado el paso del aire? Abra la boca del niño sosteniéndolo por la barbilla y echando la cabeza hacia atrás. Retire cualquier obstrucción (véanse págs. 328-329).

¿Respira? Inclínese sobre la boca del niño para escuchar la respiración y siéntala sobre su pecho. Observe el pecho para ver si este asciende y desciende. Si no observa signos de respiración después de cinco segundos, dele cinco alientos de respiración (véase pág. 330).

BOTIQUÍN DE PRIMEROS AUXILIOS EN EL HOGAR

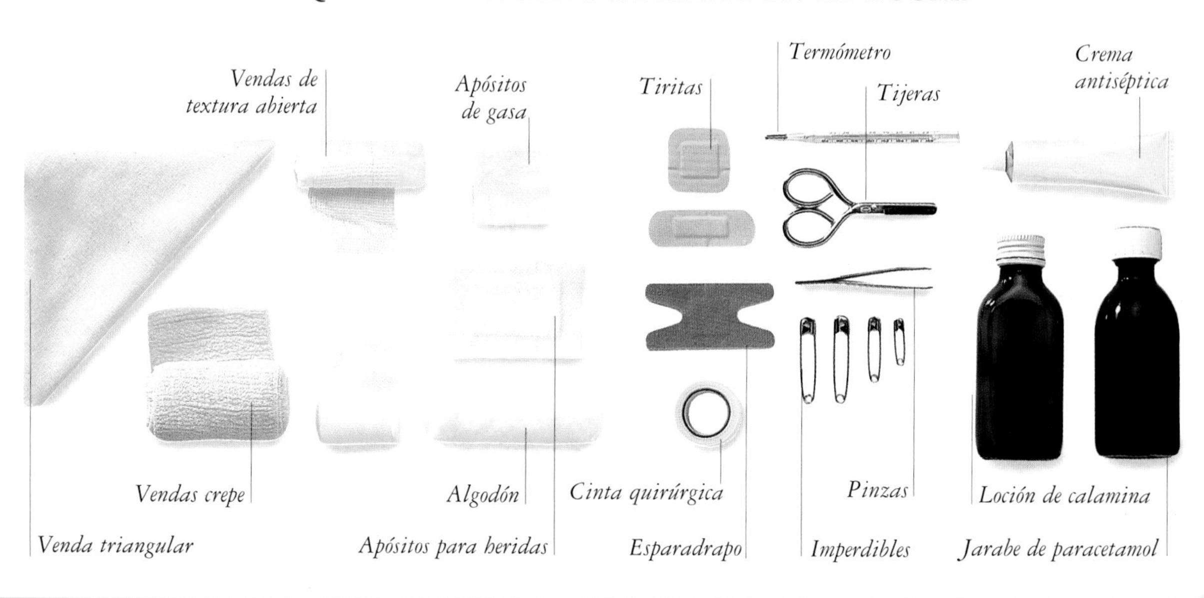

FORMACIÓN EN PRIMEROS AUXILIOS

Tiene que aprender de memoria los procedimientos de estas páginas para poder usarlos. Si tiene que perder tiempo consultando este libro para refrescar la memoria, su retraso puede constituir la diferencia entre la vida y la muerte.

Este libro no puede convertirle en una especialista en primeros auxilios. Para aprender a aplicar adecuadamente primeros auxilios debería completar un curso y pasar un examen controlado profesionalmente. Diversas organizaciones, principalmente la Cruz Roja organizan periódicamente cursillos y extienden certificados, aunque posteriormente debe usted actualizar periódicamente sus conocimientos.

¿Tiene pulso? Busque el pulso en el brazo o en el cuello (véanse págs. 328-329), o coloque la mano sobre el pecho del bebé y cuente los latidos. Un pulso normal es el de hasta 120 pulsaciones por minuto para un bebé y menos para un niño mayor. Si no encuentra el pulso, o si es menor a 60 pulsaciones por minuto en un bebé aplique compresiones y ventilación alternas al pecho (véanse págs. 330-331) durante un minuto, llame una ambulancia, llevándose al niño con usted si puede y luego continúe el proceso de reanimación.

Llame una ambulancia. Si el niño tiene dificultades para respirar o está inconsciente, llame una ambulancia o pida que otro adulto lo haga. Intente no dejar al niño sin atención y esté preparada para aplicarle medidas de reanimación.

REANIMACIÓN

Para que funcionen órganos vitales como el cerebro, necesitan un suministro continuo de oxígeno. Si no funciona bien cualquier parte del proceso mediante el que el oxígeno es transportado a las células y tejidos del cuerpo, se puede producir la pérdida de conciencia. Se tiene que inhalar aire para suministrar oxígeno a la sangre, y la sangre oxigenada tiene que ser bombeado al cuerpo por el corazón. Si el cerebro se ve privado de oxígeno durante más de tres minutos, empezará a fallar. Si falla el corazón, se producirá la muerte a menos que se tomen medidas de emergencia.

La reanimación es necesaria si, por cualquier razón, el bebé o el niño ha dejado de respirar o si se ha detenido su pulso (véanse págs. 328-329).

CÓMO FUNCIONA LA REANIMACIÓN

Suministro de oxígeno
En el transporte del oxígeno al cerebro funcionan tres factores. La vía respiratoria tiene que estar abierta para que el oxígeno pueda entrar en el cuerpo; tiene que producirse la respiración para que el oxígeno pueda entrar en la corriente sanguínea y en los pulmones, y el corazón tiene que bombear para que la sangre se desplace por el cuerpo (circulación) y lleve el oxígeno a todos los lugares, incluido el cerebro.

El aire tiene que ser inhalado para aportar oxígeno

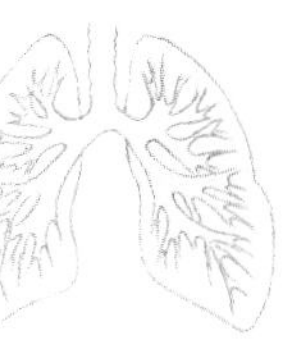

El oxígeno entra en la corriente sanguínea por los pulmones

El corazón bombea la sangre oxigenada por todo el cuerpo

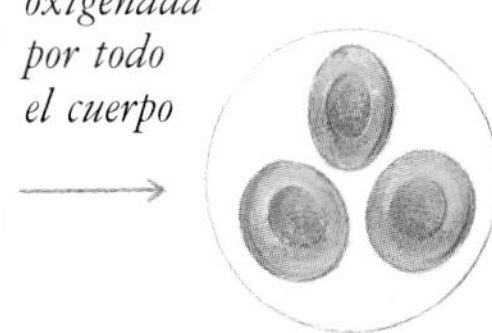

La sangre oxigenada llega a los tejidos

EL ABC DE LA REANIMACIÓN

En caso de emergencia, si el niño deja de respirar o pierde la conciencia, debe usted recordar las siguientes comprobaciones y efectuarlas en el orden indicado:

Vía respiratoria. *Abra la vía respiratoria y compruebe si hay obstrucciones. Despéjela si puede levantando la cabeza del niño hacia atrás (véase pág. 326). No extienda nunca la parte del fondo de la garganta si el niño está atragantado (véase pág. 333).*

Respiración. *Si el niño no muestra señales de respirar tendrá que insuflarle aire (véase pág. 330).*

Circulación. *Compruebe que el niño tiene pulso. Si no lo encuentra o es muy débil, tendrá que efectuar compresiones sobre el pecho, combinadas con insuflaciones (véase pág. 331).*

REANIMACIÓN

Si el niño ha perdido la conciencia y no respira, corre el riesgo de sufrir un daño cerebral y fallo cardiaco. Tiene que efectuar usted una rápida valoración de su estado para saber qué tratamiento de primeros auxilios debe aplicarle. Si está inconsciente pero respira y tiene pulso, debe buscar ayuda y colocarlo en una posición de recuperación (véase pág. 329). Si está inconsciente y no respira pero tiene pulso, necesitará aplicarle respiración artificial (véase pág. 330). Si no respira y no tiene pulso, tiene que aplicarle compresiones sobre el pecho, combinadas con respiración artificial inmediatamente después (véase pág. 331). Todos estos procedimientos difieren ligeramente para bebés y para niños.

Inclínele la cabeza de modo que la lengua no le obstruya la tráquea

Lengua

VALORAR EL ESTADO DEL BEBÉ

1 Compruebe la conciencia Vea si el bebé está consciente llamándolo por su nombre, sacudiéndolo con suavidad y dándole unos golpecitos o rascándole la planta del pie. Si no responde al cabo de unos diez segundos, grite pidiendo auxilio.

Pase un dedo por la planta del pie del bebé

2 Despeje las vías respiratorias Mire el interior de la boca del niño. Si observa alguna obstrucción, extráigala con el dedo, pero con cuidado de no introducirla más. Abra la vía respiratoria levantándole la barbilla con un dedo y levantando muy ligeramente la cabeza hacia atrás.

Sostenga la barbilla con un dedo para mantener abierta la vía respiratoria

Mire a lo largo del pecho y el abdomen del bebé en busca de señales de movimiento

Coloque el pulgar sobre la parte externa del brazo y dos dedos en la interna

3 Compruebe la respiración Observe, escuche y sienta las señales de la respiración. Mire a lo largo del pecho y el abdomen del bebé para ver si se mueven arriba y abajo. Escuche atentamente la respiración durante unos segundos, y siéntala sobre su mejilla. Si no observa señales de respiración después de cinco segundos, debería insuflarle aire cinco veces, siguiendo el procedimiento de la respiración artificial (véase pág. 330) y luego comprobar su pulso.

4 Compruebe el pulso Coloque dos dedos sobre la cara interna del brazo, por encima del codo, y apriete con suavidad. Si no detecta el pulso después de cinco segundos, aplique compresiones al pecho y ventilación (véase pág. 331) durante un minuto, luego llame a una ambulancia y continúe.

VALORAR EL ESTADO DEL NIÑO

1 Compruebe la conciencia
Vea si el niño está consciente sacudiéndolo, pellizcándolo con suavidad, y llamándolo por su nombre. Si no responde, pida ayuda.

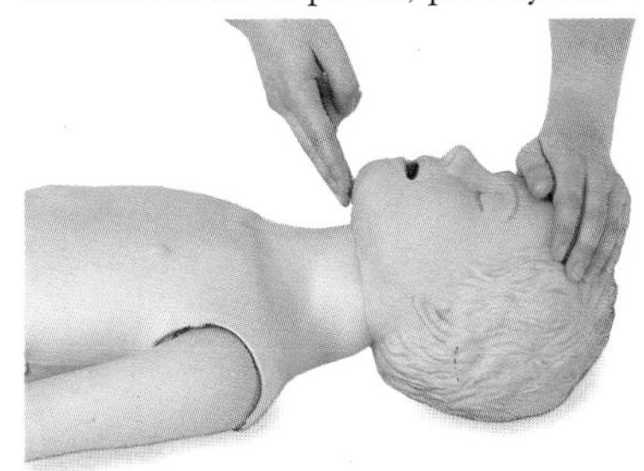

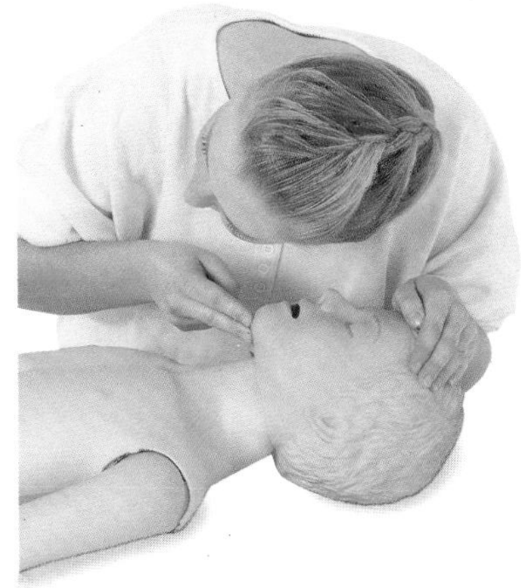

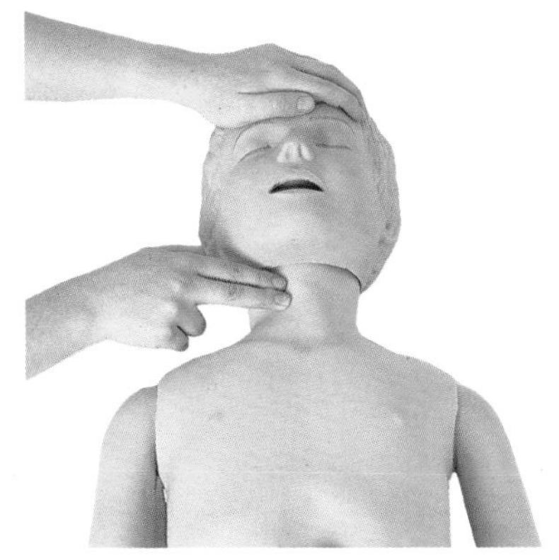

2 Despeje las vías respiratorias
Mire dentro de la boca para ver si está obstruida. En tal caso despéjela con los dedos, pero lleve cuidado de no empujar ninguna obstrucción más hacia el fondo. Abra la vía respiratoria colocando dos dedos bajo la barbilla y levantándole la mandíbula. Levante la cabeza hacia atrás colocando la otra manos sobre la frente.

3 Compruebe la respiración
Observe, escuche y sienta la respiración. Mire a lo largo del pecho y el abdomen del niño para detectar movimientos, escuche si hay sonidos de respiración y sienta la respiración sobre su mejilla. Si no respira, insúflele aire cinco veces seguidas (véase pág. 330) y luego compruebe el pulso.

4 Compruebe el pulso
Vea si late el corazón del niño comprobando el pulso en la carótida. Encontrará el pulso colocando los dedos justo delante del gran músculo del lado del cuello, bajo el ángulo de la mandíbula. Si no hay pulso, debe aplicar un minuto de compresiones sobre el pecho, combinadas con ventilación (véase pág. 311), llamar a una ambulancia y continuar.

POSICIÓN DE RECUPERACIÓN

Un niño inconsciente que respira y tiene pulso regular debería colocarse en esta posición para mantener abierta la vía respiratoria y permitir la salida de líquidos por la boca, siempre que no se sospeche la existencia de ninguna fractura.

La pierna más levantada debe estar doblada en ángulo recto, de modo que la cadera y la rodilla actúen como apoyo

Coloque el brazo en ángulo recto con el cuerpo y el codo doblados

Para un bebé
Acúnelo en sus brazos, con la cabeza ligeramente echada hacia atrás para mantener abierta las vías respiratorias.

1 Si el niño está tumbado de espaldas o de lado, arrodíllese a su lado. Enderécele las piernas y coloque el brazo más cercano a usted en ángulo recto con respecto a su cuerpo, con el codo doblado.

2 Lleve el otro brazo a través del pecho y coloque el dorso de la mano contra la mejilla.

3 Con la mano del niño apretada contra su mejilla, tome el muslo más alejado de usted y tire de la rodilla hacia arriba, con el pie plano sobre el suelo y colocado cerca de la rodilla.

4 Haga rodar al niño a una posición de descanso, con la rodilla doblada y la cabeza descansando sobre su mano.

Ventilación para bebés

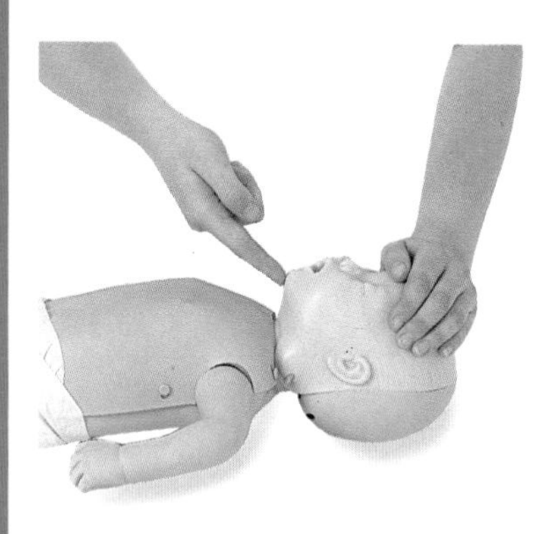

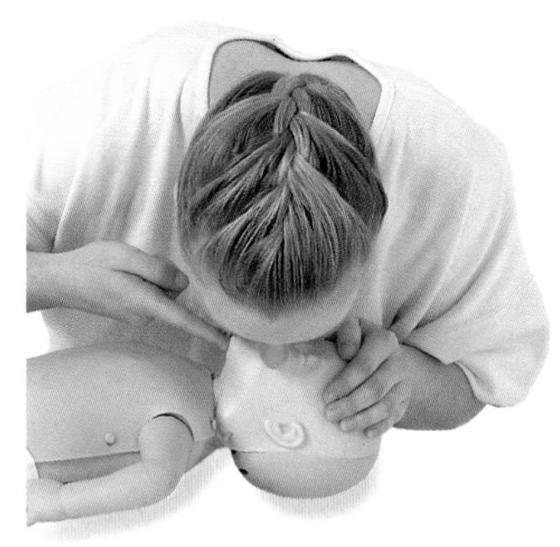

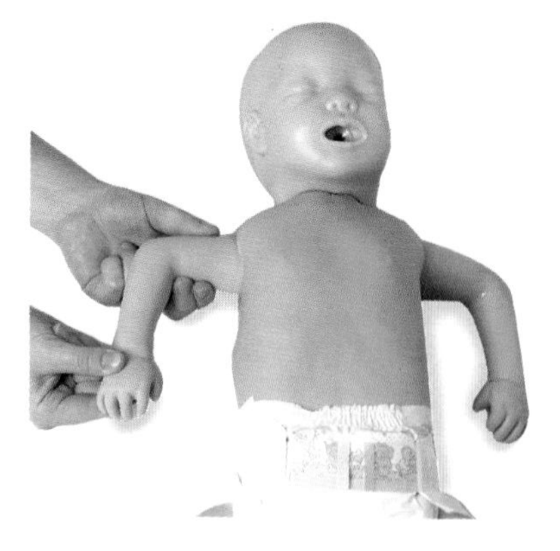

1 Abrir las vías respiratorias
Si el bebé ha dejado de respirar, túmbelo sobre una superficie firme y compruebe su boca. Si observa en ella alguna obstrucción, intente quitársela con los dedos, pero no hunda el dedo hacia abajo por la garganta del bebé. Levántele la barbilla con suavidad con un dedo y eche la cabeza muy ligeramente hacia atrás.

2 Insuflar aire
Inhale, aplique los labios sobre las ventanas de la nariz y la boca del niño y exhale con suavidad dentro de su boca y nariz, de modo que el pecho se eleve. Aparte los labios y deje que el pecho se hunda. Continúe insuflándole aire a un ritmo de una vez cada tres segundos.

3 Compruebe el pulso
Después de aplicarle ventilación durante un minuto, compruebe el pulso en el brazo (véase pág. 328). Si no lo encuentra o si hay menos de 60 pulsaciones por minuto, aplique compresiones sobre el pecho, combinadas con ventilaciones (véase al lado). Tras un minuto, llame a una ambulancia, llevándose al bebé hasta el teléfono. Si hay pulso, continúe aplicando ventilación y compruebe el pulso cada minuto.

Ventilación para niños

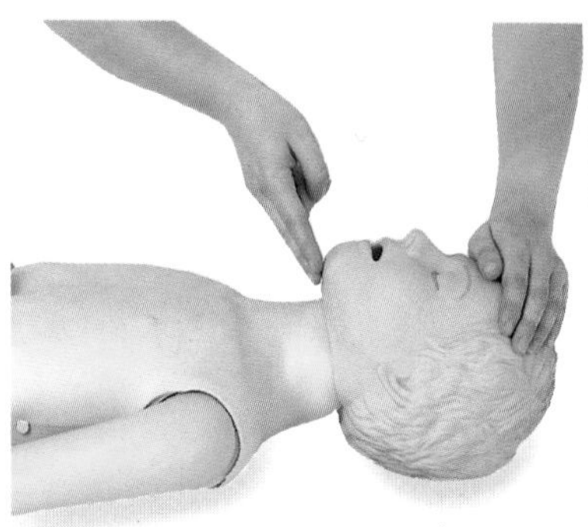

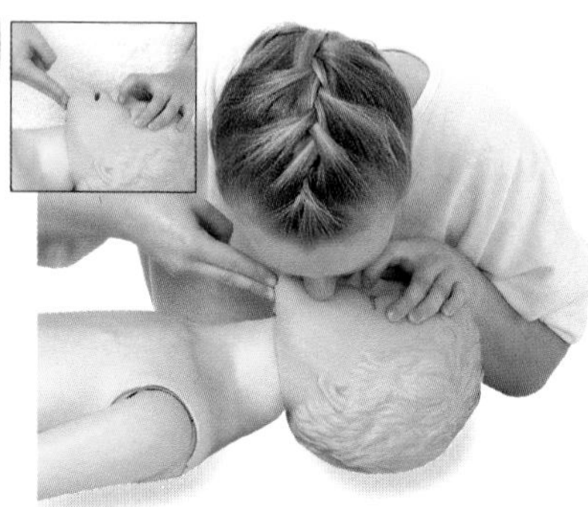

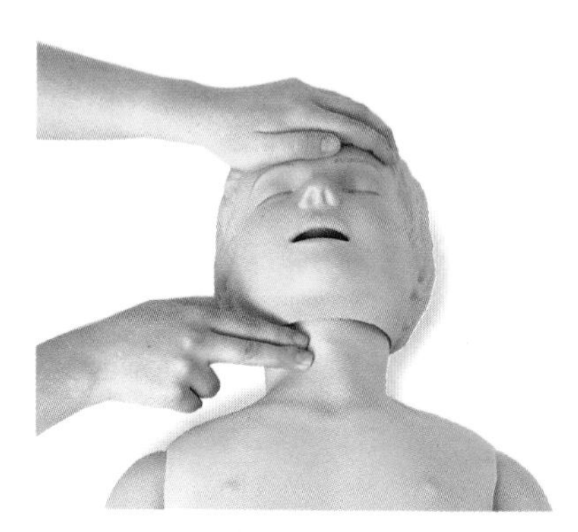

1 Abrir la vía respiratoria
Si el niño ha dejado de respirar túmbelo sobre una superficie firme y compruebe que nada le obstruye la boca o la garganta. Si encuentra algo, quíteselo, pero no hunda el dedo en la garganta. Colóquele dos dedos bajo la barbilla y échele la cabeza ligeramente hacia atrás.

2 Insuflar aire
Usando los dedos índice y pulgar, apriete suavemente las ventanas de la nariz para cerrarlas. Inhale, aplique su boca sobre la del niño de modo que ambas queden cerradas y exhale hasta que el pecho se eleve. Aparte la boca y observe el pecho al hundirse. Continúe insuflándole aire.

3 Compruebe el pulso
Después de aplicarle ventilación durante un minuto, compruebe el pulso en el cuello del niño (véase pág. 329). Si no lo encuentra, aplique compresiones sobre el pecho, junto con ventilaciones (véase al lado). Después llame a una ambulancia. Si hay pulso, continúe aplicando ventilación.

COMPRESIÓN SOBRE EL PECHO PARA BEBÉS

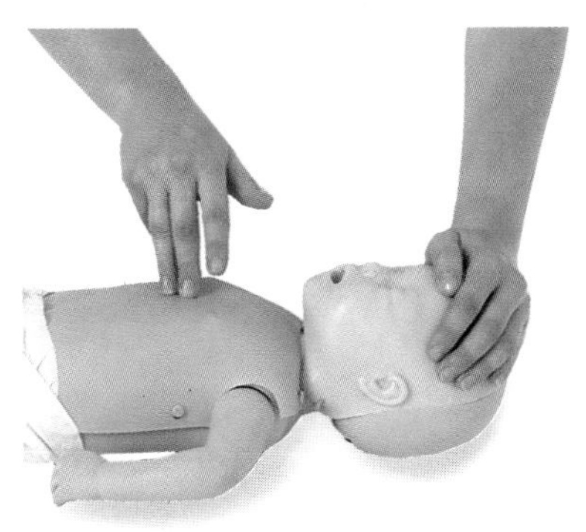

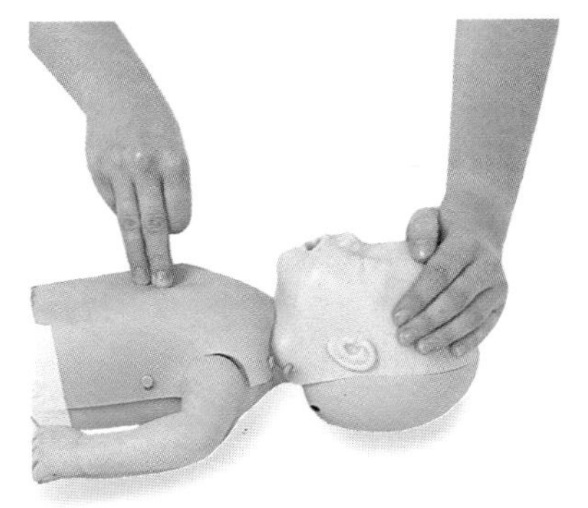

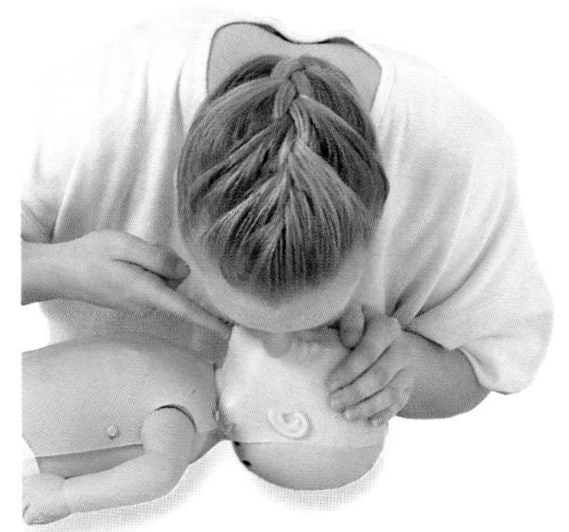

1 Posición de los dedos
Las compresiones sobre el pecho, combinadas con la ventilación, conocidas como reanimación cardiopulmonar, son necesarias cuando el bebé no tiene pulso, o un pulso inferior a los 60 latidos por minuto, y no respira. Túmbelo sobre una superficie firme y coloque sólo dos dedos en medio del pecho, justo por debajo de una línea imaginaria entre los pezones.

2 Aplicar compresiones
Con las puntas de los dos dedos, apriete con un impulso intenso sobre el pecho. Debe aplicar cinco compresiones durante un período de tres segundos y presionar hasta una profundidad de dos centímetros. Pero lleve cuidado de no hacerlo demasiado vigorosa o profundamente, ya que podría causar daño al bebé.

3 Aplique respiración artificial
Después de cinco compresiones, insufle respiración artificial (véase al lado). Alterne las compresiones sobre el pecho con la respiración artificial; por cada cinco compresiones durante un período de tres segundos, insufle aire una vez. Al cabo de un minuto de hacerlo, llame a una ambulancia, llevándose al bebé con usted al teléfono si fuera necesario. Continúe la reanimación hasta que llegue.

COMPRESIÓN SOBRE EL PECHO PARA NIÑOS

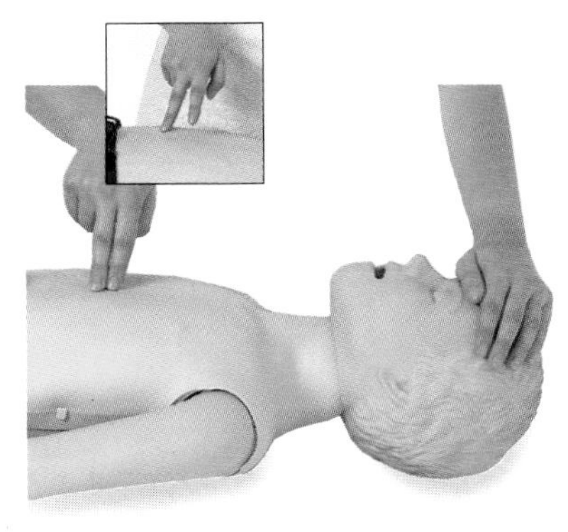

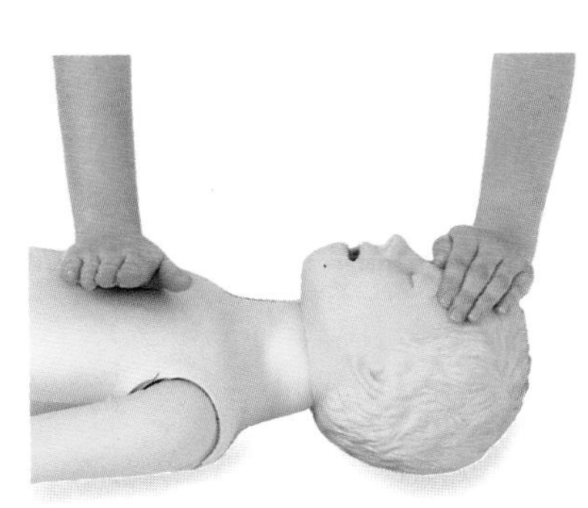

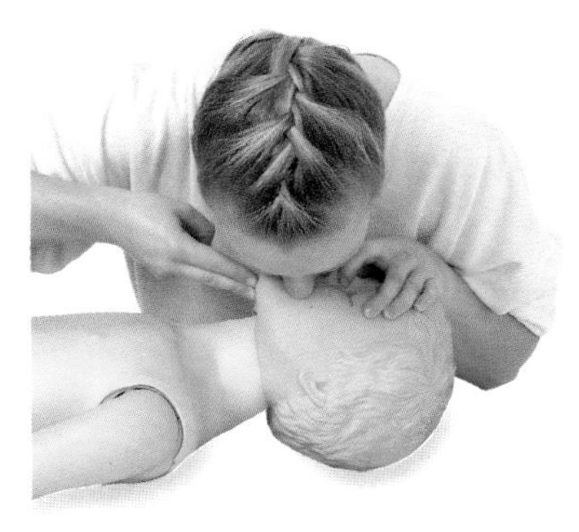

1 Posición de la mano
Coloque al niño de espaldas sobre una posición firme. Ponga el dedo medio de una mano sobre la punta del esternón (el hueso donde las costillas se encuentran en el centro) y el índice por encima. Aplique el pulpejo de la otra mano para que descanse justo sobre el dedo índice.

2 Aplicar compresiones
Aparte los dos dedos del esternón y, usando el talón de la otra mano, apriete con intensidad hasta una profundidad de unos tres centímetros. Aplique cinco compresiones en tres segundos.

3 Aplique respiración artificial
Después de cinco compresiones, insufle respiración artificial (véase al lado). No se detenga para tomar el pulso, a menos que observe señales de que lo ha reanimado. Alterne cinco compresiones cada tres segundos con insuflar aire una vez. Después llame a una ambulancia y luego continúe.

CONMOCIÓN

Aunque suele creerse que la conmoción es una respuesta emocional a un acontecimiento angustioso, en un contexto médico se refiere a un descenso peligroso de la presión sanguínea, debido a que no llega sangre suficiente a los tejidos del cuerpo. Si no se trata con rapidez, los órganos vitales pueden detener su funcionamiento y el niño puede morir. La conmoción empeora con el temor y el dolor, que probablemente acompañarán a cualquier accidente.

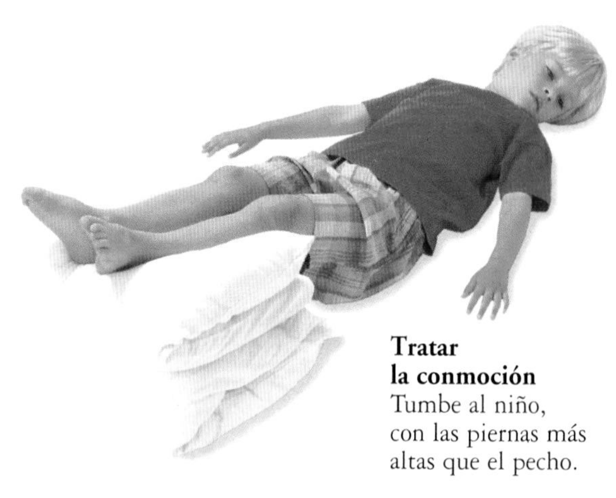

Tratar la conmoción Tumbe al niño, con las piernas más altas que el pecho.

Síntomas. Inicialmente, el cuerpo responde con una descarga de adrenalina. Eso da lugar a un pulso rápido, palidez, piel de aspecto grisáceo, especialmente alrededor de los labios, sudoración y piel viscosa. A medida que la conmoción progresa, el niño puede tener sed, sentir náuseas y vomitar. Es muy probable que se sienta débil y mareado, que su respiración sea superficial y rápida y que su pulso sea rápido e irregular (véase pág. 328).

A continuación, el cuerpo retira el aporte sanguíneo desde la superficie del cuerpo hasta su núcleo y se debilita el aporte de oxígeno al cerebro. En los casos muy graves, cuando el aporte del oxígeno al cerebro no es suficiente, el niño puede mostrarse inquieto y angustiado, bostezar y boquear en busca de aire («falta de aire»). Finalmente, perderá la conciencia y el corazón dejará de funcionar.

QUÉ HACER

Si sospecha que el niño sufre una conmoción, debe llamar una ambulancia lo antes posible. Si pierde mucha sangre, intente detener la hemorragia (véase pág. 335) y trate cualquier quemadura (véase pág. 336) o cualquier otra causa evidente de la conmoción. Muévalo lo menos posible, pero procure tumbarlo, con las piernas levantadas sobre unos almohadones, de modo que las piernas estén más altas que el pecho, lo que facilita el flujo de la sangre de regreso al corazón. Aflójele la ropa alrededor del cuello, el pecho y la cintura y vuélvale la cabeza hacia un lado por si se produjeran vómitos.

El niño se sentirá muy angustiado, de modo que es importante quedarse con él, tranquilizarlo y hablarle. El temor y el dolor suelen empeorar la conmoción, así que procure que el niño esté tan tranquilo y cómodo como pueda teniendo en cuenta las circunstancias. Procure que esté caliente, pero no demasiado. Una manta encima y alrededor de la cabeza lo mantendrá bien aislado. (En el niño muy pequeño, la manta debería envolverle el cuerpo.) Si el niño sufre una conmoción debido a una herida, quizá necesite cirugía cuando llegue al hospital, así que no le dé nada de comer o beber. Si tiene sed, humedézcale los labios con algo de agua. Compruebe su respiración y pulso y esté preparada para aplicar reanimación si fuera necesario (véanse págs. 330-331).

CAUSAS DE CONMOCIÓN

Hay dos causas principales de conmoción: un descenso repentino en la presión sanguínea debido a parálisis de los nervios, como en la descarga eléctrica, o una pérdida de sangre o fluido corporal, como en las quemaduras graves.

Un accidente puede producir hemorragia abundante, ya sea interna o externa (véase pág. 335), lo que hace que se reduzca el volumen de sangre que circula por el cuerpo. La deshidratación grave no tratada puede conducir a una conmoción, sobre todo si el niño tiene fiebre, vomita o tiene diarrea y no se sustituye la pérdida de fluidos.

La presión sanguínea del niño descenderá rápidamente si tiene una grave reacción alérgica a, por ejemplo, la picadura de una avispa o una abeja, un alimento o un medicamento. Los alérgenos hacen que los vasos sanguíneos se dilaten, los tejidos se hinchen y las vías respiratorias se contraigan. Entonces llega un oxígeno insuficiente a los tejidos y el niño corre el peligro de sofocarse. A eso se le llama conmoción anafiláctica.

Atragantarse

Si la vía respiratoria del niño queda completamente bloqueada o es incapaz de recibir oxígeno suficiente en los pulmones, puede perder la conciencia. Se puede recuperar la respiración normal cuando el niño pierde la conciencia y se relajan los músculos. Si no respira, tiene que iniciar en seguida la reanimación *(véanse págs. 328-331).*

Debe eliminar el bloqueo para restaurar la respiración normal. Anime al bebé a toser para expulsar el cuerpo extraño, dándole palmadas en la espalda. Si eso no funciona, siga los pasos aquí indicados. (Para un bebé menor de un año o para cualquier niño pequeño debería seguir la secuencia correspondiente al bebé; las presiones abdominales pueden causar daño a los niños pequeños.) Si el procedimiento no funciona inmediatamente, repítalo hasta que llegue ayuda o se aclare la obstrucción.

Para un bebé

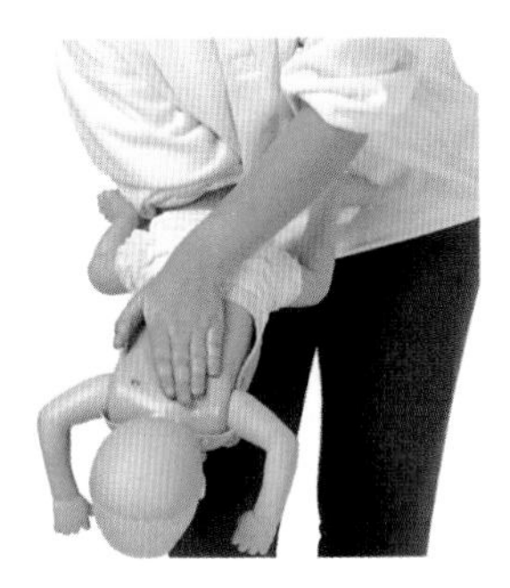

1 Palmadas en la espalda Coloque al bebé boca abajo a lo largo de su antebrazo, con la cabeza hacia abajo y sosteniéndole la cabeza y los hombros sobre la mano. Dele cinco palmadas rápidas entre los omóplatos.

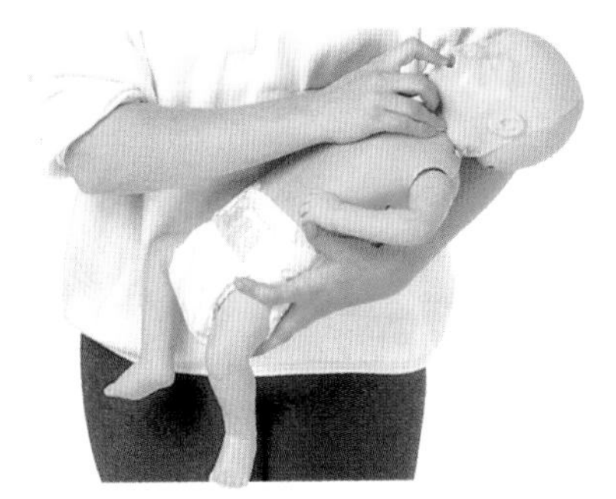

2 Compruebe la boca Vuelva al niño de cara a usted. Vea el interior de la boca del pequeño colocándole un dedo sobre la lengua. Si puede ver la causa de la obstrucción, use un dedo para sacarla, pero no lo meta en la garganta.

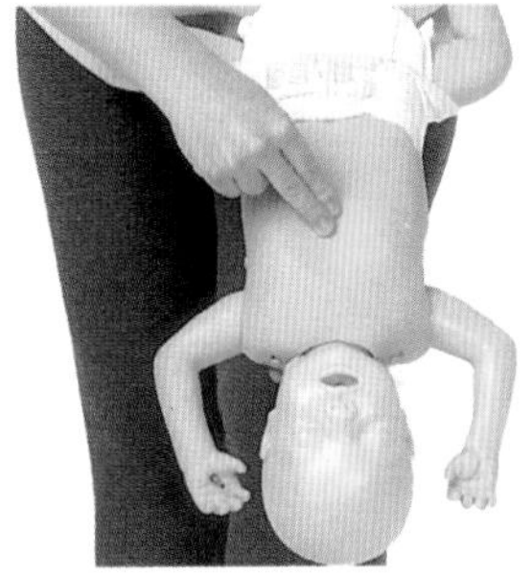

3 Presiones sobre el pecho Si las palmadas no han funcionado, coloque dos dedos sobre la mitad inferior del esternón del bebé (en el centro del pecho, justo debajo de los pezones) y aplique cinco presiones secas de unos 2 cm de profundidad. Vuelva a mirarle la boca. Si la obstrucción continúa, llame a una ambulancia. Repita los pasos 1-3 hasta que llegue la ambulancia.

Para un niño

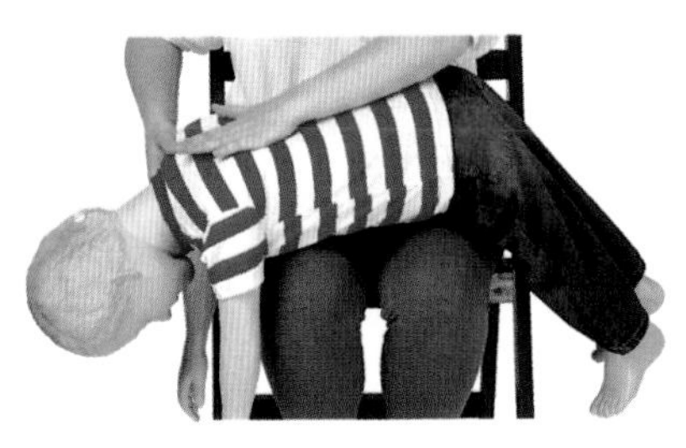

1 Palmadas en la espalda Anime al niño a toser y expulsar la obstrucción. Si no puede, póngalo boca abajo sobre sus rodillas y dele cinco palmadas rápidas entre los omóplatos. Si no funcionan, continúe y aplique las presiones sobre el pecho.

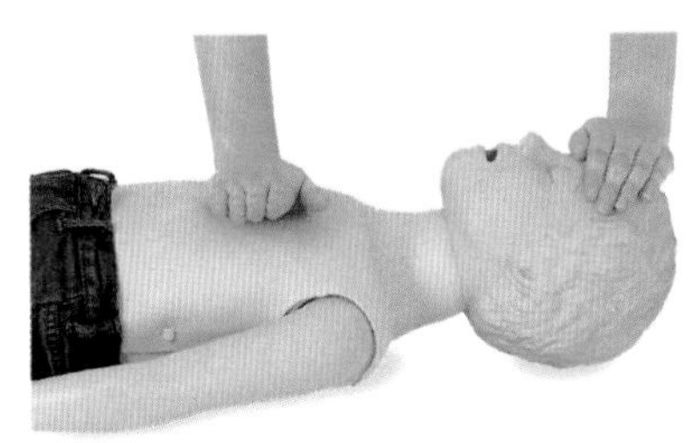

2 Presiones sobre el pecho Coloque al niño en el suelo, boca arriba. Coloque el talón de la mano en el centro del pecho, justo por debajo de los pezones y aplique cinco presiones rápidas hacia abajo, de unos tres centímetros. Vea si es visible el bloqueo, pero no introduzca el dedo hasta la garganta.

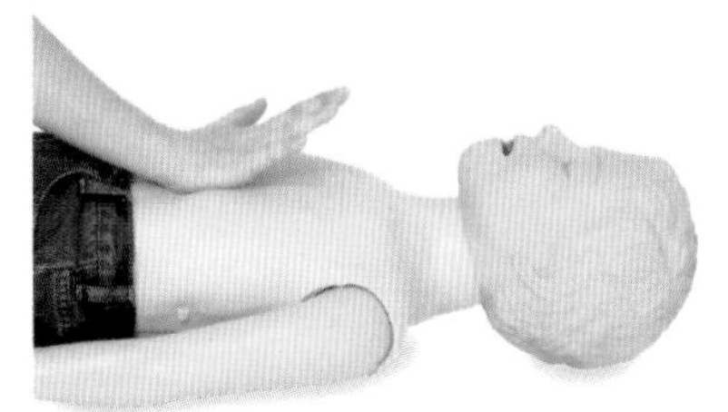

3 Presiones abdominales Si el bloqueo no ha desaparecido, coloque el talón de una mano en el centro del abdomen, justo por debajo de la caja torácica y empuje cinco veces con firmeza hacia atrás y arriba. Si el bloqueo no ha desaparecido llame a una ambulancia. Repita esta secuencia hasta que llegue ayuda.

DESCARGA ELÉCTRICA

El niño puede recibir una descarga de cables eléctricos pelados, aparatos eléctricos defectuosos o al tocar un enchufe con las manos mojadas. Es importante advertir pronto al niño acerca de los peligros de la electricidad, y resaltar que el agua y la electricidad constituyen una combinación muy peligrosa. Sustituya los cables en mal estado y coloque clavijas de bloqueo en aquellos enchufes que no utilice.

Síntomas. En los casos graves, el niño puede perder la conciencia y detenerse los latidos del corazón. En los casos benignos puede sufrir ligeras quemaduras.

QUÉ HACER

Antes de acudir en ayuda de su hijo, tiene que romper el contacto entre él y la fuente de electricidad. Desconecte la corriente principal o tire del enchufe. Si tiene que romper el contacto manualmente, asegúrese de que lo hace con seguridad; aparte a su hijo usando un objeto hecho con un material no conductor, como madera o plástico, y al hacerlo sitúese sobre un material aislante. Si no hay otra alternativa aparte al niño arrastrándolo por la ropa. Eso, sin embargo, puede ser muy peligroso, ya que si le toca la piel o la ropa está húmeda, usted también recibirá una descarga.

Una vez roto el contacto, examine al niño para detectar quemaduras. Si estas fueran graves, o si el niño está inconsciente, debe llamar a una ambulancia. Mientras tanto, trate las quemaduras vertiendo sobre ellas agua fría y luego colocando un apósito estéril (véase pág. 336). Controle atentamente el estado de su hijo, y si ve que empieza a sufrir de conmoción (véase pág. 332), quizá tenga que reanimarlo. Si está inconsciente pero respira, colóquelo en posición de recuperación (véase pág. 329).

Use un objeto de madera para romper el contacto con la fuente de la descarga

Una guía de teléfonos es un buen aislante

Romper el contacto
Colóquese sobre un material seco aislante al tiempo que empuja las extremidades del niño para alejarlo con un objeto no conductor de madera o plástico de la fuente de la descarga. No toque la piel del niño con las manos.

ENVENENAMIENTO

Los venenos comunes incluyen lejía, herbicidas y plantas como bayas, lirios, narcisos y hongos. Debe dejar siempre los medicamentos y los productos químicos en sus recipientes originales, que han de tener cierres de seguridad siempre que sea posible, y estar guardados bajo llave. Si sospecha un envenenamiento, llame siempre al médico.

Síntomas. Una sustancia química corrosiva produce a menudo quemaduras alrededor de la boca y es habitual que el niño sienta náuseas y vomite o tenga diarrea. Con sustancias químicas muy venenosas el niño puede perder la conciencia o tener convulsiones. Es posible que haya cerca una sustancia venenosa, como bayas, pastillas o una botella que contenga sustancias químicas del hogar; consérvelo para enseñárselo al médico como prueba de lo que se ha tragado el niño.

QUÉ HACER

Intente identificar el veneno. Llame al médico o una ambulancia. Conserve una muestra del veneno para mostrársela al médico y, si puede, indíquele qué cantidad ha tomado el niño y cuándo.

Si sospecha o sabe que el niño se ha tragado un veneno, no trate de inducirle un vómito. Si la sustancia química es regurgitada causará al salir tanto daño como causó al entrar. En lugar de eso, dele al niño sorbos de leche o de agua. Los restos de veneno que puedan quedar en las manos y la cara deben limpiarse con agua.

Si el niño ha perdido la conciencia, compruebe su pulso y respiración, si fuera necesario, reanímelo (véanse págs. 330-331). Una vez que respire, colóquelo en la posición adecuada de recuperación (véase pág. 329).

AHOGARSE

Un niño puede ahogarse en apenas cinco centímetros de agua, de modo que es muy importante no dejarlo solo cerca de un estanque, un baño o incluso un cubo de agua. Si un niño que se ahoga no es rescatado rápidamente, terminará por asfixiarse.

RESCATE

Ahogarse en una gran cantidad de agua es un peligro que corre un adulto tanto como un niño, de modo que primero intente rescatarlo sin entrar en el agua. Trate de llegar hasta él con la mano o con un palo, o lanzarle un salvavidas. Entre en el agua sólo si no existe otra alternativa. En aguas superficiales lleve al niño a tierra chapoteando en el agua; remólquelo sólo si ya está inconsciente. Mientras lo lleva, procure que la cabeza esté en una posición más baja que el pecho, ya que si vomita habrá menos riesgo de que trague su propio vómito.

QUÉ HACER

Lleve al niño al lugar cálido y seco más cercano, sin desnudarlo, túmbelo sobre mantas o un abrigo. Compruebe sus vías respiratorias, respiración y pulso (véanse págs. 328-329) y aplique medidas de reanimación si fueran necesarias (véanse págs. 330-331). Si está inconsciente pero todavía respira, póngalo en la posición de recuperación (véase pág. 329), y controle continuamente su respiración. Cámbiele las ropas húmedas y aíslelo del frío.

El niño debe recibir atención médica en cuanto sea posible; llame a una ambulancia o llévelo usted mismo al hospital, porque aunque parezca recuperarse existe la posibilidad de que sufra del estado llamado «ahogamiento secundario» en el que se hinchan las vías respiratorias. Es posible que el niño también necesite tratamiento para la hipotermia.

HEMORRAGIA

Los cortes y rozaduras (véase pág. 342) pocas veces son graves y pueden curarse en casa, a menos que se infecten. No obstante, hay varias hemorragias internas o externas graves que pueden conducir a la conmoción y, finalmente, a la pérdida de conciencia, y que deben ser tratadas como emergencias.

QUÉ HACER

La hemorragia abundante es grave y angustiosa. Debe tratarse inmediatamente, antes de que el niño caiga en un grave estado de conmoción.

Hemorragia externa grave. Deje la herida al descubierto si está cubierta (si es necesario, corte la ropa), y aplique presión a la herida con un apósito o paño limpio. Si alguna astilla de cristal sobresale de la herida, no la quite. En lugar de eso, aplique presión a ambos lados, lo que comprimirá los extremos de los vasos sanguíneos dañados. Tumbe al niño, con la parte afectada del cuerpo en una posición situada por encima del corazón, para disminuir así el flujo de la sangre hacia la herida.

No utilice un torniquete para detener la hemorragia, pero aplique un apósito a la herida y asegúrelo con vendas después de ejercer presión sobre la herida. Si apareciera sangre a través del vendaje, póngale otro encima. Si hubiera una astilla de cristal sobresaliendo de la herida, forme el vendaje a ambos lados, hasta que pueda pasar el vendaje por encima sin introducir más el cristal dentro de la herida. Llame a una ambulancia o lleve al niño al hospital.

Hemorragia interna. Si el niño muestra señales de conmoción (véase pag. 332), si se forma un morado contorneado según la forma del objeto que se ha aplastado contra el cuerpo, o si hay hemorragia por las orejas, nariz, boca o vagina, debe sospechar la existencia de una hemorragia interna. Aplique al niño el tratamiento para la conmoción (véase pág. 332) y llame a una ambulancia.

QUEMADURAS Y ESCALDADURAS

Las quemaduras se describen en términos de la cantidad de daño causado a la piel. Las superficiales son menos graves y son el resultado de un derrame menor o de tocar una superficie muy caliente. Las quemaduras de segundo grado son más graves y sobre la piel se forman vesículas llenas de fluido. Las quemaduras de tercer grado son muy graves, ya que afectan a todas las capas de la piel, se produce una elevada pérdida de líquido debido a lo que rezuma de la piel y pueden verse afectados los nervios y músculos. Debe buscar siempre ayuda médica, a menos que la quemadura sea muy superficial.

QUÉ HACER

Si la quemadura es superficial, haga correr agua fría sobre la parte afectada del cuerpo durante unos diez minutos. Cúbrala con un apósito estéril para protegerla de las bacterias. Si no tiene nada más adecuado, una bolsa de plástico limpia constituirá un buen vendaje temporal.

Si la quemadura es grave, llame a una ambulancia, luego tumbe al niño y vierta agua sobre la parte afectada durante diez minutos o hasta que llegue la ambulancia. Compruebe que el niño respira y tómele el pulso. Quizá necesite tratarlo para la conmoción (véase pág. 332). Si pierde la conciencia, prepárese para reanimarlo (véanse págs. 330-331). Debe quitarle suavemente la ropa o cortársela, a menos que la tela esté pegada a la zona quemada.

No haga lo siguiente

- No toque la zona afectada ni intente reventar ninguna vesícula que pueda formarse.
- No aplique loción o grasa a la zona.
- No aplique esparadrapo o apósitos adhesivos a la quemadura.
- No cubra la quemadura con un apósito «algodonoso» o ninguna tela que desprenda hilachas.
- No aparte nada que esté pegado a la quemadura, ya que puede causar más daño a la piel o tejido e introducir la infección.
- No enfríe al niño si se ha producido quemaduras graves, ya que eso podría provocar una hipotermia (véase pág. 340).

ROPA INCENCIADA

Apagar con agua

Tumbe al niño lo más rápidamente posible, con la parte incendiada de su cuerpo hacia arriba. Apague las llamas con agua. No vierta agua sobre el niño si ha sido quemado por un objeto eléctrico que esté cerca.

Arroje el agua hacia abajo, a lo largo del cuerpo, para impedir que las llamas lleguen a la cara.

Sofocar las llamas

Si no hubiera agua cerca, envuelva al niño en mantas o en un abrigo o manta gruesa, para privar a las llamas de oxígeno. No utilice una tela inflamable para sofocar las llamas.

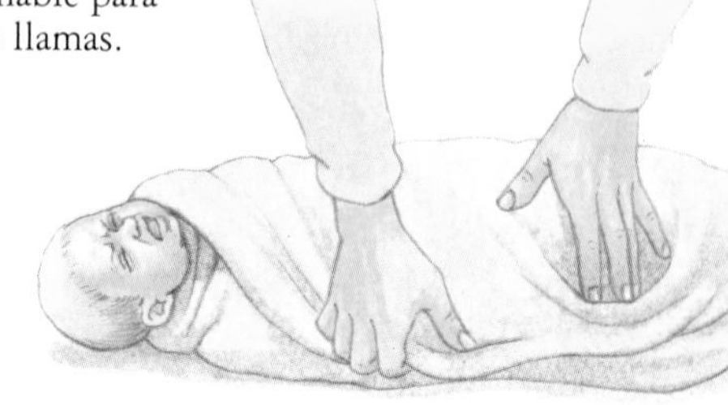

PRECAUCIÓN

Las quemaduras graves son peligrosas: un niño puede sufrir rápidamente una conmoción (véase pág. 332) debido a la pérdida de líquidos del cuerpo. La conmoción no tratada conduce rápidamente a la pérdida de conciencia. Cuanto mayor sea la zona de la quemadura, habrá más probabilidades de sufrir una conmoción grave. Si se ha quemado más de una décima parte del cuerpo del niño, necesitará tratamiento inmediato para la conmoción; debe llamar a una ambulancia con urgencia.

HERIDAS EN LA CABEZA

Si el niño se golpea la cabeza, normalmente se recupera en cuestión de minutos. Pero si el golpe es muy duro, puede producirse una hinchazón temporal. Las heridas en la cabeza que deben preocupar son aquellas que producen una fuerte hemorragia, o las que dan lugar a síntomas de conmoción, incluso varias horas después de sufrida la herida. Vea si se producen amodorramiento, dolores de cabeza y náusea.

Síntomas. Entre los síntomas benignos resultantes de un golpe ligero se incluyen dolor de cabeza y aparición de un chichón o hinchazón donde se produjo el impacto. Si la herida es más grave, el niño puede perder la conciencia y pueden aparecer los síntomas de la contusión (véase abajo, derecha). Puede mostrar amodorramiento o aturdimiento, y sufrir náuseas y vómitos. Son comunes las perturbaciones de la visión y los dolores de cabeza. Si se corta la piel del cuero cabelludo, es posible que la hemorragia sea fuerte.

La presencia de un fluido del color de la paja o de sangre acuosa que sale por las orejas o la nariz pueden indicar una fractura de cráneo. Otros síntomas son una depresión del cuero cabelludo y pérdida de la conciencia. La sospecha de una fractura de cráneo debe tratarse como una emergencia.

QUÉ HACER

Si el niño está inconsciente, llame una ambulancia y colóquelo en la posición de recuperación (véase pág. 329). Compruebe su pulso y su nivel de respuesta (véanse págs. 328-329) y prepárese para reanimarlo si fuera necesario (véanse págs. 330-331). Si se recupera al cabo de poco tiempo, siga controlando su nivel de conciencia, haciendo que responda al pronunciar su nombre. No lo deje solo.

Si hubiera hemorragia en el cuero cabelludo, nariz u orejas, coloque un apósito firme sobre la zona para detener el flujo de la sangre. Si hay una herida, no la toque con los dedos. Una vez detenida la hemorragia, limpie y vende la herida, pero no lo haga si eso reinicia la hemorragia. Si la herida fuera grande o dentada, lleve al niño al hospital para que le pongan puntos. Si un pequeño corte produjera hemorragia, límpiela con agua y jabón y colóquele un apósito. Debe permitir el drenaje de cualquier descarga procedente de la oreja. Si el niño está consciente pero le parece que ha sufrido una contusión, llévelo al médico.

Si no dispone de un apósito estéril, servirá cualquier tela limpia y doblada

Heridas en el cuero cabelludo
Aplique una presión firme y continua a la herida, con un apósito estéril o una tela doblada y limpia durante diez minutos o hasta que se detenga la hemorragia. El apósito debe ser más grande que la herida.

CONTUSIÓN

El niño que ha sufrido un golpe en la cabeza puede mostrar síntomas de contusión, que es una perturbación temporal del cerebro.

El niño perderá la conciencia durante corto tiempo y luego se recuperará por completo. Quizá se sienta aturdido o con náuseas, sufra un ligero dolor de cabeza y hasta puede no recordar lo que le produjo la herida. La contusión puede producirse varias horas después de haber recibido el golpe en la cabeza, así que debería controlar estrechamente al niño durante 24 horas. Si los síntomas persisten durante más de unos pocos días o si reaparecen, consulte con el médico.

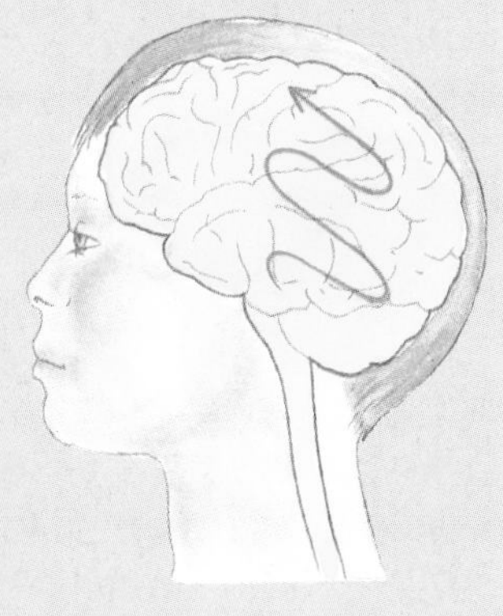

Causa de la contusión
Como el cerebro no está rígidamente fijado dentro del cráneo tiene cierta libertad para moverse, lo que significa que si se produce un golpe en la cabeza, el cerebro se sacudirá o golpeará contra el cráneo, dando así lugar a los síntomas de contusión.

ATAQUES Y CONVULSIONES

*Las causas más comunes de convulsiones son la fiebre (**véase pág. 281**), la epilepsia (**véase pág. 270**), heridas en la cabeza, enfermedades que afecten al cerebro y envenenamiento. Las convulsiones también pueden producirse sin ninguna razón aparente. Durante una convulsión se produce una perturbación de los impulsos eléctricos normales del cerebro, lo que hace que los músculos se sacudan involuntariamente. Es importante que el niño no esté sujeto de ninguna forma. Las convulsiones suelen ocurrir en ocasiones aisladas, pero los niños con epilepsia sufren ataques repetidos.*

Síntomas. Los niños con epilepsia pueden sufrir de ataques menores (conocidos como *petit mal*) que aparecen como un lapsus de concentración o una ensoñación, o bien sufrir grandes ataques *(grand mal)*. En un ataque benigno el niño puede experimentar un cosquilleo o sacudida en alguna parte del cuerpo, como el brazo o la pierna. En una convulsión de *grand mal* el niño llega a gritar, pierde la conciencia y cae al suelo. Su cuerpo se pondrá rígido y contendrá la respiración. A esta fase «rígida» le siguen movimientos convulsivos rítmicos de brazos y piernas y arqueo de la espalda. El niño no tiene control sobre las funciones del cuerpo y puede experimentar incontinencia. Quizá apriete los dientes y se muerda la lengua o eche espuma por la boca.

Después de la convulsión, los músculos se relajan y el niño empieza a respirar de nuevo con normalidad. Cuando recupera la conciencia, es muy probable que se sienta aturdido o confuso y que desee dormir.

QUÉ HACER

Es muy importante que no intente intervenir mientras el niño experimente una convulsión. Aunque crea que corre el riesgo de morderse la lengua, no debe intentar mantenerle la boca abierta ni ponerle nada en ella. Despeje el espacio a su alrededor para que no se haga daño con nada, llame a un médico y quédese continuamente junto a su hijo. Si permanece inconsciente manténgalo en la posición de recuperación (véase pág. 329). Debe tomar nota de la duración y de los síntomas de la convulsión del niño para comunicárselo al médico, lo que le ayudará a diagnosticar la causa.

HERIDAS OCULARES

Cualquier herida en el ojo debe tomarse seriamente. Las heridas comunes incluyen presencia de un cuerpo extraño o sustancia química en el ojo, un golpe que cause un hematoma u ojo morado y un corte en o cerca del ojo.

Síntomas. Varían según el tipo de herida, pero pueden incluir hematomas alrededor de la órbita, dolor, incapacidad para abrir el ojo por completo o espasmos del párpado. Pueden producirse dificultades en la visión, aparecer una congestión ocular y pérdida de sangre o fluido por el globo ocular si éste ha sido pinchado.

QUÉ HACER

El tratamiento dependerá del tipo de herida, pero debe ser rápido en todos los casos. Probablemente, habrá que llevar al niño al servicio de urgencias de un hospital.

- Si el niño tuviera un cuerpo extraño en el ojo, trate de quitarlo usando la esquina de un pañuelo o limpiándolo con un chorro de agua (véase abajo). Si está incrustado en el ojo o está en el iris, colóquele un apósito sobre el ojo y llévelo a urgencias.

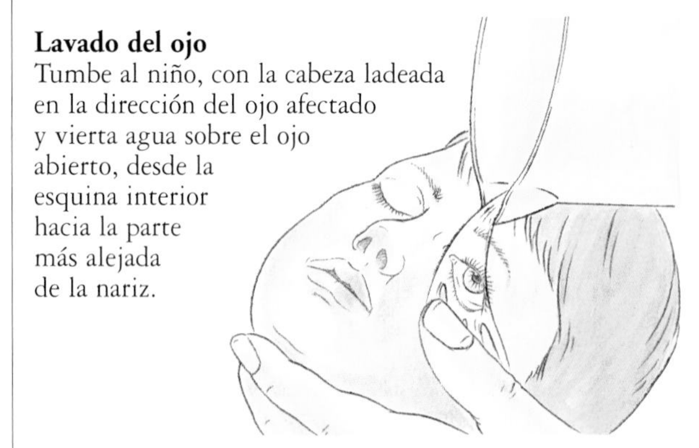

Lavado del ojo
Tumbe al niño, con la cabeza ladeada en la dirección del ojo afectado y vierta agua sobre el ojo abierto, desde la esquina interior hacia la parte más alejada de la nariz.

- En caso de haber recibido un golpe en el ojo, coloque un paño empapado en agua fría sobre el ojo para reducir el hematoma.
- Si al niño le ha entrado un producto químico en el ojo, llévelo a urgencias, pero antes intente lavárselo con agua de una jarra (véase imagen) o colocándolo bajo el agua del grifo, con el ojo afectado hacia abajo. Hágalo durante 15 minutos.
- Si el niño se corta el ojo, sosténgale un apósito estéril contra la herida y llévelo a urgencias.

FRACTURAS Y DISLOCACIONES

El tipo más común de fractura en la infancia es la llamada en tallo verde, en la que el hueso se dobla y se astilla. Otros tipos de fracturas incluyen las simples (una rotura limpia) y las abiertas (el hueso atraviesa la piel). Una dislocación es un hueso desplazado de su articulación, habitualmente después de haber aplicado una fuerza de torsión.

Síntomas. Normalmente, hay dificultad para moverse y la extremidad puede tener una forma extraña. Habrá dolor, hinchazón, hematoma y, posiblemente, una herida al lado de la fractura. Con la dislocación, el niño sufrirá un dolor «nauseabundo».

QUÉ HACER

Todas las fracturas y dislocaciones deben ser tratadas con rapidez en un hospital. Debe mantener al niño tan quieto como sea posible hasta que llegue la ambulancia y no deje que coma o beba nada. Puede prevenir el empeoramiento de una herida mediante la inmovilización de las articulaciones por encima y por debajo de la fractura.

PONER UN CABESTRILLO

Sostenga el brazo herido

1 Colocar el vendaje
Doble el brazo herido sobre el pecho. Coloque el vendaje (use uno triangular o cuadrado, o una tela doblada en diagonal) entre el brazo y el pecho. Pase una esquina alrededor del cuello hasta llegar al hombro del brazo herido.

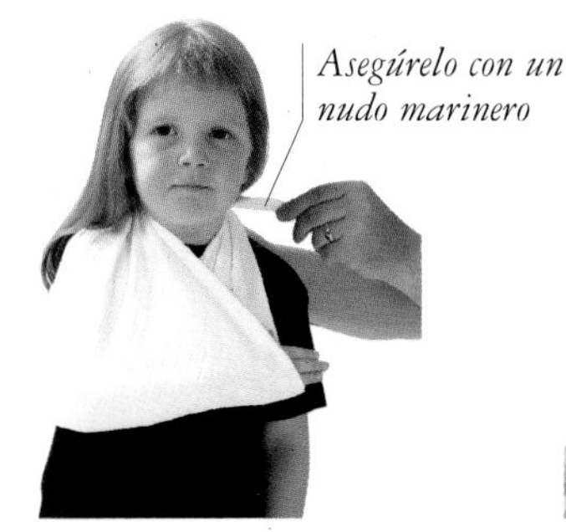

Asegúrelo con un nudo marinero

2 Atar el vendaje
Levante el otro extremo del vendaje sobre el antebrazo del niño y ate la punta inferior del triángulo con un nudo de marinero a la punta que había dejado sobre el hombro herido. Esconda los extremos del nudo.

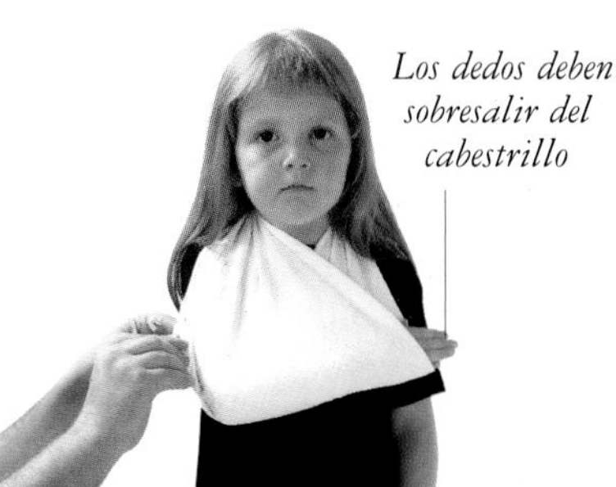

Los dedos deben sobresalir del cabestrillo

3 Ajuste la esquina
Usando un imperdible, asegure el punto suelto del vendaje por delante del codo. Si no tiene un imperdible, introduzca la punta dentro del cabestrillo. La mano debe quedar al descubierto.

VENDAJE DEL PIE

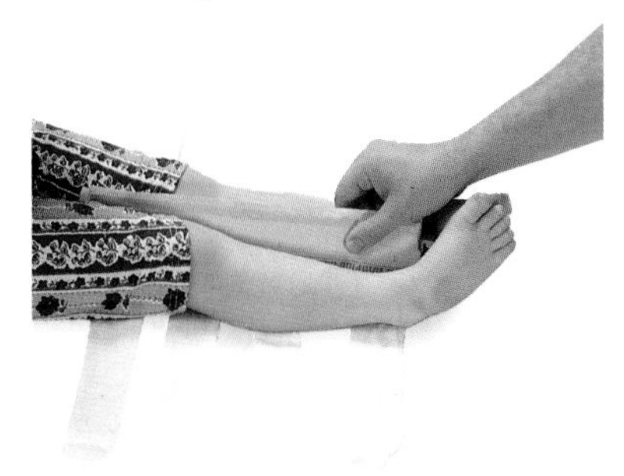

1 Improvisar una férula
Tumbe al niño y coloque almohadillado entre las piernas, utilizando periódicos, mantas enrolladas o una almohada.

Un periódico enrollado hace una buena férula

2 Ate los vendajes
Usando las vendas más anchas que encuentre, ate la pierna rota a la que está bien a la altura de rodillas, pantorrillas y tobillos. En los tobillos trace una figura en forma de ocho. Debe hacer todos los nudos del lado de la pierna sana.

PRECAUCIÓN

Si sospecha que el niño ha sufrido una fractura de la espina dorsal o del cuello, es posible que también se hayan producido daños en la delicada médula espinal sostenida por las vértebras, por lo que es esencial no mover al niño hasta que llegue la ambulancia, y no dejar que mueva la cabeza. Si se produce una herida en la médula espinal, el niño experimentará ardor, cosquilleo o incluso pérdida de sensación en las extremidades.

Golpe de calor

Cuando el cuerpo se caliente en exceso como resultado de su exposición a un calor extremado, falla el mecanismo de control de la temperatura, situado en el cerebro, y las glándulas sudoríparas dejan de funcionar. El niño no puede hacer descender su temperatura como los adultos. Esto es algo que ocurre con relativa frecuencia entre niños que salen con un fuerte sol antes de tener la oportunidad de aclimatarse. La temperatura del niño puede aumentar por encima de los 40 °C y, en los casos extremos, puede perder la conciencia y dejar de respirar. La mayoría de los casos, sin embargo, son benignos.

Síntomas. Aunque la piel se siente caliente y ofrece aspecto de estarlo, se mantiene seca. El niño parecerá aturdido y aletargado y quizá tenga un pulso rápido. En los casos graves experimentará confusión, empezará a perder la conciencia y dejará de respirar.

Qué hacer

Quítele la ropa y túmbelo en un lugar frío. Llame al médico si la temperatura alcanza los 40 °C y mientras espere pásele una esponja humedecida en agua tibia o envuélvalo en una sábana húmeda y fría. Colóquele una bolsa de hielo sobre la frente, dele a beber mucho líquido frío y refresque su cuerpo con un ventilador. Controle atentamente su pulso y temperatura, hasta que ésta descienda a los 37,2 °C; y luego deje de enfriarlo, pero no deje de controlar la temperatura.

Si empezara a perder la conciencia debería colocarlo en posición de recuperación (véase pág. 329) y comprobar su respiración. Si ha dejado de respirar, aplíquele respiración artificial (véase pág. 330) y llame una ambulancia.

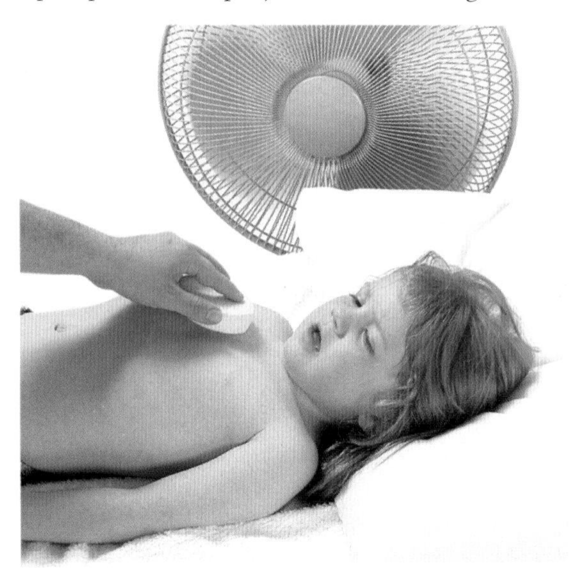

Bajar la temperatura del cuerpo
Aparte al niño del sol y pásele una esponja con agua tibia o refrésquele la piel con un ventilador.

Hipotermia

Si el niño se enfría debido a haber estado expuesto al tiempo frío, húmedo y ventoso, haber estado a punto de ahogarse o, simplemente, por haber estado en una habitación demasiado fría, puede sufrir de una hipotermia. Clínicamente, la hipotermia se define como una temperatura del cuerpo por debajo de los 35 °C. La hipotermia profunda ocurre cuando la temperatura del cuerpo desciende por debajo de los 26 °C; eso puede ser fatal debido a que el corazón, el hígado, los pulmones y los intestinos disminuyen su actividad y dejan de funcionar.

Síntomas. El niño puede tiritar y su piel estará fría y seca al tacto. Tendrá un aspecto pálido y azulado (aunque los bebés pueden parecer rosados) y su respiración será lenta y superficial. Estará aletargado y puede que haya signos de comportamiento como apatía, confusión y quietud. En los casos graves de hipotermia puede empezar a perder la conciencia.

Qué hacer

Quítele cualquier prenda de ropa húmeda, envuélvalo en ropas cálidas y secas y en mantas, y sosténgalo cerca de su cuerpo. Llame al médico con urgencia.

A los niños mayores se les puede calentar con un baño tibio y bebidas endulzadas y tibias (no calientes). Controle constantemente la temperatura del niño con un termómetro o tocándole la piel. Si viera que no funcionan sus intentos por calentarlo, o si perdiera la conciencia, llame a una ambulancia. Si parece que empieza a calentarse, póngalo en una cama caliente y quédese con él hasta que llegue el médico o hasta que esté segura de que la temperatura vuelve a ser normal. No coloque nunca una fuente de calor directamente sobre la piel del niño, como una bolsa de agua caliente.

PRIMEROS AUXILIOS COTIDIANOS

A medida que el niño crece, experimentará inevitablemente algunos accidentes comunes, como cortes, moratones, ampollas, mordeduras y picaduras. La mayoría de las veces no serán graves y podrá tratarlas en casa, con comodidad y mediante el uso de algunas técnicas sencillas de primeros auxilios.

MORDEDURAS DE ANIMALES

Las mordeduras de animales pueden ocurrir si el niño molesta o juega bulliciosamente con un animal doméstico, habitualmente un perro o un gato. Aunque ser mordido puede ser traumático para el niño, las mordeduras no suelen ser graves. El principal peligro es que si el animal muerde la carne en profundidad, se alojen bacterias en la herida que hagan al niño vulnerable a la infección. Si ha sido mordido por un perro u otro animal durante un viaje por el extranjero, busque tratamiento médico inmediato, ya que quizá sea necesario ponerle una inyección contra la rabia. Lo primero que debe hacer es tranquilizar al niño, ya que probablemente estará asustado. Si ha sido mordido porque estaba molestando al animal, debe explicárselo así y resaltar que se trata de un incidente aislado.

Qué hacer

Lave meticulosamente la herida con agua caliente. Aplique una crema antiséptica y cubra la mordedura con un apósito. Si la mordedura es grave, intente controlar la hemorragia con presión directa, elevando la parte herida del cuerpo y envolviéndola fuertemente con un vendaje. Cubra la herida con un apósito y lleve al niño al hospital. Quizá necesite una inyección antitetánica si no ha sido vacunado.

MORDEDURAS DE SERPIENTE

La víbora es la única serpiente venenosa que puede encontrarse en la mayoría de países de Europa occidental y su mordedura raras veces resulta fatal. Si el niño es mordido durante una estancia en el extranjero, debe tomar nota del aspecto de la serpiente para que se le pueda administrar el antídoto adecuado. Dependiendo de la serpiente, los síntomas de la mordedura pueden incluir marcas de perforación sobre la piel, dolor, enrojecimiento e hinchazón alrededor de la mordedura y, en los casos graves, dificultad para respirar, sudoración, vómitos y deterioro de la visión.

Qué hacer

Es importante mantener al niño en calma, puesto que el pánico puede acelerar la difusión del veneno por el cuerpo. Lave la zona del mordisco con agua, inmovilice con vendajes la parte afectada del cuerpo y lleve al niño directamente al hospital.

PICADURAS Y AGUIJONAZOS

Las picaduras y los aguijonazos de insectos no suelen ser graves, si no se produce una reacción alérgica. Los aguijonazos en la boca o la garganta son graves, ya que la hinchazón que causan podría obstruir las vías respiratorias. Entre los insectos que clavan un aguijón se incluyen abejas, avispas y avispones; los insectos que pican incluyen pulgas, mosquitos y garrapatas. Un aguijonazo se siente como un dolor agudo, y aparece como una zona elevada y blanca sobre una mancha inflamada de piel. La picadura es menos dolorosa.

Qué hacer

Para aliviar la molestia aplique una compresa fría y, más tarde, loción de calamina a la picadura o aguijonazo. Si puede ver el aguijonazo que sobresale de la carne del niño, ráspelo suavemente.

Si el niño es mordido por pulgas, se le tiene que tratar y desinfecte el hogar. Las picaduras de mosquito pueden evitarse utilizando algún repelente. En el extranjero, aplique siempre medidas preventivas contra la malaria. Las mordeduras de garrapatas son indoloras, pero pueden causar infección y enfermedad, así que debería buscar tratamiento médico. Si el niño sufriera un aguijonazo en la boca, dele a chupar un cubito de hielo (excepto si es un bebé) y acuda al médico, ya que la hinchazón puede dificultar la respiración. Si el niño experimenta una reacción alérgica ante un aguijonazo, debería tratarlo como una emergencia. Entre los síntomas de reacción alérgica se incluyen hinchazón de la cara y el cuello, ojos abultados, deterioro de la respiración, piel abotargada y enrojecida, respiración sibilante y boqueo.

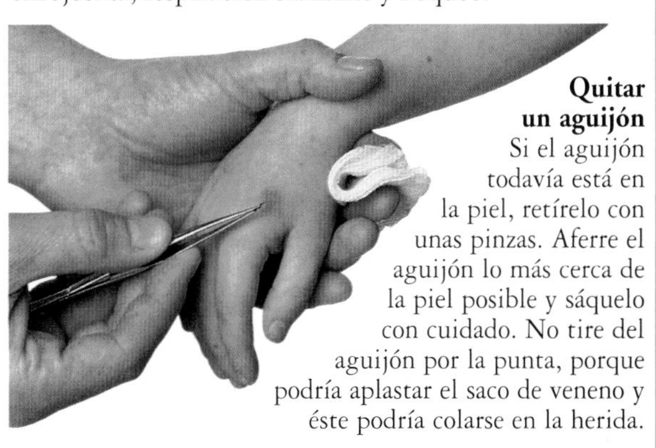

Quitar un aguijón Si el aguijón todavía está en la piel, retírelo con unas pinzas. Aferre el aguijón lo más cerca de la piel posible y sáquelo con cuidado. No tire del aguijón por la punta, porque podría aplastar el saco de veneno y éste podría colarse en la herida.

Escoceduras de medusa

Si el niño pisa una medusa puede experimentar una grave reacción local; la medusa tiene células urticantes que descargan veneno al ser tocadas. La gravedad depende del tipo de medusa. Las que suelen encontrarse en el Mediterráneo no son muy tóxicas y es improbable que produzcan síntomas graves, sólo una erupción cutánea que pueda picar o ser ligeramente dolorosa. Las medusas raras que se encuentran en otros países pueden ser más venenosas y, en casos extremos, causar vómitos, conmoción, dificultades respiratorias y pérdida de conciencia hasta producir la muerte.

Qué hacer

Las células urticantes que se pegan a la piel del niño liberan su veneno gradualmente, a medida que estallan. Puede usted ayudar desactivando las células o impidiendo que estallen. Eso se consigue con alcohol o con vinagre, así como con cualquier polvo fino, como polvo de talco, que harán que las células se contraigan. Si el niño experimenta una reacción grave ante cualquier aguijonazo o herida causada por una criatura marina, llévelo a un hospital.

Vesículas

Cuando la piel se quema o se ve sometida a presión o fricción, puede formarse una vesícula a modo de almohadilla protectora. Las vesículas son ampollas de piel llenas de fluido histiológico. Son comunes en los talones de los pies si el niño lleva unos zapatos que no le encajan correctamente, o si lleva zapatos sin calcetines. No suelen ser graves, a menos que sean el resultado de una grave quemadura solar, estallen y se infecten, o si son muy grandes y dolorosas, en cuyo caso debe consultar con el médico.

Qué hacer

No reviente una vesícula. En un día o dos se formará nueva piel por debajo de ella, el fluido histiológico será reabsorbido y la piel ampollada se secará y desprenderá por sí sola. Para contribuir a ese proceso de curación debe cubrir la vesícula con un apósito limpio (no un esparadrapo, que puede hacer estallar la vesícula al quitarlo) y mantenerla seca. Si fuera muy grande, quizá el médico decida abrirla.

Cortes y rozaduras

Mientras el corte sea superficial y no se infecte (un riesgo con cortes producidos por uñas, plantas o animales), no exigirá más que recubrirlo con una crema antiséptica. Una rozadura es, simplemente, una abrasión de la piel que deja la superficie en carne viva y tierna. Un corte que sangra en abundancia puede producir una conmoción (véase pág. 332), así que trátelo como una emergencia. Un corte muy dentado exige poner puntos, y si es profundo o sucio, se corre riesgo de contraer el tétanos (véase pág. 283).

Qué hacer

Haga correr agua fría sobre la zona herida y lávela con jabón. Séquela con un tejido limpio, sin frotarla, aplique una crema antiséptica y cubra con un apósito estéril o un esparadrapo. Si el niño tiene una herida incisiva con dos bordes rectos, puede sostenerlos juntos utilizando un esparadrapo de cierre de piel. Si la herida estuviera sucia o fuera profunda, se corre riesgo de una infección y debe llevarle al hospital para ver si necesita que se le ponga una inyección antitetánica.

Si el corte fuera muy profundo o sangrara en abundancia, debería llevar al niño al hospital de inmediato, ya que necesitará que le pongan puntos de sutura. Mientras llega al hospital aplique presión sobre la herida usando un pañuelo o paño limpio doblado, o incluso la mano si no tiene nada más adecuado, procurando mantener la parte herida del cuerpo más elevada, para hacer más lento el flujo de la sangre.

Astillas

Los trozos pequeños de madera, cristal, metal o la espina de una planta pueden quedar fácilmente incrustados en la piel del niño, sobre todo si juega al aire libre. Se las puede quitar fácilmente en casa, a menos que la astilla esté muy hundida en la carne o demuestre ser demasiado dolorosa como para quitarla.

Qué hacer

Primero, descubra, preguntándole al niño, qué clase de astilla es. Si es cristal, no debe tratar de quitarlo por sí sola, ya que podría cortar al niño. Busque ayuda del médico. Localice el extremo de la astilla. Tome un par de pinzas esterilizadas (puede esterilizarlas sosteniéndolas sobre una llama y luego dejando que se

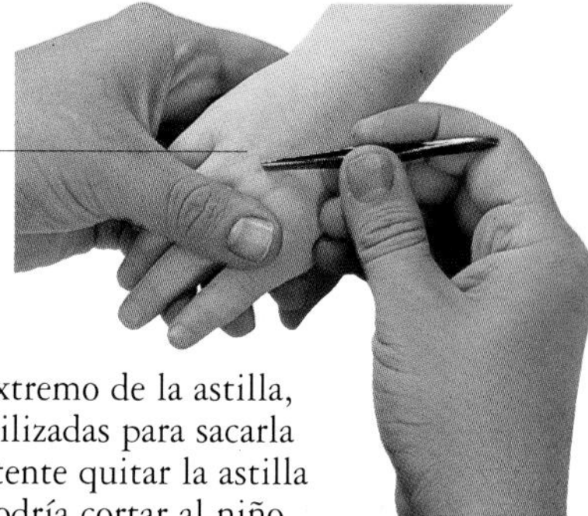

Extraiga la astilla tirando de ella en la misma dirección en que se introdujo

Quitar una astilla
Si fuera visible el extremo de la astilla, use unas pizas esterilizadas para sacarla suavemente. No intente quitar la astilla de cristal, ya que podría cortar al niño.

enfríen) y tire con suavidad del extremo de la astilla que sobresale. Apriete luego la zona para hacerla sangrar un poco, ya que eso ayudará a curarla. Una vez extraída la astilla, limpie la piel con agua y jabón y aplique un poco de crema antiséptica. Si la astilla estuviera completamente incrustada en la piel, quizá la tenga que extraer el médico con anestesia local (no hurgue ni tantee la zona con una aguja). Si cree que puede haber suciedad en la herida, quizá el niño necesite una inyección antitetánica (véase pág. 283).

HEMATOMAS

Los niños activos se producen a menudo hematomas debido a caídas y golpes, pero raras veces son graves y suelen desaparecer por completo en 10-14 días.

Qué hacer
Los hematomas menores no necesitan tratamiento, sino sólo un abrazo para aliviar la alteración del niño. Si el hematoma es grande, aplique una compresa fría durante media hora para contenerlo. Consulte en seguida con el médico si el dolor empeorara después de las 24 horas (eso podría indicar la existencia de una fractura) o si observa que el niño se produce hematomas repetidas veces sin causa aparente, lo que podría indicar la existencia de una grave enfermedad.

DEDOS APLASTADOS

Se trata de accidentes bastante comunes en niños muy pequeños que no entienden cómo funcionan las puertas, ventanas y cajones. La herida por aplastamiento puede ser grave, de modo que es vital soltar la mano atrapada con rapidez y consolar al niño.

Qué hacer
Si la piel no se ha roto, una vez liberado el dedo o los dedos sostenga la mano del niño bajo agua fría corriente, o aplique sobre ella una bolsa de hielo o de alimentos congelados. Una vez que el dolor haya disminuido un poco, envuelva la mano con un vendaje. Si el aplastamiento ha sido grave y se ha producido hemorragia interna o hinchazón, llame a una ambulancia.

CUERPO EXTRAÑO EN EL OÍDO

Los objetos más comunes que los niños se introducen en los oídos son las canicas pequeñas, trozos de lápiz y pequeños componentes de juegos de construcción. Ocasionalmente, un insecto puede introducirse en el oído, o en él puede quedar un trozo de bastoncillo de algodón después de la limpieza. La presencia de un cuerpo extraño en el oído puede producir sordera temporal, una infección de oído y dañar el tímpano.

Qué hacer
Si al niño se le ha introducido un insecto en el canal auditivo, acuéstelo de lado, con la oreja afectada hacia arriba y vierta agua tibia sobre la oreja. El insecto saldrá flotando. Cualquier otro tipo de cuerpo extraño debe ser extraído por el médico. Si intenta quitarlo usted, puede causar todavía más daño. El médico lo extraerá y tratará la infección resultante o el daño de la piel. Puede usted reducir el riesgo de que se introduzcan cuerpos extraños en el oído procurando no darle al niño juguetes con componentes pequeños, sobre todo si tiene menos de tres años.

CUERPO EXTRAÑO EN LA NARIZ

Si el niño se ha introducido algo en la nariz, quizá no se de usted cuenta, aunque él se quejará probablemente de dolor. A veces transcurren varios días antes de que los síntomas sean evidentes. El niño puede experimentar una descarga de mucosidad manchada de sangre, o quizá le resulte difícil respirar, y es posible que se produzca hinchazón, inflamación y hematoma alrededor del puente de la nariz. La presencia de un cuerpo extraño en la nariz raras veces es grave, aunque existe el riesgo de que el niño inhale el objeto, por lo que exige tratamiento hospitalario.

Qué hacer
No intente extrae el objeto ya que podría causarle una herida al niño o introducirlo aun más. Procure que mantenga la calma, hágale respirar por la boca y llévelo al hospital.

En el hospital, un médico le extraerá el cuerpo extraño mediante el uso de un fórceps; si el niño es muy pequeño, quizá necesite que se le aplique antes una anestesia general.

PENE ATRAPADO EN LA CREMALLERA

Puede suceder si su hijo no lleva cuidado al subirse la cremallera. La punta del pene queda atrapada entre los dientes de la cremallera y, aunque no debería producirse ningún daño a largo plazo, resulta muy dolorosa.

Qué hacer
No debe tratar de abrirle la cremallera. En lugar de eso, lleve al niño al hospital y, mientras tanto, alíviele el dolor colocándole cubitos de hielo sobre la cremallera y el pene. Un médico le abrirá la cremallera después de haberle aplicado un anestésico local. Los cuidados posteriores incluyen aplicar antiséptico al pene y darle jarabe de paracetamol para aliviar el dolor. El niño debería verterse agua caliente sobre el pene al orinar, para diluir así la orina e impedir el escozor.

ÍNDICE ALFABÉTICO

A

B

J

L

M

Q

R

S

Agradecimientos

Carroll and Brown Limited quieren agradecer la colaboración de

Fotografía:
Jules Selmes.

Ilustraciones:
Aziz Khan: 33, 40, 50, 87, 104, 105, 109, 175, 262, 265, 266 (derecha), 267, 271, 273, 278 (abajo), 279, 285, 291, 295, 298, 299, 300, 301, 306, 308, 309, 310, 311, 312, 327, 337, 338; Coral Mula: 29, 290, 296, 297, 305, 336; Howard Pemberton: 103, 179, 266, 269; Ian Thompson: 25, 278, 286.

Asesores médicos:
Dra. Margaret Lawson; Dra. Frances Williams; Dra. Penny Preston; Kate Mactier.

Consejo y asistencia:
A las siguientes entidades británicas: Association for Spina Bifida and Hydrocephalus; Child Accident Prevention Trust; Child Growth Foundation (fichas de altura y peso); Cleft Lip and Palate Association; National Childbirth Trust; The Vegetarian Society.
La información sobre primeros auxilios ha sido confirmada por Joe Mulligan, responsable de formación de la Cruz Roja Británica.

Equipo:
Boots the Chemist; Children's World; Debenhams; Freeman's Mail Order.

Modelos:
Julia Alcock; Milo Baraclough; Cassie-Ella Bernard; Gertrud Blomberg; Lena Larsson Blomberg y Fredrik; Zoë Bothamley; Georgina y Elliot Bourke; Alison Briegel, Alice, y Charlie; Jayde Caines; Niyazi Caykara; Oliver Clarke; Ricardo Cohen; George Cooper; Hannah y Charlotte Coster; Ella Crawley; Cora Eugene y Kairone; Emily Fogarty; Keitel y Stone Frankle; Joseph Gavshon; Julia Gibbon; Candy Gummer; Hannah Heyes; Katie Hogben; Natalie Joseph; Elliott Kenton; Sami Khan; William King; Beverley Lagna; Malcolm Langton; Lee Lawer; Angela Loveday y Jack; Georgina McCooke; Ursula Macfarlane y Josiah Ackerman; Kelly MacNabb; Joan Marcello y Marco; Antonio Marcello; Joseph Milner Sweeney; Cordelia Nelson; Reiss Ng; Stephanie Parker y Daniel; Jordan Raymond; Temuera Reefman; Millie Satow; Caroline Sims y Michael; Alice Smith; Jayde, Mairéad, y Michael Snell; Aisling Walsh; Tess Watson; Mark Weegmann; Beresford Williams; Jessica Williams; Albert Wood.

Ayuda editorial adicional:
Kesta Desmond; Richard Emerson; Steve McGrath; Cathy Meeus; Jennifer Rylaarsdam.

Índice:
Anne McCarthy.

Fotografías:
Collections/Anthea Sieveking, 26; Mother and Baby Picture Library, emap/1; Mike Good/ Zartec Studios, 114; Taeke Henstra, Petit Format/Science Photo Library, 12; John Radcliffe Hospital/Science Photo Library, 292; Dr H. C. Robinson/Science Photo Library, 291; Science Photo Library, 302; Ron Sutherland/ Science Photo Library, 15; Katrina Thomas/ Science Photo Library, 13; Stock Market Photo Agency/2-3; Stock Market Photo Agency/30-31; Stock Market Photo Agency/ Michael Keller,148-149; Stock Market Photo Agency/ Steve Prezant, 228-229; Stock Market Photo Agency/248-249; Stock Market Photo Agency/274-275; Telegraph Colour Library/ Mel Yates, 10-11.